Sports Physical Therapy Seminar Series ⑩

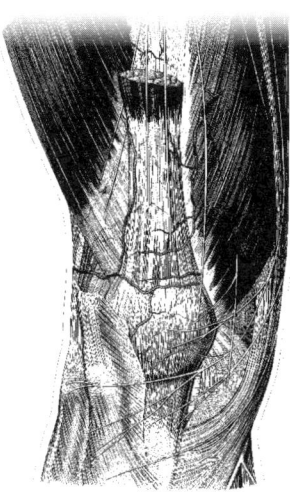

膝関節疾患の リハビリテーションの 科学的基礎

監修
早稲田大学スポーツ科学学術院教授
福林　徹
早稲田大学スポーツ科学学術院教授
金岡恒治
広島国際大学総合リハビリテーション学部教授
蒲田和芳

編集
横浜市スポーツ医科学センターリハビリテーション科
玉置　龍也
日本女子体育大学体育学部スポーツ健康学科
永野　康治
横浜市スポーツ医科学センターリハビリテーション科
鈴川　仁人
昭和大学保健医療学部理学療法学科
加賀谷善教
北翔大学生涯スポーツ学部スポーツ教育学科
吉田　昌弘
北里大学医療衛生学部リハビリテーション学科
渡邊　裕之
北海道千歳リハビリテーション学院理学療法学科
小林　匠

監 修:	福林　　徹	早稲田大学スポーツ科学学術院
	金岡　恒治	早稲田大学スポーツ科学学術院
	蒲田　和芳	広島国際大学総合リハビリテーション学部リハビリテーション学科
編 集:	玉置　龍也	横浜市スポーツ医科学センターリハビリテーション科
	永野　康治	日本女子体育大学体育学部スポーツ健康学科
	鈴川　仁人	横浜市スポーツ医科学センターリハビリテーション科
	加賀谷善教	昭和大学保健医療学部理学療法学科
	吉田　昌弘	北翔大学生涯スポーツ学部スポーツ教育学科
	渡邊　裕之	北里大学医療衛生学部リハビリテーション学科
	小林　　匠	北海道千歳リハビリテーション学院理学療法学科
	蒲田　和芳	広島国際大学総合リハビリテーション学部リハビリテーション学科
執筆者:	馬越　博久	八王子スポーツ整形外科リハビリテーションセンター
	小笠原雅子	さかい整形外科
	青山真希子	横浜市スポーツ医科学センターリハビリテーション科
	阿部　　愛	船橋整形外科市川クリニック
	山内　弘喜	亀田メディカルセンターリハビリテーション室
	江玉　睦明	新潟医療福祉大学運動機能医科学研究所
	大槻　玲子	早稲田大学スポーツ科学学術院
	井上　雅之	新潟医療センターリハビリテーション科
	木村　　佑	千賀整形外科
	窪田　智史	横浜市スポーツ医科学センターリハビリテーション科
	森田　寛子	帯広整形外科リハビリテーション科
	坂田　　淳	横浜市スポーツ医科学センターリハビリテーション科
	河端　将司	相模原協同病院医療技術部リハビリテーション室
	伊藤　　渉	新潟医療福祉大学医療技術学部理学療法学科
	佐藤　正裕	八王子スポーツ整形外科リハビリテーションセンター＆メディカルフィットネス
	神鳥　亮太	豊田自動織機シャトルズ
	野崎　修平	帯広協会病院リハビリテーション科
	野村　勇輝	札幌医科大学大学院保健医療学研究科
	本村　遼介	札幌医科大学大学院保健医療学研究科
	中田　周兵	横浜市スポーツ医科学センターリハビリテーション科
	高橋　美沙	北里大学東病院リハビリテーション部
	藤井　　周	船橋整形外科西船クリニック
	吉本　真純	帝京平成大学健康メディカル学部理学療法学科
	中村　絵美	新潟医療福祉大学医療技術学部理学療法学科
	星　　賢治	広島国際大学大学院医療・福祉科学研究科
	吉田　大佑	チカラ整形外科スポーツリウマチクリニック
	杉野　伸治	THANKS
	生田　　太	広島国際大学大学院医療・福祉科学研究科
	塩田　真史	横浜市スポーツ医科学センターリハビリテーション科

注意：すべての学問と同様，医学も絶え間なく進歩しています．研究や臨床的経験によってわれわれの知識が広がるに従い，方法などについて修正が必要になります．本書で扱ったテーマに関しても同じことがいえます．本書では，発刊された時点での知識水準に対応するよう著者および出版社は十分な注意をはらいましたが，過誤および医学上の変更の可能性を考慮し，著者，出版社および本書の出版にかかわったすべての者が，本書の情報がすべての面で正確，あるいは完全であることを保証できませんし，本書の情報を使用したいかなる結果，過誤および遺漏の責任も負えません．読者が何か不確かさや誤りに気づかれたら出版社にご一報くださいますようお願いいたします．

序　文

　運動中の関節の外傷や組織損傷の発生要因には，関節安定性機能低下と関節アライメント不良があげられる．膝関節には安定性を担う関節近傍筋（単関節筋）が肩や股関節に比較して少ない，いわば"受け身の関節"であり，運動中の機能的安定性を獲得することは難しい．そのため外傷や障害の発生には関節アライメントの関与が大きくなり，下肢が着地するときの接地方向と体幹の運動方向によって膝関節への外力の入力方向（動的アライメント）が決定される．動的アライメントが適切でない場合には，大腿と下腿のレバーアームが長いため膝関節には大きな応力が作用し重篤な靱帯損傷が生じやすい．

　前述の理由から，膝関節はスポーツ動作にて損傷を起こしやすく，その治療方法には外科的治療が必要となる頻度が高いため，多くのスポーツ整形外科医は膝の靱帯修復を専門としている．より良い手術手技を提供することは競技復帰のためにきわめて重要なことではあるが，受傷した原因を形態的要因のみならず機能的な要因からも明らかにし，介入効果が期待できる機能不全に対しては身体機能向上を目的としたアスレティックリハビリテーションを指導し，再発を予防することが求められる．現在の本邦での膝関節医療体制をみると，手術療法の技術の進歩に比較して，受傷者の身体機能評価と機能改善のアプローチが追いついていないように感じる．完璧な修復手術を行って競技現場に復帰しても，身体機能不全が受傷前から改善されていない状態で同様のスポーツ活動を行えば再受傷してしまうのは自明の理であろう．

　本書では膝関節の解剖，機能，障害の評価，治療，リハビリテーションについて，膝関節伸展機構，膝蓋大腿関節，半月板，脛骨大腿関節，後十字靱帯，内側外側側副靱帯に分けて広く，深くレビューしている．運動器の機能改善を専門とする方々には本書を参考に膝関節の外傷，障害の発生を予防するための身体機能向上方法を得ていただきたい．怪我や故障をしたときこそが，選手に身体機能不全を自覚させ，改善させる絶好の機会であることを念頭に，"怪我をしてよかった"と選手に言わしめるようなアスレティックリハビリテーションの開発と普及が求められる．

2016年9月

早稲田大学スポーツ科学学術院　教授　金岡　恒治

SPTSシリーズ第10巻
発刊によせて

　SPTSはその名の通り"Sports Physical Therapy"を深く勉強することを目的とし，2004年12月から企画が開始された勉強会です．横浜市スポーツ医科学センターのスタッフが事務局を担当し，2005年3月の第1回SPTSから現在までに12回のセミナーが開催されました．これまでSPTSの運営にご協力くださいました関係各位に心より御礼申し上げます．そして，この度，SPTSシリーズ第10巻を発刊させていただく運びとなりました．

　本書は2014年3月に開催された第10回SPTS「膝関節疾患のリハビリテーションの科学的基礎」における発表を文章化したものです．文献検索はセミナー発表準備時期である2014年1月前後に行われ，さらに本書の原稿執筆時期である2014年4〜8月ころに追加検索が行われました．発刊までに約2年を要したことについては監修である私の責任であり，関係者に深くお詫び申し上げます．今後，早期に第11巻，第12巻が発刊できるよう，鋭意尽力してまいります．

　本書では膝関節に発生するスポーツ外傷・障害のうち「膝前十字靱帯損傷前後のリハビリテーション」についてはすでに第8巻で取り上げたため割愛し，その他の膝疾患をレビューの対象としました．具体的には，膝伸展機構，骨軟骨病変，半月板，後十字靱帯・後外側構成体，内側側副靱帯・外側側副靱帯について文献レビューを実施しました．さらに，特定の疾患ではなく，種々の疾患や治療に付随して起こる合併症として，可動域制限，筋力低下，膝蓋骨運動異常について独立した章を設けて詳しく記載していただきました．特に合併症についての文献は十分とはいえず，治療法の進歩の陰で十分な研究が行われていない現状がみられました．

　本書が，膝関節のスポーツ疾患に携わるすべての医療従事者，アスレティックトレーナー，研究者のパートナーとなることを祈念しております．臨床家はもとより，論文執筆中の方，研究結果から臨床的なアイデアの裏づけを得たい方，そしてこれからスポーツ理学療法の専門家として歩み出そうとする学生や新人理学療法士など，多数の方々のお役に立つものと考えております．本書が幅広い目的で，多くの方々にご活用いただけることを念願いたします．

　末尾になりますが，SPTSの参加者，発表者，座長そして本書の執筆者および編者の方々，事務局を担当してくださいました横浜市スポーツ医科学センタースタッフに深く感謝の意を表します．

2016年9月

広島国際大学総合リハビリテーション学部　蒲田　和芳

【SPTSについて】

　SPTSは何のためにあるのか？　SPTSのような個人的な勉強会において，出発点を見失うことは存在意義そのものを見失うことにつながります。それを防ぐためにも，敢えて出発点にこだわりたいと思います。その質問への私なりの短い回答は「Sports Physical Therapyを実践する治療者に，専門分野のグローバルスタンダードを理解するための勉強の場を提供する」ということになるでしょうか。これを誤解がないように少し詳しく述べると次のようになります。

　日本国内にも優れた研究や臨床は多数存在しますし，SPTSはそれを否定するものではありません。しかし，"井の中の蛙"にならないためには世界の研究者や臨床家と専門分野の知識や歴史観を共有する必要があります。残念なことに"グローバルスタンダード"という言葉は，地域や国家あるいは民族の独自性を否定するものと理解される場合があります。もしも誰かが1つの価値観を世界に押し付けている場合には，その価値観や情報に対して警戒心を抱かざるをえません。一方，世界が求めるスタンダードな知識（または価値）を世界中の仲間たちとつくり上げようとするプロセスでは，最新情報を共有することによって誰もが貢献することができます。SPTSは，日本にいながら世界から集められた知識に手を伸ばし，そこから偏りなく情報を収集し，その歴史や現状を正しく理解し，世界の同業者と同じ知識を共有することを目的としています。

　世界の医科学の動向を把握するにはインターネットでの文献検索が最も有効かつ効果的です。また情報を世界に発信するためには，世界中の研究者がアクセスできる情報を基盤とした議論を展開しなければなりません。そのためには，Medlineなどの国際論文を対象とした検索エンジンを用いた文献検索を行います。MedlineがアメリカのNIHから提供される以上，そこには地理的・言語的な偏りが既に存在しますが，これが知識のバイアスとならないよう読者であるわれわれ自身に配慮が必要となります。

　では，SPTSは誰のためにあるのか？　その回答は，「Sports Physical Therapyの恩恵を受けるすべての患者様（スポーツ選手，スポーツ愛好者など）」であることは明白です。したがって，SPTSへの対象（参加者）はこれらの患者様の治療にかかわるすべての治療者ということになります。このため，SPTSは，資格や専門領域の制限を設けず，科学を基盤としてスポーツ理学療法の最新の知識を積極的に得たいという意思のある方すべてを対象としております。その際，職種の枠を超えた知識の共通化を果たすうえで，職種別の職域や技術にとらわれず，"サイエンス"を1つの共通語と位置づけたコミュニケーションが必要となります。

　最後に，"今後SPTSは何をすべきか"について考えたいと思います。当面，年1回のセミナー開催を基本とし，できる限り自発的な意思を尊重してセミナーの内容や発表者を決めていく形で続けていけたらと考えております。また，スポーツ理学療法に関するアイデアや臨床例を通じて，すぐに臨床に役立つ知識や技術を共有する場として，「クリニカルスポーツ理学療法（CSPT）」を開催しております。そして，SPTSの本質的な目標として，外傷やその後遺症に苦しむアスリートの再生が，全国的にシステマティックに進められるような情報交換のシステムづくりを進めてまいりたいと考えています。今後，SPTSに関する情報はウェブサイト（http://SPTS.ortho-pt.com）にて公開いたします。本書を手にされた皆様にも積極的にご閲覧・ご参加いただけることを強く願っております。

も く じ

第1章 膝伸展機構（編集：玉置　龍也）

1. 基礎科学	（馬越　博久）	3
2. 疫学・病態	（小笠原雅子）	22
3. 診断・評価	（青山真希子）	29
4. 治　療	（阿部　　愛）	37

第2章 骨軟骨病変（膝蓋大腿関節）（編集：永野　康治）

5. 基礎科学（バイオメカニクス）	（山内　弘喜）	53
6. 疫学・病態	（江玉　睦明）	60
7. 診断・評価	（大槻　玲子）	68
8. 治　療	（井上　雅之）	72

第3章 半月板（編集：鈴川　仁人）

9. 基礎科学	（木村　　佑）	91
10. 疫学・病態	（窪田　智史）	100
11. 診断・評価	（森田　寛子）	115
12. 治　療	（坂田　　淳）	126

第4章 骨軟骨病変（脛骨大腿関節）（編集：加賀谷善教）

13. 基礎科学	（河端　将司）	139
14. 疫学・病態	（伊藤　　渉）	148
15. 診断・評価	（佐藤　正裕）	159
16. 治　療	（神鳥　亮太）	170

第5章　後十字靱帯・膝後外側構成体損傷（編集：吉田　昌弘）

17. 基礎科学	（野崎　修平）	185
18. 疫学・病態	（野村　勇輝）	203
19. 診断・評価	（本村　遼介）	213
20. 治　療	（中田　周兵）	226

第6章　内側側副靱帯・外側側副靱帯損傷（編集：渡邊　裕之）

21. 基礎科学	（髙橋　美沙）	239
22. 疫学・病態	（藤井　周）	253
23. 診断・評価	（吉本　真純）	260
24. 治　療	（中村　絵美）	268

第7章　合併症（編集：小林　匠）

25. 関節外要因による膝関節可動域制限	（星　賢治）	281
26. 関節内病変による膝関節可動域制限	（吉田　大佑）	289
27. 筋力低下	（杉野　伸治）	300
28. 膝蓋骨運動異常	（生田　太）	306

第8章　私の治療法（編集：蒲田　和芳）

29. Osgood-Schlatter病に対する私の治療	（塩田　真史）	319

第1章
膝伸展機構

　膝伸展機構は，スポーツ動作中の大きな力発揮でパフォーマンスに貢献する反面，負担にさらされるためにさまざまなスポーツ外傷・障害が発生しやすい部位である。臨床においては，各疾患の発生メカニズムと病態を理解したうえで，現在および将来において過大な負担を軽減するための的確な治療方針を選択することが望ましい。本章では，膝伸展機構の各疾患に対する治療選択に必要な基礎的な知見を整理することを目的とした。

　本章では「基礎科学」「疫学」「診断・評価」「治療」の4項に分け，各項共通に疾患を「骨の疾患」「関節の疾患」「筋腱の疾患」に分類し，分類困難な膝蓋大腿関節痛症候群（patellafemoral pain syndrome：PFPS）を「その他の疾患」とした。膝蓋骨疲労骨折，大腿四頭筋肉ばなれ，膝蓋腱炎については SPTS シリーズ第9巻で取り上げられたため今回は除外した。

　「基礎科学」においては，膝伸展機構の解剖学的特徴と関節のバイオメカニクスについて整理した。ここでは組織を「骨」「静的制動要素」「動的制動要素」と分類し，他項の疾患分類に対応づけた。主に，膝伸展機構の構成要素の特性や関節運動に対する機能についてまとめた。さらに，構造や機能の変化による関節運動への影響や疾患における運動学・バイオメカニクスの変化についてもレビューした。

　次に，「疫学・病態」においては，骨疾患では主に若年者で膝蓋腱の両端で起こる疾患の病態を取り上げ，関節疾患では主に膝蓋骨脱臼の疫学・病態・発生メカニズムをまとめた。また，筋腱の疾患では腱断裂の疫学・発生メカニズム，その他の疾患では PFPS の疫学と病態の解釈の変遷をそれぞれ整理した。

　「診断・評価」においては，各疾患に用いられる画像診断に関して，診断精度や病態分類を中心に先行研究を整理した。また，膝蓋骨脱臼については，再発リスクにつながる解剖学的因子やアライメントに関する画像の評価法も含めた。診断のための特殊検査や症状・機能を評価する身体検査についての情報も可能なかぎり取り上げた。

　「治療」においては，骨疾患では保存療法が主体の若年者の骨端障害における現状のエビデンスを整理し，関節疾患では内側膝蓋大腿靱帯（medial patellofemoral ligament：MPFL）の修復を中心に手術療法の成績や適応基準についてまとめた。筋腱の疾患では腱断裂の術後成績や予後への関連因子について整理し，その他の疾患では PFPS が多因子疾患であることを背景に多岐にわたる治療効果の整理を行った。

第1章編集担当：玉置　龍也

1. 基礎科学

はじめに

膝伸展機構の外傷・障害の発生要因として，筋力と柔軟性のアンバランス，下肢アライメント異常，脆弱な力学的構造，膝蓋骨のトラッキング異常，不良動作による応力集中などがあげられてきた。臨床においては，発生機序の推定に基づいた治療方針の決定が重要である。発生要因とされる機能や動作が膝蓋大腿関節に与える影響を理解するためには，バイオメカニクス的知見が不可欠である。特に，近年のスポーツ医学は治療に加えて予防が重要視されており，危険な動作を解明することは，予防対策や治療を確立する一助となる。そこで本項では，膝伸展機構の外傷・障害のメカニズムに関連する解剖学，運動学，バイオメカニクスに関する知見をレビューする。

A. 文献検索方法

検索エンジンとして PubMed を用いて検索を行った。「extensor mechanism」「vastus medialis obliquus」「medial patellofemoral ligament」「patella tendon」「quadriceps tendon」「anterior knee pain」「patellofemoral pain syndrome」「bursa」「Sinding-Larsen-Johansson」「Osgood-Schlatter」「patella dislocation」「biomechanics」「anatomy」「sports」のいずれかの単語を組み合わせて検索し，ハンドサーチを加えて最終的に83件をレビューした。

B. 膝伸展機構の機能解剖

膝伸展機構は大腿四頭筋，大腿四頭筋腱，膝蓋骨，膝蓋腱，膝蓋支帯（内側・外側）より構成される（図 1-1）[64, 70]。ここでは骨（膝蓋骨，大腿骨顆間溝），関節の静的制動要素（内・外側膝蓋支帯），動的制動要素である筋・腱（内側広筋，大腿四頭筋腱・膝蓋腱），その他（滑液包）に分類する。

1. 骨

膝蓋骨は人体最大の種子骨であり，その長さは47〜58 mm，幅は51〜57 mm，厚さは20〜30 mm である[59]。関節面は4〜5 mm 厚の関節軟骨で覆われ，上関節面，下関節面，内側関節面，外側関節面，オッド関節面の5つで構成される

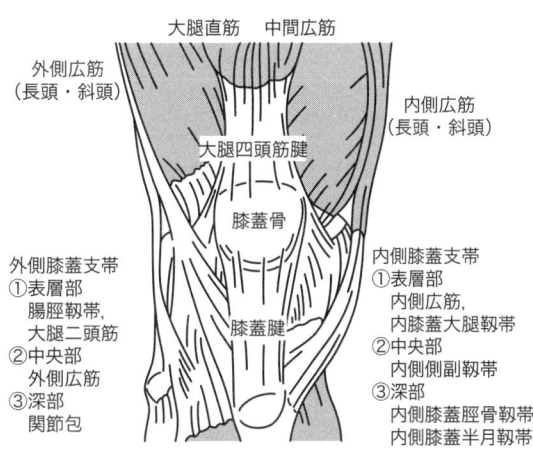

図 1-1 膝伸展機構（文献 64, 70 より引用）
膝伸展機構は大腿四頭筋，大腿四頭筋腱，膝蓋骨，膝蓋腱，膝蓋支帯より構成される。

第1章 膝伸展機構

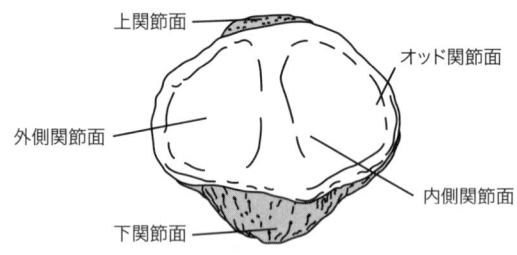

図 1-2 膝蓋骨の関節面（文献 64 より引用）
上関節面，下関節面，内側関節面，外側関節面，オッド関節面で構成される。

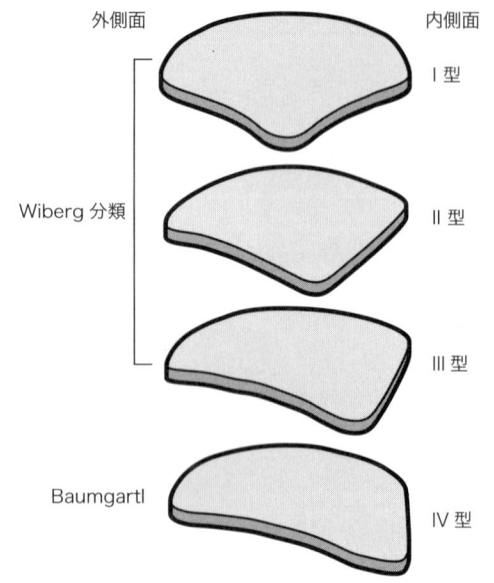

図 1-3 膝蓋骨形態分類（文献 34 より引用）
I 型：凸型で内側と外側の関節面がほぼ同じ大きさ，II 型：内側関節面は凹面で外側関節面より小さい，III 型：内側関節面は凸面で著しく小さい，IV 型：膝蓋骨中央隆起または内側関節面がない。

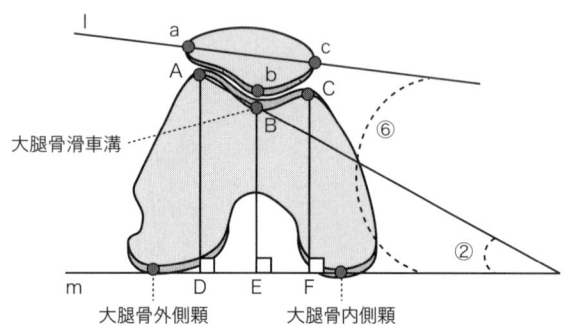

図 1-4 大腿骨顆間溝の形状（文献 4，6，15 より作図）
ab：膝蓋骨外側関節面，bc：膝蓋骨内側関節面，AB：大腿骨外側滑車関節面，BC：大腿骨内側滑車関節面，AD：大腿骨外側顆の高さ，BE：大腿骨滑車溝から大腿骨内外側顆後面を結ぶ線への垂線の長さ，CF：大腿骨内側顆の高さ，l：膝蓋骨内外側縁（最も外側）を通る線，m：大腿骨内外側顆後面を通る線。①～⑥は膝蓋骨脱臼素因分析のための指標，記載されている数値は正常値。

（図 1-2）[64]。これらの関節面が大腿骨の顆間溝と接触し，平面関節である膝蓋大腿関節を形成する。内側関節面と外側関節面で形成される角度は，正常で 130 ± 10° とされている。また内側関節面は長軸方向には凹状をなすが，前額面の形状には個人差があり，平坦，凹状，凸状とさまざまである。Wiberg[77] は，X 線学的研究において前額面の傾斜により内側関節面の形状の違いを調査し，膝蓋骨を I 型～III 型の 3 つに分類した。Reider ら[57] による解剖学的研究によると II 型の頻度が最も高く（57％），次いで I 型（24％），III 型（19％）であった。この分類が，その後の膝蓋大腿関節の不安定性の素因分析に用いられてきた（図 1-3）[34]。

膝蓋大腿関節において，大腿骨の内側顆，外側顆によって顆間溝（滑車）が形成される。大腿骨膝蓋面の関節軟骨厚は 2～3 mm であり，外側面の関節軟骨は内側面よりも厚い。大腿骨の形状は，左右方向には凹面であり，前後方向は凸面である[6]。このような顆間溝の関節面の形状は，軟部組織の助けを得て，関節屈伸時に膝蓋骨を溝に安定させている。

顆間溝の形状の評価として，①滑車溝角度，②外側滑車傾斜角，③滑車面の非対称性に関する報告がある（図 1-4）[4,6,15]。さらに，④滑車溝の深

①大腿骨滑車溝角度：∠ ABC = 138 ± 6°
②大腿骨外側滑車傾斜角度：直線 AB，m とのなす角 >11°
③滑車面の非対称性：BC / AB × 100 > 40%
④滑車溝の深さ：(AD + CF) / 2 − BE > 3 mm
⑤膝蓋骨 facet angle：∠ abc = 130 ± 10°
⑥膝蓋骨傾斜角度：直線 m，l とのなす角 < 20°

1. 基礎科学

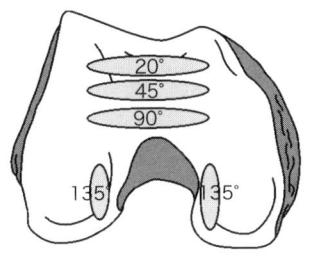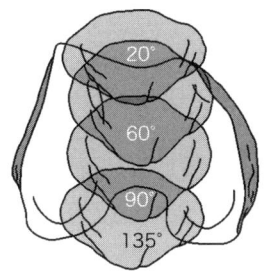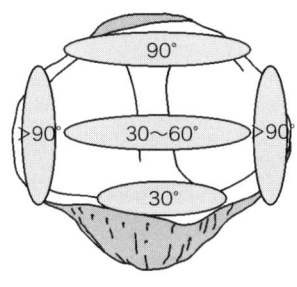

図1-5 膝蓋大腿関節の接触面（文献13より引用）
20°, 45°, 90°, 135°は膝屈曲角度を示す。膝屈曲に伴い膝蓋骨は下制しながら膝蓋骨の接触面は上方に移る。

さ（3 mm以下を異常形成）[15]，⑤膝蓋骨 facet angle，⑥大腿骨に対する膝蓋骨の傾斜を示す膝蓋骨傾斜角度，⑦脛骨粗面の大腿骨に対する外方偏位の指標である tibial tuberosity–trochlear groove distance（TT–TG）（2 cm以上を外方偏位），⑧大腿骨に対する膝蓋骨の高さ[4,15]，がある。これらが近年の膝蓋骨脱臼の素因分析に用いられてきた[4,6,38]。Diederichsら[15]は，sky-line view（膝屈曲45°）における大腿骨滑車溝角度の平均値は138±6°であると報告した。外側滑車傾斜角は，MRI像を用いて滑車軟骨表層と大腿骨内外側顆後面を結ぶ線とのなす角で算出される。障害発生との関連性の調査より，11°以下が異常であった[15]。さらに，（滑車内側面の長さ÷滑車外側面の長さ）×100を滑車面の非対称性の指標としたところ，障害発生との関連性の調査より40%以下が形成不全であった[15]。膝蓋大腿関節の接触面について，Bulloughら[13]は大腿四頭筋応力を牽引ロープにて再現する方法で，関節角度による接触位置の変化を検証した。その結果，膝屈曲30°で膝蓋骨下方1/3と大腿骨膝蓋面が接触し，30〜60°で膝蓋骨中央1/3，90°では膝蓋骨上方1/3が接触すること，すなわち膝屈曲に伴い膝蓋骨は下制しながら膝蓋骨の接触面は上方に移ることが解明された（図1-5）。またBuffら[12]は，スクワット時における膝蓋大腿関節の接触面積は，屈曲60〜90°において最大となることを報告した。

2. 静的制動要素

膝蓋骨の静的制動要素として外側膝蓋支帯と内側膝蓋支帯が存在する。これらの支帯は膝蓋骨アライメントやトラッキングにおける内外側のバランスを担う。

外側膝蓋支帯は，表層と深層の2層の線維からなる[21]。表層は遠位方向へ斜めに走行している線維と腸脛靱帯の前縁から膝蓋腱外縁へ走行している線維からなり，深層は3つの構造（①深横走支帯，②膝蓋脛骨靱帯，③外側膝蓋大腿靱帯）からなる。①の中央部（深横走支帯）は，腸脛靱帯深部から膝蓋骨外縁まで横走しており，外側上顆と膝蓋骨外側をつないでいる。しかし，解剖学的研究によると，これは屍体20膝中13膝（65%）にしか存在していなかった[57]。②の膝蓋脛骨靱帯（膝蓋半月靱帯）は深横走支帯の下方にあり，Gerdy結節に近い脛骨と膝蓋骨外側をつないでいる。一方で外側膝蓋支帯の層構造についてMericanら[39]は，表層（深筋膜），中間層〔大腿四頭筋膜，腸脛靱帯縦走線維，腸脛靱帯–膝蓋骨線維（iliotibial band–patella fibres）〕，深層（外側膝蓋大腿靱帯）の3層から構成されることを述べており，これまでの2層構造とは異なることを報告した。腸脛靱帯は膝の屈曲に伴い後方へと転位するため，外側膝蓋支帯を介して膝

第1章 膝伸展機構

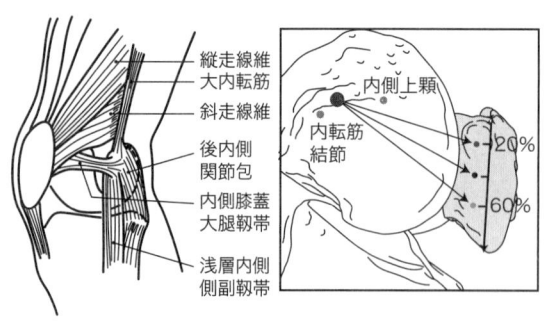

図1-6 内側膝蓋大腿靱帯（MPFL）の走行（文献5, 8, 71, 73より作図）
大腿骨内側上顆と内転筋結節間より起こり，内側広筋斜走線維の下方へ結合し，膝蓋骨内側縁の近位20～60%に付着する。

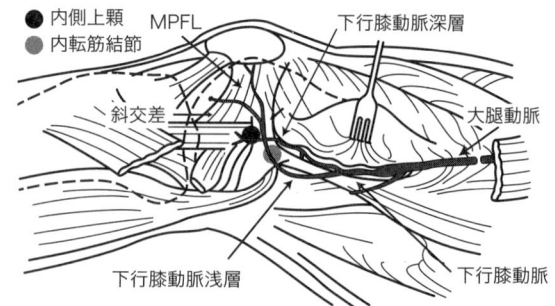

図1-7 内側膝蓋大腿靱帯（MPFL）の血管支配（文献8より引用）
大腿動脈から分岐した下行膝動脈（表層部・深部）によって栄養供給を受けている。

表1-1 内側膝蓋大腿靱帯（MPFL）の長さ・幅・破断強度（文献8, 41, 47, 51, 57, 71より作成）

	長さ (mm)	幅 (mm) 膝蓋骨側	幅 (mm) 大腿骨側	厚さ (mm)	破断強度 (N)
Tuxøeら[71]	53 (45～64)	19 (10～30)		–	–
Nomuraら[47]	58.8 ± 4.7	12.0 ± 3.1		0.44 ± 0.19	–
Reiderら[57]	–	5～12	3～10	–	–
Panagiotopoulosら[51]	47.4 ± 2.2	25.3 ± 3.6	14.9 ± 3.5	–	–
Baldwin[8]	59.8 ± 4.1	28.1 ± 5.6	10.6 ± 2.9	–	–
Mountneyら[41]	–	–	–	–	208 ± 90

蓋骨には外側への牽引力が増す。外側への牽引力に抗する内側の制動機構が脆弱化している場合，膝蓋骨のトラッキング異常を引き起こす。膝蓋骨の異常運動について外側組織が与える影響を理解するためにも，今後機能解剖における新たな知見が待たれる。

内側膝蓋支帯に含まれる内側膝蓋大腿靱帯（medial patellofemoral ligament：MPFL）は，大腿骨内側上顆と内転筋結節間より起こり，内側広筋斜走線維の下方へ結合し，膝蓋骨内側縁の近位20～60%に付着する薄い筋膜束である（図1-6）[5, 8, 71, 73]。膝伸展位において，MPFLは大腿骨長軸の垂線に対して15.9 ± 5.6°の角度で走行しており，線維は斜走交差と横行線維の2つの線維層に分けられる[8]。栄養供給は大腿動脈から分岐した下行膝動脈（表層部・深部）による（図1-7）[8, 52]。MPFLのサイズや物質特性は，過去の屍体研究から明らかとなってきた[8, 41, 47, 51, 57, 71]（表1-1）。Panagiotopoulosら[51]が屍体8膝を計測した結果，MPFLの長さは47.4 ± 2.2 mmであり，幅は大腿骨側14.9 ± 3.5 mm，膝蓋骨側25.3 ± 3.6 mmであった。Baldwin[8]が屍体50膝（男性30名，女性20名，範囲38～97歳）を用いて計測した結果，その長さは59.8 ± 4.1 mm，幅は大腿骨側10.6 ± 2.9 mm，膝蓋骨側28.1 ± 5.6 mmであった。Mountneyら[41]が屍体10膝（男性4名，女性6名，年齢71.6 ± 16.6歳）を用いて，大腿骨を内旋（平均37.0 ± 2.0°）させつつMPFLが大腿骨内側顆に対して接線となるように膝蓋骨を牽引してMPFLの破断強度を計測したところ，その値は208 ± 90 Nあり，その際の伸張は26 ± 7 mmであっ

1. 基礎科学

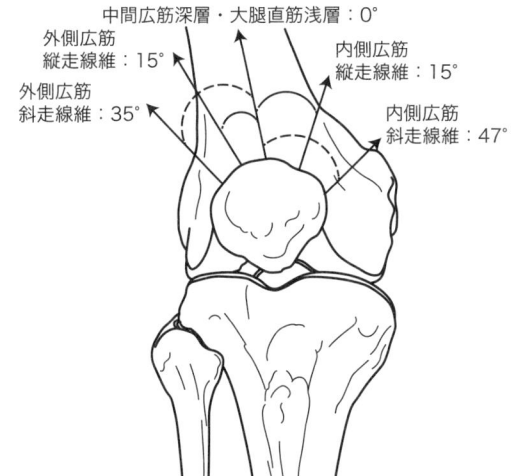

図 1-8 大腿四頭筋の走行（文献 18, 63 より作図）
矢印は大腿四頭筋の各部の力線を示す。

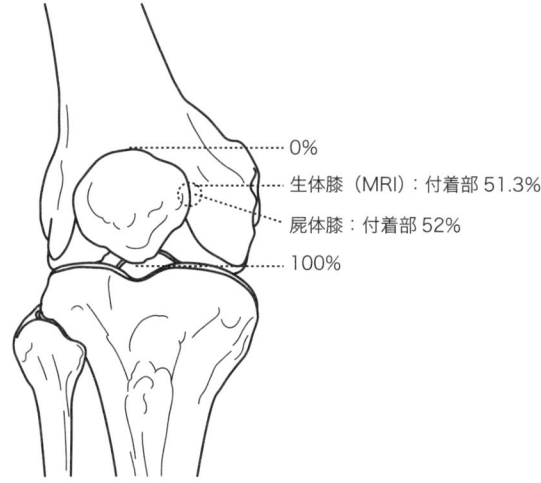

図 1-9 内側広筋斜頭線維の付着部（文献 25 より引用）
生体膝および屍体膝を用いた研究において，VMO はほぼ同部位に付着している。

たことを報告した。

3．動的制動要素

膝伸展機構の動的制動要素である大腿四頭筋は，内側広筋（vastus medialis：VM）・外側広筋（vastus lateralis：VL）の側方 2 筋と浅層の大腿直筋（rectus femoris：RF），深層の中間広筋（vastus intermedius：VI）の中央 2 筋より形成され，この 4 筋は大腿四頭筋腱という単一の腱に収束する。

RF の表層線維は膝蓋骨を超えて膝蓋腱と一緒になり，深層線維は膝蓋骨基部へ付着する。VM と VL は結合しながら膝蓋骨基部へ付着する。VI は四頭筋腱の最も深い層となり膝蓋骨基部へ付着する[19, 35]。これら 4 筋は，大腿四頭筋腱の近位および中央部でいくつかの層を構成している。Waligora ら[75]は屍体 20 肢（年齢 86.3 ± 10.3 歳，男性 6 名，女性 11 名）から 6 肢は 2 層構造（表層：VM・VL・RF，深層：VI），11 肢は 3 層構造（表層：RF，中間層：VM・VL，深層：VI），3 肢は 4 層構造（1 層：VM の 1 部・RF，2 層：VL，3 層：残りの VM，4 層：VI）

であったことを報告した。また膝伸筋としての役割をもつ大腿四頭筋は，全伸展トルクを広筋群で 80％，RF で 20％を担っている[27]。そのなかでも VI の筋線維のみが大腿骨骨幹部と平行であるため，これが最も強力な膝伸筋とされる。VI の深部には膝関節筋があり，膝伸展時に関節包や滑膜を近位に引き上げる機能を有する。なお Puig ら[55]によると，調査対象の 17％においてこの筋は欠損していた。

VM は縦走線維（vastus medialis longus：VML）と斜走線維（vastus medialis obliquus：VMO）の走行の異なる 2 つの線維群で構成されており，VMO の断面積は VM の約 30％であった[35, 75]。筋線維の走行や付着部に関しては，屍体膝を用いた研究[18, 25, 63]や MRI を用いた in vivo 研究[25]が行われている。屍体 500 肢を用いて VMO および VML の走行を計測した研究[63]では，VMO は大腿四頭筋腱より 49.9°（範囲 40〜77°），VML は 21.8°（範囲 11.5〜35°）の角度で膝蓋骨に付着していた。また Farahmand ら[18]は VMO は約 47°，VML は約 15°の角度で膝蓋骨に付着すると報告した（図 1-8）。VMO

第1章 膝伸展機構

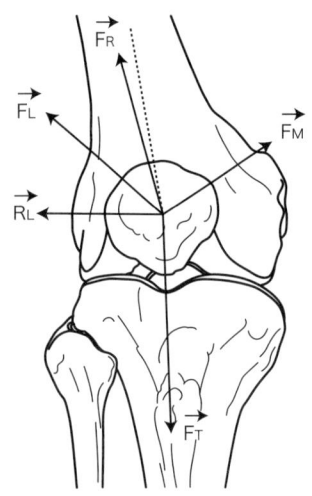

図1-10 外反ベクトルに対する内側広筋斜頭線維の機能（文献24より引用）
外反ベクトルはQ角によって決定される。$\vec{F_L}$：外側広筋，$\vec{F_R}$：大腿直筋，$\vec{F_M}$：内側広筋，$\vec{F_T}$：膝蓋腱の力，$\vec{R_L}$：valgusベクトル＝$F_L + F_R + F_T$。

の起始部は内転筋間中隔と内転筋結節部から近位へ平均3.3cmの大内転筋腱である。その停止部についてHoltら[25]は健常65名より得られたMRI画像より膝蓋骨内側縁の近位51.3%に位置すること，また屍体18肢において膝蓋骨内側縁の近位52%に位置することを報告した（図1-9）。

VMOの特異的な機能についてはいくつかの研究で報告されてきた。Senavongseら[59]はVMOの機能は膝蓋骨外側変位の制動であると結論づけた。Liebら[35]もVMOは膝関節屈曲90°では伸筋としての役割は果たさないが，伸展終末15°域において膝蓋骨を正中へ誘導することで伸展の一助を担っていると考察した。大腿四頭筋全張力に対するVMの貢献度は約10%であり，VMOのみ単独で膝を伸展することはできない[18]。このことから，VMOは他の3筋（VI・RF・VL）の筋収縮に抗して膝蓋骨を中間位に保つとともに，膝の安定性のために機能していると考えられる（図1-10）[24]。

膝蓋腱のサイズ（厚さ・幅・長さ）はMRIを用いた計測によって報告されており，厚さ5〜6mm，幅は近位部3cm，遠位部2cmの索状組織であり，長さは約50mmで，膝蓋骨長とほぼ同じ長さである[64]。Insall-Salvati index（膝蓋骨長÷膝蓋腱長）は0.8〜1.2であり，膝蓋骨の高位や低位などのアライメント変化によって20%程度変化する[4]。Staubliら[66]は，屍体8体16肢（24.9±4.4歳）を用いて，膝蓋腱の長さおよび横断面積は大腿四頭筋腱と比較して有意に小さいが，破断強度は膝蓋腱のほうが大腿四頭筋腱よりも大きいことを報告した（表1-2）。またYankeら[82]は，屍体10肢（平均46.5歳，範囲24〜64歳）を用いて膝蓋腱を内側部・中央部・外側部の3つに分類して伸張度および最大負荷を測定した結果，中央部が伸張度および最大負荷において有意に大きいことを報告した（表1-3）。

4．その他

膝蓋前滑液包は，滑膜を伴う滑液包の一種で，皮膚と膝蓋骨の間に位置して，膝関節屈伸時における機械的応力の分散や摩擦の軽減を担う。Aguiarら[2]は，屍体9膝（男性4名，女性5名，範囲59〜92歳）を用いて膝蓋前滑液包の大きさを計測した結果，上下方向39.7mm，内外側方向40.5mm，前後方向3.2mmであった。9膝中7膝は表層・中間・深層の3層，9膝中2膝は2層で構成されていた（図1-11）。また，9

表1-2 膝蓋腱および大腿四頭筋腱の長さ・断面積・破断強度（文献66より引用）

	長さ（mm）	断面積（mm²）	破断強度（N/mm²）	破断張力（%）
膝蓋腱	31.0±3.2	36.8±5.7	53.4±7.2	15.1±4.4
大腿四頭筋腱	41.3±7.4	64.6±8.4	33.6±8.1	14.7±3.7

表 1-3 膝蓋腱内側・中央・外側の伸張・破断強度および剛性（文献 82 より引用）

膝蓋腱部位	伸張(mm)	破断強度(N)	剛性(N/mm)
内側	8.50 ± 1.98	1,575 ± 325	275 ± 37
中央	8.98 ± 1.64	2,293 ± 531	356 ± 46
外側	8.17 ± 1.52	1,585 ± 452	277 ± 65

膝中 3 膝で膝蓋骨外側縁よりも 3.0〜8.2 mm，9 膝中 1 膝で膝蓋骨内側縁よりも 7.5 mm 膝蓋骨の輪郭からはみ出していた。

C. 病態運動学・バイオメカニクス

膝蓋骨は機能的に大腿四頭筋腱を前方へ変位させることで膝伸展機能のモーメントアームを長くし，大腿四頭筋のトルク能力を機能的に増大させる作用をもつ[69,76]。膝蓋骨が大腿骨顆間溝を通るには，潜在的な安定化機構とされる大腿四頭筋・大腿四頭筋腱・膝蓋靱帯・腸脛靱帯・膝蓋支帯・関節面の形状によって誘導される必要がある。これらの力のバランスが崩れると，膝蓋骨のトラッキングに異常が生じて関節面の接触面積が減少し，関節面における圧が増大して，さまざまな障害が引き起こされる。

膝伸展機構の外傷・障害の発生には，組織の構造的破綻や機能的変化の影響が考えられる。ここでは①組織の構造・機能の変化による膝関節のバイオメカニクスへの影響，②疾患の有無による機能や動作の差，の 2 つに着目し膝伸展機構の病態に関する知見をまとめる。疾患については報告の多い反復性膝蓋骨脱臼と膝蓋大腿関節痛症候群（PFPS）を中心にまとめた。

1. 正常膝のバイオメカニクス

Nha ら[45]は膝疾患を有さない 8 名（男性 4 名，女性 4 名，範囲 30〜37 歳）の膝の MRI 像から作成した三次元モデルを用いてランジ動作時

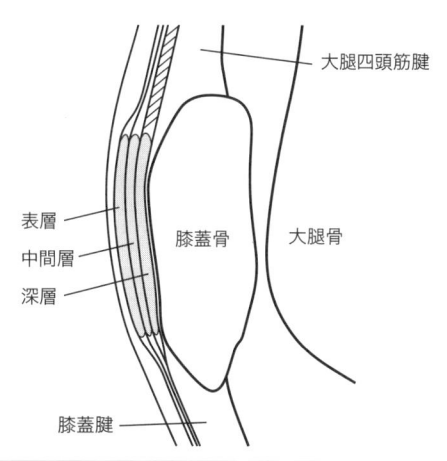

図 1-11 膝蓋前滑液包（文献 2 より引用）
膝蓋前滑液包は滑膜を伴う滑液包の一種で，皮膚と膝蓋骨の間に位置し，膝関節屈伸時における機械的応力の分散や摩擦の軽減を担う。

の膝関節屈曲 0〜135°における膝蓋骨のトラッキングを計測した。膝蓋骨屈曲は膝屈曲角度が増加するにつれ 8.1〜94.8°へと増加し，膝蓋骨側方変位は膝屈曲 0°で膝関節中心より 4.3 mm，屈曲 30°で 2.8 mm，膝屈曲 90°で 5.0 mm 外側へ変位していた。また，膝蓋骨傾斜は膝屈曲 0°で 1.8°，膝屈曲 75°で 5.4°，膝屈曲 135°で 0.2°外方に傾斜しており，膝蓋骨回旋は膝屈曲 0°で 1.4°，膝屈曲 120°で 9.5°，膝屈曲 135°で 8.4°内旋していることを報告した（図 1-12）。

膝蓋大腿関節反力（以下，PFJRF）は，大腿四頭筋と膝蓋腱によって生じる張力の結果，膝蓋大腿関節面に加わる力であり，四頭筋腱（F_Q）と膝蓋腱（F_P）のなす角度の情報から，

$$PFJRF = \sqrt{F_Q^2 + F_P^2 + 2F_Q F_P \cos(\alpha+\beta)}$$

により計算することが可能となり（図 1-13）[12]，PFJRF は膝屈曲角の増加とともに増大し，膝屈曲 60°で最大となることが報告された（図 1-14）[12]。

多くのバイオメカニクス研究において，膝蓋骨が摩擦のない滑車として働き，F_Q と F_P の張力は等しいと仮定して計算されてきた。しかし一方で，膝の屈曲 10°で F_Q/F_P 比は 0.86，屈曲 70°で

第1章 膝伸展機構

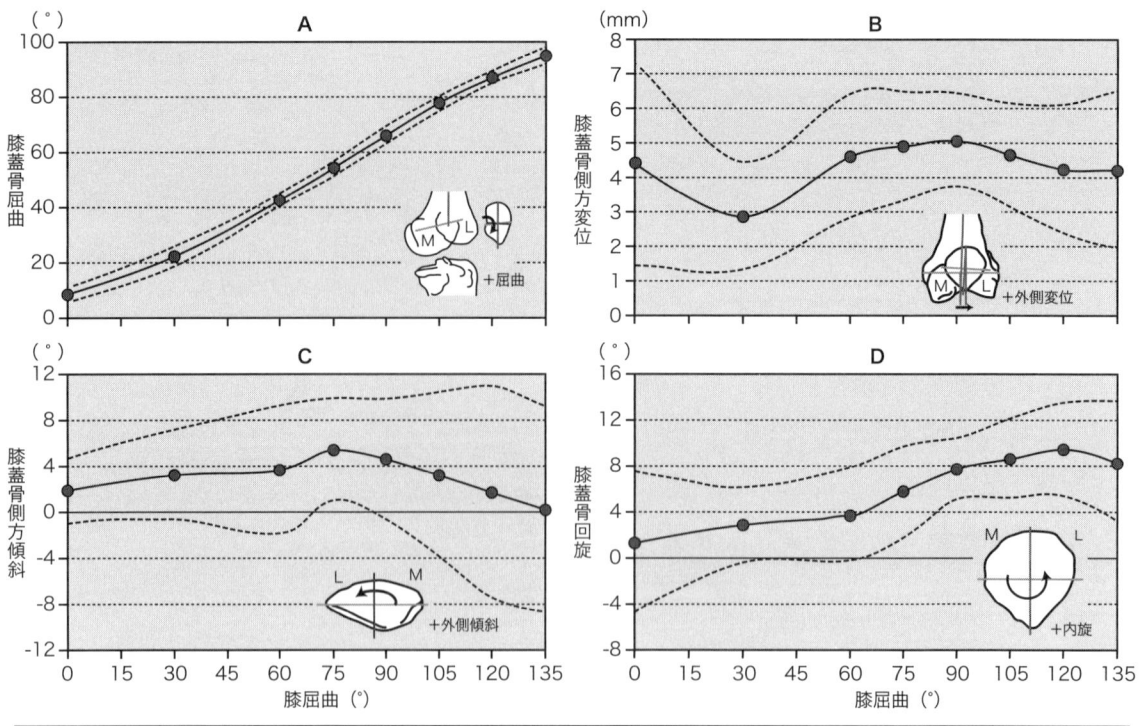

図 1-12　膝関節屈曲運動における膝蓋骨のトラッキング（文献 45 より引用）

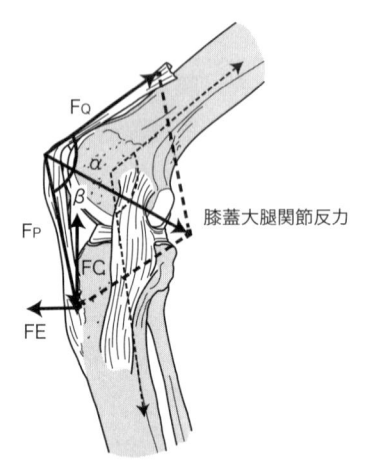

図 1-13　膝蓋大腿関節反力（文献 12 より引用）
F_Q：四頭筋腱にかかる力，F_P：膝蓋腱にかかる力，F_E：脛骨伸展力，$F_E = F_P \cos\beta$（膝屈曲 0～60°で脛骨を前方へ牽引，60°で消失，60°以上の屈曲で後方へ牽引），F_C：大腿脛骨接合力，$F_C = F_P \cos\alpha$。

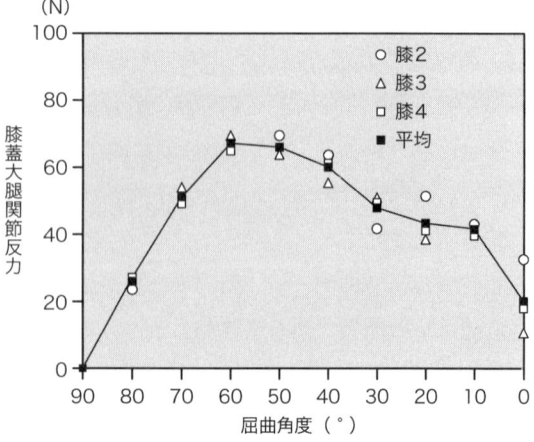

図 1-14　膝蓋大腿関節反力（PFJRF）と膝関節角度との関係（文献 12 より引用）
PFJRF は膝屈曲 60°で最大となり，膝伸展位では 60°の 31％まで減少する。

1.55 と膝の屈曲角度が増すにつれて増加すると報告された[28]。したがって，上述のような計算式をつくるにあたって用いられる仮定について，今後さらに慎重な検証が必要である。

2．構造・機能の変化による影響

膝蓋骨の運動については，MRIや単純X線を用いた計測法が多く報告されてきた。Sheehanら[61] は，MRI 撮像において膝蓋骨の動きを側方

1. 基礎科学

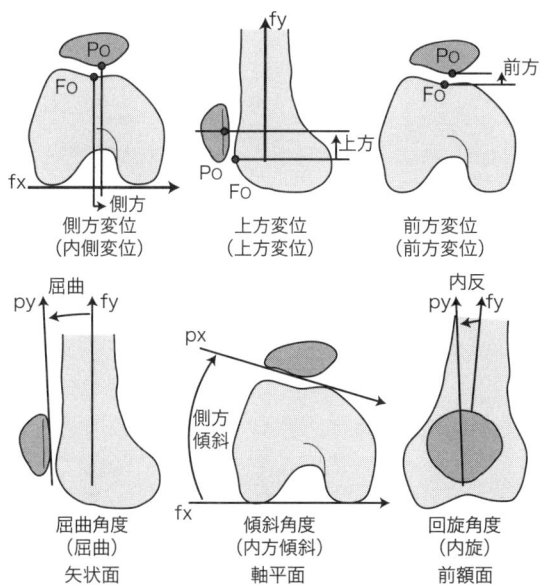

図 1-15 膝蓋骨運動と運動の定義（文献 60 より引用）
Po：膝蓋骨後面の最も突出した部位，Fo：大腿骨滑車溝の最下点，fx：大腿骨内外側顆後面を結ぶ線，fy：大腿骨軸，px：膝蓋骨後外側面。

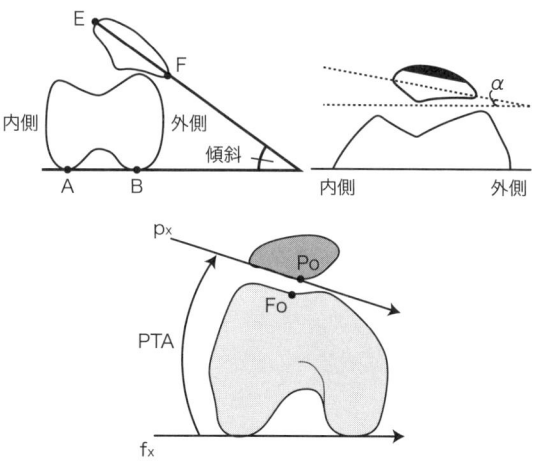

図 1-16 膝蓋骨傾斜角（文献 15 より引用）
Po：膝蓋骨後面の最も突出した部位，Fo：大腿骨滑車溝の最下点，fx：大腿骨内外側顆後面を結ぶ線，PTA：膝蓋骨傾斜角。

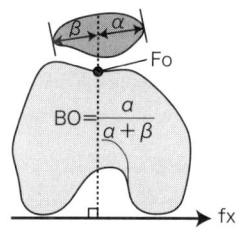

図 1-17 Bisect offset（BO）（文献 20 より引用）

変位・上方変位・前方変位・屈曲・傾斜・回旋の6つに分類した（**図 1-15**）。また膝蓋骨の傾斜角（**図 1-16**）の計測方法として，Noehren ら[46]やDiederichs ら[15]の方法が，膝蓋骨の側方変位にはFreedman ら[20]による bisect offset（**図 1-17**）を用いた方法がある。また脱臼の素因分析には単純X線計測として Insall-Salvati index, Caton-Deschamps ratio, sulcus angle, Wiberg 分類が用いられている（**図 1-18**）。

近年では，計測機器や解析ソフトの発達に伴い，より詳細なキネマティクス解析が可能となってきた。MRI撮像より骨モデルを作成し，骨モデル上に座標軸設定を行い身体座標系の構築を行う手法（**図 1-19**）[46]や，MRI撮像を用いて膝蓋骨の静的アライメントから膝蓋骨運動を予測する方法が報告された（**表 1-4**）[20]。ここでは膝蓋骨の異常キネマティクスを図 1-15 に示す通りに定義し，機能解剖と同様の分類（骨，静的制動要

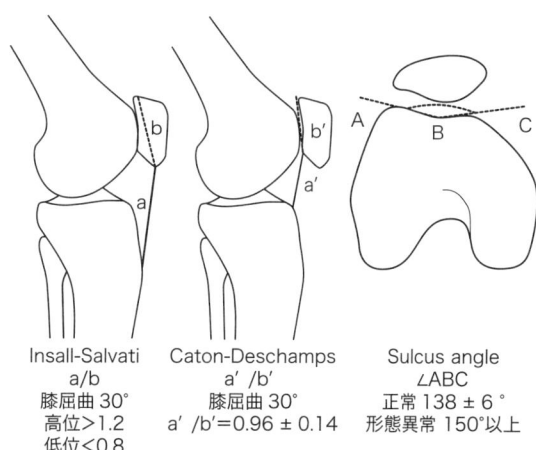

Insall-Salvati
a/b
膝屈曲 30°
高位＞1.2
低位＜0.8

Caton-Deschamps
a'/b'
膝屈曲 30°
a'/b'＝0.96±0.14

Sulcus angle
∠ABC
正常 138±6°
形態異常 150°以上

図 1-18 膝蓋骨脱臼の素因分析に用いる単純X線計測（文献 4, 34 より引用）
a：膝蓋腱長（膝蓋骨下極〜脛骨粗面），b：膝蓋骨長（膝蓋骨対角線最大長），a'：膝蓋骨関節面の最下端から脛骨プラトーの角突出部までの距離，b'：膝蓋骨後面長（関節軟骨の長さ）。

11

第1章 膝伸展機構

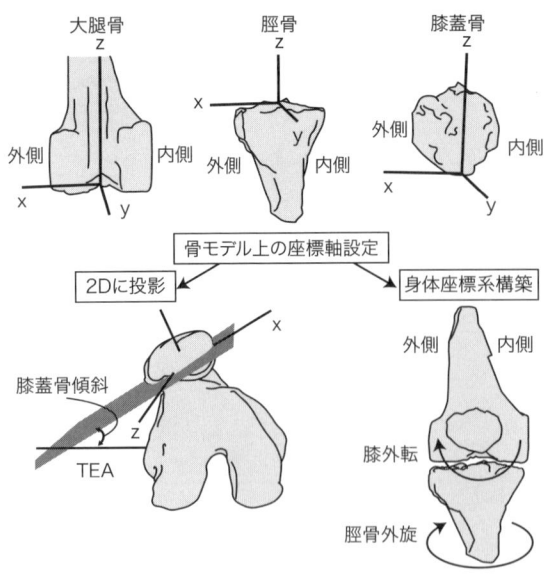

図1-19 膝蓋骨キネマティクスの計測方法（文献46より引用）
TEA：大腿骨内外側上顆軸線（transepicondylar axis）。

素，動的制動要素）に従い膝蓋骨のキネマティクスの変化についてまとめる。

1）骨

膝伸展機構の異常キネマティクスの一因として，①滑車溝角度，②外側滑車傾斜角，③脛骨粗面，④滑車面の非対称性，といった形態的異常が指摘された。大腿骨滑車溝角度が膝伸展機構の異常キネマティクスに及ぼす影響として，膝蓋大腿関節痛症候群患者は対照群と比較して大腿骨滑車溝角度が高値（p=0.007）であった（**表1-5**）[1, 23, 32, 33, 54, 57]。Jafariら[30]は膝疾患を有さない男性30名の膝のMRI画像から作成した三次元モデルを用いて大腿骨溝の角度と膝蓋骨変位との関連性をみた結果，大腿骨滑車溝角度の増大は膝蓋骨の外側変位と外方傾斜角度増大との関連性を見出した（**図1-20**）。さらにDiederichsら[15]は，膝蓋骨脱臼患者の形態を調査し，上記の①〜④のすべておよび膝蓋骨高位と膝蓋骨傾斜の6項目において，膝蓋骨脱臼患者は健常者と比較して高値であったと報告した。以上より，大腿骨滑車溝角度の異常（増大）は，膝蓋骨のトラッキング異常を引き起こす危険因子といえる。

2）静的制動要素

MPFLの機能不全が膝伸展機構の異常キネマティクスに及ぼす影響は，屍体膝を用いた研究によ

表1-4 膝蓋大腿関節痛症候群（PFPS）における膝蓋骨運動の予測式（文献20より引用）

動的変数	予測式	R^2	p値
側方移動（ML$_k$）	$-4.14 + 1.52 \times LPD - 0.13 \times RF\_Q$	0.62	< 0.000
前後方移動（AP$_k$）	$2.34 - 0.50 \times APs - 0.001 \times RF\_Q$	0.38	0.001
上下移動（SI$_k$）	$16.80 + 0.51 \times SIs - 1.45 \times LPD + 0.15 \times RF\_Q$	0.77	< 0.001
屈曲	$7.553 - 0.307 \times SIs - 0.540 \times APs$	0.32	0.003

静的測定：傾斜角（PTA），側方移動（LPD），前後方移動（APs），上下移動（SIs），Q角（RF_Q）。

表1-5 大腿骨滑車溝角度（文献1, 23, 33, 54より作成）

	大腿骨滑車溝角度（°）				結果
	PFPS	例数	対照	例数	
Lapradeら[33]	139.6	33	141.3	33	
Haimら[23]	139	61	138	25	
Agliettiら[1]	139	53	137	150	
Powersら[54]	149.4	23	144.6	12	
		170		220	PFPS>対照（p=0.007）

1. 基礎科学

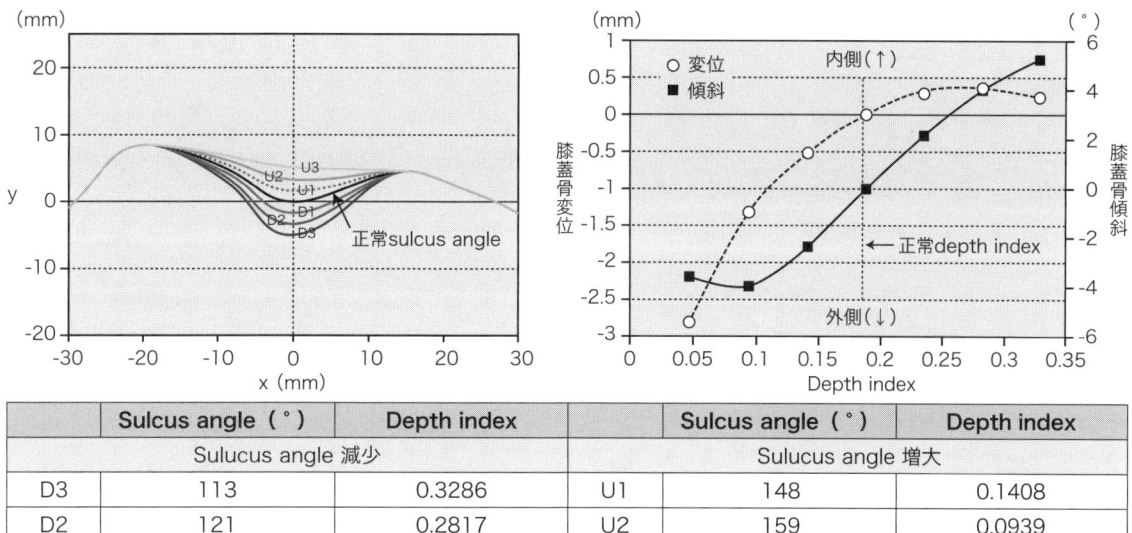

図 1-20 大腿骨滑車溝角度が膝蓋骨キネマティクスに与える影響（文献 30 より引用）

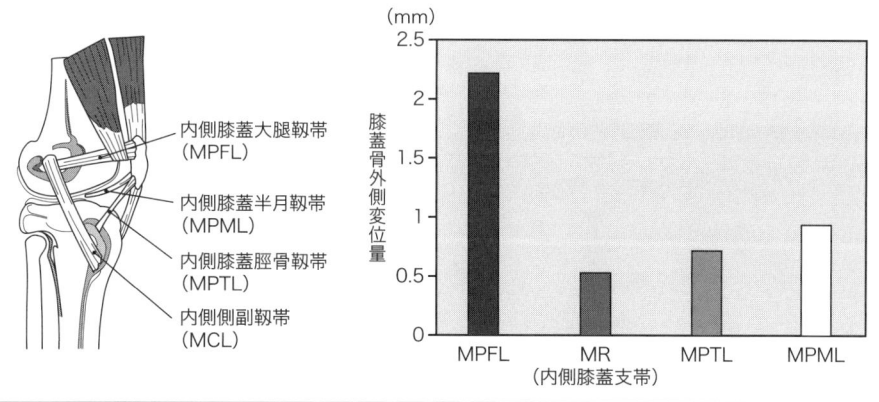

図 1-21 膝蓋骨外側変位に対する MPFL の貢献（文献 51 より引用）
膝蓋骨外側変位への制動には MPFL の貢献度が大きい。

って明らかとなってきた．Nomura ら[47]は屍体 7 肢（範囲 45〜65 歳）を用いて，大腿四頭筋に 10 N の緊張と膝蓋骨を外側に 10 N 牽引し，MPFL の切除における膝蓋骨の変位量を計測した結果，膝屈曲 0°において切除前は外側変位が 6 mm であったのに対して切除後は 13 mm と増加した．Panagiotopoulos ら[51]は屍体 8 肢を用いて MPFL，内側膝蓋支帯（MR），内側膝蓋脛骨靱帯（MPTL），内側膝蓋半月靱帯（MPML）の順に切除し，膝蓋骨の外側変位量を計測した．その結果，MPFL の切除の前後で最大の膝蓋骨の外側変位量が増大した（**図 1-21**）．Philippot ら[53]は屍体 9 肢（71.4 ± 5.8 歳）を用いて膝蓋骨を外側より 10 N にて牽引しつつ VMO，MPFL，MPTL，MPML を切除し，MPFL の膝蓋骨キネマティクスに与える貢献度を求めた．その結果，膝関節伸展 0°において MPFL は 72％外側変位を制動し，外方傾斜には 76％，外旋には 62％制動

第1章　膝伸展機構

表1-6　膝蓋骨キネマティクスに与える内側膝蓋大腿靭帯（MPFL）の貢献（文献53より引用）

膝関節角度	外方変位制動	外方傾斜制動	外旋制動
膝伸展0°	72%	76%	62%
膝屈曲90°	52%	28%	>35°では0%

に貢献していた（表1-6）。これらの基礎研究によって，MPFLは膝蓋骨の外側変位制動に最も重要な組織であることが明らかとなった。

3）動的制動要素

大腿四頭筋のなかでVMは膝蓋骨の外方制動に寄与するとともに，病変により機能異常をきたしやすい。関節内腫脹は大腿四頭筋の神経活動の抑制[26,37]や発揮トルク減少[50]などの機能低下を招く。さらに，VMは大腿四頭筋のなかで最も早期に萎縮が起こり，賦活しにくい[19,62]。

VMの機能低下は膝蓋骨だけでなく，脛骨大腿関節の運動にも影響を及ぼす。Sheehanら[60]は膝疾患のない女性18名のVMOにリドカインを注射したうえで大腿四頭筋の等速性運動を行わせ，VMOの機能低下が膝蓋骨および脛骨大腿関節のキネマティクスに及ぼす影響を検証した。その結果，膝蓋骨の外側変位および脛骨の外側変位・外旋変位量が増大することが確認された（図1-22）。Lorenzら[36]は屍体7肢（73.3±9.5歳）を用いて，大腿四頭筋のうちRF, VM, VLを用いて，中央型（外側33%，中央34%，内側33%）・内側型（中央33%，内側67%）・外側型（外側67%，中央33%）に分け，張力を変化させつつ20〜90°の荷重下膝運動をシミュレートし，膝蓋骨運動を計測した。その結果，外側の張

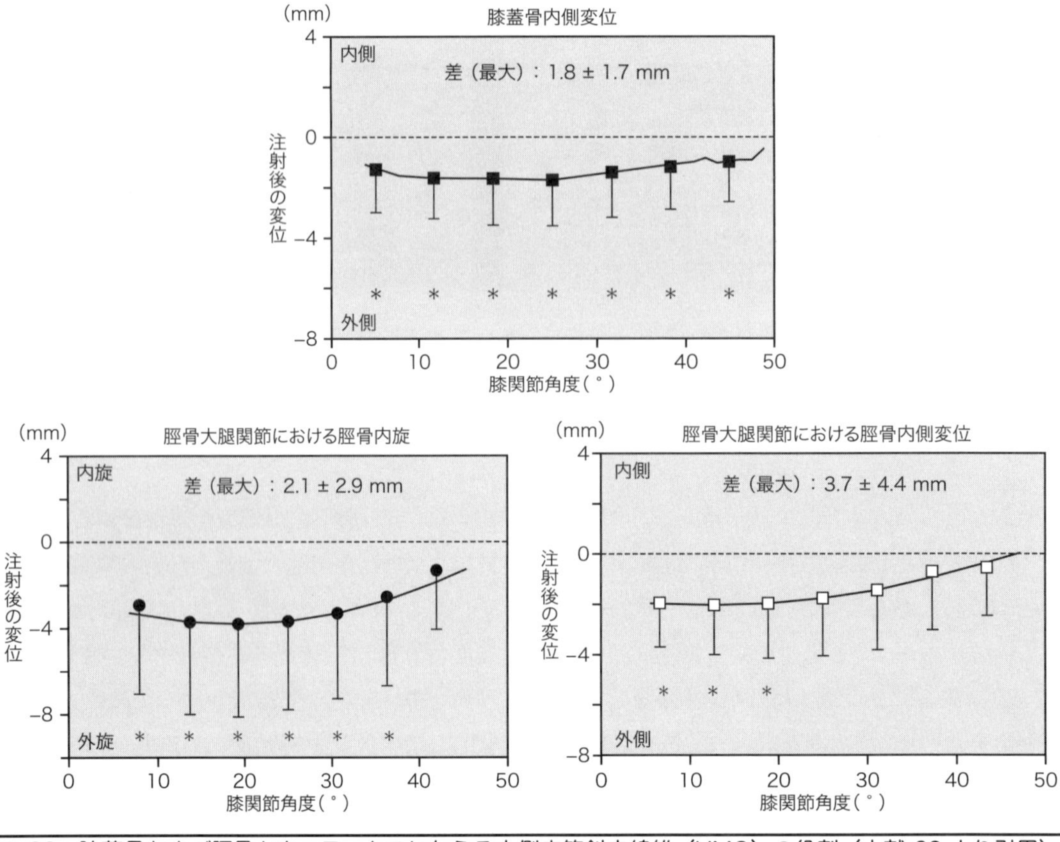

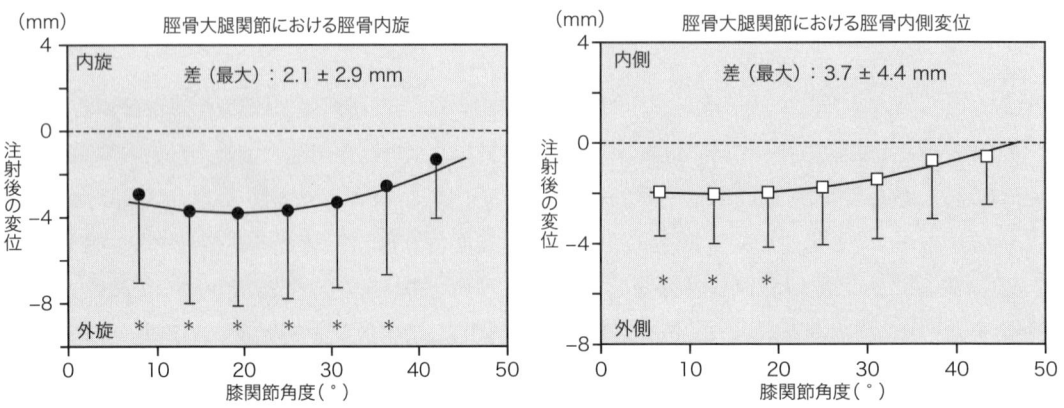

図1-22　膝蓋骨および脛骨キネマティクスに与える内側広筋斜走線維（VMO）の役割（文献60より引用）
膝蓋骨外側変位：p=0.003，脛骨外旋：p<0.001，脛骨外方変位：p<0.001。

力増大は膝蓋骨の外方傾斜および内旋増大をもたらした。

3. 疾患別の膝蓋大腿関節機能
1) 反復性膝蓋骨脱臼

反復性膝蓋骨脱臼は膝蓋骨の慢性的な外方偏位を招くようである。Yamada ら[81]は，反復性膝蓋骨脱臼群 12 名（男性 2 名，女性 10 名）と対照群 10 名（男性 4 名，女性 6 名）において膝屈曲 0〜50°における自動運動時の膝蓋骨キネマティクスを計測した。その結果，反復性膝蓋骨脱臼群では膝蓋骨の内旋，外側変位，外方傾斜，脛骨外側変位が有意に大きかった。

膝蓋骨脱臼において VM の膝蓋骨内側縁付着部の位置に着目し，正常膝と脱臼膝を比較した報告が散見される。Outerbridge ら[48]は VM の膝蓋骨内側縁付着部の長さの膝蓋骨高に対する割合を求めたところ，正常膝では 43〜45％，反復性膝蓋骨脱臼膝では 25％以下であった（**図 1-23**）。Koskinen ら[31]は，MRI を用いて正常膝と脱臼膝を比較したところ，脱臼膝では VMO の発達が乏しく，付着部が膝蓋骨の近位側になっていた。

2) 膝蓋大腿関節痛症候群

膝蓋大腿関節痛症候群（patellofemoral pain syndrome：PFPS）は，確定診断のできる他の疾患（骨や靱帯，半月板，滑液包，滑膜ヒダの症状など）を除外したうえで，膝蓋骨周囲または膝蓋骨内側関節面の疼痛や座位保持，膝立位，階段昇降，スクワットのような大腿膝蓋関節の圧迫力が増加する動作によって疼痛が増強する症状を有する状態を指す[32, 35, 42, 69]。PFPS の同義語として anterior knee pain, patellar instability, extensor mechanism dysplasia, patellofemoral dysfunction, patellar compression syndrome, retropatellar pain syndrome などが使われてき

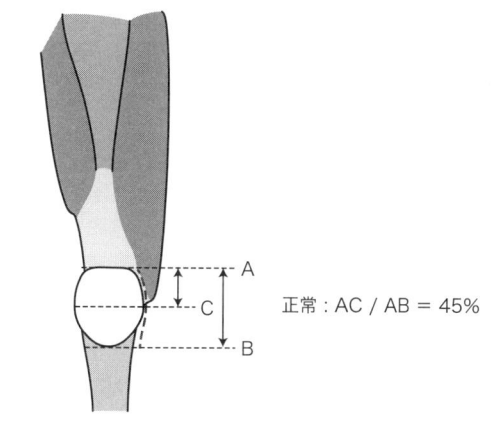

図 1-23　内側広筋（VM）の膝蓋骨内側縁付着部の長さの膝蓋骨高に対する割合（文献 48 より引用）

た。PFPS と神経筋機能および関節運動との関連性について研究が行われてきた。

(1) 股関節筋力

PFPS の発症につながる神経筋機能の要因として，股関節外転および外旋筋力の低下があげられる。これらの機能低下は荷重動作時の股関節内転・内旋を増大させ，外部膝外転モーメントの増大を招き，膝蓋大腿関節の外側応力を増大させる[10, 29]。多くの後ろ向き研究において，股関節外転および外旋筋力の低下は PFPS の危険因子であると結論づけられた（**表 1-7**）[7, 9, 44, 65]。一方 Rathleff ら[56]は思春期女性を対象として，PFPS 群（14.6 ± 1.1 歳）と対照群（14.8 ± 1.0 歳）を比較し，股関節筋力に群間差は認められなかったことを報告した。Thijs ら[68]も非熟練者の女性ランナー 77 名（38.0 ± 9.0 歳）を対象とした前向き研究において，PFPS 群と対照群との間に股関節筋力の差は見出せなかった。以上のように，股関節筋力と PFPS の関連性についてのコンセンサスは得られていない。

(2) フィードフォワード系制御

フィードフォワード系の神経筋機能として，筋

表 1-7　PFPS における筋力（成人を対象とした後ろ向き研究）（文献 7, 9, 14, 44, 65 より作成）

報告者	対象	年齢（歳）	方法	筋力
Nakagawa ら [44]	PFPS（女性 20，男性 20） 対照（女性 20，男性 20）	22.3 ± 3.1 21.8 ± 2.6	eccentric	股関節外転 PFPS＜対照（p＝0.017）
Balddon ら [7]	PFPS（女性 10） 対照（女性 10）	22.9 ± 5.2 23.9 ± 2.3	isometric	股関節外転 PFPS＜対照（p＝0.008）
Souza ら [65]	PFPS（女性 21） 対照（女性 21）	27 ± 6 26 ± 5	isometric	股関節伸展・外転 PFPS＜対照（p＜0.05）
Cichanowski ら [14]	PFPS（女性 21） 対照（女性 20）	21 ± 1.2 21 ± 1.4	isometric	股関節外転・外旋 PFPS＜対照（p＜0.003）
Bolgla ら [9]	PFPS（女性 18） 対照（女性 18）	24.5 ± 3.2 23.9 ± 2.8	isometric	股関節外転・外旋 PFPS＜対照（p＜0.01）

活動のタイミングも重要と考えられている。機械的ストレスを予測し，事前に筋の活動が高まる前活動が起こる[78]。前活動の研究は古くは靱帯損傷（前距腓靱帯損傷[83]や膝前十字靱帯損傷[40, 83]）に関連して実施されてきたが，近年 PFPS との関連が注目されている。評価指標として，主に①主要な筋の活動開始タイミング，②内・外側の筋（VM と VL）の活動開始タイミングの差異，があげられる。①は動作のパターンに関連し，②は膝蓋骨の内外制動に関与する。Pal ら[49]は，PFPS 群 40 名（男性 21 名，女性 19 名）と対照群 16 名（男性 8 名，女性 8 名）を対象に，MRI を用いて計測したスクワット動作中の膝蓋骨運動と，歩行中の VM および VL の活動開始タイミングとの関連性を調査した。その結果，歩行時の VM の活動遅延とスクワット中の膝蓋骨外方傾斜角度および外側変位との間に高い正の相関が認められた（r＝0.89，p＜0.001）。Aminaka ら[3]は，PFPS 群 20 名と対照群 20 名の階段降段時の VM，大内転筋，中殿筋の筋活動開始タイミングおよび活動時間を計測した。その結果，PFPS 群では対象筋すべてにおいて活動開始の遅延および早期終了が認められた。

(3) フィードバック系制御

フィードバック系の神経筋機能として，反射性反応時間を指標とした実験が行われてきた。Voight ら[74]は，PFPS 群 16 名と対照群 41 名を対象に，膝蓋腱叩打時の VM と VL の反射性反応時間を比較した。その結果，対照群では VM の反応が VL よりも早く（p＜0.001），PFPS 群では VL の反応が VM よりも早かった（p＜0.001）。群間の比較では，VL の活動開始は PFPS 群が早く（p＜0.001），VM の活動開始に群間差は認められなかった。この結果より，PFPS 患者において VM の発火が抑制されているのではなく，VL の発火が対照群よりも早いために，VM と VL の発火順序が逆になり膝伸展機構の機能不全を招いていると考察された。Van Tiggelen ら[72]は軍人 79 名を対象に，toe lift 動作時の VMO と VL の筋活動の開始時間と PFPS 発生の有無との関連性を調査した。その結果，PFPS 発症前後ともに，PFPS 非発症者（26/79 名）において VMO は VL に比べ早期に活動していたのに対し，PFPS 発症者の VMO は VL に比べ遅延していた。神経筋の活動タイミングの変化は PFPS の危険因子になりうるが，一定の結論は得られていない。

(4) バイオメカニクス

PFPS の有無により，膝蓋骨のキネマティクスが異なることが報告されてきた。Sheehan ら[61]は，膝関節屈曲 0〜40°における自動運動時の膝蓋骨キネマティクスを MRI 撮像した。その結果，

PFPS群（19名，30膝）は対照群（28名，37膝）と比較し，膝蓋骨屈曲（p＜0.006），高位（p＝0.001），外側変位（p＜0.001），内旋（p＝0.023），外方傾斜（p＝0.032）の有意な増大が認められた（図1-24）。膝蓋骨外方傾斜角度は，pool解析を用いた結果でも増大していた（p＝0.009）（表1-8）[32]。

PFPS患者においてランニングやドロップジャンプ，片脚スクワットなどの動作中の股・膝関節キネマティクスが研究されてきた[3, 16, 22, 44, 65, 79]（表1-9）。特に片脚スクワット時（股関節内旋・内転角度）[65]，ドロップジャンプ[65]や階段昇降時（股関節内旋角度）[65]，ランニングにおけるフットストライク時（股関節内旋角度）[80]などで有意差が認められた。ただし，以上の研究はすべて

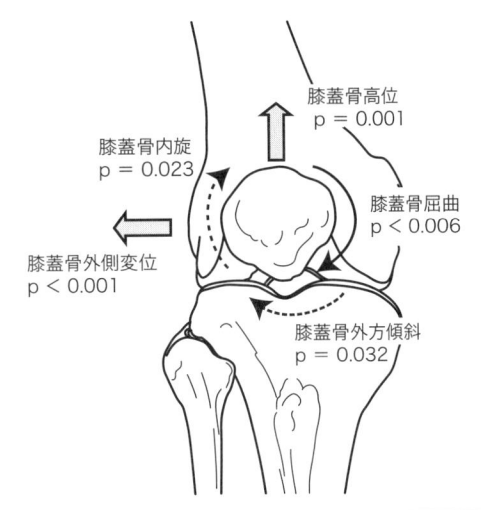

図1-24 PFPSにおける膝蓋骨の異常運動（文献61より作図）

表1-8 PFPSにおける膝蓋骨キネマティクス（文献17, 54, 58より作成）

	膝蓋骨外方傾斜角度（°）				結果
	PFPS	例数	対照	例数	
Draperら[17]	10	23	4	13	
Salsichら[58]	12.4	21	9	21	
Powersら[54]	10.7	23	5.5	12	
		67		46	PFPS＞対照（p＝0.009）

表1-9 後ろ向き研究によるPFPSにおける股関節・膝関節キネマティクス（文献3, 16, 22, 44, 65, 79, 80より作成）

報告者	対象	試技	キネマティクス
Wirtzら[80]	PFPS（女性20） 対照（女性20）	ランニング	股関節内旋：PFPS＞対照（p＝0.04） 膝屈曲：ns
Nakagawaら[44]	PFPS（女性20） 対照（女性20）	片脚スクワット	股関節内旋：PFPS＞対照（p＜0.05） 股関節内転：PFPS＞対照（p＝0.001） 膝外転：PFPS＞対照（p＝0.001）
Dierksら[16]	PFPS（女性15，男性5） 対照（女性15，男性5）	ランニング	股関節内転：PFPS＞対照（p＜0.05） 膝外転角度：PFPS＞対照（p＜0.05）
Aminakaら[3]	PFPS（女性13，男性7） 対照（女性13，男性7）	階段昇降	股関節内旋：PFSP＞対照（p＜0.05）
Grenholmら[22]	PFPS（女性17） 対照（女性17）	階段昇降	股関節内転・膝屈曲・足背屈 有意差なし
Souzaら[65]	PFPS（女性21） 対照（女性20）	ランニング ドロップバーティカルジャンプ ステップダウン	股関節内旋：PFPS＞対照（p＜0.05） 股関節内転：有意差なし
Willsonら[79]	PFPS（女性21） 対照（女性20）	ランニング 片脚スクワット 片脚ジャンプ	股関節内旋：PFPS＜対照（p＝0.01） 股関節内転：PFPS＞対照（p＝0.012） 膝関節外転：PFPS＞対照（p＝0.06）

第1章 膝伸展機構

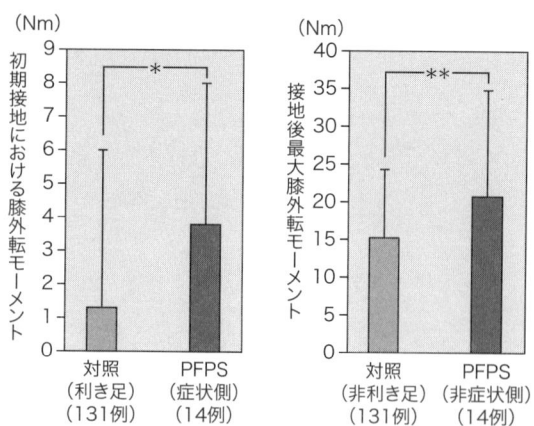

図1-25 ドロップバーティカルジャンプ時の膝外転モーメントにおけるPFPSと対照群との比較（文献42より作図）
＊ p=0.03，＊＊ p=0.02。

ケースコントロール研究であり，股関節内旋や内転角度の違いとPFPS発症との因果関係について結論は得られていない。

一方，関節モーメントに関してはいくつかの前向き研究が報告されてきた。Stefanyshynら[67]は80名の長距離ランナーを対象に，30 mのランニング動作の三次元動作解析を行った後，6ヵ月間PFPSの発生を追跡調査した。その結果，PFPS発生群（6/80名）は，対照群と比較してランニングの立脚中期における膝外転モーメントが有意に大きかった（p=0.042）。Myerら[42]は女子バスケットボール選手145名（平均13.4歳）を対象にドロップバーティカルジャンプの動作分析によりPFPSの発生を追跡調査し，PFPS群と対照群で動作比較を行った。その結果，PFPS発生群（14/145名）は，接地後の膝外転モーメントが大きかった（p=0.02）（図1-25）。Bolingら[11]も軍人1,597名を対象とした大規模前向き調査において，PFPS発生群（40/1,597名）ではドロップバーティカルジャンプにおける膝外部外転モーメントが有意に高かった。Myerら[43]は増大する膝外部外転モーメントはPFPSとACL損傷の共通因子であることを報告

した。そして，PFPSは思春期前期に発生することから，PFPSを発症した若い女性では，将来のACL損傷の危険度が高い可能性がある。これらの研究により，ランニング動作や着地動作などの異なる動作で膝外転モーメントの増大がPFPS発症の危険因子になることが示された。

PFPS発症の危険因子として，神経筋機能および関節のバイオメカニクスについてレビューしたが，発症のメカニズムを説明できる一定の見解がいまだ得られていない。PFPSが解剖学的に特定の病態に分類にされないことでメカニズムを特定しづらいことや，これまでの研究の多くが後ろ向きのデザインであることが要因と考えられる。しかし，発生率が比較的高く，臨床的には重要な疾患であるため，今後は症状の違いによる病態の分類や前向き研究による機能との関連がより詳細に行われ，治療に活かされることが期待される。

D. まとめ

1. すでに真実として承認されていること
- 膝蓋骨脱臼には骨形状（膝蓋骨・大腿骨滑車溝），関節構成体（内側膝蓋大腿靱帯），筋機能（斜走線維）が影響する。
- PFPSには膝外部外転モーメントの増大が影響する。

2. 議論の余地はあるが，今後の重要な研究テーマとなること
- 股関節筋力とPFPSとの関連性。
- 筋活動（VMとVL）のタイミングとPFPSとの関連性。

E. 今後の課題

- 膝伸展機構の疾患の危険因子をバイオメカニク

ス（キネマティクス・キネティクス・筋機能）の観点より，詳細に検討すること．
- バイオメカニクスの観点から，推測される危険因子の妥当性の検証（介入研究などによる予防効果）．

文献

1. Aglietti P, Insall JN, Cerulli G: Patellar pain and incongruence. I: measurements of incongruence. *Clin Orthop Relat Res*. 1983; (176): 217-24.
2. Aguiar RO, Viegas FC, Fernandez RY, Trudell D, Haghighi P, Resnick D: The prepatellar bursa: cadaveric investigation of regional anatomy with MRI after sonographically guided bursography. *AJR Am J Roentgenol*. 2007; 188: W355-8.
3. Aminaka N, Pietrosimone BG, Armstrong CW, Meszaros A, Gribble PA: Patellofemoral pain syndrome alters neuromuscular control and kinetics during stair ambulation. *J Electromyogr Kinesiol*. 2011; 21: 645-51.
4. Amis AA: Current concepts on anatomy and biomechanics of patellar stability. *Sports Med Arthrosc*. 2007; 15: 48-56.
5. Amis AA, Firer P, Mountney J, Senavongse W, Thomas NP: Anatomy and biomechanics of the medial patellofemoral ligament. *Knee*. 2003; 10: 215-20.
6. Balcarek P, Jung K, Ammon J, Walde TA, Frosch S, Schüttrumpf JP, Stürmer KM, Frosch KH: Anatomy of lateral patellar instability: trochlear dysplasia and tibial tuberkle-trochlear groove distance is more pronounced in women who dislocate the patella. *Am J Sports Med*. 2010; 38: 2320-7.
7. Baldon de Marche R, Nakagawa TH, Muniz TB, Amorim CF, Maciel CD, Serrão FV: Eccentric hip muscle function in females with and without patellofemoral pain syndrome. *J Athl Train*. 2009; 44: 490-6.
8. Baldwin JL: The anatomy of the medial patellofemoral ligament. *Am J Sports Med*. 2009; 37: 2355-61.
9. Bolgla LA, Malone TR, Umberger BR, Uhl TL: Hip strength and hip and knee kinematics during stair descent in females with and without patellofemoral pain syndrome. *J Orthop Sports Phys Ther*. 2008; 38: 12-8.
10. Boling M, Padua D: Relationship between hip strength and trunk, hip, and knee kinematics during a jump-landing task in individuals with patellofemoral pain. *Int J Sports Phys Ther*. 2013; 8: 661-9.
11. Boling MC, Padua DA, Marshall SW, Guskiewicz K, Pyne S, Beutler A: A prospective investigation of biomechanical risk factors for patellofemoral pain syndrome: the Joint Undertaking to Monitor and Prevent ACL Injury (JUMP-ACL) cohort. *Am J Sports Med*. 2009; 37: 2108-16.
12. Buff HU, Jones LC, Hungerford DS: Experimental determination of forces transmitted through the patellofemoral joint. *J Biomech*. 1988; 21: 17-23.
13. Bullough PG, Goodfellow JW: Solitary lymphangioma of bone. A case report. *J Bone Joint Surg Am*. 1976; 58: 418-9.
14. Cichanowski HR, Schmitt JS, Johnson RJ, Niemuth PE: Hip strength in collegiate female athletes with patellofemoral pain. *Med Sci Sports Exerc*. 2007; 39: 1227-32.
15. Diederichs G, Issever AS, Scheffler S: MR imaging of patellar instability: injury patterns and assessment of risk factors. *Radiographics*. 2010; 30: 961-81.
16. Dierks TA, Manal KT, Hamill J, Davis I: Lower extremity kinematics in runners with patellofemoral pain during a prolonged run. *Med Sci Sports Exerc*. 2011; 43: 693-700.
17. Draper CE, Besier TF, Santos JM, Jennings F, Fredericson M, Gold GE, Beaupre GS, Delp SL: Using real-time MRI to quantify altered joint kinematics in subjects with patellofemoral pain and to evaluate the effects of a patellar brace or sleeve on joint motion. *J Orthop Res*. 2009; 27: 571-7.
18. Farahmand F, Senavongse W, Amis AA: Quantitative study of the quadriceps muscles and trochlear groove geometry related to instability of the patellofemoral joint. *J Orthop Res*. 1998; 16: 136-43.
19. Fox TA: Dysplasia of the quadriceps mechanism: hypoplasia of the vastus medialis muscle as related to the hypermobile patella syndrome. *Surg Clin North Am*. 1975; 55: 199-226.
20. Freedman BR, Sheehan FT: Predicting three-dimensional patellofemoral kinematics from static imaging-based alignment measures. *J Orthop Res*. 2013; 31: 441-7.
21. Fulkerson JP, Gossling HR: Anatomy of the knee joint lateral retinaculum. *Clin Orthop Relat Res*. 1980; (153): 183-8.
22. Grenholm A, Stensdotter AK, Hager-Ross C: Kinematic analyses during stair descent in young women with patellofemoral pain. *Clin Biomech (Bristol, Avon)*. 2009; 24: 88-94.
23. Haim A, Yaniv M, Dekel S, Amir H: Patellofemoral pain syndrome: validity of clinical and radiological features. *Clin Orthop Relat Res*. 2006; 451: 228-8.
24. Hehne HJ: Biomechanics of the patellofemoral joint and its clinical relevance. *Clin Orthop Relat Res*. 1990; (258): 73-85.
25. Holt G, Nunn T, Allen RA, Forrester AW, Gregori A: Variation of the vastus medialis obliquus insertion and its relevance to minimally invasive total knee arthroplasty. *J Arthroplasty*. 2008; 23: 600-4.
26. Hopkins JT, Ingersoll CD, Krause BA, Edwards JE, Cordova ML: Effect of knee joint effusion on quadriceps and soleus motoneuron pool excitability. *Med Sci Sports Exerc*. 2001; 33: 123-6.
27. Hoy MG, Zajac FE, Gordon ME: A musculoskeletal model of the human lower extremity: the effect of muscle, tendon, and moment arm on the moment-angle relationship of musculotendon actuators at the hip, knee, and ankle. *J Biomech*. 1990; 23: 157-69.
28. Huberti HH, Hayes WC, Stone JL: Force ratios in the quadriceps tendon and ligamentum patellae. *J Orthop Res*. 1984; 2: 49-54.

29. Ireland ML, Willson JD, Ballantyne BT, Davis IM: Hip strength in females with and without patellofemoral pain. *J Orthop Sports Phys Ther*. 2003; 33: 671-6.
30. Jafari A, Farahmand F, Meghdari A: The effects of trochlear groove geometry on patellofemoral joint stability -a computer model study. *Proc Inst Mech Eng H*. 2008; 222: 75-88.
31. Koskinen SK, Kujala UM: Patellofemoral relationships and distal insertion of the vastus medialis muscle: a magnetic resonance imaging study in nonsymptomatic subjects and in patients with patellar dislocation. *Arthroscopy*. 1992; 8: 465-8.
32. Lankhorst NE, Bierma-Zeinstra SM, van Middelkoop M: Factors associated with patellofemoral pain syndrome: a systematic review. *Br J Sports Med*. 2013; 47: 193-206.
33. Laprade J, Culham E: Radiographic measures in subjects who are asymptomatic and subject with patellofemoral pain syndrome. *Clin Orthop Relat Res*. 2003; (414): 172-82.
34. Laurin CA, Lévesque HP, Dussault R, Labelle H, Peides JP: The abnormal lateral patellofemoral angle: a diagnostic roentgenographic sign of recurrent patellar subluxation. *J Bone Joint Surg Am*. 1978; 60: 55-60.
35. Lieb FJ, Perry J: Quadriceps function. An anatomical and mechanical study using amputated limbs. *J Bone Joint Surg Am*. 1968; 50: 1535-48.
36. Lorenz A, Müller O, Kohler P, Wünschel M, Wülker N, Leichtle UG: The influence of asymmetric quadriceps loading on patellar tracking -an *in vitro* study. *Knee*. 2012; 19: 818-22.
37. McNair PJ, Marshall RN, Maguire K: Swelling of the knee joint: effects of exercise on quadriceps muscle strength. *Arch Phys Med Rehabil*. 1996; 77: 896-9.
38. McNally EG: Imaging assessment of anterior knee pain and patellar maltracking. *Skeletal Radiol*. 2001; 30: 484-95.
39. Merican AM, Amis AA: Anatomy of the lateral retinaculum of the knee. *J Bone Joint Surg Br*. 2008; 90: 527-34.
40. Mitchell A, Dyson R, Hale T, Abraham C: Biomechanics of ankle instability. Part 1: reaction time to simulated ankle sprain. *Med Sci Sports Exerc*. 2008; 40: 1515-21.
41. Mountney J, Senavongse W, Amis AA, Thomas NP: Tensile strength of the medial patellofemoral ligament before and after repair or reconstruction. *J Bone Joint Surg Br*. 2005; 87: 36-40.
42. Myer GD, Ford KR, Barber Foss KD, Goodman A, Ceasar A, Rauh MJ, Divine JG, Hewett TE: The incidence and potential pathomechanics of patellofemoral pain in female athletes. *Clin Biomech (Bristol, Avon)*. 2010; 25: 700-7.
43. Myer GD, Ford KR, Di Stasi SL, Foss KDB, Micheli LJ, Hewett TE: High knee abduction moments are common risk factors for patellofemoral pain (PFP) and anterior cruciate ligament (ACL) injury in girls: Is PFP itself a predictor for subsequent ACL injury? *Br J Sports Med*. 2014; doi: 10.1136/bjsports-2013-092536.
44. Nakagawa TH, Baldon Rde M, Muniz TB, Serrão FV: Relationship among eccentric hip and knee torques, symptom severity and functional capacity in females with patellofemoral pain syndrome. *Phys Ther Sport*. 2011; 12: 133-9.
45. Nha KW, Papannagari R, Gill TJ, Van de Velde SK, Freiberg AA, Rubash HE, Li G: *In vivo* patellar tracking: clinical motions and patellofemoral indices. *J Orthop Res*. 2008; 26: 1067-74.
46. Noehren B, Barrance PJ, Pohl MP, Davis IS: A comparison of tibiofemoral and patellofemoral alignment during a neutral and valgus single leg squat: an MRI study. *Knee*. 2012; 19: 380-6.
47. Nomura E, Inoue M, Osada N: Anatomical analysis of the medial patellofemoral ligament of the knee, especially the femoral attachment. *Knee Surg Sports Traumatol Arthrosc*. 2005; 13: 510-5.
48. Outerbridge RE, Dunlop JA: The problem of chondromalacia patellae. *Clin Orthop Relat Res*. 1975; (110): 177-96.
49. Pal S, Draper CE, Fredericson M, Gold GE, Delp SL, Beaupre GS, Besier TF: Patellar maltracking correlates with vastus medialis activation delay in patellofemoral pain patients. *Am J Sports Med*. 2011; 39: 590-8.
50. Palmieri-Smith RM, Villwock M, Downie B, Hecht G, Zernicke R: Pain and effusion and quadriceps activation and strength. *J Athl Train*. 2013; 48: 186-91.
51. Panagiotopoulos E, Strzelczyk P, Herrmann M, Scuderi G: Cadaveric study on static medial patellar stabilizers: the dynamizing role of the vastus medialis obliquus on medial patellofemoral ligament. *Knee Surg Sports Traumatol Arthrosc*. 2006; 14: 7-12.
52. Pappas E, Wong-Tom WM: Prospective predictors of patellofemoral pain syndrome: a systematic review with meta-analysis. *Sports Health*. 2012; 4: 115-20.
53. Philippot R, Boyer B, Testa R, Farizon F, Moyen B: The role of the medial ligamentous structures on patellar tracking during knee flexion. *Knee Surg Sports Traumatol Arthrosc*. 2012; 20: 331-6.
54. Powers CM: Patellar kinematics, part I: the influence of vastua muscle activity in subjects with and without patellofemoral pain. *Phys Ther*. 2000; 80: 956-64.
55. Puig S, Dupuy DE, Sarmiento A, Boland GW, Grigoris P, Greene R: Articular muscle of the knee: a muscle seldom recognized on MR imaging. *AJR Am J Roentgenol*. 1996; 166: 1057-60.
56. Rathleff CR, Baird WN, Olesen JL, Roos EM, Rasmussen S, Rathleff MS: Hip and knee strength is not affected in 12-16 year old adolescents with patellofemoral pain -a cross-sectional population-based study. *PLoS One*. 2013; 8: e79153.
57. Reider B, Marshall JL, Koslin B, Ring B, Girgis FG: The anterior aspect of the knee joint. *J Bone Joint Surg Am*. 1981; 63: 351-6.
58. Salsich GB, Perman WH: Patellofemoral joint contact area is influenced by tibiofemoral rotation alignment in individuals who have patellofemoral pain. *J Orthop Sports Phys Ther*. 2007; 37: 521-8.
59. Senavongse W, Farahmand F, Jones J, Andersen H, Bull AM, Amis AA: Quantitative measurement of patellofemoral joint stability: force-displacement behavior of the human patella *in vitro*. *J Orthop Res*. 2003; 21:

60. Sheehan FT, Borotikar BS, Behnam AJ, Alter KE: Alterations in *in vivo* knee joint kinematics following a femoral nerve branch block of the vastus medialis: implications for patellofemoral pain syndrome. *Clin Biomech (Bristol, Avon)*. 2012; 27: 525-31.
61. Sheehan FT, Derasari A, Fine KM, Brindle TJ, Alter KE: Q-angle and J-sign: indicative of maltracking subgroups in patellofemoral pain. *Clin Orthop Relat Res*. 2010; 468: 266-75.
62. Signorile JF, Kacsik D, Perry A, Robertson B, Williams R, Lowensteyn I, Digel S, Caruso J, LeBlanc WG: The effect of knee and foot position on the electromyographical activity of the superficial quadriceps. *J Orthop Sports Phys Ther*. 1995; 22: 2-9.
63. Smith TO, Nichols R, Harle D, Donell ST: Do the vastus medialis obliquus and vastus medialis longus really exist? A systematic review. *Clin Anat*. 2009; 22: 183-99.
64. Sonin AH, Fitzgerald SW, Bresler ME, Kirsch MD, Hoff FL, Friedman H: MR imaging appearance of the extensor mechanism of the knee: functional anatomy and injury patterns. *Radiographics*. 1995; 15: 367-82.
65. Souza RB, Powers CM: Differences in hip kinematics, muscle strength, and muscle activation between subjects with and without patellofemoral pain. *J Orthop Sports Phys Ther*. 2009; 39: 12-9.
66. Stäubli HU, Schatzmann L, Brunner P, Rincón L, Nolte LP: Mechanical tensile properties of the quadriceps tendon and patellar ligament in young adults. *Am J Sports Med*. 1999; 27: 27-34.
67. Stefanyshyn DJ, Stergiou P, Lun VM, Meeuwisse WH, Worobets JT: Knee angular impulse as a predictor of patellofemoral pain in runners. *Am J Sports Med*. 2006; 34: 1844-51.
68. Thijs Y, Pattyn E, Van Tiggelen D, Rombaut L, Witvrouw E: Is hip muscle weakness a predisposing factor for patellofemoral pain in female novice runners? A prospective study. *Am J Sports Med*. 2011; 39: 1877-82.
69. Thomee R, Augustsson J, Karlsson J: Patellofemoral pain syndrome: a review of current issues. *Sports Med*. 1999; 28: 245-62.
70. Tuong B, White J, Louis L, Cairns R, Andrews G, Forster BB: Get a kick out of this: the spectrum of knee extensor mechanism injuries. *Br J Sports Med*. 2011; 45: 140-6.
71. Tuxøe J, Teir M, Winge S, Nielsen P: The medial patellofemoral ligament: a dissection study. *Knee Surg Sports Traumatol Arthrosc*. 2002; 10: 138-40.
72. Van Tiggelen D, Cowan S, Coorevits P, Duvigneaud N, Witvrouw E: Delayed vastus medialis obliquus to vastus lateralis onset timing contributes to the development of patellofemoral pain in previously healthy men: a prospective study. *Am J Sports Med*. 2009; 37: 1099-105.
73. Victor J, Wong P, Witvrouw E, Sloten JV, Bellemans J: How isometric are the medial patellofemoral, superficial medial collateral, and lateral collateral ligaments of the knee? *Am J Sports Med*. 2009; 37: 2028-36.
74. Voight ML, Wieder DL: Comparative reflex response times of vastus medialis obliquus and vastus lateralis in normal subjects and subjects with extensor mechanism dysfunction. An electromyographic study. *Am J Sports Med*. 1991; 19: 131-7.
75. Waligora AC, Johanson NA, Hirsch BE: Clinical anatomy of the quadriceps femoris and extensor apparatus of the knee. *Clin Orthop Relat Res*. 2009; 467: 3297-306.
76. Wendt PP, Johnson RP: A study of quadriceps excursion, torque, and the effect of patellectomy on cadaver knees. *J Bone Joint Surg Am*. 1985; 67: 726-32.
77. Wiberg G: Roentgenographs and anatomic studies on thefemoropatellar joint: with special reference to chondromalacia patellae. *Acta Orthop Scand*. 1941; 12: 319-410.
78. Williams GN, Chmielewski T, Rudolph K, Buchanan TS, Snyder-Mackler L: Dynamic knee stability: current theory and implications for clinicians and scientists. *J Orthop Sports Phys Ther*. 2001; 31: 546-66.
79. Willson JD, Davis IS: Lower extremity mechanics of females with and without patellofemoral pain across activities with progressively greater task demands. *Clin Biomech (Bristol, Avon)*. 2008; 23: 203-11.
80. Wirtz AD, Willson JD, Kernozek TW, Hong DA: Patellofemoral joint stress during running in females with and without patellofemoral pain. *Knee*. 2012; 19: 703-8.
81. Yamada Y, Toritsuka Y, Horibe S, Sugamoto K, Yoshikawa H, Shino K: *In vivo* movement analysis of the patella using a three-dimensional computer model. *J Bone Joint Surg Br*. 2007; 89: 752-60.
82. Yanke AB, Bell R, Lee AS, Shewman E, Wang VM, Bach BR Jr: Central-third bone-patellar tendon-bone allografts demonstrate superior biomechanical failure characteristics compared with hemi-patellar tendon grafts. *Am J Sports Med*. 2013; 41: 2521-6.
83. Zhou S, McKenna MJ, Lawson DL, Morrison WE, Fairweather I: Effects of fatigue and sprint training on electromechanical delay of knee extensor muscles. *Eur J Appl Physiol Occup Physiol*. 1996; 72: 410-6.

（馬越　博久）

2. 疫学・病態

はじめに

 膝伸展機構はスポーツパフォーマンスにおいて重要な役割を果たす一方で，発揮筋力の大きさやその構造から過大な負荷にさらされやすい．膝伸展機構の疾患は頻発し，その疼痛部位は骨，関節，筋腱など多岐にわたる．それらの病態や発生要因を整理して理解することは重要である．疾患によってはエビデンスレベルの高い論文が少ないため不明確な点もあるが，疾患別に疫学・病態・発生要因について現在までの報告を整理し，今後の課題を提示する．なお，SPTSシリーズ第9巻で取り上げられた膝蓋骨疲労骨折，大腿四頭筋肉ばなれ，膝蓋腱炎は除外した．

A. 文献検索方法

 文献検索にはPubMedを用いた．**表2-1**に示した検索ワードに「epidemiology」や「etiology」を掛け合わせて検索を実行した．検索結果から本項に関連する文献を抽出し，さらにハンドサーチを加え，67文献をレビューの対象とした．

B. 骨・骨端線の疾患

1. Osgood–Schlatter病

 Osgood–Schlatter病（OSD）の有病率は，ブラジルで行われた12～15歳の学生956人を対象とした調査で9.8%であった[17]．エジプトの小学生16,060人に対する調査では，女子（0.03%）よりも男子（0.15%）に有意に多く発生し，OSD罹患者の7%が両側性であった[1]．フランスで16歳以下のエリートサッカー選手を対象に行われた前向きコホート研究では，両側性の割合は15%だった[40]．シンガポールの医療機関で集められたデータによると，OSDと診断された患者の平均年齢は男子12.7歳，女子11.5歳だった[39]．米国の調査では，OSD患者75人中73%がスポーツ活動に参加しており，競技の内訳はバスケットボール24%，アメリカンフットボール12%，野球11%，器械体操9%，サッカー9%，陸上競技7%，ランニング5%，その他ダンス，アイススケート，ラケットスポーツ，ラグビー，スキー，バレーボールが合わせて

表2-1 検索用語とヒット件数

検索用語	ヒット数
Osgood-Schlatter disease AND (epidemiology OR etiology)	61件
Sinding-Larsen-Johansson disease AND (epidemiology OR etiology)	9件
tibial tuberosity AND (avulsion OR fracture) AND (epidemiology OR etiology)	68件
patella dislocation AND (epidemiology OR etiology)	49件
(shelf syndrome OR plica syndrome) AND (epidemiology OR etiology)	76件
quadriceps tendinitis AND (epidemiology OR etiology)	37件
quadriceps tendon rupture AND (epidemiology OR etiology)	54件
patellar tendon rupture AND (epidemiology OR etiology)	63件
patellofemoral pain syndrome AND (epidemiology OR etiology)	233件

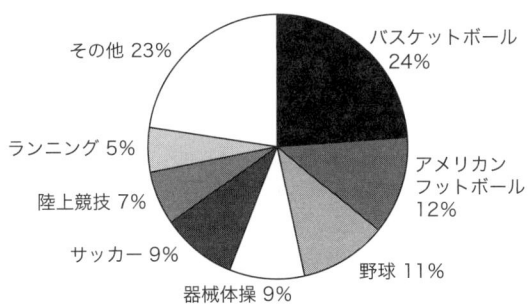

図2-1 Osgood–Schlatter病（OSD）患者が参加していた競技（文献3より作成）

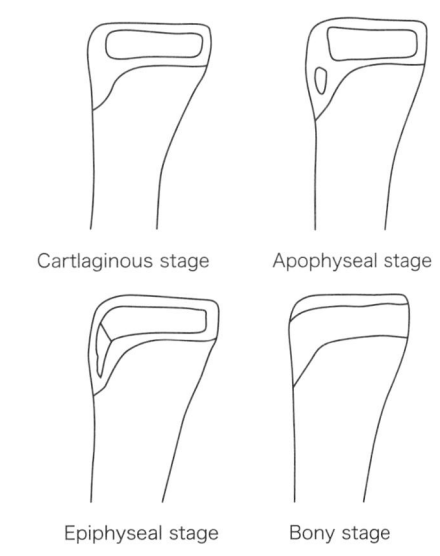

図2-2 脛骨粗面の発育段階（文献29より引用）

23％だった[3]（図2-1）。

OSDの発症には脛骨粗面の発育段階が関係するといわれる。Ehrenborgら[23]は，発育段階を脛骨粗面に二次骨化中心が出現する以前のcartilaginous stage，二次骨化中心が認められるapophyseal stage，二次骨化中心と脛骨近位の骨化中心が癒合したepiphyseal stage，骨端線が閉鎖したbony stageに分類した（図2-2）。この分類において，apophyseal stageまでは骨端軟骨は線維軟骨が大部分を占めて力学的に強固であるのに対し，脛骨結節は軟骨細胞が骨化のために肥大して脆弱となる。Ogdenら[48]は脛骨結節が脆弱な時期に大腿四頭筋の収縮による反復ストレスが加わることで二次骨化中心が剥離してOSDが起こると推測した。実際に，apophyseal stageの割合とOSD患者の割合は類似した傾向を示し，OSDの発症はapophyseal stageに多いとした報告もある[22]（図2-3）。OSDの病態として，apophyseal stageで脆弱化した二次骨化中心の剥離以外に，膝蓋腱や深膝蓋下包など周囲の軟部組織の炎症も報告された[53]。これらがOSDの疼痛に関与すると考えられる。

OSDの発症要因として，大腿直筋のタイトネス[17]，膝蓋骨高位[4, 35]，膝蓋骨低位[38]，膝蓋骨の前傾[56]，脛骨外捻の増加[30, 61]があげられてきた。ただし，これらはすべて後ろ向き研究による報告であり，罹患の結果として現われている可能性も否定できない。

2. Sinding–Larsen–Johansson病

Sinding–Larsen–Johansson病（SLJD）についての研究報告は少ない。Lauら[39]は，医療機関を受診してSLJDと診断された患者の平均年齢は男子11.0歳，女子10.4歳であったと報告した。Iwamotoら[34]によるケースシリーズでは，患者7例全員が男子で，そのうちサッカー選手が7割を占めていた。病態として，膝蓋骨下極の牽引による骨軟骨症[50]，剥離した膝蓋腱の石灰化[43]などが提唱された。文献上これらの違いについての見解は集約されていないが，一般的には膝蓋骨下極の剥離骨折や石灰化像のいずれを含む症状もSLJDとみなされることが多い。

3. 脛骨粗面裂離骨折

脛骨近位端痛を主訴に医療機関を受診した患者のうち，脛骨粗面裂離骨折は2.9％であった[10]。女子より男子に多く[7, 10, 44, 49]，10～17歳に好発し[7, 10, 44, 49]，そのピークは15～16歳だった[49]。脛骨粗面の骨端線閉鎖前は脛骨結節の強度が比較

第1章 膝伸展機構

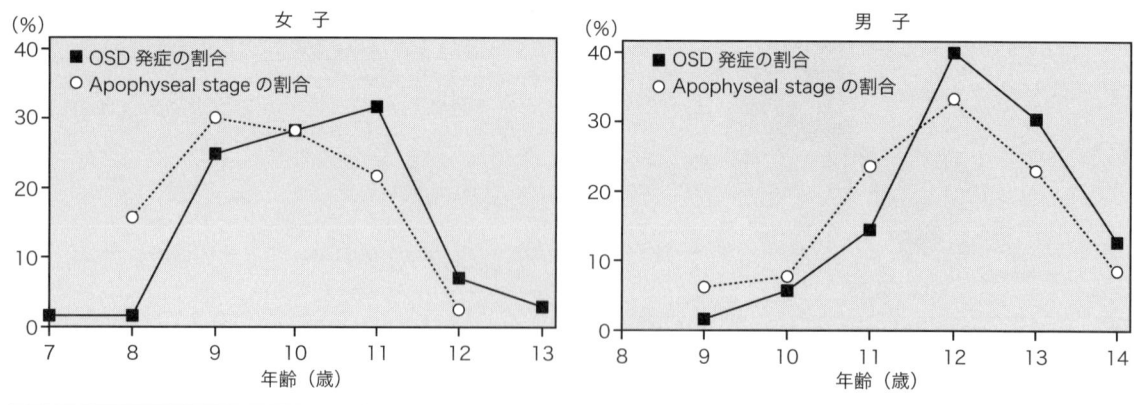

図 2-3 脛骨粗面の発育段階と Osgood-Schlatter 病（OSD）発症の関係（文献 22 より引用）
年齢別の apophyseal stage と OSD の好発年齢は類似している。

的高くなり，相対的に骨端線が構造学的に脆弱となる。ここに大腿四頭筋の強い収縮が加わることにより，脛骨粗面の裂離が起こると推測されている。発症に関連する動作として，ジャンプの踏み切り，ジャンプ後の片脚着地，抵抗下での膝伸展運動時の大腿四頭筋の収縮，膝関節屈曲時の大腿四頭筋の遠心性収縮があげられた[7]。脛骨粗面裂離骨折がみられた競技は，高跳び，バスケットボール，フットボール，ハンドボール，ランニング，器械体操などだった[7, 10, 44, 49]。

C. 関節の疾患

1. 膝蓋骨脱臼

National Electronic Injury Surveillance System（NEISS）（米国）の 2003～2008 年のデータによると，初回膝蓋骨脱臼の発生は年間 10 万人あたり 2.29 件であり，発生率に性差はなく，初回膝蓋骨脱臼の好発年齢は 15～19 歳であった[64]。フィンランドのある地域の調査では，9～15 歳の年代において年間 10 万人あたり 107 件の発生がみられた[46]。男性よりも女性の発生率が高いとする報告もあったが[5, 27, 33, 57]，Stefancin ら[59]による 1,765 症例のプール解析の結果，男性 46%，女性 54% だった。以上より，初回膝蓋骨脱臼の好発時期は第二次性徴期であり，その発生率に性差はない可能性がある。

膝蓋骨外側脱臼の合併症として，内側膝蓋大腿靱帯（MPFL）損傷が 90% 以上に認められている[6, 54, 55]。MPFL 損傷は，大腿骨付着部付近で多いという報告[6, 52, 54, 55, 58]と膝蓋骨付着部付近で多いという報告[31, 37]が混在しており，一定の見解はみられなかった。Sillanpaa ら[58]は，MPFL が大腿骨側で損傷すると再脱臼率が高いことを示した。一方，bone bruising は膝蓋骨下内側に 30～81%，大腿骨外側顆に 80～87% の存在率であり，軟骨損傷は膝蓋骨下内側に 38～70%，大腿骨外側顆に 5～38% の存在率であった[24, 54, 67]。Guerrero ら[31]は症例データベースの MRI 画像のレビューにより，膝蓋骨側での損傷は大腿骨の前外側と膝蓋骨の内側関節面の bone bruising と関係する可能性があると述べた。

膝蓋骨脱臼のメカニズムに関して，Sillanpaa ら[57]は膝関節の屈曲・外反による受傷が 93%，直達外力による受傷が 7% であったと報告した。Nikku ら[47]による 126 症例の膝蓋骨脱臼受傷動作の調査では，78% は膝関節伸展位に近い肢位からの膝関節屈曲運動で，8% は膝関節深屈曲位からの膝関節伸展運動で生じていた。

2. タナ障害

膝蓋内側滑膜ヒダ（またはタナ）は胎生期の隔壁の遺残物である。564〜2,000件の関節鏡検査において，タナ障害と診断された症例は1.8〜6%だった[14,15,19,25,28,36,65]。16文献のレビューにおいて，タナ障害は7〜76歳と幅広い年齢層にみられ，患者の平均年齢は26歳だった[20]。タナ障害の発生に関係する競技として，フットボール，ランニング，ジョギング，サイクリング，テニス，バスケットボール，ラグビー，ウエイトリフティングなどがあげられた[14,25,32]。

タナ障害の原因として，運動量の増加または運動内容の変更，膝への回旋ストレス，反復性の屈伸運動，鈍的外傷，半月板損傷，関節遊離体，離断性骨軟骨炎が報告された[2,9,19,32]。これらに続発する関節内の出血や滑膜炎によりタナが腫脹し，肥厚や線維化すると考察された[2,9]。疼痛はこのタナが膝蓋骨と大腿骨内側顆でインピンジされることによって起こると推察されている。

D. 筋・腱の疾患

1. 大腿四頭筋腱炎

大腿四頭筋腱炎の疫学や病態に関する報告は少ない。Ferrettiら[26]はスポーツ活動に起因してジャンパー膝と診断された患者の疼痛部位を調査した（図2-4）。その結果，大腿四頭筋腱に疼痛のあった者が25%であった。一方，プロビーチバレーボール選手における調査では，大腿四頭筋腱炎の有病率は利き脚で21%，非利き脚で34%であり，この割合は膝蓋腱炎と同程度だった[51]。

2. 大腿四頭筋腱断裂

大腿四頭筋腱断裂は，一般的には40歳以上に多い外傷であり，その発生率は低く，スポーツ選手を対象とした研究は少ない。米国のナショナル・フットボール・リーグ（NFL）所属選手を対

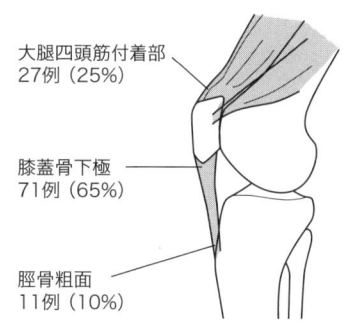

図2-4 ジャンパー膝患者の疼痛部位（文献26より引用）
- 大腿四頭筋付着部 27例（25%）
- 膝蓋骨下極 71例（65%）
- 脛骨粗面 11例（10%）

象とした調査では，10年間で14件の大腿四頭筋腱断裂が報告された。その損傷形態に関して，完全断裂が11件，部分断裂が3件だった[13]。損傷時期では，レギュラーシーズン中の受傷が14件中11件であり，14件中12件は大腿四頭筋腱疾患の既往がなかった[13]。その損傷メカニズムでは，膝関節屈曲に対する大腿四頭筋の強い遠心性収縮によるものが14件中10件，大腿の強打が2件，膝関節の過屈曲が1件だった[13]。

3. 膝蓋腱断裂

膝蓋腱断裂に関して，NFL所属選手を対象とした調査がある[16,42]。それによると，膝蓋腱断裂は10年間で24件発生し，その損傷形態として完全断裂が22件，部分断裂が2件であった。損傷時期では，レギュラーシーズン中の受傷が14件だった[12]。断裂の多くは膝蓋骨下極の腱付着部で生じていた。

膝蓋腱断裂の発生メカニズムに関連する動作として，ランニング・ジャンプの減速動作（38%），予期せぬ過負荷（29%），ブロック動作（17%），タックル動作（4%）があげられた。受傷時の運動様式として，86%が膝関節屈曲位における大腿四頭筋の遠心性収縮であった[12]。わずかながら膝関節の強打によっても発生した[12]。既往と素因については，膝蓋腱炎（38%），PFPS（4%），ステロイド注射（4%）があげられたが，

半数以上に特別な既往がなく受傷していた[12]。

E. その他の外傷：膝蓋大腿関節痛症候群

膝蓋大腿関節痛症候群（patellofemoral pain syndrome：PFPS）の詳細は，前項の基礎科学に記述されている。米国やベルギーの中高生あるいは大学生を対象とした研究において，その発生率は男性 7.4～16%，女性 7.3～21% であり，男性よりも女性でやや高い傾向であった[8,18,60,66]。中高女子バスケットボール選手における調査では，練習と試合を含めた 1,000 athlete-exposures (AE) あたりの発生率は 1.09 件であった[45]。

Masonら[41]は，PFPSの病態の解釈についての文献レビューを行い，歴史的な変遷を記載した。これによると，1906年以降，膝蓋軟骨の変性，膝蓋軟骨軟化症がPFPSの病態だと述べられていたが，1970年に膝蓋骨の病理学的徴候がなくてもPFPSが発生しうることが報告された。1970年代には膝蓋骨のアライメント不良やトラッキングの異常，滑膜ヒダのインピンジメントが原因として示唆された。しかし，1982年に関節アライメントが正常でもPFPSが起こりうると報告され，それ以降は過負荷が原因と考えられてきた。過負荷には，一度の高負荷または反復性の負荷，膝関節屈曲時の膝蓋大腿関節圧の増加や血流の減少，外側支帯の過剰神経支配が含まれる。1986年以降には，大腿四頭筋や股関節周囲筋に関与する神経支配のアンバランスも病態として報告された。

その発症要因として，舟状骨の降下[11]，大腿四頭筋の伸張性低下[66]，下腿三頭筋の伸張性低下[66]，膝伸展ピークトルクの低下[11,21,63]，ハムストリングの筋力低下[11]，大腿内側広筋斜頭の収縮遅延[62]，着地動作の膝関節屈曲角度減少と股関節内旋角度増加[11] が前向き研究により指摘された。しかし，PFPSは多因子性とされ，正確な病態とメカニズムは未解明のままである。

F. まとめ

1. すでに真実として承認されていること
- OSDは牽引型骨端症で本態は二次骨化中心の剥離である。
- OSDの発生は男子に多い。
- SLJDは10～11歳，OSDは11～12歳，脛骨粗面裂離骨折は15～16歳で発症が多いとされ，それぞれ好発年齢が異なる。
- 初回膝蓋骨脱臼ではMPFLの損傷が高頻度でみられる。

2. 議論の余地はあるが，今後の重要な研究テーマとなること
- OSD罹患者で報告された身体特性とOSD発症との因果関係。
- SLJDについて経時的な画像診断調査と病理学からの病態の解明。
- MPFLの損傷部位が膝蓋骨脱臼の合併症や予後に影響する可能性。
- タナ障害の発症要因。
- 既往や素因のない大腿四頭筋腱断裂や膝蓋腱断裂の発症要因。
- PFPSの病態やメカニズム。

3. 真実と思われていたが実は疑わしいこと
- 初回膝蓋骨脱臼の発生が男性より女性に多い。

G. 今後の課題

- 膝伸展機構の各疾患について医療機関を受診した患者ベースではない大規模な疫学調査。
- OSDの発症要因についての前向き研究。
- PFPSについて病理学，病態生理学などの見地による病態の解明と前向き研究による発症要因

の解明。

文 献

1. Abou El-Soud AM, Gaballa HA, Ali MA: Prevalence of osteochondritis among preparatory and primary school children in an Egyptian governorate. *Rheumatol Int*. 2012; 32: 2275-8.
2. Al-Hadithy N, Gikas P, Mahapatra AM, Dowd G: Review article: plica syndrome of the knee. *J Orthop Surg*. 2011; 19: 354-8.
3. Antich TJ, Lombardo SJ: Clinical presentation of Osgood-Schlatter disease in the adolescent population. *J Orthop Sports Phys Ther*. 1985; 7: 1-4.
4. Aparicio G, Abril JC, Calvo E, Alvarez L: Radiologic study of patellar height in Osgood-Schlatter disease. *J Pediatr Orthop*. 1997; 17: 63-6.
5. Atkin DM, Fithian DC, Marangi KS, Stone ML, Dobson BE, Mendelsohn C: Characteristics of patients with primary acute lateral patellar dislocation and their recovery within the first 6 months of injury. *Am J Sports Med*. 2000; 28: 472-9.
6. Balcarek P, Ammon J, Frosch S, Walde TA, Schüttrumpf JP, Ferlemann KG, Lill H, Stürmer KM, Frosch KH: Magnetic resonance imaging characteristics of the medial patellofemoral ligament lesion in acute lateral patellar dislocations considering trochlear dysplasia, patella alta, and tibial tuberosity-trochlear groove distance. *Arthroscopy*. 2010; 26: 926-35.
7. Balmat P, Vichard P, Pem R: The treatment of avulsion fractures of the tibial tuberosity in adolescent athletes. *Sports Med*. 1990; 9: 311-6.
8. Barber Foss KD, Myer GD, Chen SS, Hewett TE: Expected prevalence from the differential diagnosis of anterior knee pain in adolescent female athletes during preparticipation screening. *J Athl Train*. 2012; 47: 519-24.
9. Bellary SS, Lynch G, Housman B, Esmaeili E, Gielecki J, Tubbs RS, Loukas M: Medial plica syndrome: a review of the literature. *Clin Anat*. 2012; 25: 423-8.
10. Bolesta MJ, Fitch RD: Tibial tubercle avulsions. *J Pediatr Orthop*. 1986; 6: 186-92.
11. Boling MC, Padua DA, Alexander Creighton R: Concentric and eccentric torque of the hip musculature in individuals with and without patellofemoral pain. *J Athl Train*. 2009; 44: 7-13.
12. Boublik M, Schlegel T, Koonce R, Genuario J, Lind C, Hamming D: Patellar tendon ruptures in National Football League players. *Am J Sports Med*. 2011; 39: 2436-40.
13. Boublik M, Schlegel TF, Koonce RC, Genuario JW, Kinkartz JD: Quadriceps tendon injuries in national football league players. *Am J Sports Med*. 2013; 41: 1841-6.
14. Bough BW, Regan BF: Medial and lateral synovial plicae of the knee: pathological significance, diagnosis and treatment by arthroscopic surgery. *Ir Med J*. 1985; 78: 279-82.
15. Broom MJ, Fulkerson JP: The plica syndrome: a new perspective. *Orthop Clin North Am*. 1986; 17: 279-81.
16. Cooper ME, Selesnick FH: Partial rupture of the distal insertion of the patellar tendon. A report of two cases in professional athletes. *Am J Sports Med*. 2000; 28: 402-6.
17. de Lucena GL, dos Santos Gomes C, Guerra RO: Prevalence and associated factors of Osgood-Schlatter syndrome in a population-based sample of Brazilian adolescents. *Am J Sports Med*. 2011; 39: 415-20.
18. DeHaven KE, Lintner DM: Athletic injuries: comparison by age, sport, and gender. *Am J Sports Med*. 1986; 14: 218-24.
19. Dorchak JD, Barrack RL, Kneisl JS, Alexander AH: Arthroscopic treatment of symptomatic synovial plica of the knee. Long-term followup. *Am J Sports Med*. 1991; 19: 503-7.
20. Dupont JY: Synovial plicae of the knee. Controversies and review. *Clin Sports Med*. 1997; 16: 87-122.
21. Duvigneaud NBE, Stevens V, Witvrouw E, Van Tiggelen D: Isokinetic assessment of patellofemoral pain syndrome: a prospective study in female recruits. *Isokinetics Exerc Sci*. 2008; 16: 213-9.
22. Ehrenborg G, Engfeldt B: The insertion of the ligamentum patellae on the tibial tuberosity. Some views in connection with the Osgood-Schlatter lesion. *Acta Chir Scand*. 1961; 121: 491-9.
23. Ehrenborg G, Lagergren C: Roentgenologic changes in the Osgood-Schlatter lesion. *Acta Chir Scand*. 1961; 121: 315-27.
24. Elias DA, White LM, Fithian DC: Acute lateral patellar dislocation at MR imaging: injury patterns of medial patellar soft-tissue restraints and osteochondral injuries of the inferomedial patella. *Radiology*. 2002; 225: 736-43.
25. Ewing JW: Plica: Pathologic or not? *J Am Acad Orthop Surg*. 1993; 1: 117-21.
26. Ferretti A, Puddu G, Mariani PP, Neri M: The natural history of jumper's knee. Patellar or quadriceps tendonitis. *Int Orthop*. 1985; 8: 239-42.
27. Fithian DC, Paxton EW, Stone ML, Silva P, Davis DK, Elias DA, White LM: Epidemiology and natural history of acute patellar dislocation. *Am J Sports Med*. 2004; 32: 1114-21.
28. Flanagan JP, Trakru S, Meyer M, Mullaji AB, Krappel F: Arthroscopic excision of symptomatic medial plica. A study of 118 knees with 1-4 year follow-up. *Acta Orthop Scand*. 1994; 65: 408-11.
29. Flowers MJ, Bhadreshwar DR: Tibial tuberosity excision for symptomatic Osgood-Schlatter disease. *J Pediatr Orthop*. 1995; 15: 292-7
30. Gigante A, Bevilacqua C, Bonetti MG, Greco F: Increased external tibial torsion in Osgood-Schlatter disease. *Acta Orthop Scand*. 2003; 74: 431-6.
31. Guerrero P, Li X, Patel K, Brown M, Busconi B: Medial patellofemoral ligament injury patterns and associated pathology in lateral patella dislocation: an MRI study. *Sports Med Arthrosc Rehabil Ther Technol*. 2009; 1: 17.
32. Hardaker WT, Whipple TL, Bassett FH 3rd: Diagnosis and treatment of the plica syndrome of the knee. *J Bone Joint Surg Am*. 1980; 62: 221-5.
33. Hsiao M, Owens BD, Burks R, Sturdivant RX, Cameron KL: incidence of acute traumatic patellar dislocation among active-duty United States military service members. *Am J Sports Med*. 2010; 38: 1997-2004.
34. Iwamoto J, Takeda T, Sato Y, Matsumoto H: Radiographic abnormalities of the inferior pole of the patella in juvenile athletes. *Keio J Med*. 2009; 58: 50-3.
35. Jakob RP, von Gumppenberg S, Engelhardt P: Does Osgood-Schlatter disease influence the position of the

patella? *J Bone Joint Surg Br*. 1981; 63B: 579-82.
36. Jemelik P, Strover AE, Evans G: Results of resection of medial patellar plica through a supero-lateral portal as a main arthroscopic procedure. *Acta Chir Orthop Traumatol Cech*. 2008; 75: 369-74.
37. Kepler CK, Bogner EA, Hammoud S, Malcolmson G, Potter HG, Green DW: Zone of injury of the medial patellofemoral ligament after acute patellar dislocation in children and adolescents. *Am J Sports Med*. 2011; 39: 1444-9.
38. Lancourt JE, Cristini JA: Patella alta and patella infera. Their etiological role in patellar dislocation, chondromalacia, and apophysitis of the tibial tubercle. *J Bone Joint Surg Am*. 1975; 57: 1112-5.
39. Lau LL, Mahadev A, Hui JH: Common lower limb sport-related overuse injuries in young athletes. *Ann Acad Med Singapore*. 2008; 37: 315-9.
40. Le Gall F, Carling C, Reilly T, Vandewalle H, Church J, Rochcongar P: Incidence of injuries in elite French youth soccer players: a 10-season study. *Am J Sports Med*. 2006; 34: 928-38.
41. Mason M, Keays SL, Newcombe PA: The effect of taping, quadriceps strengthening and stretching prescribed separately or combined on patellofemoral pain. *Physiother Res Int*. 2011; 16: 109-19.
42. Matava MJ: Patellar tendon ruptures. *J Am Acad Orthop Surg*. 1996; 4: 287-96.
43. Medlar RC, Lyne ED: Sinding-Larsen-Johansson disease. Its etiology and natural history. *J Bone Joint Surg Am*. 1978; 60: 1113-6.
44. Mirbey J, Besancenot J, Chambers RT, Durey A, Vichard P: Avulsion fractures of the tibial tuberosity in the adolescent athlete. Risk factors, mechanism of injury, and treatment. *Am J Sports Med*. 1988; 16: 336-40.
45. Myer GD, Ford KR, Barber Foss KD, Goodman A, Ceasar A, Rauh MJ, Divine JG, Hewett TE: The incidence and potential pathomechanics of patellofemoral pain in female athletes. *Clin Biomech (Bristol, Avon)*. 2010; 25: 700-7.
46. Nietosvaara Y, Aalto K, Kallio PE: Acute patellar dislocation in children: incidence and associated osteochondral fractures. *J Pediatr Orthop*. 1994; 14: 513-5.
47. Nikku R, Nietosvaara Y, Aalto K, Kallio PE: The mechanism of primary patellar dislocation: trauma history of 126 patients. *Acta Orthop*. 2009; 80: 432-4.
48. Ogden JA, Southwick WO: Osgood-Schlatter's disease and tibial tuberosity development. *Clin Orthop Relat Res*. 1976; (116): 180-9.
49. Ogden JA, Tross RB, Murphy MJ: Fractures of the tibial tuberosity in adolescents. *J Bone Joint Surg Am*. 1980; 62: 205-15.
50. Ogden JA: *Skeletal Injury in the Child*. WB Saunders, 1990.
51. Pfirrmann CW, Jost B, Pirkl C, Aitzetmuller G, Lajtai G: Quadriceps tendinosis and patellar tendinosis in professional beach volleyball players: sonographic findings in correlation with clinical symptoms. *Eur Radiol*. 2008; 18: 1703-9.
52. Putney SA, Smith CS, Neal KM: The location of medial patellofemoral ligament injury in adolescents and children. *J Pediatr Orthop*. 2012; 32: 241-4.
53. Rosenberg ZS, Kawelblum M, Cheung YY, Beltran J, Lehman WB, Grant AD: Osgood-Schlatter lesion: fracture or tendinitis? Scintigraphic, CT, and MR imaging features. *Radiology*. 1992; 185: 853-8.
54. Sallay PI, Poggi J, Speer KP, Garrett WE: Acute dislocation of the patella. A correlative pathoanatomic study. *Am J Sports Med*. 1996; 24: 52-60.
55. Sanders TG, Morrison WB, Singleton BA, Miller MD, Cornum KG: Medial patellofemoral ligament injury following acute transient dislocation of the patella: MR findings with surgical correlation in 14 patients. *J Comput Assist Tomogr*. 2001; 25: 957-62.
56. Sen RK, Sharma LR, Thakur SR, Lakhanpal VP: Patellar angle in Osgood-Schlatter disease. *Acta Orthop Scand*. 1989; 60: 26-7
57. Sillanpaa P, Mattila VM, Iivonen T, Visuri T, Pihlajamaki H: Incidence and risk factors of acute traumatic primary patellar dislocation. *Med Sci Sports Exerc*. 2008; 40: 606-11.
58. Sillanpaa PJ, Peltola E, Mattila VM, Kiuru M, Visuri T, Pihlajamaki H: Femoral avulsion of the medial patellofemoral ligament after primary traumatic patellar dislocation predicts subsequent instability in men: a mean 7-year nonoperative follow-up study. *Am J Sports Med*. 2009; 37: 1513-21.
59. Stefancin JJ, Parker RD: First-time traumatic patellar dislocation: a systematic review. *Clin Orthop Relat Res*. 2007; 455: 93-101.
60. Tenforde AS, Sayres LC, McCurdy ML, Collado H, Sainani KL, Fredericson M: Overuse injuries in high school runners: lifetime prevalence and prevention strategies. *PM R*. 2011; 3: 125-31; quiz 31.
61. Turner MS, Smillie IS: The effect of tibial torsion of the pathology of the knee. *J Bone Joint Surg Br*. 1981; 63-B: 396-8.
62. Van Tiggelen D, Cowan S, Coorevits P, Duvigneaud N, Witvrouw E: Delayed vastus medialis obliquus to vastus lateralis onset timing contributes to the development of patellofemoral pain in previously healthy men: a prospective study. *Am J Sports Med*. 2009; 37: 1099-105.
63. Van Tiggelen D, Witvrouw Erik, Coorevits P, Croisier J-L, Roget P: Analysis of isokinetic parameters in the development of anterior knee pain syndrome: a prospective study in a military setting. *Isokinetics Exerc Sci*. 2004; 12: 223-8.
64. Waterman BR, Belmont PJ Jr, Owens BD: Patellar dislocation in the United States: role of sex, age, race, and athletic participation. *J Knee Surg*. 2012; 25: 51-7.
65. Weckstrom M, Niva MH, Lamminen A, Mattila VM, Pihlajamaki HK: Arthroscopic resection of medial plica of the knee in young adults. *Knee*. 2010; 17: 103-7.
66. Witvrouw E, Lysens R, Bellemans J, Cambier D, Vanderstraeten G: Intrinsic risk factors for the development of anterior knee pain in an athletic population. A two-year prospective study. *Am J Sports Med*. 2000; 28: 480-9.
67. Zaidi A, Babyn P, Astori I, White L, Doria A, Cole W: MRI of traumatic patellar dislocation in children. *Pediatr Radiol*. 2006; 36: 1163-70.

（小笠原雅子）

3. 診断・評価

はじめに

膝伸展機構の診断・評価は，損傷部位や重症度など病態の把握に重要であり，その結果に基づいて発生に関与した負荷，発症メカニズム，予後が推測される。診断に用いられる X 線や MRI などの画像は，組織損傷の特定とともに膝蓋大腿関節のアライメント不良の評価にも有用である。さらに治療方針を立てるため，炎症所見，可動性，不安定性，アライメント，トラッキングといった身体所見が収集される。本項では，膝伸展機構の画像検査や身体所見の信頼性と妥当性，および検査に関する知見を整理することを目的とした。

A. 文献検索方法

文献検索には PubMed を使用した。検索対象とした疾患名は「Osgood-Schlatter disease」「Sinding-Larsen-Johansson disease」「tibial tuberosity avulsion」「patella dislocation/instability」「medial patella femoral ligament」「shelf/plica syndrome」「patella tendon rupture」「quadriceps tendon rupture」「quadriceps tendinitis」であった。一方，評価・診断の検索には「diagnosis」「evaluation」「assessment」「radiography」「magnetic resonance imaging」「ultrasound」「sonography」「computed tomography」を用いた。これらの検索結果を組み合わせて対象論文を絞り込み，ハンドサーチを加えて最終的に 52 文献を引用した。

B. 骨の疾患

1. Osgood-Schlatter 病

脛骨粗面に慢性に疼痛があり，単純 X 線側面像において脛骨粗面の不整像や骨片などの異常所見が認められた場合に Osgood-Schlatter 病（OSD）と診断される。その画像診断には X 線側面像，超音波画像，MRI などが有用である。

X 線側面像では，脛骨粗面の異常所見の他に，膝蓋腱の石灰化や肥厚，軟部組織の腫脹も認められることがある[9]。Hanada ら[21]は脛骨粗面の X 線所見による重症度分類として，脛骨粗面の隆起をグレード I，脛骨粗面の透過性の増大をグレード II，骨片の分裂をグレード III と提唱した（図 3-1）。骨の発育段階が進み，体重が重く，痛みの初発から経過が長い場合に重症度が高い症例が多かった[21]。ただし腫脹や圧痛，骨隆起といった身体所見と重症度との間に関連はみられず[21]，運動

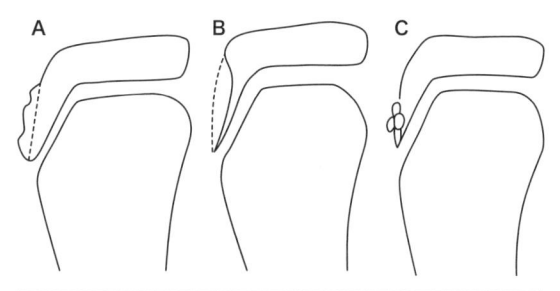

図 3-1 Osgood-Schlatter 病患者の X 線異常所見の分類（epiphyseal stage の模式図）（文献 21 より引用）
A：グレード I，脛骨粗面の隆起。B：グレード II，脛骨粗面の透過性の増大，C：グレード III，骨片の分裂。

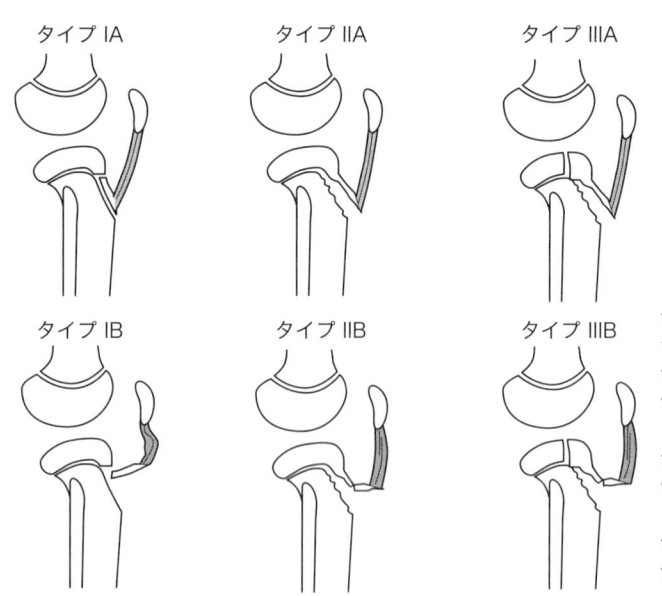

タイプIA ：脛骨粗面が裂離，転位なし。
タイプIB ：脛骨粗面が裂離，転位あり。
タイプIIA ：骨端線にわたるが，関節には入らない。
タイプIIB ：骨端線にわたるが，関節には入らない。脛骨粗面の粉砕，転位あり。
タイプIIIA：骨端線にわたり，関節に入る。
タイプIIIB：骨端線にわたり，関節に入る。脛骨粗面の粉砕，転位あり。
タイプIV ：骨端線からの転位。
タイプV ：骨端線から転位し，骨折線がY字となる。

図3-2 脛骨粗面裂離骨折のタイプ分類（文献23より引用）
骨折の部位・転位の有無によって分類される。

時痛や復帰期間などスポーツに関連する予後との関連についての報告はみられなかった。

超音波画像により，単一または複数の骨片や，貝のような形状の骨片の抽出が可能になる[31]。超音波画像は骨の異常所見のみならず，周囲の軟部組織の状態の描出に優れる[6]。De Flaviisら[9]は，軟部組織や骨の病変によりOSDの超音波画像をタイプ分類した。タイプIは脛骨粗面の腫脹を示す低エコー像が認められるが骨化中心は正常な状態，タイプIIはタイプIと同様の腫脹を示す低エコー像に加え，骨片と中央の骨化を示す低エコー像が認められる状態，タイプIIIは膝蓋腱付着部の肥厚，液包化が認められる状態，タイプIVは膝蓋下滑液包炎が認められる状態と定義した。一方，カラードップラーを用いた超音波画像所見における陽性例は，陰性例よりも有意に強い疼痛が認められた[46]。発育段階を比較すると，apophyseal stage群は他のステージよりも強い疼痛が認められ，そのうち90%にカラードップラーの異常所見が認められた。以上より，新生血管の存在がOSDの疼痛の強さと関連があると考察された[46]。

MRIはさらに詳細な病期分類を可能にする。Hiranoら[22]はOSD発症者に対し経時的にMRIを撮影し，病期を以下のようにステージ分類した。すなわち，"normal"をMRIでは変化なし，"early"を二次骨化中心の裂離はないが周囲に炎症所見がある状態，"progressive"を二次骨化中心の部分的な裂離，"terminal"を骨片の分裂像，"healing"を分離骨片のない脛骨粗面の骨治癒，と分類した。Earlyステージの者は，骨の病変がないままhealingステージへいたる場合と，progressiveステージを経て骨片が分裂するterminalステージに移行する場合とがあった。terminalステージの者はその後に分裂した骨片が癒合することはなく遊離骨片となった。以上より，OSDはterminalステージにいたる前に発見し，治療することが重要であると考えられる。

上記のように，単純X線，MRI，超音波診断装置などさまざまな画像診断法を用いることにより，OSDの病変同定，病期分類が可能となった。しかし，強い疼痛が出現する場合の病態を画像所

見により検討した報告は多くない．また，画像所見による予後予測や復帰の明確な基準について不明な点が多い．

2．脛骨粗面裂離骨折

脛骨粗面の裂離骨折はジャンプ動作などによって強い疼痛を伴って急性発症する．その診断は，単純X線側面像による骨折部位と転位の有無によりタイプI～Vに分類される[13,23,39,40]（**図3-2**）．転位がない，または徒手整復可能であったタイプI～IIIとタイプIVは保存療法の適応となり，転位があり徒手整復不可能であったタイプI～IIIとタイプVは手術療法の適応となる[23,45]．

3．Sinding-Larsen-Johansson病

膝蓋骨下極に疼痛があり，単純X線において同部位に異常所見が認められる場合にSinding-Larsen-Johansson病（SLJD）と診断される．X線上，正常と認められる場合をステージ1とする．異常所見としては，膝蓋骨下極の不規則なカルシウム沈着があればステージ2，カルシウム沈着の癒着があればステージ3，カルシウム沈着の膝蓋骨への取り込みがあればステージ4A，カルシウム沈着の膝蓋骨からの分離があればステージ4Bと分類された[35,38]．X線所見で異常が認められ，疼痛がない例において，超音波画像で膝蓋骨下極周辺に軟骨の腫脹や腱の肥厚，滑液包炎が認められた[49]．そのためOSDと同様に，SLJDにおいても骨軟骨の病変に加え，軟部組織の病変が症状に関連する可能性がある．

膝蓋骨下極に生じるsleeve骨折は，SLJDと類似したX線所見を示す．このため，MRIによる鑑別が必要であるとの報告もあった[5,19]．しかし，sleeve骨折は急性に生じ，SLJDは慢性に疼痛が生じるため，詳細な問診により鑑別が可能という記載もあった[24]．

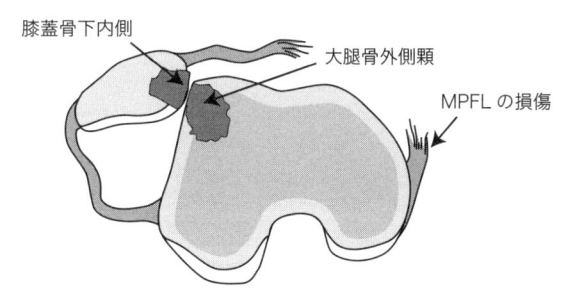

図3-3 膝蓋骨脱臼（文献12より引用）
MPFLの損傷が起こり，膝蓋骨下内側と大腿骨外側顆が衝突する．

C．関節の疾患

1．膝蓋骨脱臼

膝蓋骨脱臼は代表的な膝蓋大腿関節の外傷である．内側膝蓋大腿靱帯（MPFL）は膝蓋骨外側変位を制動する内側支持機構であり，膝蓋骨脱臼に伴い損傷する[12]（**図3-3**）．膝蓋骨脱臼の場合は，MPFLの損傷の有無・部位・程度を把握する必要がある．MPFLが大腿骨側・膝蓋骨側・実質のどの部位で損傷しているかを確認するうえでMRIは有用である[14,27]．その連続性は保たれていても，大腿骨側の付着部から靱帯が裂離しているタイプもある[37]．骨挫傷は膝蓋骨が脱臼してから整復される際に大腿骨と衝突して生じると推測されている（**図3-3**）．MRIでは骨挫傷が確認でき，その感度は90%であった[12,27]．さらに，MRIは骨挫傷に合併する軟骨損傷の描出にも優れている．

一方，Zhangら[52]は超音波画像のMPFL損傷部位や形態（完全断裂か部分断裂か）検出の感度は約90%，特異度は94.7%，軟骨損傷検出の感度は100%，特異度は94.7%であると報告した．しかし，超音波画像による軟骨損傷の診断は検者の技術によって信頼性が左右されることに留意すべきである[52]．

膝蓋骨脱臼診断の一般的な身体検査としてapprehension test（脱臼不安感テスト）がある．

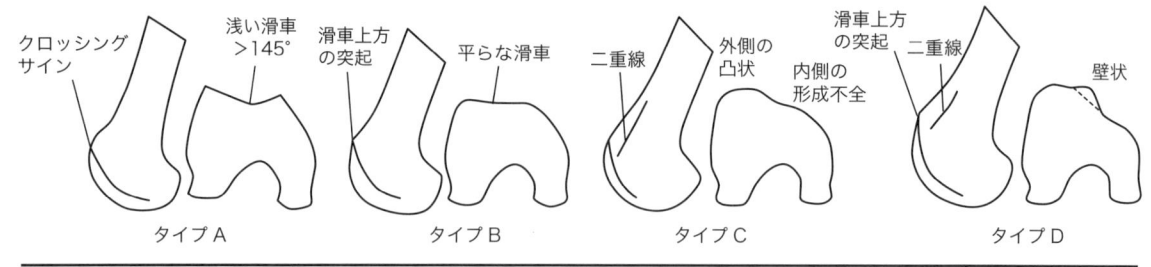

図 3-4　大腿骨滑車の形成不全の Dejour 分類（文献 10 より引用）
タイプ A：浅い滑車，タイプ B：滑車が平坦または凸，タイプ C：非対称な滑車，タイプ D：壁のような形状。

このテストは広く実施されているが，意外にも Sallay ら[46]の研究によると，その感度は 39% であった。それ以上に精度の高い診断法として，moving patella apprehension test が近年提唱された[1]。この検査では，①膝蓋骨を外側に向けて圧迫しつつ膝を他動屈曲させた際に疼痛・不快感が生じること，②膝蓋骨を内側に圧迫しつつ膝を他動伸展させた際に疼痛・不快感が消失すること，という 2 つの条件を満たした場合を陽性とする。その感度は 100%，特異度は 88.4% であり，徒手検査では最も信頼性が高かった[1]。一方，圧痛については膝蓋骨脱臼と診断されたもののうち 70% が Bassett sign（内転筋結節・内側上顆の圧痛）が陽性であった[46]。

膝蓋骨脱臼の予後で問題視すべきは，再脱臼および反復性脱臼への移行である。再脱臼の危険因子として，解剖学的因子に含まれる大腿骨滑車の形成不全，アライメント因子に含まれる脛骨粗面の外方偏位，膝蓋骨の外方傾斜・高位が指摘された[4,30,33]。再発を含めた予後予測と治療方針の選択のためにはこれらの因子の評価が必要である。

1）解剖学的因子

解剖学的因子に関連して，Dejour ら[11]は大腿骨滑車の形成不全を 4 つのタイプに分類した（図 3-4）。タイプ A は浅い滑車であり，軽度の形成不全とされた。それ以外は重度の形成不全とされ，タイプ B は滑車が平坦または凸，タイプ C は非対称な滑車，タイプ D は壁のような形状と分類された。滑車形成不全のある者（タイプ A〜D）は，滑車形成不全のない者と比較して，再脱臼にいたる相対危険度が 2.2 倍であった[33]。また，滑車形成不全のある骨端線閉鎖前の若年者は，滑車形成不全のない骨端線閉鎖後の者と比較して相対危険度が 3.3 倍であった[33]。さらに，脱臼経験者において滑車溝の深さが 3 mm 以下の者や関節面の左右差が大きい者が多かった[30,43]。

2）アライメント

膝蓋骨脱臼に関連した膝蓋大腿関節のアライメント評価として，膝蓋骨傾斜，膝蓋骨高位があげられる。膝蓋骨傾斜（図 1-16 参照）において 20°をカットオフ値とした場合，20°以上の膝蓋骨傾斜は実際の脱臼発生に対して感度 90%，特異度 91% であった[13,32,50]。一方，膝蓋骨高位は脱臼群で多く認められたとの報告もある[16,36,47]。Caton-Deschamps ratio または Insall-Salvati index（図 1-18 参照）において，カットオフ値を 1.1 とすると脱臼に対する感度 69.5%，特異度 60.6%，1.2 とすると感度 48.0〜78.0%，特異度 67.6〜88.0%，1.3 とすると感度 68.3%，特異度 63.9% であった[16,36,47]。そのため，カットオフ値については議論の余地が残る。また，アライメントの評価については後ろ向きの研究であるため，脱臼によってアライメントが変化した可能性もあることに留意する必要がある。

大腿脛骨関節のアライメントについて，脛骨粗面の外方偏位はQ角を増大させ，膝蓋骨外方変位を生じるため，間接的に脱臼の危険につながる可能性がある．Tibial tuberosity-trochlear groove distance（TT-TG）とは脛骨粗面と大腿骨滑車の位置との距離であり，MRIまたはCT画像において滑車から大腿骨後面までの垂線（**図3-5A**）と，脛骨粗面からの垂線との間の幅（**図3-5B**）と定義される．TT-TGが16mm以上の者は，それ以下の者と比較して再脱臼のオッズ比が1.47倍であった[4]．しかし，TT-TGを増大させる原因としては，脛骨外方変位，脛骨外旋および脛骨断面上の脛骨粗面の解剖学的外方変位が含まれる．

近年，個々の解剖学的因子やアライメント因子単独ではなく，複数の項目をポイント化した予測因子と再脱臼のリスクとの関連性が検証された．Balcarekら[4]は年齢，両側の不安定性，滑車形成不全，膝蓋骨高位，TT-TG，膝蓋骨傾斜を危険因子にあげたうえで，ある基準以上（もしくは以下）である場合にポイントをつけた．その結果，合計7ポイント中4ポイント以上の者は，3ポイント以下の者と比較して再脱臼のオッズ比が4.88倍であった．これは，単独の因子を指標とした場合の相対危険度よりも明らかに高く，再脱臼の原因が多因子性であることが示された．なお，カットオフ値の設定や因子に含める項目は検討の余地がある．

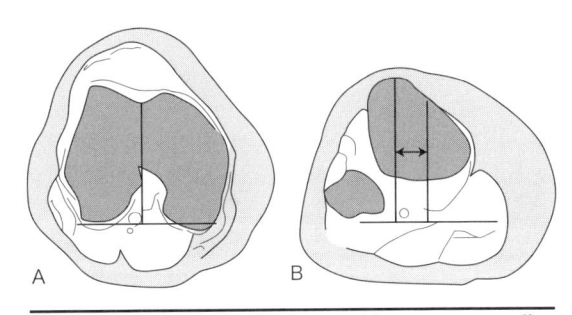

図3-5 Tibial tuberosity-trochlear groove distance（TT-TG）（文献3より引用）
脛骨粗面と大腿骨滑車の位置との距離．MRIまたはCT画像にて計測する．滑車から大腿骨後面までの垂線を引く（A）．脛骨粗面から大腿骨後面までの垂線を引き（B），Aとの間の幅を計測する．

2. タナ障害

タナの形状の分類として，Sakakibaraの分類がある[17]（**図3-6**）．タイプAおよびBは関節の前面まで覆わない索状または棚状の隆起，タイプCは関節の前面に及ぶ棚状の隆起，タイプDはその中心の欠損が認められるもの，と定義された．関節鏡にいたった例を検討すると，関節鏡前のMRIにおいてタイプCおよびDと分類された者は全例タナの切除にいたったため，手術適応の指標となることが示された[17]．その他の解剖学的因子としてタナの厚さ・幅，軟骨の変化，関節内の腫脹などがあげられた[7, 25, 51]．関節鏡時のタナの有無に対する感度は95％，特異度は72％であった．すなわち，MRIによるタナの分類と関節鏡所見とが一致しないものが多く含まれていたことから，Sakakibaraの分類は症状と関連の

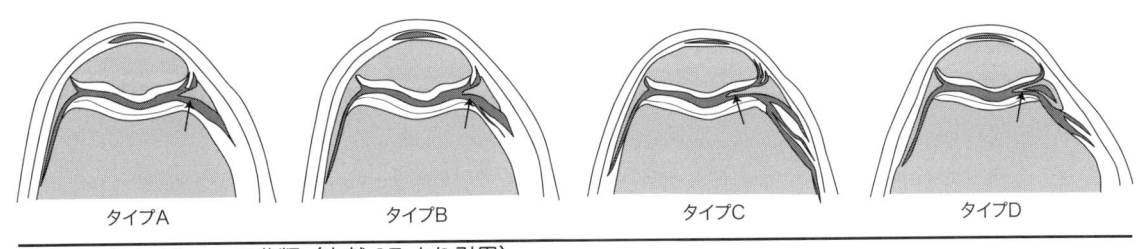

図3-6 Sakakibaraの分類（文献17より引用）
タイプA：関節の前面まで覆わない索状の隆起，タイプB：関節の前面まで覆わない棚状の隆起，タイプC：関節の前面に及ぶ棚状の隆起，タイプD：関節の前面に及ぶ棚状の隆起とその中心の欠損．

ないタナの形態的変化を捉えている可能性がある。

関節鏡による確定診断は，診断学上のゴールドスタンダードとして概ねコンセンサスが得られている[2]。しかし，Paczesnyら[41]は，超音波画像を用いた動的評価法である dynamic sonographic test を推奨した。この検査では，①膝蓋骨の内外側の動きに伴って連続性のあるヒダが大腿骨内側顆を越えてスライドすること，②膝蓋骨を内側に動かしたときにヒダが膝蓋骨の軟骨に接触することが超音波画像で確認されること，③その際に疼痛または不快感を引き起こすこと，の3つすべてが満たされた場合を陽性とする[41]。関節鏡時のタナの有無に対する感度は90％，特異度は83％であり，著者らは動的評価によって実際に疼痛と関連のあるヒダを捉えることができると強調した[41]。

身体検査でも動的な評価が可能である[28,29,48]。Mediopatellar plica test（MPP test）は，膝伸展位でタナを大腿顆と膝蓋骨の間に挿入するように操作し，その状態で膝を屈曲させる徒手検査である。膝屈曲90°で疼痛が消失または減弱した場合を陽性とし，関節鏡時のタナの有無に対する感度は78.7％，特異度は94.4％であった[29]。

D. 筋・腱

1. 膝蓋腱断裂

膝蓋腱の完全断裂では膝蓋骨が明らかに近位方向へ偏位するが，そのことはX線上および体表観察によって確認できる[34]。さらに，触診による腱の不連続性，血腫，体重支持困難などの徴候によって診断される[8]。すなわち，膝蓋腱断裂の多くは，X線と身体所見により診断される[34]。しかしながら，SLRや歩行が可能である例も存在するため，まれに断裂が見逃されることがある。診断が遅れた場合には extension lag が必発する[34]。部分断裂においては膝蓋骨の偏位が認められないこともあるため，MRIや超音波画像などの画像診断が必要となる[13,15,20]。

2. 大腿四頭筋腱断裂

新鮮な大腿四頭筋腱断裂はMRIによる診断が求められるのに対し，陳旧例ではカルシウムの沈着があるためX線で診断される場合がある[19]。しかし，X線のみによる誤診が39〜67％もあった[26,44]。

3. 大腿四頭筋腱炎

大腿四頭筋腱に疼痛のある者を超音波画像でみると，7 mm以上の腱の肥厚，腱内の低輝度変化，石灰化などが認められた[42]。しかし，7 mmの肥厚のある無症候の者を長期的に経過観察した結果，3年後も無症候のままであったと報告された[18]。そのため，腱厚については診断基準からは除外すべきかもしれない[18]。

E. まとめ

1. すでに真実として承認されていること

- OSDは骨・軟骨の病変のみならず，周囲の軟部組織の病変が症状にかかわる。
- 膝蓋骨脱臼に伴うMPFL，骨軟骨の損傷に対する評価にはMRIが有用である。

2. 議論の余地はあるが，今後の重要な研究テーマとなること

- OSDの進行過程や画像所見と疼痛との関連。
- OSDにおける新生血管の存在と強い疼痛との関連。
- 膝蓋骨脱臼の危険性を高める複数の因子を用いた評価法の確立。
- タナ障害では形態の評価に加えて，動的な評価を組み合わせて診断することの重要性。

3. 真実と思われていたが実は疑わしいこと
- 膝蓋骨脱臼の検査として apprehension test が広く用いられているが，感度は39％である。

F. 今後の課題

- OSD の進行過程の解明，画像所見と疼痛との関連の検証。
- 膝蓋骨脱臼・再脱臼の危険因子のさらなる検証，評価法の確立，カットオフ値の確立。

文　献

1. Ahmad CS, McCarthy M, Gomez JA, Shubin Stein BE: The moving patellar apprehension test for lateral patellar instability. *Am J Sports Med*. 2009; 37: 791-6.
2. Al-Hadithy N, Gikas P, Mahapatra AM, Dowd G: Review article: Plica syndrome of the knee. *J Orthop Surg (Hong Kong)*. 2011; 19: 354-8.
3. Balcarek P, Jung K, Ammon J, Walde TA, Frosch S, Schüttrumpf JP, Stürmer KM, Frosch KH: Anatomy of lateral patellar instability: trochlear dysplasia and tibial tubercle-trochlear groove distance is more pronounced in women who dislocate the patella. *Am J Sports Med*. 2010; 38: 2320-7.
4. Balcarek P, Oberthur S, Hopfensitz S, Frosch S, Walde TA, Wachowski MM, Schuttrumpf JP, Sturmer KM: Which patellae are likely to redislocate? *Knee Surg Sports Traumatol Arthrosc*. 2014; 22: 2308-14.
5. Bates DG, Hresko MT, Jaramillo D: Patellar sleeve fracture: demonstration with MR imaging. *Radiology*. 1994; 193: 825-7.
6. Blankstein A, Cohen I, Heim M, Diamant L, Salai M, Chechick A, Ganel A: Ultrasonography as a diagnostic modality in Osgood-Schlatter disease. A clinical study and review of the literature. *Arch Orthop Trauma Surg*. 2001; 121: 536-9.
7. Boles CA, Butler J, Lee JA, Reedy ML, Martin DF: Magnetic resonance characteristics of medial plica of the knee: correlation with arthroscopic resection. *J Comput Assist Tomogr*. 2004; 28: 397-401.
8. Boublik M, Schlegel T, Koonce R, Genuario J, Lind C, Hamming D: Patellar tendon ruptures in National Football League players. *Am J Sports Med*. 2011; 39: 2436-40.
9. De Flaviis L, Nessi R, Scaglione P, Balconi G, Albisetti W, Derchi LE: Ultrasonic diagnosis of Osgood-Schlatter and Sinding-Larsen-Johansson diseases of the knee. *Skeletal Radiol*. 1989; 18: 193-7.
10. DeJour D, Saggin, P: The sulcus deepening trochleoplasty—the Lyon's procedure. *Int Orthop*. 2010; 34: 311-6.
11. Dejour H, Walch G, Nove-Josserand L, Guier C: Factors of patellar instability: an anatomic radiographic study. *Knee Surg Sports Traumatol Arthrosc*. 1994; 2: 19-26.
12. Diederichs G, Issever AS, Scheffler S: MR imaging of patellar instability: injury patterns and assessment of risk factors. *Radiographics*. 2010; 30: 961-81.
13. Dupuis CS, Westra SJ, Makris J, Wallace EC: Injuries and conditions of the extensor mechanism of the pediatric knee. *Radiographics*. 2009; 29: 877-86.
14. Elias DA, White LM, Fithian DC: Acute lateral patellar dislocation at MR imaging: injury patterns of medial patellar soft-tissue restraints and osteochondral injuries of the inferomedial patella. *Radiology*. 2002; 225: 736-43.
15. Enad JG: Patellar tendon ruptures. *South Med J*. 1999; 92: 563-6.
16. Escala JS, Mellado JM, Olona M, Gine J, Sauri A, Neyret P: Objective patellar instability: MR-based quantitative assessment of potentially associated anatomical features. *Knee Surg Sports Traumatol Arthrosc*. 2006; 14: 264-72.
17. Garcia-Valtuille R, Abascal F, Cerezal L, Garcia-Valtuille A, Pereda T, Canga A, Cruz A: Anatomy and MR imaging appearances of synovial plicae of the knee. *Radiographics*. 2002; 22: 775-84.
18. Giombini A, Dragoni S, Di Cesare A, Di Cesare M, Del Buono A, Maffulli N: Asymptomatic Achilles, patellar, and quadriceps tendinopathy: a longitudinal clinical and ultrasonographic study in elite fencers. *Scand J Med Sci Sports*. 2013; 23: 311-6.
19. Gottsegen CJ, Eyer BA, White EA, Learch TJ, Forrester D: Avulsion fractures of the knee: imaging findings and clinical significance. *Radiographics*. 2008; 28: 1755-70.
20. Hall BT, McArthur T: Ultrasound diagnosis of a patellar tendon rupture. *Mil Med*. 2010; 175: 1037-8.
21. Hanada M, Koyama H, Takahashi M, Matsuyama Y: Relationship between the clinical findings and radiographic severity in Osgood-Schlatter disease. *Open Access J Sports Med*. 2012; 3: 17-20.
22. Hirano A, Fukubayashi T, Ishii T, Ochiai N: Magnetic resonance imaging of Osgood-Schlatter disease: the course of the disease. *Skeletal Radiol*. 2002; 31: 334-42.
23. Howarth WR, Gottschalk HP, Hosalkar HS: Tibial tubercle fractures in children with intra-articular involvement: surgical tips for technical ease. *J Child Orthop*. 2011; 5: 465-70.
24. Iwamoto J, Takeda T, Sato Y, Matsumoto H: Radiographic abnormalities of the inferior pole of the patella in juvenile athletes. *Keio J Med*. 2009; 58: 50-3.
25. Jee WH, Choe BY, Kim JM, Song HH, Choi KH: The plica syndrome: diagnostic value of MRI with arthroscopic correlation. *J Comput Assist Tomogr*. 1998; 22: 814-8.
26. Kaneko K, DeMouy EH, Brunet ME, Benzian J: Radiographic diagnosis of quadriceps tendon rupture: analysis of diagnostic failure. *J Emerg Med*. 1994; 12: 225-9.
27. Kepler CK, Bogner EA, Hammoud S, Malcolmson G, Potter HG, Green DW: Zone of injury of the medial patellofemoral ligament after acute patellar dislocation in children and adolescents. *Am J Sports Med*. 2011; 39: 1444-9.
28. Kim SJ, Jeong JH, Cheon YM, Ryu SW: MPP test in the diagnosis of medial patellar plica syndrome. *Arthroscopy*.

2004; 20: 1101-3.
29. Kim SJ, Lee DH, Kim TE: The relationship between the MPP test and arthroscopically found medial patellar plica pathology. *Arthroscopy*. 2007; 23: 1303-8.
30. Kohlitz T, Scheffler S, Jung T, Hoburg A, Vollnberg B, Wiener E, Diederichs G: Prevalence and patterns of anatomical risk factors in patients after patellar dislocation: a case control study using MRI. *Eur Radiol*. 2013; 23: 1067-74.
31. Lanning P, Heikkinen E: Ultrasonic features of the Osgood-Schlatter lesion. *J Pediatr Orthop*. 1991; 11: 538-40.
32. Laurin CA, Levesque HP, Dussault R, Labelle H, Peides JP: The abnormal lateral patellofemoral angle: a diagnostic roentgenographic sign of recurrent patellar subluxation. *J Bone Joint Surg Am*. 1978; 60: 55-60.
33. Lewallen LW, McIntosh AL, Dahm DL: Predictors of recurrent instability after acute patellofemoral dislocation in pediatric and adolescent patients. *Am J Sports Med*. 2013; 41: 575-81.
34. Matava MJ: Patellar tendon ruptures. *J Am Acad Orthop Surg*. 1996; 4: 287-96.
35. Medlar RC, Lyne ED: Sinding-Larsen-Johansson disease. Its etiology and natural history. *J Bone Joint Surg Am*. 1978; 60: 1113-6.
36. Neyret P, Robinson AH, Le Coultre B, Lapra C, Chambat P: Patellar tendon length -the factor in patellar instability? *Knee*. 2002; 9: 3-6.
37. Nomura E, Horiuchi Y, Inoue M: Correlation of MR imaging findings and open exploration of medial patellofemoral ligament injuries in acute patellar dislocations. *Knee*. 2002; 9: 139-43.
38. Ogden JA: Radiology of postnatal skeletal development. X. Patella and tibial tuberosity. *Skeletal Radiol*. 1984; 11: 246-57.
39. Ogden JA, Tross RB, Murphy MJ: Fractures of the tibial tuberosity in adolescents. *J Bone Joint Surg Am*. 1980; 62: 205-15.
40. Pace JL, McCulloch PC, Momoh EO, Nasreddine AY, Kocher MS: Operatively treated type IV tibial tubercle apophyseal fractures. *J Pediatr Orthop*. 2013; 33: 791-6.
41. Paczesny L, Kruczynski J: Medial plica syndrome of the knee: diagnosis with dynamic sonography. *Radiology*. 2009; 251: 439-46.
42. Pfirrmann CW, Jost B, Pirkl C, Aitzetmuller G, Lajtai G: Quadriceps tendinosis and patellar tendinosis in professional beach volleyball players: sonographic findings in correlation with clinical symptoms. *Eur Radiol*. 2008; 18: 1703-9.
43. Pfirrmann CW, Zanetti M, Romero J, Hodler J: Femoral trochlear dysplasia: MR findings. *Radiology*. 2000; 216: 858-64.
44. Ramsey RH, Muller GE: Quadriceps tendon rupture: a diagnostic trap. *Clin Orthop Relat Res*. 1970; 70: 161-4.
45. Ryu RK, Debenham JO: An unusual avulsion fracture of the proximal tibial epiphysis. Case report and proposed addition to the Watson-Jones classification. *Clin Orthop Relat Res*. 1985; (194): 181-4.
46. Sailly M, Whiteley R, Johnson A: Doppler ultrasound and tibial tuberosity maturation status predicts pain in adolescent male athletes with Osgood-Schlatter's disease: a case series with comparison group and clinical interpretation. *Br J Sports Med*. 2013; 47: 93-7.
47. Smith TO, Davies L, TomsAP, Hing CB, Donell ST: The reliability and validity of radiological assessment for patellar instability. A systematic review and meta-analysis. *Skeletal Radiol*. 2011; 40: 399-414.
48. Stubbings N, Smith T: Diagnostic test accuracy of clinical and radiological assessments for medial patella plica syndrome: a systematic review and meta-analysis. *Knee*, 2014; 21: 486-90.
49. Valentino M, Quiligotti C, Ruggirello M: Sinding-Larsen-Johansson syndrome: A case report. *J Ultrasound*. 2012; 15: 127-9.
50. Ward SR, Shellock FG, Terk MR, Salsich GB, Powers CM: Assessment of patellofemoral relationships using kinematic MRI: comparison between qualitative and quantitative methods. *J Magn Reson Imaging*. 2002; 16: 69-74.
51. Weckstrom M, Niva MH, Lamminen A, Mattila VM, Pihlajamaki HK: Arthroscopic resection of medial plica of the knee in young adults. *Knee*. 2010; 17: 103-7.
52. Zhang GY, Zheng L, Shi H, Qu SH, Ding HY: Sonography on injury of the medial patellofemoral ligament after acute traumatic lateral patellar dislocation: injury patterns and correlation analysis with injury of articular cartilage of the inferomedial patella. *Injury*. 2013; 44: 1892-8.

（青山真希子）

4. 治療

はじめに

本項では膝伸展機構の障害を①骨の疾患，②関節の疾患，③筋腱の疾患，④その他に分けてレビューする。骨の疾患には成長期に大腿四頭筋からの過剰な牽引力による脛骨粗面および膝蓋骨下端の軟骨障害を含む。その治療の主体は保存療法であるが，治療効果についてのエビデンスは不足している。関節の疾患は，膝蓋骨の安定化に関与する組織欠損の修復やインピンジメントに対する処置に話題が集中するものの，手術療法の適応基準には議論の余地が残る。また，筋腱断裂を伴う疾患では，手術療法が第一選択との共通理解のもと，術後成績や予後への関連因子に関心が集まる。膝蓋大腿関節痛症候群（patellofemoral pain syndrome：PFPS）では，多因子疾患であることを背景に，理学療法や装具療法による保存療法など多岐にわたる治療の効果の整理が重要となる。本レビューでは，各疾患のトピックを取り上げながら，治療選択から治療成績についてまとめた。

A. 文献検索方法

文献検索には PubMed を用いた。診断名では「Osgood-Shclatter disease」「Sinding-Lersen-Johansson disease」「tibial tubercle + avulsion」「patellar dislocation」「synovial plica syndrome」「patellar tendon rupture」「quadriceps tendon rupture」「patellofemoral pain syndrome」を検索用語とし，これに「treatment」を掛けあわせたところ 3,548 件がヒットした。さらに「rehabilitation」「exercise」「surgery」「orthosis」などのキーワードを加えて絞り込み，最終的にテーマに合った 85 件を引用した。

B. 骨の疾患

1. Osgood-Schlatter 病

Osgood-Schlatter 病（OSD）の治療の第一選択は保存療法とされる[79]。長期間の保存療法で症状改善がみられない症例や骨端線閉鎖後も続く症状は手術療法の適応となる[61,80]。イギリスおよびフィンランドの研究において，OSD による医療機関受診者の手術移行率は 11〜30％と報告された[40,59]。ただし，これらの研究データには医療機関の受診にいたらなかった比較的軽度な症例は含まれていないため，OSD 患者全体に対する手術移行例の割合はより低い可能性がある。

1）保存療法

OSD の保存療法としては，スポーツ活動の休止，ブレースやキャストによる固定，理学療法，注射療法などがあげられる[74,79]。装具療法や理学療法の効果については，質の高い介入研究による効果の実証はほとんどされておらず，エビデンスが得られたとはいえない。注射療法に関して，Topol ら[74]の無作為化対照試験（RCT）において，患部へのデキストロースおよびリドカイン注射が理学療法のみの通常のケアよりも有意に高い疼痛改善効果を示した（図 4-1）。

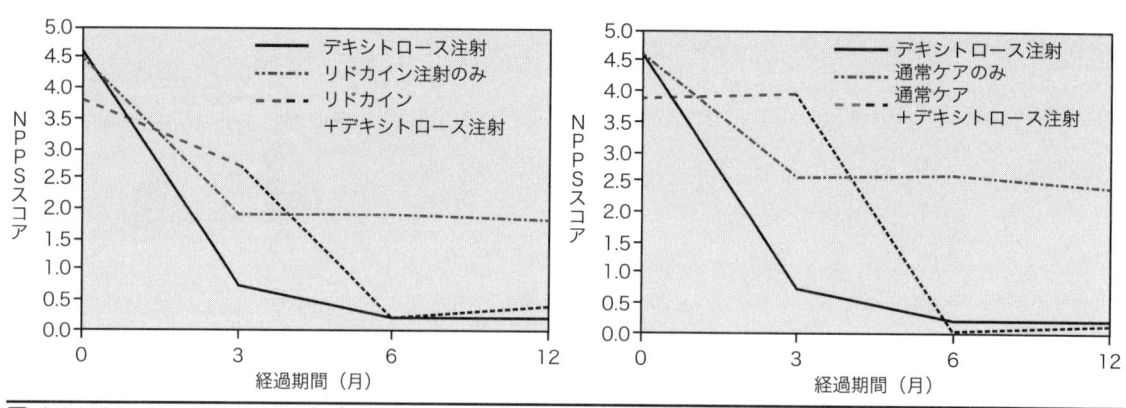

図4-1 Osgood-Schlatter病（OSD）に対する注射療法の効果（文献74より引用）
患部へのデキシトロースおよびリドカイン注射によって通常のケアのみよりも Nirschl pain phase scale（NPPS）が改善した。

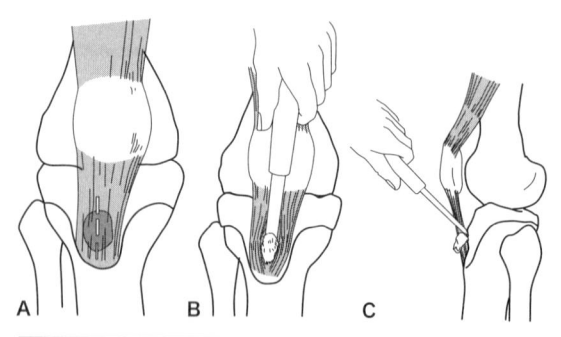

図4-2 Osgood-Schlatter病（OSD）に対する骨切除術（文献40より引用）
A：脛骨粗面直上より膝蓋腱中央を縦切開，B, C：ブラントディセクターによって脛骨粗面から骨片を切除。

2）手術療法

OSDに対する術式として，骨片切除術，脛骨粗面形成術，ドリリング，固定術が報告されてきた[8, 61, 80]（図4-2）。Pihlajamakiら[61]は117膝に対する骨片切除術の結果，施行後平均10年でのKujala knee scoreが平均95点であり，その結果は術前の罹患期間や切除法，画像所見に依存しなかったと報告した。Weissら[80]は16膝に対して骨片切除術を行った結果，術後平均7年時のLysholm scoreが平均76.5点であったと報告した。いずれも術後のスポーツ完全復帰率は75％であった。Binazziら[8]は骨片摘出および脛骨粗面形成術を施行した15例と，その他の術式（ドリリング，固定術，骨移植）を施行した11例の成績を比較した。その結果，術後12.7ヵ月で「非常に満足」または「満足」の結果が得られた症例の割合は，骨片摘出および脛骨粗面形成術後では93％であったのに対し，その他の術式では72％と低かった。以上より，骨片切除術と脛骨粗面形成術を合わせた選択が比較的良好な結果をもたらすことが示された。しかし，手術療法の長期成績では，保存療法との差が認められなかった研究もある[75]。また，膝伸展時痛の残存や膝蓋骨高位などの術後合併症が報告された[61, 80]。75％のスポーツ復帰率を踏まえると，保存療法の長期化したOSDに対しても大きな侵襲を伴う手術療法の選択は慎重に検討すべきである。

2. Sinding-Larsen-Johansson病

Sinding-Larsen-Johansson病（SLJD）は膝蓋骨下極の骨端線障害である。Valentinoら[76]の症例報告では，スポーツ活動の制限によりSLJD発症後5ヵ月で症状，超音波所見ともに消失した。Medlerら[50]は，SLJDの治療方針として一定期間の活動制限やキャスト固定を含む保存療法を推奨し，治療終了の基準にはX線所見よりも症状改善の有無が重要であると述べた。さらに，同報告では保存療法を施行した8名のSLJD

症例を前向きに経過観察した結果，その期間終了時に1例を除いて症状は消失していたが，すべての症例でX線所見がステージ3〜4Bまで進行していた。経過観察開始から症状消失までの期間は，開始時にステージ1であった2例でそれぞれ9ヵ月・14ヵ月，ステージ2であった5例のうち3例は3〜4ヵ月，2例はそれぞれ10ヵ月・13ヵ月，ステージ3であった1例は2ヵ月であった。ステージ2で13ヵ月を要した1例が長期化した要因として，スポーツ活動を休止しなかったことがあげられた。以上より，SLDJの症状改善までの期間はX線所見の進行度合いによって予測されるとともに，治療には一定期間の安静が必要であると考えられる。

3. 脛骨粗面裂離骨折

脛骨粗面裂離骨折では，骨折分類が治療の選択基準とされている。Balmatら[4]は，Ogden分類[58]を用いた評価で，転位なし（Ia）または軽度の転位（IIa）では徒手整復可能な保存療法を選択し，大きな転位を伴う例（Ib, IIb, III）では手術療法の適応とすべきと述べた。

1）保存療法

脛骨粗面裂離骨折の治癒期間は骨折のタイプによって異なる。保存療法では，受傷直後に3〜6週程度の伸展位固定と荷重制限が行われ，スポーツ復帰までには90日程度の期間を要する[4, 34, 58]。Ogdenら[58]のケースシリーズでは，保存療法が選択された7症例（12〜15歳）において，Ogden分類Ia, Ibの6症例では固定除去後8〜10週で受傷前の活動に復帰したのに対し，IIaの1症例では固定除去後16週以上を要した。また，そのうちIbの1症例では，2 cmの脚長差が生じた。この要因は，脛骨近位の骨端軟骨が感覚障害を伴いながら繰り返し損傷を受けていたことによるものと考察された。以上より，保存療法で

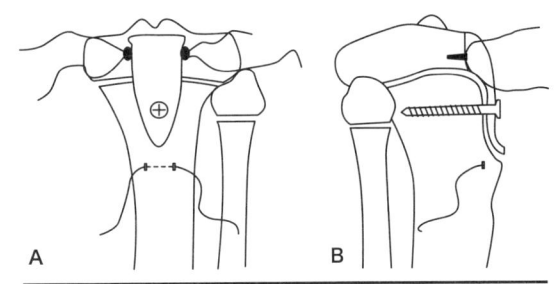

図 4-3 脛骨粗面裂離骨折に対する内固定（文献34より引用）
A：正面像，B：側面像。裂離骨片を観血的に整復した後，スーチャーアンカーとスクリューで固定。

は骨折分類に応じて復帰まで3〜6ヵ月程度を要することに加え，特に転位のある例では成長障害を含む合併症の危険を伴う可能性が示唆された。

2）手術療法

手術療法は観血的整復と内固定を合わせた方法が用いられてきた[12, 34, 54]（図 4-3）。術後4〜8週間の固定後において，後療法として関節可動域訓練や大腿四頭筋の強化が行われる[10, 12]。スポーツ復帰は術後約3〜4ヵ月の範囲で報告され[34, 54]，特に転位を伴う例では手術療法のほうが保存療法より早い復帰が期待できる。術後の合併症として，脛骨粗面の突出や疼痛，コンパートメント症候群，再骨折などの報告が散見された[34, 54]。また，Breyら[12]は，骨幹端後方の骨折を伴う症例において術後合併症の発生率が高かったことに基づき，手術療法においても骨折分類が予後にかかわる可能性を指摘した。

C. 関節の疾患

1. 膝蓋骨脱臼

初回の膝蓋骨脱臼に対する治療法として，保存療法[45, 49, 56, 77]と手術療法[9, 15, 45, 49, 56, 60, 73]とが提唱されてきた。保存療法には装具療法，テーピング，理学療法が含まれる。解剖学的な欠損を伴う反復性膝蓋骨脱臼に対しては，欠損組織を補う手

第1章 膝伸展機構

表 4-1 膝蓋骨脱臼に対する固定装具と再脱臼率 (文献 45, 77 より作成)

装具	シリンダーキャスト	後方スプリント	ブレース
再脱臼率 [77]	0～38%	4～53%	6～54%
再脱臼率/年 [45]	12%	8%	29%*

* p<0.05 vs. シリンダーキャスト, 後方スプリント.

術療法が適応となる.

1) 保存療法
(1) 装具療法

初回脱臼例に対するシリンダーキャスト, 後方スプリント, ブレースの治療効果を比較したメタ分析では, それぞれの装具による再脱臼率に統計的有意差はみられなかった [77] (**表 4-1**). 一方, Maenpaa ら [45] の比較研究では, ブレースによる装具療法は年間あたりの再脱臼率が他の2つの装具よりも有意に高く, 後方スプリントやシリンダーキャストのほうが優れた効果を示す結果となった. ただし, 固定期間が論文間で異なることから, 固定期間を統一した効果検証が必要である.

(2) テーピング

McConnell [49] は, 反復性膝蓋骨脱臼に有用なテーピングとして内側テープや膝蓋骨テーピングを紹介した. しかしながら, 脱臼防止効果に関するエビデンスは示されなかった.

(3) 理学療法

理学療法としては, 内側広筋斜頭の機能改善を主体としたトレーニングが提唱されてきた [15,56,70]. しかし, 初回脱臼を対象とした介入研究において再脱臼率が26～50%と比較的高かったことから, 膝蓋骨脱臼防止には解剖学的因子など他の要因の解決も必要となることが示唆された.

2) 手術療法
(1) 術式の選択

手術療法としては, 欠損組織に応じた軟部組織や骨の修復, 遠位リアライメントなどが単独または複合的に選択される [63] (**図 4-4**). 軟部組織の修復には, 内側膝蓋大腿靱帯 (MPFL) 修復術および再建術, 内側膝蓋支帯縫合術, 外側膝蓋支帯リリースなどの術式がある. 近年, 膝蓋骨内側支持機構の主体とされる MPFL の修復術および再建術に関する報告が多い [9,15,17,36,53,55～57,60,64,70,73]. MPFL 修復術は初回脱臼の新鮮例に, MPFL 再建術は反復性脱臼に伴う MPFL の弛緩や欠損がある場合に選択される (**図 4-5**). 骨の修復処置は, 大腿骨滑車形成術が主体となる. 大腿骨滑車のタイプ (**図 3-4 参照**) により, タイプ B やタイプ D では deeping が, タイプ C では lateral facet elevating が適用される [69]. 一方, 遠位リアライメントは, 膝蓋骨と脛骨のアライメント不良を修正する目的で, 脛骨粗面移行術が行われる. 脛骨

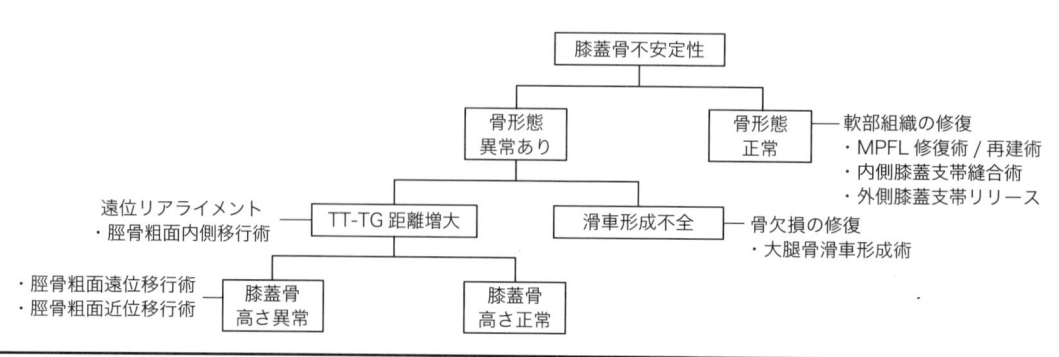

図 4-4 膝蓋骨脱臼に対する治療選択のアルゴリズム (文献 63 より改変)

粗面が正常よりも外側に位置する場合（TT-TG距離 15 mm 以上）には内側移行術，膝蓋骨高位（Caton-Deschamps index：1.2 以上）には遠位移行術，低位（Caton-Deschamps index：0.6以下）には近位移行術が選択される[21]。

手術療法の後療法について，術式などによる相違はあるが，概ね手術翌日から装具装着下での膝関節可動域訓練や荷重訓練を順次開始し，術後3〜6ヵ月程度でスポーツ復帰が許可される[36,57,73]（**表 4-2**）。Fisher ら[27] は MPFL 再建術の術後成績に関する 21 論文を対象としたシステマティックレビューを行った。対象となったすべての論文において，術後早期からの積極的なリハビリテーション介入が行われていた。スポーツ復帰を 3〜6ヵ月とした 14 論文のうち 6 論文で積極的な大腿四頭筋トレーニング，6 論文でジョギングおよびアジリティトレーニング，3 論文でハムストリングストレーニング，1 論文で固有感覚訓練または股関節周囲筋強化に着目して術後リハビリテーションが実施されていた。

(2) 術後合併症

MPFL 再建術後の合併症として，膝前面痛，膝蓋大腿関節の不安定症，再脱臼，膝屈曲制限，大腿四頭筋筋力低下，術創の問題などが報告された[16,27]。Nikku ら[55] の研究によると，MPFL修復術後の成績不良に最も関連する因子は女性の

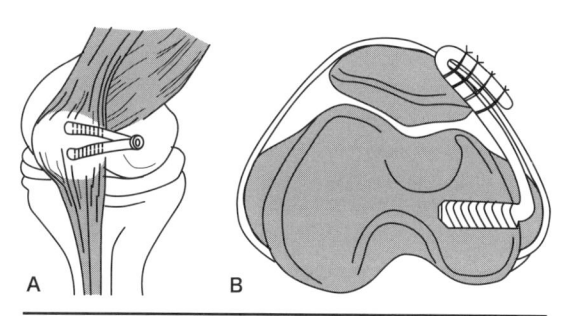

図 4-5　内側膝蓋大腿靱帯（MPFL）再建術の術式（文献 36 より引用）
Y 字型グラフトによる再建。A：前内側の図。膝蓋骨内側の中央と上部に二重束のグラフトを縫着。B：水平断図。グラフトを膝蓋支帯の下に挿入。膝蓋骨前方の筋膜から外に折り返し縫着。大腿骨側はスクリューで固定。

骨端線閉鎖前であった。MPFL 再建術では，移植腱の固定法や術中固定角度および骨孔位置が再脱臼率や膝スコアに影響していた[27,33,68]。長期経過としては，膝蓋大腿関節の関節症変化が MPFL再建術後の 8%[57]，大腿骨滑車形成術後の 30%[78]に生じた。

(3) 治療成績

初回脱臼に対する MPFL 修復術の治療成績を検証した Hing ら[32] のメタ分析では，術後再脱臼率は平均 22.2%（0〜67%）であり，保存例の平均 30%（18.8〜71%）との間に有意差はなかった（**図 4-6**）。初回脱臼に対する MPFL 再建術の治療成績を検証した比較研究[9]では，再建

表 4-2　内側膝蓋大腿靱帯（MPFL）再建術後のプロトコル

	術後プロトコル	スポーツ復帰
Cristiansen ら[17]	〜2 週：ブレース（0〜90°），全荷重 2〜4 週：自動運動 0〜90°，全荷重歩行 6 週：日常生活活動制限なし	3 ヵ月〜 （コンタクトスポーツは6 ヵ月〜）
Nomura ら[57]	2〜5 日：大腿四頭筋訓練（0°），他動-自動関節可動域訓練 5〜10 日：装具下での荷重許可 10〜17 日：全荷重	3 ヵ月〜
Ronga ら[64]	2 週：部分荷重-全荷重 6 週：装具除去 7〜8 週：等尺性訓練，神経筋エクササイズ，ミニトランポリン，ジョグ	6 ヵ月〜 （3 ヵ月〜競技に則したリハビリテーション）

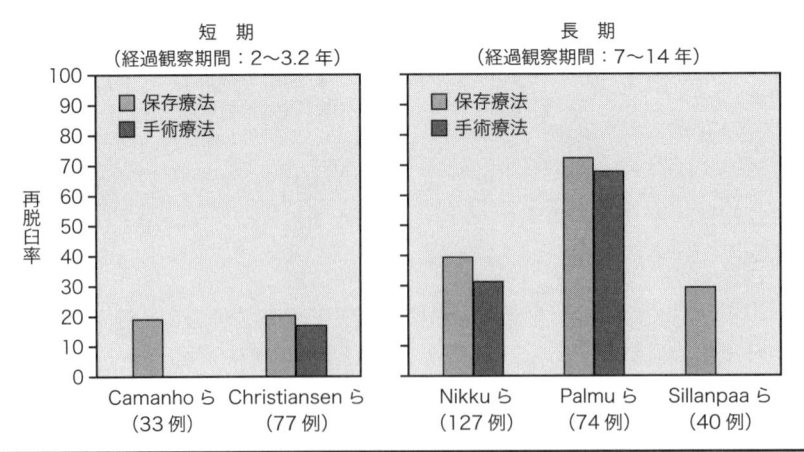

図4-6 内側膝蓋大腿靭帯（MPFL）修復術と保存療法の再脱臼率の比較（文献15, 17, 55, 60, 70より作図）

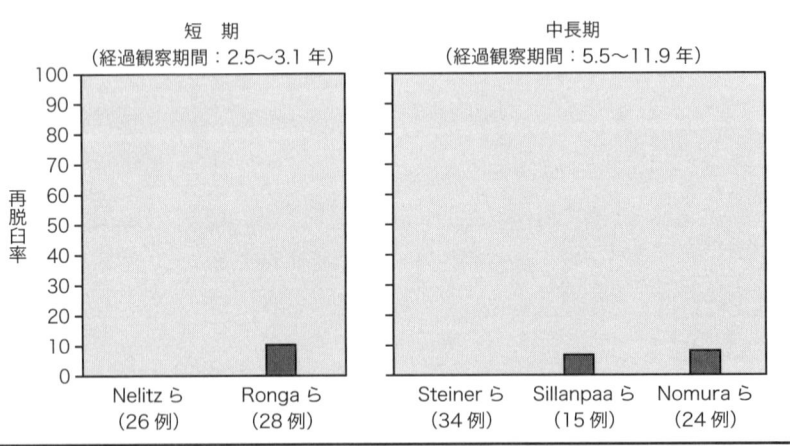

図4-7 反復性脱臼への内側膝蓋大腿靭帯（MPFL）再建術後の再脱臼率（文献53, 57, 64, 69, 73より作図）

術例で再脱臼の発生はなく，保存例での35%と比べ再脱臼率が低いことが報告された．一方，反復性脱臼へのMPFL再建術では，術後の再脱臼率が0～10%前後（図4-7），Kujala knee scoreが平均83～96点で，修復術と比較しても概ね良好な結果であった[32, 53, 57, 64, 78]．また，スポーツ復帰率は85%前後で，復帰までに要した期間は平均5.3～7.5カ月であった．これらを踏まえると，初回脱臼に対しMPFL修復術を選択するメリットについては議論を要するものの，MPFL再建術については初回脱臼例，反復性脱臼に対して一定の成果があるといえる．

2. タナ障害

治療の第一選択は保存療法であり，活動制限，理学療法，ステロイド注射が選択される[1, 14, 66, 67]．6～12週間程度の保存療法で改善が得られない場合は，手術療法の適応となる[14, 67]．

1）保存療法

タナ障害に対する保存療法の成績にはばらつきがある．Camanhoら[14]は，90日間の下肢ストレッチ，膝伸展エクササイズなどの運動療法による介入の症状改善率は78%と報告した．しかし，重労働やスポーツ活動への復帰率は16.5%と，活動性の高い症例における保存療法の限界が示唆

4. 治療

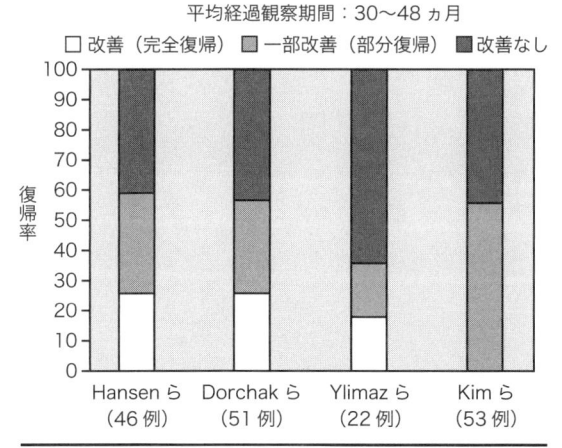

図4-8 タナ障害に対する鏡視下滑膜切除術後の復帰率（文献23, 31, 39, 85より引用）

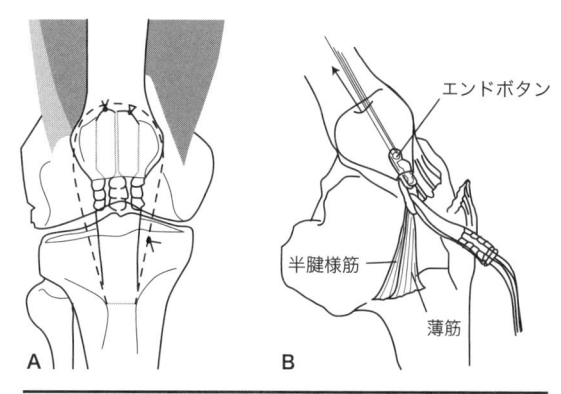

図4-9 膝蓋腱修復術および再建術（文献59, 83より引用）
非吸収糸による膝蓋腱修復術（膝蓋骨トンネル法）（A）とハムストリングス腱を用いた鏡視下膝蓋腱再建術（B）。

された[1]。ステロイド注射の介入研究では，発症から3週間以内の注射療法による罹患前の活動への完全復帰率が73％，部分復帰が17％であった[66]。また，ステロイド注射に反応せず手術に移行した例では，鏡視下において滑膜肥厚の存在が認められた[66]。滑膜の組織的変化と保存療法の効果との関係も興味深い。これまでに保存療法の成績不良因子として，高年齢，罹患期間の長期化，膝蓋骨上方または下方のインピンジメント症状の関与が指摘されてきた[1,67]。

2）手術療法

手術療法の治療成績について，最長2年の経過観察の結果，症状が改善（完全復帰）と一部改善（部分復帰）を合わせて74〜100％であった[23,31,39,85]（図4-8）。成績不良因子として，年齢20歳以上，内側に限局しない術前症状，外傷エピソードがないこと，軟骨軟化症の合併が指摘された[23,51]。

D. 筋腱の疾患

1. 膝蓋腱断裂

膝蓋腱断裂に対する治療の第一選択は可及的早期の修復術である。手術時期は，受傷後48時間以内から7日前後が推奨されてきた[7,42,48,82]。Siwekら[71]の症例対照研究において，受傷後2週間以内に修復された症例は，初期に膝蓋腱断裂が見逃され手術が遅延した例と比較して術後成績が良好であった。

1）修復術

膝蓋腱の修復には，膝蓋骨トンネル法やスーチャーアンカー法を用いた縫合術が用いられてきた[7,13,37,42,44,47,48,82]。多くの術式において，ワイヤー，非吸収糸，自家腱による補強が併用された[13,37,44,82]（図4-9）。Ravalinら[62]の屍体研究において，異なる2種の素材による補強はいずれも単独修復よりも高い強度を実現した。

膝蓋腱修復術の後療法では，手術翌日から7日以内に装具装着下での膝関節可動域訓練を開始し，術後2週間程度で全荷重による歩行が許可される[37,44]。装具装着期間は，主に術後6〜8週間程度と報告された[7,11,37,47,82]（表4-3）。

膝蓋腱修復術後の成績は膝スコアが全体に良好であった。しかし，スポーツ復帰率が51.7〜100％とばらつきがみられた[11,37,82]。術後合併症として，膝伸展筋力の欠損，膝前面痛，膝関節伸

第1章 膝伸展機構

表4-3 膝蓋腱修復術後のプロトコルおよび成績

	例数	固定期間	可動域訓練開始時期	膝スコア	スポーツ復帰	スポーツ復帰率
West ら[82]	30	10日	7日〜	Lysholm:92	6ヵ月で全例復帰	100%
Kasten ら[37]	29	6週	1日〜	SSKS:92〜96	6ヵ月〜	51.7%
Bhargava ら[7]	11	なし	1日〜	Lysholm:97	記載なし	記載なし
Boublik ら[11]	24	7.4週	1日〜4週	記載なし	19例がシーズン中に試合復帰	79%
Marder ら[47]	15	6週	2日〜	Lysholm:95	6ヵ月〜	記載なし

SSKS: special surgery knee score。

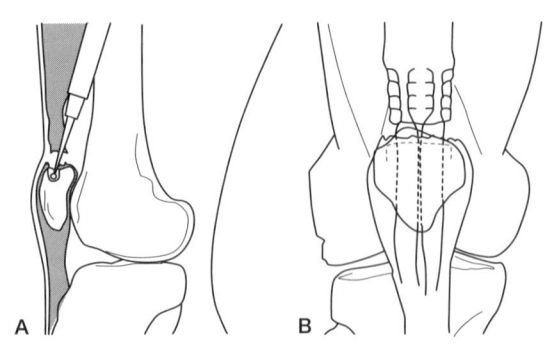

図4-10 ドリルホールによる大腿四頭筋腱修復術（文献82より引用）
A:膝蓋骨上端に穿子で溝を作製。B:膝蓋骨に長軸方向の骨孔を3本作製し、非吸収糸にて大腿四頭筋腱を縫合。

展制限などが報告された[7,11,37,47,82]。スポーツ復帰時期は概ね術後6ヵ月以降であり[11,42,47,82]、レクリエーションレベルではアスリートよりも復帰が遅かった[47]。可動域訓練開始時期、補強素材、断裂部位の違いによる成績の差はなかった[25,37,47]。

2) 再建術

直接修復が困難な陳旧例では膝蓋腱再建術が推奨された[13,42,71]。半腱様筋腱、薄筋腱、外側広筋膜を用いた鏡視下または直視下による再建術が提唱されてきた[30,46,83]。膝蓋腱再建術の後療法は、術直後から装具装着下で膝伸展位固定での部分荷重、術後3〜6週程度で屈曲90°までの範囲での関節可動域訓練および大腿四頭筋訓練が実施された[30,83]。Wiegandら[83]の研究では、直視下によ

る膝蓋腱再建術前後で膝スコアや満足度の改善が認められ、すべての患者が術後6ヵ月で術前の活動へ復帰した。膝関節可動域は各報告で改善がみられるものの、最終経過観察時の屈曲制限や3〜5°のextension lagの存在が報告された[30,46,83]。また、これらの報告では患者の年齢にばらつきがあることや活動レベルが不明であるなどの問題点があり、若年層またはスポーツ選手における膝蓋腱再建術の成績は明確とはいえない。

2. 大腿四頭筋断裂

大腿四頭筋断裂の治療の第一選択として早期の修復術が推奨されてきた[18,20,41,65,71,81]。単純縫合[65,71,81]と膝蓋骨ドリルホール法[20,41,65,81,82]がしばしば選択される（図4-10）。ワイヤーなどによる補強術は、腱の質が悪い例や断端が引き込まれた例などで行われる[18]。術後は3〜10週間の伸展位固定が選択され[41,65,71,82]、装具除去後または装着下で部分荷重エクササイズや制限つきの膝関節可動域訓練が開始された[18,65,82]。

修復術後の成績にはばらつきがある。機能評価であるLysholm scoreにおいて92点以上の好成績が報告された[81,82]。術前の仕事への復帰率は84〜91%と高値あったのに対し[41,81]、スポーツ復帰率は49〜58.3%と低値であった[41,82]。Konrathら[41]の症例対照研究では、53%の症例において、術後に大腿四頭筋の等速性筋力に20%以上の欠損があった。その他の研究におい

4. 治 療

表 4-4　PFPS に対する運動療法の効果

著者	例数	介入内容（トレーニング）			比較内容
		大腿四頭筋	股関節	体幹	
Bennell ら [6]	60	○			VMO トレーニング vs. 通常の大腿四頭筋トレーニング
Dolak ら [22]	33	○	◎		股関節 + 体幹エクササイズ vs. 大腿四頭筋エクササイズ
Fukuda ら [28]	70	○	◎		膝エクササイズ vs. 膝 + 股関節エクササイズ
Baldon ら [3]	31	○		◎	機能的スタビライゼーショントレーニング vs. 通常トレーニング
Nakagawa ら [52]	14	◎			OKC 大腿四頭筋トレーニング vs. CKC トレーニング

○：改善あり（vs. 介入前），◎：改善あり（vs. 対照群）。VMO：内側広筋斜線維，OKC：オープンキネティックチェーン，CKC：クローズドキネティックチェーン。

て，術後の大腿四頭筋の筋力低下や萎縮，膝の伸展不全（extension lag）が指摘された[20,65,82]。これらの機能不全は，術後の固定期間には影響されなかった[65]。一方，手術時期の遅延は成績不良因子となる可能性が指摘された[65,71,81]。術後の合併症に関する Ciriello ら[18]のシステマティックレビューでは，大腿四頭筋腱修復術後の再断裂率は2％であり，その他の術後合併症として異所性骨化6.9％，深部静脈血栓症および肺塞栓2.5％，感染2.3％であった。

E. その他

1. 膝蓋大腿関節痛症候群

膝蓋大腿関節痛症候群（patellofemoral pain syndrome：PFPS）の治療は保存療法が主体であり，運動療法と補装具療法に大別される。Kettunen ら[38]の無作為化対照試験によると，関節鏡手術を施行した群と運動療法のみの群との間に，症状および機能の改善率に差はなかった。ただし，膝蓋骨不安定症に起因するとみられる症状に対して手術療法が選択される場合がある[72]。

1）保存療法
(1) 大腿四頭筋トレーニング

運動療法の介入効果について多くの無作為化対照試験が存在する[3,6,22,28,52]（**表 4-4**）。**表 4-4**に示したすべての研究において，大腿四頭筋のトレーニングにより有意な症状改善効果がみられた[3,6,22,28,52]。ただし，一般的な大腿四頭筋トレーニングと比較し，内側広筋斜頭に特化したトレーニングの優位性は認められなかった[6]。また，大腿四頭筋トレーニングに加えて股関節や体幹筋エクササイズを行う複合プログラムにおいて，より高い効果が得られた[3,22,28,52]。

(2) CKC トレーニング

クローズドキネティックチェーン（CKC）トレーニングは多くのリハビリテーションプログラムに含まれていると考えられるが，その効果を具体的に検証した研究は少ない。Ismail ら[35]は，6週間の CKC トレーニング介入（壁スクワット，踏み台運動，膝最終伸展運動）は PFPS の改善効果をもたらし，さらに股関節外転筋および外旋筋のトレーニングを併用することで，より効果が高くなることを見出した。Nakagawa ら[52]は，股関節と膝関節の複合運動による CKC トレーニングと大腿四頭筋のオープンキネティックチェーン（OKC）トレーニングを比較して，CKC トレーニングで高い症状改善効果を得たことを示した。

(3) ミラーフィードバック

ミラーフィードバックとは鏡を使った視覚的フィードバックを意味し，主にアライメントや動作

の修正を目的に実施される．Willyら[84]は，PFPSを有する女性ランナーを対象に，ランニング中のアライメント矯正を目的として，鏡を使った視覚的フィードバックを2週間行った．その結果，ランニング中のキネマティクス，疼痛，膝機能が改善した．

2）補装具療法
（1）テーピング
McConnell[49]によって紹介された膝蓋骨テーピングは，PFPS患者を対象とした膝蓋骨外方制動による膝蓋骨のトラッキング変化，内側広筋の促通，疼痛軽減を目的として適用される．PFPS患者に対する膝蓋骨テーピング効果を検証した前後比較研究において，膝蓋骨テーピングは疼痛や下肢機能の改善に有効であることが示された[2]．しかし，CTによる動態解析では膝蓋骨テーピングによる膝蓋骨の外方制動効果は示されず[29]，膝蓋大腿関節のキネマティクスへの影響は不明である．また，高いBMI，外側PF角の増大，Q角の増大といった一定の特徴をもつサブグループでは，膝蓋骨テーピングの効果が低い[43]．

（2）ブレース
Draperら[24]によるMRIを用いた動態解析の結果，スリーブよりもブレースの装着下で有意に膝蓋骨外方変位および外方傾斜が制動された．他の無作為化対照試験において，ブレースの使用が若年アスリートのPFPS発生率を減少させることが示された[5]．

（3）足底板
足底板の効果は無作為化対照試験による検証がなされてきた．しかし，足底板とエクササイズとの併用による治療結果をみると，症状改善効果あり[26]と効果なし[19]という矛盾した結果が混在する．

F．まとめ

1．すでに真実として承認されていること
1）骨の疾患
- OSD，SLDJの多くが保存療法で軽快する．
- 膝蓋骨裂離骨折の治療選択は，骨折分類をもとに行われる．
- 膝蓋骨裂離骨折の手術療法では，術後3～4ヵ月でスポーツ復帰可能．

2）関節の疾患
- 反復性脱臼の治療に対するMPFL再建術の有効性．
- タナ障害の保存療法抵抗例に対する手術療法での概ね良好な成績．

3）筋腱の疾患
- 膝蓋腱断裂および大腿四頭筋腱断裂の治療の第一選択は，早期の修復術．
- 大腿四頭筋腱断裂は，手術時期の遅れが術後の成績不良因子となる．

4）その他の疾患（PFPS）
- 股関節，膝関節の複合エクササイズが，より効果的な理学療法である．

2．議論の余地はあるが，今後の重要な研究テーマとなること
1）骨の疾患
- 症状の長期化するOSD症例に対する手術の有効性．
- 膝蓋骨裂離骨折の骨折分類における保存療法での復帰期間の差．
- 骨折分類による膝蓋骨裂離骨折の術後合併症のリスク．

2）関節の疾患
- 初回脱臼に対する保存療法の限界について。
- 再脱臼防止に効果的な運動療法の検討。
- タナ障害における活動性の高い例での保存療法の限界について。
- タナ障害での罹患期間や年齢などの因子による予後予測。

3）筋腱の疾患
- 膝蓋腱修復術後の外固定の必要性および早期からのリハビリテーションの有用性。
- 大腿四頭筋腱修復術後のスポーツ復帰率。

4）その他の疾患（PFPS）
- 膝装具，テーピング，足底板の有効性と適応。

3. 真実と思われていたが実は疑わしいこと

1）関節の疾患
- 初回脱臼におけるMPFL修復術のメリット。

2）筋腱の疾患
- 術後長期間の固定による筋力や可動域の回復遅延。

3）その他の疾患（PFPS）
- 内側広筋斜頭に特化したトレーニングの有効性。

G. 今後の課題

1. 骨の疾患
- OSD，SLJDの画像所見による重症度と予後予測，および治療方針に関する研究。
- OSDに対する科学的根拠に基づいたリハビリテーションの確立。

2. 関節の疾患
- 膝蓋骨不安定性に対する科学的根拠基づいたリハビリテーションの確立。

3. 筋腱の疾患
- 競技別にみた膝蓋腱修復術後の成績に関する研究。

4. その他の疾患（PFPS）
- テーピング，足底版の有効性に関するエビデンスの構築。

文献

1. Amatuzzi MM, Fazzi A, Varella MH: Pathologic synovial plica of the knee. Results of conservative treatment. *Am J Sports Med*. 1990; 18: 466-9.
2. Aminaka N, Gribble PA: Patellar taping, patellofemoral pain syndrome, lower extremity kinematics, and dynamic postural control. *J Athl Train*. 2008; 43: 21-8.
3. Baldon Rde M, Serrão FV, Scattone Silva R, Piva SR: Effects of functional stabilization training on pain, function, and lower extremity biomechanics in women with patellofemoral pain: a randomized clinical trial. *J Orthop Sports Phys Ther*. 2014; 44: 240-A8.
4. Balmat P, Vichard P, Pem R: The treatment of avulsion fractures of the tibial tuberosity in adolescent athletes. *Sports Med*. 1990; 9: 311-6.
5. BenGal S, Lowe J, Mann G, Finsterbush A, Matan Y: The role of the knee brace in the prevention of anterior knee pain syndrome. *Am J Sports Med*. 1997; 25: 118-22.
6. Bennell K, Duncan M, Cowan S: Effect of patellar taping on vasti onset timing, knee kinematics, and kinetics in asymptomatic individuals with a delayed onset of vastus medialis oblique. *J Orthop Res*. 2006; 24: 1854-60.
7. Bhargava SP, Hynes MC, Dowell JK: Traumatic patella tendon rupture: early mobilisation following surgical repair. *Injury*. 2004; 35: 76-9.
8. Binazzi R, Felli L, Vaccari V, Borelli P: Surgical treatment of unresolved Osgood-Schlatter lesion. *Clin Orthop Relat Res*. 1993; (289): 202-4.
9. Bitar AC, Demange MK, D'Elia CO, Camanho GL: Traumatic patellar dislocation: nonoperative treatment compared with MPFL reconstruction using patellar tendon. *Am J Sports Med*. 2012; 40: 114-22.
10. Bolesta MJ, Fitch RD: Tibial tubercle avulsions. *J Pediatr Orthop*. 1986; 6: 186-92.
11. Boublik M, Schlegel T, Koonce R, Genuario J, Lind C, Hamming D: Patellar tendon ruptures in National Football League players. *Am J Sports Med*. 2011; 39: 2436-40.
12. Brey JM, Conoley J, Canale ST, Beaty JH, Warner WC

Jr, Kelly DM, Sawyer JR: Tibial tuberosity fractures in adolescents: is a posterior metaphyseal fracture component a predictor of complications? *J Pediatr Orthop*. 2012; 32: 561-6.
13. Bushnell BD, Byram IR, Weinhold PS, Creighton R: The use of suture anchors in repair of the ruptured patellar tendon: a biomechanical study. *Am J Sports Med*. 2006; 34: 1492-9.
14. Camanho GL: Treatment of pathological synovial plicae of the knee. *Clinics (Sao Paulo)*. 2010; 65: 247-50.
15. Camanho GL, Viegas Ade C, Bitar AC, Demange MK, Hernandez AJ: Conservative versus surgical treatment for repair of the medial patellofemoral ligament in acute dislocations of the patella. *Arthroscopy*. 2009; 25: 620-5.
16. Caton JH, Dejour D: Tibial tubercle osteotomy in patello-femoral instability and in patellar height abnormality. *Int Orthop*. 2010; 34: 305-9.
17. Christiansen SE, Jakobsen BW, Lund B, Lind M: Isolated repair of the medial patellofemoral ligament in primary dislocation of the patella: a prospective randomized study. *Arthroscopy*. 2008; 24: 881-7.
18. Ciriello V, Gudipati S, Tosounidis T, Soucacos PN, Giannoudis PV: Clinical outcomes after repair of quadriceps tendon rupture: a systematic review. *Injury*. 2012; 41: 1931-8.
19. Collins N, Crossley K, Beller E, Darnell R, McPoil T, Vicenzino B: Foot orthoses and physiotherapy in the treatment of patellofemoral pain syndrome: randomised clinical trial. *Br J Sports Med*. 2009; 43: 169-71.
20. De Baere T, Geulette B, Manche E, Barras L: Functional results after surgical repair of quadriceps tendon rupture. *Acta Orthop Belg*. 2002; 68: 146-9.
21. Dejour D, Saggin P: The sulcus deepening trochleoplasty-the Lyon's procedure. *Int Orthop*. 2010; 34: 311-6.
22. Dolak KL, Silkman C, Medina McKeon J, Hosey RG, Lattermann C, Uhl TL: Hip strengthening prior to functional exercises reduces pain sooner than quadriceps strengthening in females with patellofemoral pain syndrome: a randomized clinical trial. *J Orthop Sports Phys Ther*. 2011; 41: 560-70.
23. Dorchak JD, Barrack RL, Kneisl JS, Alexander AH: Arthroscopic treatment of symptomatic synovial plica of the knee. Long-term follow up. *Am J Sports Med*. 1991; 19: 503-7.
24. Draper CE, Besier TF, Santos JM, Jennings F, Fredericson M, Gold GE, Beaupre GS, Delp SL: Using real-time MRI to quantify altered joint kinematics in subjects with patellofemoral pain and to evaluate the effects of a patellar brace or sleeve on joint motion. *J Orthop Res*. 2009; 27: 571-7.
25. Enad JG, Loomis LL: Patellar tendon repair: postoperative treatment. *Arch Phys Med Rehabil*. 2000; 81: 786-8.
26. Eng JJ, Pierrynowski MR: Evaluation of soft foot orthotics in the treatment of patellofemoral pain syndrome. *Phys Ther*. 1993; 73: 62-8; discussion 68-70.
27. Fisher B, Nyland J, Brand E, Curtin B: Medial patellofemoral ligament reconstruction for recurrent patellar dislocation: a systematic review including rehabilitation and return-to-sports efficacy. *Arthroscopy*. 2010; 26: 1384-94.
28. Fukuda TY, Rossetto FM, Magalhaes E, Bryk FF, Lucareli PR, de Almeida Aparecida Carvalho N: Short-term effects of hip abductors and lateral rotators strengthening in females with patellofemoral pain syndrome: a randomized controlled clinical trial. *J Orthop Sports Phys Ther*. 2010; 40: 736-42.
29. Gigante A, Pasquinelli FM, Paladini P, Ulisse S, Greco F: The effects of patellar taping on patellofemoral incongruence. A computed tomography study. *Am J Sports Med*. 2001; 29: 88-92.
30. Gokce A, Ekici H, Erdogan F: Arthroscopic reconstruction of a ruptured patellar tendon: a technical note. *Knee Surg Sports Traumatol Arthrosc*. 2008; 16: 581-4.
31. Hansen H, Boe S: The pathological plica in the knee. Results after arthroscopic resection. *Arch Orthop Trauma Surg*. 1989; 108: 282-4.
32. Hing CB, Smith TO, Donell S, Song F: Surgical versus non-surgical interventions for treating patellar dislocation. *Cochrane Database Syst Rev*. 2011; 11: CD008106.
33. Hopper GP, Leach WJ, Rooney BP, Walker CR, Blyth MJ: Does degree of trochlear dysplasia and position of femoral tunnel influence outcome after medial patellofemoral ligament reconstruction? *Am J Sports Med*. 2014; 42: 716-22.
34. Howarth WR, Gottschalk HP, Hosalkar HS: Tibial tubercle fractures in children with intra articular involvement: surgical tips for technical ease. *J Child Orthop*. 2011; 5: 465-70.
35. Ismail MM, Gamaleldein MH, Hassa KA: Closed kinetic chain exercises with or without additional hip strengthening exercises in management of patellofemoral pain syndrome: a randomized controlled trial. *Eur J Phys Rehabil Med*. 2013; 49: 687-98.
36. Kang H, Cao J, Yu D, Zheng Z: Comparison of 2 different techniques for anatomic reconstruction of the medial patellofemoral ligament: a prospective randomized study. *Am J Sports Med*. 2013; 41: 1013-21.
37. Kasten P, Schewe B, Maurer F, Gosling T, Krettek C, Weise K: Rupture of the patellar tendon: a review of 68 cases and a retrospective study of 29 ruptures comparing two methods of augmentation. *Arch Orthop Trauma Surg*. 2001; 121: 578-82.
38. Kettunen JA, Harilainen A, Sandelin J, Schlenzka D, Hietaniemi K, Seitsalo S, Malmivaara A, Kujala UM: Knee arthroscopy and exercise versus exercise only for chronic patellofemoral pain syndrome: a randomized controlled trial. *BMC Med*. 2007 ; 5: 38.
39. Kim YM, Kim SJ, Hwang DS, Shin HD, Yang JY, Kwon ST: Inferolateral parapatellar synovial fold causing patellofemoral impingement in both knee joints. *Arthroscopy*. 2007; 23: 563 e1-4.
40. King AG, Blundell-Jones G: A surgical procedure for the Osgood-Schlatter lesion. *Am J Sports Med*. 1981; 9: 250-3.
41. Konrath GA, Chen D, Lock T, Goitz HT, Watson JT, Moed BR, D'Ambrosio G: Outcomes following repair of quadriceps tendon ruptures. *J Orthop Trauma*. 1998; 12: 273-9.

42. Kuechle DK, Stuart MJ: Isolated rupture of the patellar tendon in athletes. *Am J Sports Med*. 1994; 22: 692-5.
43. Lan TY, Lin WP, Jiang CC, Chiang H: Immediate effect and predictors of effectiveness of taping for patellofemoral pain syndrome: a prospective Cohort study. *Am J Sports Med*. 2010; 38: 1626-30.
44. Larson RV, Simonian PT: Semitendinosus augmentation of acute patellar tendon repair with immediate mobilization. *Am J Sports Med*. 1995; 23: 82-6.
45. Maenpaa H, Lehto MU: Patellar dislocation. The long-term results of nonoperative management in 100 patients. *Am J Sports Med*. 1997; 25: 213-7.
46. Maffulli N, Del Buono A, Loppini M, Denaro V: Ipsilateral hamstring tendon graft reconstruction for chronic patellar tendon ruptures: average 5.8-year follow-up. *J Bone Joint Surg Am*. 2013; 95: e1231-6.
47. Marder RA, Timmerman LA: Primary repair of patellar tendon rupture without augmentation. *Am J Sports Med*. 1999; 27: 304-7.
48. Massoud EI: Repair of fresh patellar tendon rupture: tension regulation at the suture line. *Int Orthop*. 2010; 34: 1153-8.
49. McConnell J: Rehabilitation and nonoperative treatment of patellar instability. *Sports Med Arthrosc*. 2007; 15: 95-104.
50. Medlar RC, Lyne ED: Sinding-Larsen-Johansson disease. Its etiology and natural history. *J Bone Joint Surg Am*. 1978; 60: 1113-6.
51. Muse GL, Grana WA, Hollingsworth S: Arthroscopic treatment of medial shelf syndrome. *Arthroscopy*. 1985; 1: 63-7.
52. Nakagawa TH, Muniz TB, Baldon Rde M, Dias Maciel C, de Menezes Reiff RB, Serrao FV: The effect of additional strengthening of hip abductor and lateral rotator muscles in patellofemoral pain syndrome: a randomized controlled pilot study. *Clin Rehabil*. 2008; 22: 1051-60.
53. Nelitz M, Dreyhaupt J, Reichel H, Woelfle J, Lippacher S: Anatomic reconstruction of the medial patellofemoral ligament in children and adolescents with open growth plates: surgical technique and clinical outcome. *Am J Sports Med*. 2013; 41: 58-63.
54. Nikiforidis PA, Babis GC, Triantafillopoulos IK, Themistocleous GS, Nikolopoulos K: Avulsion fractures of the tibial tuberosity in adolescent athletes treated by internal fixation and tension band wiring. *Knee Surg Sports Traumatol Arthrosc*. 2004; 12: 271-6.
55. Nikku R, Nietosvaara Y, Aalto K, Kallio PE: Operative treatment of primary patellar dislocation does not improve medium-term outcome: a 7-year follow-up report and risk analysis of 127 randomized patients. *Acta Orthop*. 2005; 76: 699-704.
56. Nikku R, Nietosvaara Y, Kallio PE, Aalto K, Michelsson JE: Operative versus closed treatment of primary dislocation of the patella. Similar 2-year results in 125 randomized patients. *Acta Orthop Scand*. 1997; 68: 419-23.
57. Nomura E, Inoue M, Kobayashi S: Long-term follow-up and knee osteoarthritis change after medial patellofemoral ligament reconstruction for recurrent patellar dislocation. *Am J Sports Med*. 2007; 35: 1851-8.
58. Ogden JA, Tross RB, Murphy MJ: Fractures of the tibial tuberosity in adolescents. *J Bone Joint Surg Am*. 1980; 62: 205-15.
59. Orava S, Malinen L, Karpakka J, Kvist M, Leppilahti J, Rantanen J, Kujala UM: Results of surgical treatment of unresolved Osgood-Schlatter lesion. *Ann Chir Gynaecol*. 2000; 89: 298-302
60. Palmu S, Kallio PE, Donell ST, Helenius I, Nietosvaara Y: Acute patellar dislocation in children and adolescents: a randomized clinical trial. *J Bone Joint Surg Am*. 2008; 90: 463-70.
61. Pihlajamaki HK, Visuri TI: Long-term outcome after surgical treatment of unresolved Osgood-Schlatter disease in young men: surgical technique. *J Bone Joint Surg Am*. 2010; 92 Suppl 1 Pt 2: 258-64.
62. Ravalin RV, Mazzocca AD, Grady-Benson JC, Nissen CW, Adams DJ: Biomechanical comparison of patellar tendon repairs in a cadaver model: an evaluation of gap formation at the repair site with cyclic loading. *Am J Sports Med*. 2002; 30: 469-73.
63. Rhee SJ, Pavlou G, Oakley J, Barlow D, Haddad F: Modern management of patellar instability. *Int Orthop*. 2012; 36: 2447-56.
64. Ronga M, Oliva F, Longo UG, Testa V, Capasso G, Maffulli N: Isolated medial patellofemoral ligament reconstruction for recurrent patellar dislocation. *Am J Sports Med*. 2009; 37: 1735-42.
65. Rougraff BT, Reeck CC, Essenmacher J: Complete quadriceps tendon ruptures. *Orthopedics*. 1996; 19: 509-14.
66. Rovere GD, Adair DM: Medial synovial shelf plica syndrome. Treatment by intraplical steroid injection. *Am J Sports Med*. 1985; 13: 382-6.
67. Schindler OS: 'The Sneaky Plica' revisited: morphology, pathophysiology and treatment of synovial plicae of the knee. *Knee Surg Sports Traumatol Arthrosc*. 2014; 22: 247-62.
68. Shah JN, Howard JS, Flanigan DC, Brophy RH, Carey JL, Lattermann C: A systematic review of complications and failures associated with medial patellofemoral ligament reconstruction forrecurrent patellar dislocation. *Am J Sports Med*. 2012; 40: 1916-23.
69. Sillanpaa PJ, Maenpaa HM, Mattila VM, Visuri T, Pihlajamaki H: Arthroscopic surgery for primary traumatic patellar dislocation: a prospective, nonrandomized study comparing patients treated with and without acute arthroscopic stabilization with a median 7-year follow-up. *Am J Sports Med*. 2008; 36: 2301-9.
70. Sillanpaa PJ, Mattila VM, Maenpaa H, Kiuru M, Visuri T, Pihlajamaki H: Treatment with and without initial stabilizing surgery for primary traumatic patellar dislocation. A prospective randomized study. *J Bone Joint Surg Am*. 2009; 91: 263-73.
71. Siwek CW, Rao JP: Ruptures of the extensor mechanism of the knee joint. *J Bone Joint Surg Am*. 1981; 63: 932-7.
72. Smith TO, McNamara I, Donell ST: The contemporary management of anterior knee pain and patellofemoral instability. *Knee*. 2013; 20 Suppl 1: S3-15.
73. Steiner TM: Medial patellofemoral ligament reconstruc-

74. Topol GA, Podesta LA, Reeves KD, Raya MF, Fullerton BD, Yeh HW: Hyperosmolar dextrose injection for recalcitrant Osgood-Schlatter disease. *Pediatrics*. 2011; 128: e1121-8.
73. (tion in patients with lateral patellar instability and trochlear dyslasia. *Am J Sports Med*. 2006; 34: 1254-61.)
75. Trail IA: Tibial sequestrectomy in the management of Osgood-Schlatter disease. *J Pediatr Orthop*. 1988; 8: 554-7.
76. Valentino M, Quiligotti C, Ruggirello M: Sinding-Larsen-Johansson syndrome: A case report. *J Ultrasound*. 2012; 15: 127-9.
77. van Gemert JP, de Vree LM, Hessels RA, Gaakeer MI: Patellar dislocation: cylinder cast, splint or brace? An evidence-based review of the literature. *Int J Emerg Med*. 2012; 5: 45.
78. von Knoch F, Bohm T, Burgi ML, von knoch M, Bereiter H: Trochleaplasty for recurrent patellar dislocation in association with trochlear dysplasia. A 4- to 14-year follow-up study. *J Bone Joint Surg Br*. 2006; 88: 1331-5.
79. Wall EJ: Osgood-Schlatter disease: practical treatment for a self-limiting condition. *Phys Sportsmed*. 1998; 26: 29-34.
80. Weiss JM, Jordan SS, Andersen JS, Lee BM, Kocher M: Surgical treatment of unresolved Osgood-Schlatter disease: ossicle resection with tibial tubercleplasty. *J Pediatr Orthop*. 2007; 27: 844-7.
81. Wenzl ME, Kirchner R, Seide K, Strametz S, Jurgens C: Quadriceps tendon ruptures -is there a complete functional restitution? *Injury*. 2004; 35: 922-6.
82. West JL, Keene JS, Kaplan LD: Early motion after quadriceps and patellar tendon repairs: outcomes with single-suture augmentation. *Am J Sports Med*. 2008; 36: 316-23.
83. Wiegand N, Naumov I, Vamhidy L, Warta V, Than P: Reconstruction of the patellar tendon using a Y-shaped flap folded back from the vastus lateralis fascia. *Knee*. 2013; 20: 139-43.
84. Willy RW, Scholz JP, Davis IS: Mirror gait retraining for the treatment of patellofemoral pain in female runners. *Clin Biomech (Bristol, Avon)*. 2012; 27: 1045-51.
85. Yilmaz C, Golpinar A, Vurucu A, Ozturk H, Eskandari MM: Retinacular band excision improves outcome in treatment of plica syndrome. *Int Orthop*. 2005; 29: 291-5.

(阿部　愛)

第2章
骨軟骨病変（膝蓋大腿関節）

　膝蓋大腿（PF）関節における骨軟骨病変の発生率は，膝疾患のなかでそれほど高くない。しかし，膝関節の運動に伴い膝蓋骨は6自由度の運動を有しており，PF関節の問題がスポーツ活動の制限をもたらすことは少なくない。そこで，本章では離断性骨軟骨炎，膝蓋軟骨軟化症，膝蓋骨疲労骨折，分裂膝蓋骨を中心に基礎，疫学・病態，診断・評価，治療についてレビューを行い，PF関節の骨軟骨病変治療に対するコンセンサスを得ることを目的とした。

　まず，PF関節の基礎として，疾患に関連するバイオメカニクスの知見を整理した。近年，MRIや3D-to-2D registration法を用い，PF関節のキネマティクスが詳細に分析されている。特にPF関節における接触位置，接触圧の研究は，各病態発生への理解につながる。また，疾患に伴うPF関節のバイオメカニクス変化として，膝蓋大腿関節痛についても取り上げた。

　次に，疫学・病態として，各疾患の発生率，性差，好発部位などについてまとめた。いずれの疾患も発生率が低いため後ろ向き研究や症例報告が中心であったが，これまでの報告をまとめることで，各疾患の病態が明らかとなった。特に離断性骨軟骨炎と膝蓋軟骨軟化症の好発部位に関しては違いが認められ，そのメカニズムの解明が課題としてあげられた。

　診断・評価としては，各疾患に対する理学評価，画像診断の成績についてまとめた。骨軟骨疾患であるため画像診断が中心となることが各報告のデータからも明らかとなったが，一方で，超音波診断法など簡便な検査法の利用についてもその可能性が示された。

　最後に，治療として軟骨損傷と膝蓋骨疲労骨折，分裂膝蓋骨に対する治療成績をまとめた。軟骨損傷に対する治療は，観血的治療の成績が多く報告されており，各手法の成績をまとめることができた。一方，手術後のリハビリテーションについての報告は多くなかった。その効果についても十分に検討されていない。

　本レビューを通して，PF関節の骨軟骨病変における理解を十分に深めることができる。一方で，理学療法士としてこれらの骨軟骨病変に対してどうアプローチするかについて，大きな課題がある。

第2章編集担当：永野　康治

5. 基礎科学（バイオメカニクス）

はじめに

　膝蓋大腿関節（PF関節）の骨軟骨病変は，臨床においてよく遭遇する疾患である。その治療方針立案のためには，PF関節面へのメカニカルストレス増大のメカニズムを十分に理解することが求められる。したがって，PF関節のバイオメカニクスは疾患発生や進行の主要因として捉えるべきであろう。また，変形性PF関節症（PFOA）を続発すると考えられている膝蓋大腿関節痛（PFP）についても理解を深めることが求められる。以上より，本項ではPF関節の骨軟骨病変の原因および進行要因の理解に必要と考えられるバイオメカニクス的な知見を整理することを目的とした。

A. 文献検索方法

　文献検索にはPubMedを利用し，表5-1に示す検索用語を用いた。これに加えて，ヒットした論文内などからハンドサーチを行い，最終的に46論文を引用した。

B. バイオメカニクスの研究方法

　単純X線は，形態および静的アライメントの簡便な計測法として，しばしば用いられる。具体的には，膝蓋骨の上下位置にInsall-Salvati ratio[21]，大腿骨滑車の形状にsulcus angle[7]，膝蓋骨傾斜角度にlateral patellar tilt angle[28]，膝蓋骨の側方傾斜にbisect offset[3]が用いられる（表5-2，図1-16〜図1-18参照）。これらは各種疾患の分類，アライメントとその後の軟骨損傷との関連性の研究などに用いられてきた[20,23,40]。

　PF関節のバイオメカニクス研究は，運動学（キネマティクス）と運動力学（キネティクス）に大別される。PF関節のアライメントやキネマティクスの三次元的な解析法として，近年ではMRIもよく用いられる。MRIの撮像方法には動的および静的な方法があり，目的に即した被検者の肢位や運動課題，撮像範囲や撮像条件を設定する必要がある。臥位でのMRI撮像において，荷重をシミュレートする負荷装置が用いられることもある（図5-1）[38]。高精度のPF関節のキネマティ

表5-1　検索用語とヒット数

検索用語	ヒット数
"patellofemoral", "kinematics"	859
"patella", "partita"	23
"chondromalacia", "patellae", "biomechanics"	4
"chondromalacia", "patellae", "kinematics"	13
"patellar", "chondromalacia", "biomechanics"	27
"patellar", "chondromalacia", "kinematics"	80

表5-2　各種アライメントの測定および形態測定

名称	説明
Insall-Salvati ratio Modified Insall-Salvati ratio	膝蓋骨高位の計測
Salcus angle	大腿骨滑車の形態
Lateral patellar tilt angle	膝蓋骨の傾斜角度
Bisect offset	膝蓋骨の側方変位

第2章 骨軟骨病変（膝蓋大腿関節）

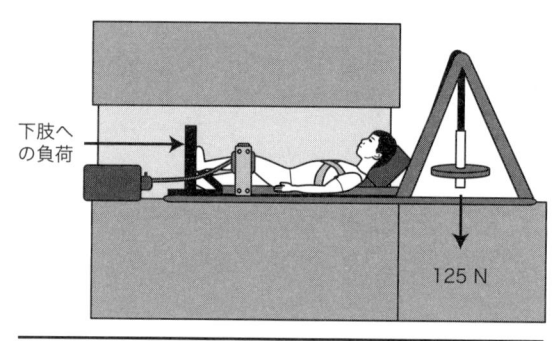

図5-1 荷重をシミュレートする装置（文献38より引用）
臥位でのMRI撮像において，荷重をシミュレートする負荷装置が用いられることがある。

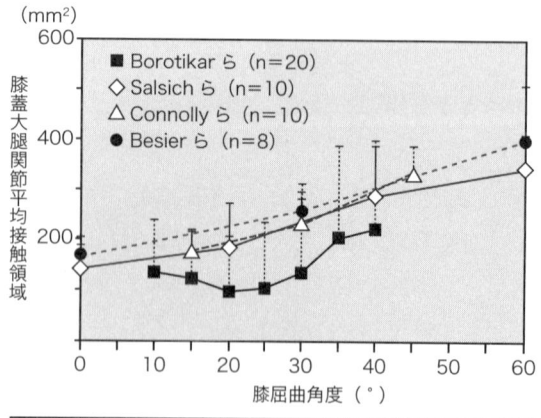

図5-2 膝屈曲角度と平均接触領域（文献6より引用）
脛骨大腿関節の屈曲に伴い，接触領域の増大が認められた。

ィクス計測法として，MRIから作成した三次元骨モデルと二方向X線を用いたimage matching法がある[42]。キネティクス研究では，生体においてPF関節面に圧センサーを安全に埋設することは困難なため，屍体を用いた実験におけるPF関節圧の実測または有限要素法が用いられる。

C. 正常バイオメカニクス

脛骨大腿関節（FT関節）の屈伸に伴うPF関節のキネマティクスに関して，多くの研究が行われてきた。まず，矢状面において，FT関節の屈曲に伴って膝蓋骨は下制・屈曲する[1,2,4,25,31]。側方変位について，FT関節伸展位から浅屈曲位まで膝蓋骨は内側に変位し[1,2,31,38]，その後，外方変位したという研究が多い[1,25,27,31,44]。一方，正確性の高い手法により90°以降は内方変位することが判明した[25]。水平面の内外方傾斜について，伸展位から浅屈曲まで外方傾斜した後に内方傾斜する[44]。前額面上の回旋はわずかだと報告された[38,44]。このように矢状面上の運動と膝蓋骨側方変位について比較的情報が多いが，それ以外の運動については情報が不足している。各種計測方法および試技で同様の結果が得られているということに基づき，膝関節屈曲時には膝蓋骨が外方に変位すると考えられる。

正常な生体のコンタクトキネマティクスの研究では，二方向X線を用いたimage matching法[42]や動的撮像が可能なcine-MRI[6]が用いられてきた。前者は荷重位での片脚スクワット，後者は臥位で荷重装置を用いた屈伸運動の計測に用いられた。いずれも屈伸時の接触位置およびピークストレインは，膝蓋骨および大腿骨の外側関節面に認められた。FT関節の屈曲に伴い，接触領域の増大が認められた（図5-2）[5,6,9,36]。またFT関節屈曲に伴い接触圧も上昇した[18,29,30,32,34,37,45]。このように，荷重運動中の接触圧や接触位置については比較的コンセンサスが得られている。

非荷重位の運動中のPF関節接触圧は，負荷の種類によって異なる。トルクが一定であるレッグエクステンション（図5-3A，B）では膝屈曲に伴い接触圧は増大した。これに対し，重錘を抵抗としたレッグエクステンション（図5-3C，D）では膝屈曲に伴い接触圧が低下した[35]。このことから，PF関節面に問題がある場合，膝伸展域（屈曲0～45°）の大腿四頭筋強化にはスクワット，膝屈曲域（屈曲45～90°）の大腿四頭筋強化には重錘を抵抗としたレッグエクステンションが

5. 基礎科学（バイオメカニクス）

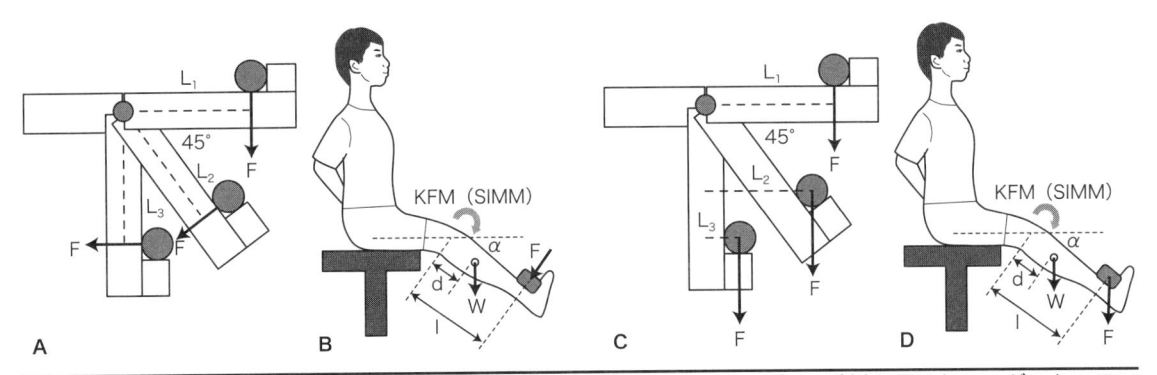

図 5-3 レッグエクステンションマシンを使用した場合の抵抗方向（A, B）と重錘を用いたレッグエクステンションの抵抗方向（C, D）（文献 35 より引用）
KFM：膝屈筋モーメント，SIMM：software for interactive musculoskeletal modelinng，α：膝屈曲角，d：下腿中心から膝屈曲軸までの距離，F：抵抗，L_1：0°屈曲位での外的モーメント，L_2：45°屈曲位での外的モーメント，L_3：90°屈曲位での外的モーメント，l：膝関節中心から抵抗までの距離，W：下腿と足部の重量。レッグエクステンションマシンを使用した場合，外的モーメントは膝の屈曲角度により変化しないが，重錘を用いたレッグエクステンションでは，膝屈曲角度が 90°に近づくにつれ外的モーメントは減少する。

表 5-3 軟骨減少に対する形態およびアライメント上の危険因子のオッズ比（文献 23 より引用）

		第 1 四分位		第 2 四分位		第 3 四分位		第 4 四分位	
		内側	外側	内側	外側	内側	外側	内側	外側
PLR	範囲	0.66〜0.87		0.88〜0.98		0.98〜1.12		1.13〜1.71	
	オッズ	1	1	1.4	1.1	2	1.7	2	2
SA	範囲	98〜113		114〜119		120〜124		125〜155	
	オッズ	1	1	1.4	2.1	1.6	1.8	2.4	2.8
LPTA	範囲	−25〜13		14〜17		18〜21		22〜35	
	オッズ	1	1	1.3	0.7	1.2	0.8	0.7	0.3
BO	範囲	38.46〜54.55		54.76〜60.42		60.47〜66.66		66.67〜100	
	オッズ	1	1	0.9	0.8	1.2	1.1	1.5	3.4

PLR（patellar length ratio）：膝蓋骨と膝蓋靱帯の長さの比，SA（salcus angle）：大腿骨滑車角度，LPTA（lateral patellar tilt angle）：膝蓋骨外側傾斜角，BO（bicect offset）：膝蓋骨側方変位量。

好ましいことが示唆された[35]。

D. 異常バイオメカニクス

PF 関節の損傷と関連する形態的因子として大腿骨の骨形態，バイオメカニクス因子として膝蓋骨アライメント，キネマティクス，コンタクトキネマティクス，圧分布などのキネティクスがあげられる。いくつかの研究で，膝蓋骨アライメントや大腿骨の骨形態と PF 関節狭小化や軟骨菲薄化との関連性が調べられた[20,22,40]。その結果，外側関節面の障害の危険因子は，膝蓋骨上方偏位[23,40]，外側偏位[20,23]，外方傾斜[23]，大腿骨滑車角度の増大[20]であった。一方，内側関節面の障害の危険因子は，膝蓋骨上方偏位[23,40]，内側偏位[20,23]，内方傾斜[20]，大腿骨滑車角度の増大[22,23]であった。この結果より，膝蓋骨の上方偏位は内側および外側の両方に影響を与えていた。接触領域の検討では，膝蓋骨上方偏位により PF 関節の接触領域が減少した[46]。接触領域の減少は接触圧の増大をもたらし，関節軟骨へのストレス増大を招くことが推測された。

第2章 骨軟骨病変（膝蓋大腿関節）

表 5-4 骨髄損傷に対する形態およびアライメント上の危険因子のオッズ比（文献 23 より引用）

		第 1 四分位		第 2 四分位		第 3 四分位		第 4 四分位	
		内側	外側	内側	外側	内側	外側	内側	外側
PLR	範囲	0.66〜0.87		0.88〜0.98		0.98〜1.12		1.13〜1.71	
	オッズ	1	1	1.05	0.9	0.9	0.6	1.1	2.5
SA	範囲	98〜113		114〜119		120〜124		125〜155	
	オッズ	1	1	1.6	4.6	1.2	1.8	2	3.6
LPTA	範囲	−25〜13		14〜17		18〜21		22〜35	
	オッズ	1	1	1.1	0.4	0.6	0.2	1	0.1
BO	範囲	38.46〜54.55		54.76〜60.42		60.47〜66.66		66.67〜100	
	オッズ	1	1	1.1	0.9	0.6	1.7	0.6	3.2

PLR（patellar length ratio）：膝蓋骨と膝蓋靱帯の長さの比，SA（salcus angle）：大腿骨滑車角度，LPTA（lateral patellar tilt angle）：膝蓋骨外側傾斜角，BO（bicect offset）：膝蓋骨側方変位量．

表 5-5 軟骨損傷に対する Insale-Sallvati ratio のオッズ比（文献 40 より引用）

	第 1 四分位		第 2 四分位		第 3 四分位		第 4 四分位	
	内側	外側	内側	外側	内側	外側	内側	外側
Insale-Sallvati ratio の範囲	0.55〜0.98		0.99〜1.09		1.10〜1.21		1.22〜1.66	
軟骨損傷	1	1	1.9	0.9	2.1	1.5	2	2.1
骨髄損傷	1	1	2	1.6	1.7	1.7	1.4	2.3

　PF 関節のマルアライメントや骨形態は軟骨減少，骨髄損傷，軟骨損傷に関連する（**表5-3〜表5-5**）。Insale-Sallvati ratio や patellar length ratio といった膝蓋骨近位-遠位方向の位置は総じて膝蓋骨が近位に位置する膝蓋骨高位で上記の問題が発生しやすい。特に PLR が 1.13〜1.71 の第4四分位では PF 関節の軟骨損傷が外側，内側ともに2倍，骨髄損傷では外側で2.5倍起こっていた。同様に Insale-Sallvati ratio が 1.22〜1.66 の第4四分位では軟骨損傷がある確率が内側で2倍，外側で2.1倍であった。骨髄損傷は内側が1.4倍，外側が2.3倍であった（**表5-5**）。大腿骨滑車の角度である sulcus angle は広いと問題がある確率が高く，sulcus angle が 98〜113° である第1四分位と比較して 125〜155° である第4四分位では軟骨損傷がある確率が内側と外側でそれぞれ2.4倍と2.8倍で，骨髄損傷はそれぞれ2倍と3.6倍であった。外側傾斜を表わす lateral patellar tilt angle には一定の法則性を見出すことはできなかった。内外側の位置は bisect offset angle が用いられた。外側にシフトしていると外側関節面に問題がある場合が多い。具体的には bisect offset angle が 38.46〜54.55 である第1四分位に比べ 66.67〜100 の第4四分位だと外側関節面の軟骨減少，骨髄損傷はそれぞれ3.4倍，3.2倍であった。

E. 疾患別の異常バイオメカニクス

　膝蓋大腿関節痛（PFP）における PF 関節圧や軟骨厚などの研究は多い。PFP を有する場合，PF 関節の負荷は増大し[11, 15, 16, 19]，軟骨厚は減少していた[14, 19]。PFP 膝と健常膝の接触圧を比較すると，PFP 膝において最低圧が低く，最高圧は高かった。この最低圧と最高圧の差が大きいことは PF 関節へのストレスを反映している可能性

があると考察された。

変形性PF関節症（PFOA）において，関節裂隙の狭小化部位と内・外反アライメントとの関連性が検討された[8,13]。外反アライメントでは外側関節面が狭小することが多く，内側関節面が狭小している膝では外反よりも内反アライメントのほうが多かった[8,13]。これに加えてFT関節のOAにおいても，上記と同様の結果であった[8]。FT関節の内・外転に伴うPF関節キネマティクスを計測した研究は渉猟しえたかぎりでは1件であった。McWalterら[26]は変形性膝関節症患者を対象に，FT関節の内・外転アライメントとFT関節屈曲運動中の膝蓋骨運動との関係を調べた。その結果，FT関節内転アライメントよりも外転アライメントにおいて，膝蓋骨の屈曲角度と外転角度が小さかった。一方，内・外方傾斜はFT関節外転アライメントのほうが20°屈曲位までは小さく，それ以降では大きかった。一方，内反膝において内側PFOAが進むオッズ比は1.85で，反対に外反膝において外側PFOAが進むオッズ比は1.64であった。ただし，外側狭小群でも内反アライメント膝が少なからず含まれることから，内外反のみではPFOAを説明できないと考えられる。

PF関節の離断性骨軟骨炎（OCD）は内側に多く発生する[10,12,24,33]。膝蓋骨関節面内側の中央から遠位に分布することが比較的多い[12,24]。PFOAは外側に多いことから，OCDの発生メカニズムはPFOA，外側関節狭小化，骨髄損傷とは異なる可能性がある。

前十字靱帯（ACL）損傷に伴うPF関節の圧の変化と膝前面痛やPFPとの関連性について調査された[43]。90°屈曲位におけるPF関節外側関節面の圧は，正常膝よりもACL不全膝と一重束再建膝において高かった[43]。PF関節全体の接触領域は，30°屈曲位において正常膝よりもACL不全膝と一重束再建で有意に減少していた[43]。一方，内側関節面の接触領域は，30°および60°屈曲位において正常膝よりもACL不全膝で有意に減少していた[43]。

後十字靱帯（PCL）不全膝において，PF関節の圧上昇が認められた[17,39]。Skyherら[39]は屍体膝を用いてPCL損傷膝，その後PCLとPLCの複合靱帯損傷膝を作成して実験を行ったところ，PCL残存膝，損傷膝，PCL＋PLC複合損傷膝の順でPF関節の接触圧は増加した。Gillら[17]は屍体膝においてPCL損傷膝とその後に再建膝を作成してPF関節圧を計測したところ，PCL損傷膝ではPF関節圧が上昇し，PCL再建術後も圧は高いままであった。

内側膝蓋大腿靱帯（MPFL）不全膝は，膝関節屈曲角度0°，10°，30°で膝蓋骨の外方変位を呈した[41]。PF関節内圧については，膝関節伸展域で内側PF関節面の圧減少が認められたが，外側PF関節面の圧は統計学的に有意な上昇を認めなかった[41]。以上より，内側膝蓋大腿支帯は浅屈曲域で膝蓋骨外方変位の制動を担う可能性がある。

F. まとめ

1. すでに真実として承認されていること

- 膝蓋骨上方偏位とPF関節障害は関連性が高い。
- 膝関節屈曲に伴い，膝蓋骨は下制・屈曲・外方変位する。
- 膝関節屈曲に伴い，PF関節の圧は高まる。

2. 議論の余地はあるが，今後の重要な研究テーマとなること

- 軟骨損傷後のバイオメカニクス全般。
- 運動中のPF関節圧。
- PCLを損傷すると再建をしてもPF関節圧は高い。

3. 真実と思われていたが実は疑わしいこと

- OCD好発部位と接触領域から，接触圧と軟骨損傷の関係は明らかでない。

G. 今後の課題

　PF関節のバイオメカニクスと各種病態の因果関係は明らかでない。PF関節に由来する疼痛は，臨床上よく遭遇する症状の1つであることから，PF関節に焦点を当てた局所的なバイオメカニクスと，全身からPF関節に波及する全身的なバイオメカニクスを明らかにし，PF関節の軟骨損傷やPF関節に由来する各種疾患の因果関係を明らかにすること，バイオメカニクス的な異常の改善による症状の改善や予防が課題である。

文献

1. Amis AA, Senavongse W, Bull AM: Patellofemoral kinematics during knee flexion-extension: an *in vitro* study. *J Orthop Res*. 2006; 24: 2201-11.
2. Asano T, Akagi M, Koike K, Nakamura T: *In vivo* three-dimensional patellar tracking on the femur. *Clin Orthop Relat Res*. 2003; (413): 222-32.
3. Beaconsfield T, Pintore E, Maffulli N, Petri GJ: Radiological measurements in patellofemoral disorders. A review. *Clin Orthop Relat Res*. 1994; (308): 18-28.
4. Belvedere C, Leardini A, Ensini A, Bianchi L, Catani F, Giannini S: Three-dimensional patellar motion at the natural knee during passive flexion/extension. An *in vitro* study. *J Orthop Res*. 2009; 27: 1426-31.
5. Besier TF, Draper CE, Gold GE, Beaupre GS, Delp SL: Patellofemoral joint contact area increases with knee flexion and weight-bearing. *J Orthop Res*. 2005; 23: 345-50.
6. Borotikar BS, Sheehan FT: *In vivo* patellofemoral contact mechanics during active extension using a novel dynamic MRI-based methodology. *Osteoarthritis Cartilage*. 2013; 3, doi: 10.1016/j.joca.2013.08.023.
7. Brattstroem H: Shape of the intercondylar groove normally and in recurrent dislocation of patella. A clinical and X-ray-anatomical investigation. *Acta Orthop Scand Suppl*. 1964; Suppl 68: 1-148.
8. Cahue S, Dunlop D, Hayes K, Song J, Torres L, Sharma L: Varus-valgus alignment in the progression of patellofemoral osteoarthritis. *Arthritis Rheum*. 2004; 50: 2184-90.
9. Connolly KD, Ronsky JL, Westover LM, Kupper JC, Frayne R: Differences in patellofemoral contact mechanics associated with patellofemoral pain syndrome. *J Biomech*. 2009; 11; 42: 2802-7.
10. Desai SS, Patel MR, Michelli LJ, Silver JW, Lidge RT: Osteochondritis dissecans of the patella. *J Bone Joint Surg Br*. 1987; 69: 320-5.
11. Dye SF: The pathophysiology of patellofemoral pain: a tissue homeostasis perspective. *Clin Orthop Relat Res*. 2005; (436): 100-10.
12. Edwards DH, Bentley G: Osteochondritis dissecans patellae. *J Bone Joint Surg Br*. 1977; 59: 58-63.
13. Elahi S, Cahue S, Felson DT, Engelman L, Sharma L: The association between varus-valgus alignment and patellofemoral osteoarthritis. *Arthritis Rheum*. 2000; 43: 1874-80.
14. Farrokhi S, Colletti PM, Powers CM: Differences in patellar cartilage thickness, transverse relaxation time, and deformational behavior: a comparison of young women with and without patellofemoral pain. *Am J Sports Med*. 2011; 39: 384-91.
15. Farrokhi S, Keyak JH, Powers CM: Individuals with patellofemoral pain exhibit greater patellofemoral joint stress: a finite element analysis study. *Osteoarthritis Cartilage*. 2011; 19: 287-94.
16. Fulkerson JP: Diagnosis and treatment of patients with patellofemoral pain. *Am J Sports Med*. 2002; 30: 447-56.
17. Gill TJ, DeFrate LE, Wang C, Carey CT, Zayontz S, Zarins B, Li G: The effect of posterior cruciate ligament reconstruction on patellofemoral contact pressures in the knee joint under simulated muscle loads. *Am J Sports Med*. 2004; 32: 109-15.
18. Hefzy MS, Yang H: A three-dimensional anatomical model of the human patello-femoral joint, for the determination of patello-femoral motions and contact characteristics. *J Biomed Eng*. 1993; 15: 289-302.
19. Ho KY, Keyak JH, Powers CM: Comparison of patella bone strain between females with and without patellofemoral pain: a finite element analysis study. *J Biomech*. 2014; 3; 47:230-6.
20. Hunter DJ, Zhang YQ, Niu JB, Felson DT, Kwoh K, Newman A, Kritchevsky S, Harris T, Carbone L, Nevitt M: Patella malalignment, pain and patellofemoral progression: the Health ABC Study. *Osteoarthritis Cartilage*. 2007; 15: 1120-7.
21. Insall J, Salvati E: Patella position in the normal knee joint. *Radiology*. 1971; 101: 101-4.
22. Kalichman L, Zhang Y, Niu J, Goggins J, Gale D, Felson DT, Hunter D: The association between patellar alignment and patellofemoral joint osteoarthritis features—an MRI study. *Rheumatology*. 2007; 46: 1303-8.
23. Kalichman L, Zhang Y, Niu J, Goggins J, Gale D, Zhu Y, Felson DT, Hunter DJ: The association between patellar alignment on magnetic resonance imaging and radiographic manifestations of knee osteoarthritis. *Arthritis Res Ther*. 2007; 9: R26.
24. Kocher MS, Tucker R, Ganley TJ, Flynn JM: Management of osteochondritis dissecans of the knee: current concepts review. *Am J Sports Med*. 2006; 34: 1181-91.
25. Li G, Papannagari R, Nha KW, Defrate LE, Gill TJ, Rubash HE: The coupled motion of the femur and patella

5. 基礎科学（バイオメカニクス）

during *in vivo* weightbearing knee flexion. *J Biomech Eng*. 2007; 129: 937-43.
26. McWalter EJ, Cibere J, MacIntyre NJ, Nicolaou S, Schulzer M, Wilson DR: Relationship between varus-valgus alignment and patellar kinematics in individuals with knee osteoarthritis. *J Bone Joint Surg Am*. 2007; 89: 2723-31.
27. McWalter EJ, Hunter DJ, Wilson DR: The effect of load magnitude on three-dimensional patellar kinematics *in vivo*. *J Biomech*. 2010; 20; 43:1890-7.
28. Merchant AC, Mercer RL, Jacobsen RH, Cool CR: Roentgenographic analysis of patellofemoral congruence. *J Bone Joint Surg Am*. 1974; 56: 1391-6.
29. Mesfar W, Shirazi-Adl A: Biomechanics of the knee joint in flexion under various quadriceps forces. *Knee*. 2005; 12: 424-34.
30. Miller RK, Murray DW, Gill HS, O'Connor JJ, Goodfellow JW: *In vitro* patellofemoral joint force determined by a non-invasive technique. *Clin Biomech (Bristol, Avon)*. 1997; 12: 1-7.
31. Nha KW, Papannagari R, Gill TJ, Van de Velde SK, Freiberg AA, Rubash HE, Li G: *In vivo* patellar tracking: clinical motions and patellofemoral indices. *J Orthop Res*. 2008; 26: 1067-74.
32. Perry J, Antonelli D, Ford W: Analysis of knee-joint forces during flexed-knee stance. *J Bone Joint Surg Am*. 1975; 57: 961-7.
33. Peters TA, McLean ID: Osteochondritis dissecans of the patellofemoral joint. *Am J Sports Med*. 2000; 28: 63-7.
34. Petersilge WJ, Oishi CS, Kaufman KR, Irby SE, Colwell CW Jr: The effect of trochlear design on patellofemoral shear and compressive forces in total knee arthroplasty. *Clin Orthop Relat Res*. 1994; (309): 124-30.
35. Powers CM, Ho KY, Chen YJ, Souza RB, Farrokhi S: Patellofemoral joint stress during weight-bearing and non-weight-bearing quadriceps exercises. *J Orthop Sports Phys Ther*. 2014; 44: 320-7.
36. Salsich GB, Ward SR, Terk MR, Powers CM: *In vivo* assessment of patellofemoral joint contact area in individuals who are pain free. *Clin Orthop Relat Res*. 2003; (417): 277-84.
37. Sharma A, Leszko F, Komistek RD, Scuderi GR, Cates HE Jr, Liu F: *In vivo* patellofemoral forces in high flexion total knee arthroplasty. *J Biomech*. 2008; 41: 642-8.
38. Shin CS, Carpenter RD, Majumdar S, Ma CB: Three-dimensional *in vivo* patellofemoral kinematics and contact area of anterior cruciate ligament-deficient and -reconstructed subjects using magnetic resonance imaging. *Arthroscopy*. 2009; 25: 1214-23.
39. Skyhar MJ, Warren RF, Ortiz GJ, Schwartz E, Otis JC: The effects of sectioning of the posterior cruciate ligament and the posterolateral complex on the articular contact pressures within the knee. *J Bone Joint Surg Am*. 1993; 75: 694-9.
40. Stefanik JJ, Zhu Y, Zumwalt AC, Gross KD, Clancy M, Lynch JA, Frey Law LA, Lewis CE, Roemer FW, Powers CM, Guermazi A, Felson DT: Association between patella alta and the prevalence and worsening of structural features of patellofemoral joint osteoarthritis: the multicenter osteoarthritis study. *Arthritis Care Res (Hoboken)*. 2010; 62: 1258-65.
41. Stephen JM, Kader D, Lumpaopong P, Deehan DJ, Amis AA: Sectioning the medial patellofemoral ligament alters patellofemoral joint kinematics and contact mechanics. *J Orthop Res*. 2013; 31: 1423-9.
42. Suzuki T, Hosseini A, Li JS, Gill TJ 4th, Li G: *In vivo* patellar tracking and patellofemoral cartilage contacts during dynamic stair ascending. *J Biomech*. 2012; 21; 45: 2432-7.
43. Tajima G, Iriuchishima T, Ingham SJ, Shen W, van Houten AH, Aerts MM, Shimamura T, Smolinski P, Fu FH: Anatomic double-bundle anterior cruciate ligament reconstruction restores patellofemoral contact areas and pressures more closely than nonanatomic single-bundle reconstruction. *Arthroscopy*. 2010; 26: 1302-10.
44. Van de Velde SK, Gill TJ, DeFrate LE, Papannagari R, Li G: The effect of anterior cruciate ligament deficiency and reconstruction on the patellofemoral joint. *Am J Sports Med*. 2008; 36: 1150-9.
45. van Eijden TM, Kouwenhoven E, Verburg J, Weijs WA: A mathematical model of the patellofemoral joint. *J Biomech*. 1986; 19 : 219-29.
46. Ward SR, Terk MR, Powers CM: Patella alta: association with patellofemoral alignment and changes in contact area during weight-bearing. *J Bone Joint Surg Am*. 2007; 89: 1749-55.

（山内　弘喜）

6. 疫学・病態

はじめに

若年スポーツ選手の膝蓋大腿関節（PF関節）の骨軟骨障害の発生率は低い。このため，大規模な疫学調査や各疾患単独の前向き研究は少なく，後ろ向き研究や症例報告に頼らざるをえない。本項では，軟骨障害である離断性骨軟骨炎と膝蓋軟骨軟化症，前十字靱帯（ACL）損傷や膝蓋骨脱臼に合併した骨軟骨障害，膝蓋骨の骨障害である膝蓋骨疲労骨折と分裂膝蓋骨について文献を収集した。

A. 文献検索方法

検索エンジンにはMedlineを用いた。検索ワードとしては「osteochondral injury」「chondromalacia」「ACL」「patellar dislocation」「patellofemoral injury」「stress fracture」「fatigue fracture」「patella」「bipartite patella」「painful bipartite patellae」を用いた。ヒットした論文から本項のテーマにふさわしい文献を抽出し，さらにハンドサーチにより抽出した文献を加えて合計55論文をレビューした。

B. 膝蓋大腿関節面に起こる骨軟骨障害

1. 離断性骨軟骨炎
1）発生メカニズム

PF関節における離断性骨軟骨炎の発生メカニズムは十分に解明されていない。Petersら[40]は，離断性骨軟骨炎はジャンプなどの間接的な外力または直接的な打撃などが，未成熟な関節面に繰り返し加わる微細損傷であると推測した。

2）疫　学

離断性骨軟骨炎に関する大規模な疫学調査による存在率，または前向きコホート研究による発生率の調査は現在まで行われていない。Schwarzら[48]は，アメリカとオーストラリアの整形外科医が登録した30,000名以上の膝関節疾患の手術症例を調査した結果，PF関節の離断性骨軟骨炎患者は31名で，手術件数44件（0.15％），患者の手術時の平均年齢15歳，男女比9対1であった。Aichrothら[1]の18年間にわたる約200件のケースシリーズでは，面接調査に協力した105名の膝関節の離断性骨軟骨炎患者のうち，PF関節の離断性骨軟骨炎患者の割合は4.8％（5/105膝）であった。Lindholm[27]の25年間の108例のケースシリーズでは，合計132ヵ所の損傷のうちPF関節に生じていたのは5ヵ所（3.8％）のみであった。Petersら[40]の37例のケースシリーズでは，患者の年齢の中央値は15歳，男女比は4対1であった。Desaiら[7]の13例のケースシリーズでは，患者の平均年齢は16歳，男性が11名，女性が2名であった。以上のように医療機関における受診割合の調査のみではあるが，脛骨大腿関節に比べてPF関節の離断性骨軟骨炎は少ないといえる。また，10代の男性に好発するといえる。

6. 疫学・病態

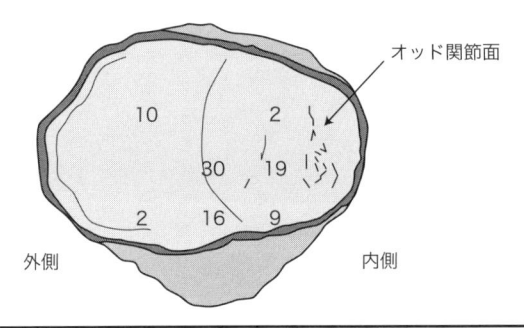

図 6-1 膝蓋骨関節面における損傷部位の分布
7文献（93膝）の合計（部位不明が5膝）。膝蓋骨関節面では，中央面から内側面の中央部に多く発生していた。

図 6-2 大腿骨の膝蓋面における損傷部位の分布
7文献（27膝）の合計。外側面に多く発生していた。

3）好発部位

医療機関を受診したPF関節の離断性骨軟骨炎患者のケースシリーズとして，7文献（120膝）が該当した[1,7,12,27,29,40,48]。発生部位を膝蓋骨関節面と大腿骨の関節面で比較すると，膝蓋骨関節面93膝（77.5％），大腿骨の膝蓋面27膝（22.5％）であった。膝蓋骨関節面では，中央面から内側面の中央部に多く分布し（図6-1），一方でodd fasetsには病変は認められなかった。大腿骨の膝蓋面における病変発生頻度としては，外側面に24膝（89％），内側面に3膝（11％）に認められた（図6-2）。

2. 膝蓋軟骨軟化症

1）発生メカニズム

膝蓋軟骨軟化症の発生メカニズムは十分に解明されていない。膝蓋軟骨軟化症は，膝蓋骨の関節軟骨の病理学的変化や異常な軟化を基盤とした疾患であり[5,35,39]，いわゆるanterior knee pain症候群の1つの病態と解釈されることが多い。Christianら[5]は，外傷，繰り返しのストレス，PF関節の不安定性が膝蓋軟骨軟化症の発生要因であると推察した。

2）疫 学

膝蓋軟骨軟化症に関する大規模な疫学調査による存在率または前向きコホート研究による発生率の調査はまだ行われていない。Outerbridge[39]によると，内側半月板切除術を受けた196例のうち膝蓋軟骨軟化症の患者は101例であり，10代12例，20代17例，30代27例，40代30例，50代13例と，60代2例と10代から60代まで幅広い年代で発生していた。Insallら[19]の1969～1975年に膝蓋軟骨軟化症と診断された400例以上のケースシリーズにおいて，関節切開を行った105例のうち経過観察が可能であった80例の構成は男女それぞれ40名であり，その平均年齢は22歳（13～61歳）であった。Ogilvie-Harrisら[35]の1970～1980年の10年間に膝蓋軟骨軟化症と診断され内視鏡を行った354例のケースシリーズでは，年齢は17～42歳に分布し，性別は男性43％，女性57％であった。以上のように医療機関におけるケースシリーズのみの情報ではあるが，膝蓋軟骨軟化症の発生に性差はなく，20歳代を中心に幅広い年齢層に起こるものと推測される。

3）好発部位

膝蓋軟骨軟化症の進行過程について，一定の見解は得られていない。Outerbridgeら[39]は，膝蓋骨関節面に関しては，初期は内側面に発生し，重症度が増すにつれて中央から外側部へ広がって

第2章 骨軟骨病変(膝蓋大腿関節)

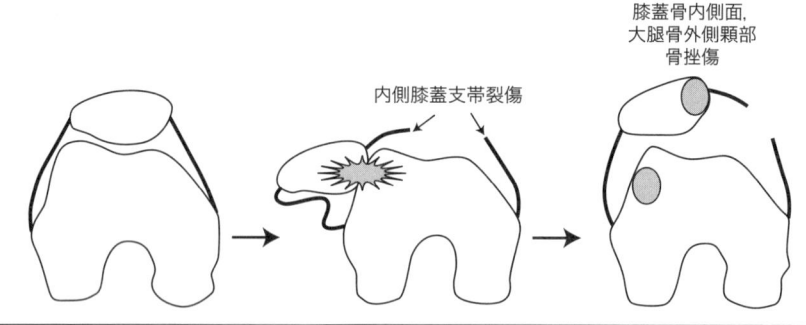

図6-3 膝蓋骨脱臼に伴う膝蓋大腿関節の骨軟骨障害の発生メカニズム(文献11を改変)
膝蓋骨脱臼に伴い膝蓋骨の内側膝蓋支帯が裂傷し,膝蓋骨内側面と大腿骨外側顆部が接触することで骨軟骨障害が発症する。

分布すると報告した。しかし,Insallら[19]は,中央部に好発し,中央部から内側・外側面に幅広く広がるように分布したと報告した。また,大腿骨の膝蓋面に関しても,内側面〜中央部に好発する[39]という報告と,一定の傾向はなく万遍なく分布する[19]という報告があり,その病変の進行過程に関する一定の見解は得られていない。

前項の離断性骨軟骨炎と膝蓋軟骨軟化症の好発部位に関して,違いが認められた。発生メカニズムの違いが要因として考えられるが,両障害ともに発生メカニズムは十分に明らかにされていない。

C. 外傷の合併症としての骨軟骨障害

外傷の合併症としての骨軟骨障害に関する報告は非常に少なく,検索可能であったのは「ACL損傷に合併する骨軟骨障害」と「膝蓋骨脱臼に合併する骨軟骨障害」のみであった。

1. ACL損傷に合併する骨軟骨障害

ACL損傷に合併する骨軟骨障害について,1文献のみが検索された。Wissmanら[55]は,ACL損傷に合併した膝蓋骨と脛骨に骨挫傷を呈した3例のケースシリーズを報告した。MRI所見では,全例に大腿骨内側顆・外側顆,脛骨の内側高原・外側高原の骨挫傷に加えて,膝蓋骨下部と脛骨前内側高原の骨挫傷を認めた。受傷機転に関しては,四輪バギーの横転(1例),転落(2例)であり,3症例で膝関節過伸展位での着地動作が共通していた。したがって,過度な大腿四頭筋の収縮・軸圧と伸展ストレスが発生メカニズムではないかと推察し,通常のACL損傷よりも強い負荷が発生している可能性を報告した。

2. 膝蓋骨脱臼に合併する骨軟骨障害
1)発生メカニズム

膝蓋骨脱臼に合併する骨軟骨障害の発生メカニズムに関して,受傷者のMRI所見から膝蓋骨脱臼に伴い膝蓋骨の内側膝蓋支帯が裂傷し,膝蓋骨内側面と大腿骨外側顆部が接触することで骨軟骨障害が発症すると推察された(図6-3)[11, 25, 50]。

2)疫 学

Nietosvaaraら[30]のヘルシンキの16歳以下の子どもを対象とした2年間の前向き研究によると,初発の膝蓋骨脱臼後の骨軟骨障害の発生率は年間で10万人あたり43例であった。さらに,そのうち調査できた69例(72膝)中,膝蓋骨の骨軟骨障害を呈したのは28膝(39%)であった。Rorabeckら[44]は1952〜1974年の22年間の18例のケースシリーズにおいて,男性8

6. 疫学・病態

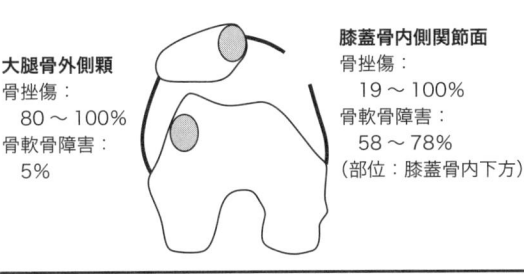

図 6-4 初発膝蓋骨脱臼後の骨挫傷・骨軟骨障害の発生部位と発生頻度

大腿骨外側顆
骨挫傷：80～100%
骨軟骨障害：5%

膝蓋骨内側関節面
骨挫傷：19～100%
骨軟骨障害：58～78%
（部位：膝蓋骨内下方）

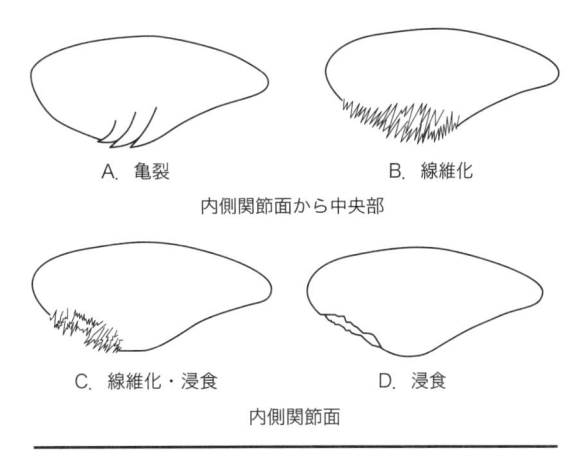

図 6-5 膝蓋骨再脱臼後の骨挫傷・骨軟骨障害の発生部位と発生頻度（文献 31 を改変）
亀裂や線維化などの軽度のものでは膝蓋骨内側面から中央部に，線維化・浸食などの重度のものでは内側関節面に好発していた。

A. 亀裂
B. 線維化
内側関節面から中央部

C. 線維化・浸食
D. 浸食
内側関節面

例，女性 10 例，年齢 11～18 歳であったと報告した。したがって，膝蓋骨脱臼に合併する骨軟骨障害は非常にまれだといえる。

3）好発部位

初発の膝蓋骨脱臼後の PF 関節に発生した骨軟骨障害と骨挫傷について MRI を用いて分析したケースシリーズが存在した。主な発生部位は膝蓋骨内側面と大腿骨外側顆であり，膝蓋骨内側面においては骨挫傷 19～100%，骨軟骨障害 58～78%，大腿骨外側顆においては骨挫傷 80～100%，骨軟骨障害 5% であった[13, 25, 26, 42, 45, 50, 53]（図 6-4）。Nomura ら[31]は，膝蓋骨再脱臼患者 57 名 70 膝を対象としたケースシリーズを報告した。内視鏡にて調査した結果，70 膝中 67 膝（96%）に何らかの軟骨障害が生じており，4 段階の重症度分類において，軽度では膝蓋骨内側面から中央部に，重度では内側関節面に好発していた（図 6-5）。

D. 膝蓋骨の骨障害について

膝蓋骨に起こる骨障害に関して，膝蓋骨疲労骨折と分裂膝蓋骨に分けてレビューした。

1. 膝蓋骨疲労骨折

膝蓋骨疲労骨折の存在率や発生率について，大規模な疫学調査や前向きコホート研究は現時点では存在しない。Nummi[32]は，1961～1967 年にフィンランドのトーロ病院にて治療を行った膝蓋骨骨折患者 702 名（707 膝）のケースシリーズから，全膝蓋骨骨折に占める疲労骨折の割合は 707 膝中 11 膝（1.6%）であったと報告した。このように膝蓋骨疲労骨は非常にまれな疾患である。これらのケースシリーズ 22 論文（合計 34 名，38 膝）[2～4, 6, 8, 9, 15～18, 21, 22, 24, 28, 36, 38, 41, 43, 47, 49, 51, 52]を対象として，性差，受傷側，好発年齢，骨折分類，競技別発生頻度について整理した。

1）発生メカニズム

膝蓋骨疲労骨折の発生メカニズムは損傷タイプによって異なる可能性がある。損傷タイプは，膝蓋骨前額面に対して水平に骨折線が入る横骨折と縦に骨折線が入る垂直（縦）骨折の 2 つに分けられる。横骨折について Drabicki ら[10]は，膝関節の屈曲や伸展運動に伴い大腿四頭筋と膝蓋腱の移行部へ反復性の長軸方向の張力が加わることにより，膝蓋骨に水平な骨折線が入ると考察した。垂直骨折については，Gaheer ら[14]は，膝関節の屈曲や伸展運動に伴い膝蓋骨外側の外側広筋付

第2章 骨軟骨病変（膝蓋大腿関節）

表 6-1 骨折のタイプと部位（文献 21, 29 より引用）

骨折のタイプ	横骨折		縦（垂直）骨折
	29 膝 (76%)		9 膝 (24%)
骨折部位	中央	遠位 1/3	外側
	9 膝 (31%)	18 膝 (62%)	9 膝 (100%)

22 文献（34 例，38 膝）の合計。横骨折の 2 膝は骨折部位が未記載。

着部に上外側方向への牽引力が加わることで縦の骨折線が入ると考察した。しかし，両損傷タイプの発生メカニズムに関するバイオメカニクス的研究は存在せず，症例報告に付随した著者の考察のみが記載されていた。

2) 性差，好発年齢，受傷側

膝蓋骨疲労骨折発生の性差については，男性 25 名（73.5%），女性 7 名（20.6%），未記載 2 名（5.9%）であった。また，若い運動集団に好発していた。受傷側は，片側 32 名（94.1%），両側 2 名（5.9%）であった。

3) 骨折分類

骨折分類に関しては，横骨折が 29 膝（76%），縦骨折が 9 膝（24%）であった。部位に関しては，横骨折では中央部 9 膝（31%），遠位 1/3 部 18 膝（62%），未記載 2 膝（7%）であった。縦（垂直）骨折では，外側部 9 膝（100%）であった（表 6-1）。

4) 競技別発生頻度

競技別発生頻度に関して，横骨折（29 膝）ではバスケットボール 9 膝（29%）とサッカー 6 膝（19%）が上位であり，縦骨折（9 膝）ではランニング 2 膝（29%），サッカー 2 膝（29%）であった（図 6-6）。

2. 分裂膝蓋骨
1) 発生メカニズム

膝蓋骨の骨核の発生は 3～5 歳，骨端の閉鎖時期 10～12 歳であり，この多骨化核の癒合不全が分裂膝蓋骨であると推測された[33]。その多くが無症状であり，偶然に X 線像にて発見される[54]。転倒などの直接的外力[20]や，自転車や登山などの間接的外力[20]により有痛性となり，治療の対象となる。

2) 疫　学

分裂膝蓋骨の多くは無症状であるため発見されにくい。Kavanagh ら[23]は，2000～2006 年に病院で撮影された膝 MRI 画像 27,944 件から"bipartita"，"bipartite patella"で検索した結果，

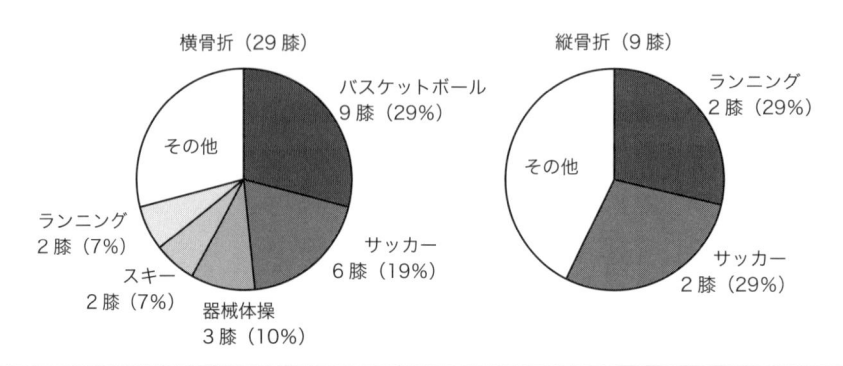

図 6-6 競技種目別の発生割合
22 文献（34 例，38 膝）の合計。横骨折ではバスケットボール，サッカーが上位であり，縦骨折では症例数は少ないがランニング，サッカーが上位であった。

6. 疫学・病態

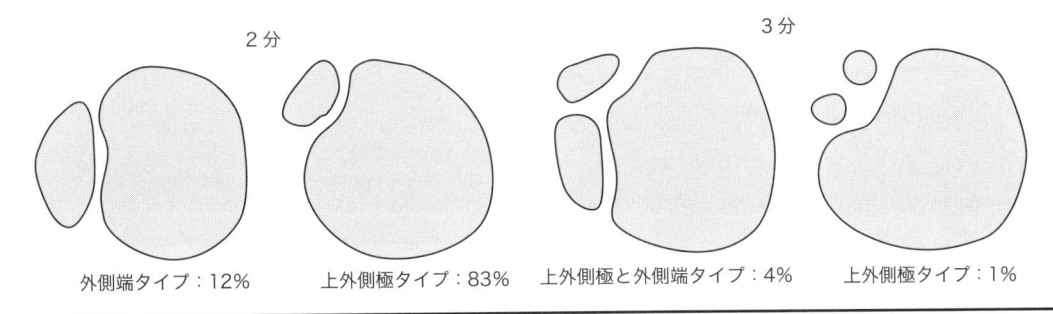

図 6-7 分裂膝蓋骨の分類（文献 37 を改変）
2 分と 3 分を合わせた 4 タイプの分類。

2分：外側端タイプ：12％／上外側極タイプ：83％
3分：上外側極と外側端タイプ：4％／上外側極タイプ：1％

53 例が検索されたと報告した。さらに異なるデータベースにおいて，近年撮影された 400 膝の MRI 画像を 2 名の放射線技師により評価した結果，3 膝（0.8％）が分裂膝蓋骨であったと報告した。Weaver ら[54]は，1972～1973 年の病院の記録からアルバカーキ市における分裂膝蓋骨有病者を 2,000 人と推定し，そのうち 2％が有痛性であったと報告した。したがって，分裂膝蓋骨の多くの症例は無症状であるが，まれに痛みを伴い治療対象となるといえる。

3）性差，好発年齢

性別に関して，複数のケースシリーズにおいて男女差が認められた。Weaver ら[54]の 1972～1973 年での 21 例のケースシリーズでは，男性 17 名，女性 4 名であった。Kavanagh ら[23]の 2000 年 1 月～2006 年 3 月の 53 例のケースシリーズでは，男性 40 名，女性 13 名であった。Oohashi ら[37]の 1973～1983 年，1990～2006 年における 111 例のケースシリーズでは，男性 86 名（77％），女性 25 名（23％）であった。以上のように医療機関におけるケースシリーズのみではあるが，分裂膝蓋骨の有病率は女性に比べて男性が高い。

分裂膝蓋骨の好発年齢は成長期である。Oohashi ら[37]によると，疼痛を有した患者 50 名の平均年齢は 15.6 歳（10～51 歳），そのうち 58％（29 膝）が 12～14 歳であった。なお，全例で激しい運動時に分裂部位に疼痛が認められた。

4）タイプ分類

古くから用いられている有名な分裂膝蓋骨のタイプ分類として，3 タイプを定義した Saupe の分類がある[46]。分裂が膝蓋骨下極部に存在するものを I 型（5％），外側端に存在するものを II 型（20％），上外側極に存在するものを III 型（75％）と定義した[46]。近年では，Oohashi ら[37]の新たな分類を用いたタイプ別存在率調査によると，分裂部が外側端に存在するもの 12％，上外側極に存在するもの 83％，上外側極・外側端に存在するもの 4％，上外側極に複数の分裂部が存在するもの 1％であった（**図 6-7**）。Saupe の分類との相違点は，下極部に存在する I 型がないことと，分裂部の数について 2 分だけでなく 3 分も追加している点である。

症例数が少なく，発生メカニズムに不明な点があるため，上記のタイプ分類に異論を唱える論文が存在する。I 型（下極部）に関しては，膝蓋骨下極部に副骨化核が存在しないこと[34]や下極部の横骨折には Shinding-Larsen-Johansson 病や疲労骨折などさまざまな病態が存在することから，分裂膝蓋骨として分類することに批判的な論文もある[37]。また，Saupe の分類の II 型（外側

端）も膝蓋骨疲労骨折の縦骨折と類似したX線像であり，両者のメカニズムも明確に解明されていないことから，両者は同一の病態である可能性もあるかと思われる．以上より，I型（下極部）とII型（外側端）に関しては，発生メカニズムの解明により他疾患との区別が必要であると考えられる．

E. まとめ

1. すでに真実として承認されていること

- PF関節の骨軟骨障害は他疾患に比べて非常にまれな障害である．
- 離断性骨軟骨炎は10代の男性に多く発症する．
- 膝蓋軟骨軟化症は性差がなく20代を中心に幅広い年齢層で発症する．
- 分裂膝蓋骨の多くの症例は無症状であるが，まれに痛みを伴い治療対象となる．
- 分裂膝蓋骨の有病率は女性に比べて男性が高い．

2. 議論の余地はあるが，今後の重要な研究テーマになること

- 共通する定義・診断基準に基づいた大規模な疫学調査．
- 各疾患の発生メカニズムの解明．

F. 今後の課題

PF関節の骨軟骨障害の発生率が低いため，ケースシリーズや症例報告がほとんどであり，大規模な疫学調査や各疾患単独の前向き研究は非常に少ない．今後は，各疾患の発生メカニズムの解明や，共通する定義・診断基準に基づいた大規模な疫学調査が必要と思われる．

文献

1. Aichroth P: Osteochondritis dissecans of the knee. A clinical survey. *J Bone Joint Surg Br*. 1971; 53: 440-7.
2. Beamish AJ, Roberts GL, Cnudde P: A case of patellar fractures in monozygotic twin gymnasts. *Sports Med Arthrosc Rehabil Ther Technol*. 2012; 4: 20.
3. Brogle PJ, Eswar S, Denton JR: Propagation of a patellar stress fracture in a basketball player. *Am J Orthop (Belle Mead NJ)*. 1997; 26: 782-4.
4. Carneiro M, Nery CA, Mestriner LA: Bilateral stress fracture of the patellae: a case report. *Knee*. 2006; 13: 164-6.
5. Christian SR, Anderson MB, Workman R, Conway WF, Pope TL: Imaging of anterior knee pain. *Clin Sports Med*. 2006; 25: 681-702.
6. Crowther MA, Mandal A, Sarangi PP: Propagation of stress fracture of the patella. *Br J Sports Med*. 2005; 39: e6.
7. Desai SS, Patel MR, Michelli LJ, Silver JW, Lidge RT: Osteochondritis dissecans of the patella. *J Bone Joint Surg Br*. 1987; 69: 320-5.
8. Devas MB: Stress fractures of the patella. *J Bone Joint Surg Br*. 1960; 42-B: 71-4.
9. Dickason JM, Fox JM: Fracture of the patella due to overuse syndrome in a child. A case report. *Am J Sports Med*. 1982; 10: 248-9.
10. Drabicki RR, Greer WJ, DeMeo PJ: Stress fractures around the knee. *Clin Sports Med*. 2006; 25: 105-15, ix.
11. Earhart C, Patel DB, White EA, Gottsegen CJ, Forrester DM, Matcuk GR Jr: Transient lateral patellar dislocation: review of imaging findings, patellofemoral anatomy, and treatment options. *Emerg Radiol*. 2013; 20: 11-23.
12. Edwards DH, Bentley G: Osteochondritis dissecans patellae. *J Bone Joint Surg Br*. 1977; 59: 58-63.
13. Elias DA, White LM, Fithian DC: Acute lateral patellar dislocation at MR imaging: injury patterns of medial patellar soft-tissue restraints and osteochondral injuries of the inferomedial patella. *Radiology*. 2002; 225: 736-43.
14. Gaheer RS, Kapoor S, Rysavy M: Contemporary management of symptomatic bipartite patella. *Orthopedics*. 2009; 32: 843-9.
15. Garcia Mata S, Hidalgo Ovejero A, Martinez Grande M: Transverse stress fracture of the patella in a child. *J Pediatr Orthop B*. 1999; 8: 208-11.
16. Garcia Mata S, Martinez Grande M, Hidalgo Ovejero A: Transverse stress fracture of the patella: a case report. *Clin J Sport Med*. 1996; 6: 259-61.
17. Gregory JM, Sherman SL, Mather R, Bach BR Jr: Patellar stress fracture after transosseous extensor mechanism repair: report of 3 cases. *Am J Sports Med*. 2012; 40: 1668-72.
18. Hensal F, Nelson T, Pavlov H, Torg JS: Bilateral patellar fractures from indirect trauma. A case report. *Clin Orthop Relat Res*. 1983; (178): 207-9.
19. Insall J, Falvo KA, Wise DW: Chondromalacia patellae. A prospective study. *J Bone Joint Surg Am*. 1976; 58: 1-8.
20. Iossifidis A, Brueton RN: Painful bipartite patella fol-

lowing injury. *Injury*. 1995; 26: 175-6.
21. Iwaya T, Takatori Y: Lateral longitudinal stress fracture of the patella: report of three cases. *J Pediatr Orthop*. 1985; 5: 73-5.
22. Jerosch JG, Castro WH, Jantea C: Stress fracture of the patella. *Am J Sports Med*. 1989; 17: 579-80.
23. Kavanagh EC, Zoga A, Omar I, Ford S, Schweitzer M, Eustace S: MRI findings in bipartite patella. *Skeletal Radiol*. 2007; 36: 209-14.
24. Keeley A, Bloomfield P, Cairns P, Molnar R: Iliotibial band release as an adjunct to the surgical management of patellar stress fracture in the athlete: a case report and review of the literature. *Sports Med Arthrosc Rehabil Ther Technol*. 2009; 1: 15.
25. Kirsch MD, Fitzgerald SW, Friedman H, Rogers LF: Transient lateral patellar dislocation: diagnosis with MR imaging. *AJR Am J Roentgenol*. 1993; 161: 109-13.
26. Lance E, Deutsch AL, Mink JH: Prior lateral patellar dislocation: MR imaging findings. *Radiology*. 1993; 189: 905-7.
27. Lindholm TS: Osteochondritis dissecans of the knee. A clinical study. *Ann Chir Gynaecol Fenn*. 1974; 63: 69-76.
28. Mason RW, Moore TE, Walker CW, Kathol MH: Patellar fatigue fractures. *Skeletal Radiol*. 1996; 25: 329-32.
29. Mori Y, Kubo M, Shimokoube J, Kuroki Y: Osteochondritis dissecans of the patellofemoral groove in athletes: unusual cases of patellofemoral pain. *Knee Surg Sports Traumatol Arthrosc*. 1994; 2: 242-4.
30. Nietosvaara Y, Aalto K, Kallio PE: Acute patellar dislocation in children: incidence and associated osteochondral fractures. *J Pediatr Orthop*. 1994; 14: 513-5.
31. Nomura E, Inoue M: Cartilage lesions of the patella in recurrent patellar dislocation. *Am J Sports Med*. 2004; 32: 498-502.
32. Nummi J: Fracture of the patella. A clinical study of 707 patellar fractures. *Ann Chir Gynaecol Fenn Suppl*. 1971; 179: 1-85.
33. Ogden JA: Radiology of postnatal skeletal development. X. Patella and tibial tuberosity. *Skeletal Radiol*. 1984; 11: 246-57.
34. Ogden JA, McCarthy SM, Jokl P: The painful bipartite patella. *J Pediatr Orthop*. 1982; 2: 263-9.
35. Ogilvie-Harris DJ, Jackson RW: The arthroscopic treatment of chondromalacia patellae. *J Bone Joint Surg Br*. 1984; 66: 660-5.
36. Oginni LM: Stress fracture of the patella in a palmwine tapper. *Trop Geogr Med*. 1993; 45: 37-8.
37. Oohashi Y, Koshino T, Oohashi Y: Clinical features and classification of bipartite or tripartite patella. *Knee Surg Sports Traumatol Arthrosc*. 2010; 18: 1465-9.
38. Orava S, Taimela S, Kvist M, Karpakka J, Hulkko A, Kujala U: Diagnosis and treatment of stress fracture of the patella in athletes. *Knee Surg Sports Traumatol Arthrosc*. 1996; 4: 206-11.
39. Outerbridge RE: The etiology of chondromalacia patellae. *J Bone Joint Surg Br*. 1961; 43-B: 752-7.
40. Peters TA, McLean ID: Osteochondritis dissecans of the patellofemoral joint. *Am J Sports Med*. 2000; 28: 63-7.
41. Pietu G, Hauet P: Stress fracture of the patella. *Acta Orthop Scand*. 1995; 66: 481-2.
42. Quinn SF, Brown TR, Demlow TA: MR imaging of patellar retinacular ligament injuries. *J Magn Reson Imaging*. 1993; 3: 843-7.
43. Rockett JF, Freeman BL 3rd: Stress fracture of the patella. Confirmation by triple-phase bone imaging. *Clin Nucl Med*. 1990; 15: 873-5.
44. Rorabeck CH, Bobechko WP: Acute dislocation of the patella with osteochondral fracture: a review of eighteen cases. *J Bone Joint Surg Br*. 1976; 58: 237-40.
45. Sanders TG, Morrison WB, Singleton BA, Miller MD, Cornum KG: Medial patellofemoral ligament injury following acute transient dislocation of the patella: MR findings with surgical correlation in 14 patients. *J Comput Assist Tomogr*. 2001; 25: 957-62.
46. Saupe E: Beitrag zur Patella bipartita. *Fortschr Rontgenstr*. 1921; 28: 37-41.
47. Schranz PJ: Stress fracture of the patella. *Br J Sports Med*. 1988; 22: 169.
48. Schwarz C, Blazina ME, Sisto DJ, Hirsh LC: The results of operative treatment of osteochondritis dissecans of the patella. *Am J Sports Med*. 1988; 16: 522-9.
49. Sillanpaa PJ, Paakkala A, Paakkala T, Maenpaa H, Toivanen J: Displaced longitudinal stress fracture of the patella: a case report. *J Bone Joint Surg Am*. 2010; 92: 2344-7.
50. Spritzer CE, Courneya DL, Burk DL Jr, Garrett WE, Strong JA: Medial retinacular complex injury in acute patellar dislocation: MR findings and surgical implications. *AJR Am J Roentgenol*. 1997; 168: 117-22.
51. Teitz CC, Harrington RM: Patellar stress fracture. *Am J Sports Med*. 1992; 20: 761-5.
52. Tibone JE, Lombardo SJ: Bilateral fractures of the inferior poles of the patellae in a basketball player. *Am J Sports Med*. 1981; 9: 215-6.
53. Virolainen H, Visuri T, Kuusela T: Acute dislocation of the patella: MR findings. *Radiology*. 1993; 189: 243-6.
54. Weaver JK: Bipartite patellae as a cause of disability in the athlete. *Am J Sports Med*. 1977; 5: 137-43.
55. Wissman RD, England E, Mehta K, Nepute J, Von Fischer N, Apgar J, Javadi A: Patellotibial contusions in anterior cruciate ligament tears. *Skeletal Radiol*. 2014; 43: 247-50.

（江玉　睦明）

7. 診断・評価

はじめに

　膝蓋大腿関節（PF関節）の骨軟骨疾患にはさまざまな病態が存在するため，病態の正確な診断・評価は適切な治療法を選択するうえで非常に重要である．本項では，PF関節の骨軟骨病態としてPF関節軟骨損傷，膝蓋軟骨軟化症，PF関節離断性骨軟骨炎，分裂膝蓋骨および膝蓋骨疲労骨折の評価・診断に関する知見を整理する．

A. 文献検索方法

　文献検索にはPubMedを使用した．「patellofemoral joint」「patella」「osteochondral lesion」「cartilage injury」「osteochondritis dissecans」「chondromalacia」「stress fracture」「bipartite patella」をキーワードにヒットした732件の文献から本項のテーマである診断・評価に関する文献を抽出した．さらにそれらで引用されている文献を含め，最終的に22件の論文を使用した．

B. 骨軟骨障害

1. PF関節離断性骨軟骨炎

1）分類

　International Cartilage Repair Society（ICRS）は，離断性骨軟骨炎のグレードを4段階に分類している（図7-1）[22]．グレード1は安定性・継続性があり軟化部は正常な軟骨に覆われた状態，グレード2は部分離断しているが安定した状態，グレード3は完全離断しているが母床にとどまっている状態，グレード4は完全離断し遊離している状態を示す[22]．

2）問診・身体評価

　PF関節の離断性骨軟骨炎はさまざまな競技レベルのアスリートに発生する．発生機序として，①症状が徐々に発現，②ランニングやサイクリングなどによる微細なストレスの蓄積，③直接的な外傷，の3種類が報告された[17]．特徴的な症状は，膝蓋骨内側あるいは外側への放散痛であり，ランニング，スクワット，階段昇降，座位からの立ち上がりで悪化する場合が多い[17]．軟骨の損傷部位が不安定な症例ではキャッチングやクリッキング，遊離体が存在する症例ではロッキングが生じることもある[17]．また，その他の症状として膝蓋骨周囲の圧痛および摩擦音，付随する所見として膝蓋骨あるいは下肢のアライメント不良や外側支帯のタイトネスが報告された[17]．

3）画像診断

　PF関節の離断性骨軟骨炎は，X線側面像または膝蓋骨軸位像によって発見される[4,17,20]．CTは損傷の正確な部位や大きさをより正確に特定するために用いられる[17,20]．しかしながら，X線およびCTの診断精度を検証した論文は存在しない．一方MRIでは，軟骨・軟骨下骨の変化や離断部の安定性の評価が可能である．Choiら[1]の16例18件のケースシリーズにおいて，MRIはX線よりもグレード分類の精度に優れており，鏡視下所見との照合により離断部の不安定性の有無

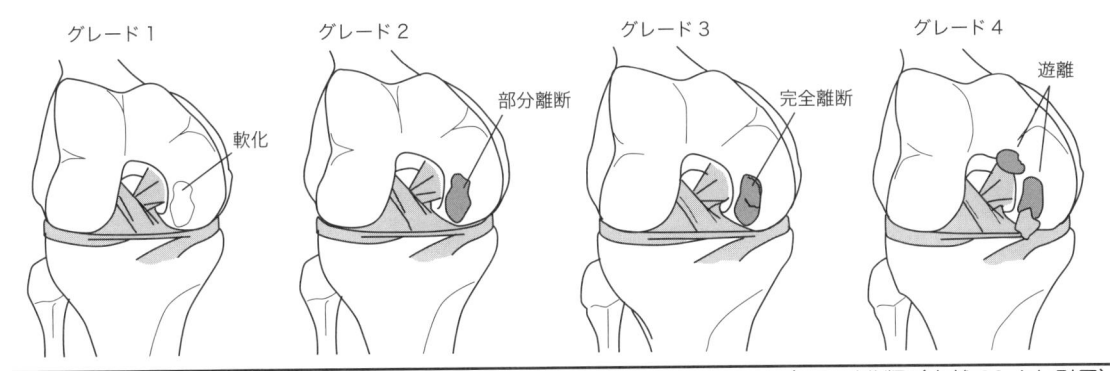

図7-1 International Cartilage Repair Society (ICRS) の離断性骨軟骨炎のグレード分類(文献22より引用)
グレード1:安定性・継続性があり軟化部は正常な軟骨に覆われている,グレード2:部分離断しているが安定,グレード3:完全離断しているが母床にとどまっている,グレード4:遊離。

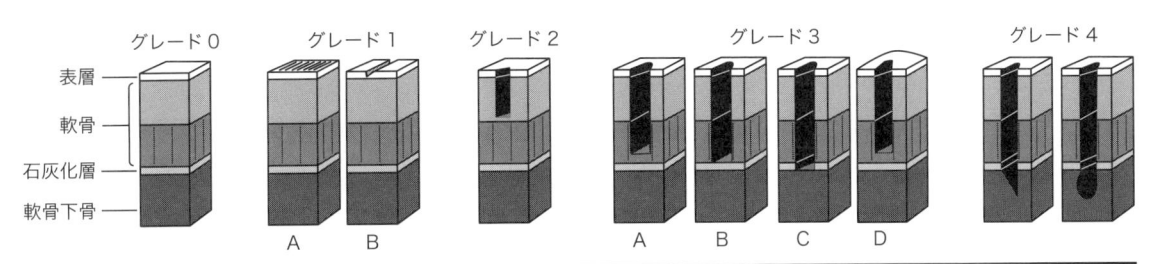

図7-2 International Cartilage Repair Society (ICRS) の軟骨損傷のグレード分類(文献22より引用)
グレード0:正常,グレード1:(A) 表層の損傷,滑らかな圧痕,(B) 表層の裂溝・割れ目,グレード2:軟骨50%以下の損傷,グレード3:(A) 軟骨50%以上の損傷,(B)石灰化層に達する損傷,(C) 軟骨下骨に達する損傷,(D) 膨れ,グレード4:軟骨下骨の損傷。

の診断,軟骨下骨の変形,囊胞,変性,硬化の判定が可能であった。また,考察において,MRIは分裂膝蓋骨との鑑別に優れていると主張した。

2. PF関節軟骨損傷・膝蓋軟骨軟化症
1) 分類

軟骨損傷・軟化症には多数の分類が提唱されてきたが[2, 19],近年ICRSは軟骨損傷のグレードを4段階に分類した(**図7-2**)[22]。グレード0は正常,グレード1 (A) は表層の損傷・滑らかな圧痕,グレード1 (B) は表層の裂溝・割れ目,グレード2は軟骨の50%以下の損傷,グレード3 (A) は軟骨の50%以上の損傷,グレード3 (B) は石灰化層に達する損傷,グレード3 (C) は軟骨下骨に達する損傷,グレード3 (D) は膨化,グレード4は軟骨下骨の損傷を示す[22]。

2) 問診

軟骨損傷・軟化症の診断において,問診の有用性や診断学的価値を示した研究は見出せなかった。PF関節の軟骨損傷および軟化症を有する症例の特徴としては,①膝前面の疼痛,②ランニング,ジャンプ,階段昇降,長時間の座位姿勢による疼痛の発生,③鈍痛,④膝蓋骨周囲の腫脹・圧痛,などが報告された[12, 18]。問診において,これらの訴えを見逃さないことが重要と考えられる。

3) 身体評価

軟骨損傷・軟化症の診断に関して有用性が検証された身体評価法はClarke signのみであった[5]。Clarke testは背臥位または長座位で,検者が膝蓋骨を頭側から尾側へ圧迫した状態で患者に大腿四頭筋を収縮させる検査法であり,疼痛により十分な大腿四頭筋収縮(2秒以上)が困難な場合を

Clarke sign 陽性とする．Doberstein ら[5] は膝蓋軟骨軟化症における Clarke sign の感度 39%，特異度 67% であったことに基づき，軟化症の評価法としては有用ではないと結論づけた．

軟骨損傷・軟化症を症状のみで診断することは難しい．Mattila ら[12] によると，軟骨損傷診断において膝前面痛のみの所見での感度が 28%，階段昇降や長時間座位での疼痛があるがそれ以外の身体評価での所見がない場合は 32%，階段昇降や長時間座位での疼痛があり膝蓋骨周囲の圧痛・摩擦音がある場合は 39% であった．この結果から，問診や身体評価による軟骨損傷の診断は難しいと考察した．同様に，Pihlajamäki ら[18] による 56 例のケースシリーズでは，膝前部痛患者にMRI と関節鏡手術を実施したが，鏡視下での損傷程度と臨床症状との間に相関は認められなかった．軟化症診断においても問診や身体評価は有用ではなく，MRI などの画像診断が不可欠であることが示された．

4）画像診断

Harris ら[7] のシステマティクレビューでは，MRI は PF 関節の膝蓋骨側の軟骨損傷の診断感度 87%，特異度 86%，大腿骨滑車側の軟骨損傷の診断感度 72%，特異度 89% であった．これにより PF 関節の軟骨病変の診断において MRI は有用であることが示された．Smith ら[21] のメタ分析では，軟骨損傷のグレードが高くなるほどMRI の診断精度が高かった．超音波診断に関する論文は 1 件であったが，感度 100%，特異度 80% と，その診断学的有用性が示唆された[6]．

C. 骨障害

1．膝蓋骨疲労骨折

1）問診・身体評価

膝蓋骨疲労骨折は若年者で，高強度のランニングやジャンプを繰り返すアスリートに多く発生する[10]．クリッキングやポップ音を伴う膝蓋骨周囲の疼痛が特徴的である[10]．身体所見として，局所的な腫脹，骨折部の圧痛，関節可動域の低下，荷重や下肢伸展挙上（SLR）困難があげられた[10]．

2）画像診断

初期 X 線画像では，1/3 の症例のみに異常所見が認められ[13]，また骨折部は転位する可能性があるため注意を要する[3, 11]．MRI では，骨折部周囲の骨浮腫や骨折部の硬化が確認できるためMR 撮像が有用である[10]．

2．分裂膝蓋骨

1）問診・身体評価

分裂膝蓋骨の症例では，膝蓋骨分裂部の疼痛発生は，高強度運動中あるいは運動後（100%），膝を曲げるとき（34%），階段昇降時（22%）であった[16]．身体所見としては，膝蓋骨分裂部の局所的な圧痛（100%），骨隆起（50%），膝蓋骨周囲の摩擦音（8%），大腿部周径囲の左右差（32%）であった[16]．

2）画像診断

分裂膝蓋骨は X 線像によって評価が可能である．分裂部の骨片は皮質骨で覆われ，その外縁は丸く滑らかであり，急性の骨折との鑑別診断が可能である[15]．Ishikawa ら[8] は，非荷重位と荷重位（スクワット）での X 線撮影を行い，荷重位では分裂部が拡大することを報告した（squatting position test）．MRI では分裂部のより詳細な評価が可能である．Kavanagh ら[9] は，53 例中 26 例（49%）で分裂部両側に骨髄浮腫が存在することを報告した．また，O'Brien ら[14] は，無症候性の分裂膝蓋骨では，骨片の大きさが 2 cm 未満，分裂部の距離が 2 mm 未満であり，分裂部に骨髄浮腫が存在しない点を指摘した．

D. まとめ

1. すでに真実として承認されていること
- PF関節軟骨損傷はMRIによる診断・評価が有用である。

2. 議論の余地はあるが，今後の重要な研究テーマとなること
- より簡便な超音波診断法によるPF関節軟骨障害の評価が可能であるか検討すること。
- PF関節骨軟骨の病態評価における有用な身体評価法を模索すること。

3. 真実と思われていたが実は疑わしいこと
- 膝蓋軟骨軟化症のスペシャルテストの感度・特異度は低い。

E. 今後の課題

PF関節骨軟骨の病態の身体評価法の精度を検討した研究は少なく，今後はそれらの評価法の診断精度を検証していくことが必要である。また，臨床現場で必要とされるより簡便で効率的な評価法として，超音波診断の精度検証，そして有用な理学評価法を模索することが必要である。

文献

1. Choi YS, Cohen NA, Potter HG, Mintz DN: Magnetic resonance imaging in the evaluation of osteochondritis dissecans of the patella. *Skeletal Radiol*. 2007; 36: 929-35.
2. Conway WF, Hayes CW, Loughran T, Totty WG, Griffeth LK, el-Khoury GY, Shellock FG: Cross-sectional imaging of the patellofemoral joint and surrounding structures. *Radiographics*. 1991; 11: 195-217.
3. Crowther MA, Mandal A, Sarangi PP: Propagation of stress fracture of the patella. *Br J Sports Med*. 2005; 39: e6 doi:10.1136/bjsm.2003.010116.
4. Desai SS, Patel MR, Michelli LJ, Silver JW, Lidge RT: Osteochondritis dissecans of the patella. *J Bone Joint Surg Br*. 1987; 69: 320-25.
5. Doberstein ST, Romeyn RL, Reineke DM: The diagnostic value of the Clarke sign in assessing chondromalacia patella. *J Athl Train*. 2008; 43: 190-6.
6. Felus J, Kowalczyk B, Lejman T: Sonographic evaluation of the injuries after traumatic patellar dislocation in adolescents. *J Pediatr Orthop*. 2008; 28: 397-402.
7. Harris JD, Brophy RH, Jia G, Price B, Knopp M, Siston RA, Flanigan DC: Sensitivity of magnetic resonance imaging for detection of patellofemoral articular cartilage defects. *Arthroscopy*. 2012; 28: 1728-37.
8. Ishikawa H, Sakurai A, Hirata S, Ohno O, Kita K, Sato T, Kashiwagi D: Painful bipartite patella in young athletes: the diagnostic value of skyline views taken in squatting position and the results of surgical excision. *Clin Orthop Relat Res*. 1994; (305): 223-8.
9. Kavanagh EC, Zoga A, Omar I, Ford S, Schweitzer M, Eustace S: MRI findings in bipartite patella. *Skeletal Radiol*. 2007; 36: 209-14.
10. Keeley A, Bloomfield P, Cairns P, Molnar R: Iliotibial band release as an adjunct to the surgical management of patellar stress fracture in the athlete: a case report and review of the literature. *Sports Med Arthrosc Rehabil Ther Technol*. 2009; 1: 15.
11. Mason RW, Moore TE, Walker CW, Kathol MH: Patellar fatigue fractures. *Skeletal Radiol*. 1996; 25: 329-32.
12. Mattila VM, Weckström, M, Leppänen V, Kiuru M, Pihlajamäki H: Sensitivity of MRI for articular cartilage lesions of the patellae. *Scand J Surg*. 2012; 101: 56-61.
13. Norfray JF, Schlachter L, Kernahan Jr WT: Early confirmation of stress fractures in joggers. *J Am Med Assoc*. 1980; 243: 1647-9.
14. O'Brien J, Murphy C, Halpenny D, McNeill G, Torreggiani WC: Magnetic resonance imaging features of asymptomatic bipartite patella. *Eur J Radiol*. 2011; 78: 425-9.
15. Ogden JA: Radiology of postnatal skeletal development. X. Patella and tibial tuberosity. *Skeletal Radiol*. 1984; 11: 246-57.
16. Oohashi Y, Koshino T, Oohashi Y: Clinical features and classification of bipartite or tripartite patella. *Knee Surg Sports Traumatol Arthrosc*. 2010; 18: 1465-9.
17. Peters TA, McLean LD: Osteochondritis dissecans of the patellofemoral joint. *Am J Sports Med*. 2000; 28: 63-7.
18. Pihlajamäki HK, Kuikka PI, Leppänen VV, Kiuru MJ, Mattila VM: Reliability of clinical findings and magnetic resonance imaging for the diagnosis of chondromalacia patellae. *J Bone Joint Surg Am*. 2010; 92: 927-34.
19. Recht MP, Piraino DW, Paletta GA, Schils JP, Belhobek GH: Accuracy of fat-suppressed three-dimensional spoiled gradient-echo FLASH MR imaging in the detection of patellofemoral articular cartilage abnormalities. *Radiology*. 1996; 198: 209-12.
20. Smith JB: Osteochondritis dissecans of the trochlea of the femur. *Arthroscopy*. 1990; 6: 11-7.
21. Smith TO, Drew BT, Toms AP, Donell ST, Hing CB: Accuracy of magnetic resonance imaging, magnetic resonance arthrography and computed tomography for the detection of chondral lesions of the knee. *Knee Surg Sports Traumatol Arthrosc*. 2012; 20: 2367-79.
22. Society ICR: *ICRS cartilage injury evaluation package*.

〔大槻 玲子〕

8. 治療

はじめに

膝蓋大腿関節（PF 関節）における骨軟骨病変は治療が困難で，若い活動的な患者に悪影響を及ぼす。PF 関節軟骨病変に対する治療は，エビデンスが不十分なため確立された方法がなく，多くの選択肢が存在する。本項では骨軟骨病変全般および膝前方痛にしばしば付随する分裂膝蓋骨や疲労骨折の治療法，治療成績，術後リハビリテーションプロトコルについて最新の情報を整理する。

A. 文献検索方法

文献検索には PubMed を用いた。検索用語として「osteochondral」「cartilage」「patella」「trochlea」「patellofemoral」「surgical」「nonsurgical」「conservative treatment」「rehabilitation」「microfracture」「mosaicplasty」「osteochondral autograft transplantation」「autologous chondrocyte implantation」「osteochondral allografts」「bipartita」「stress fracture」を用いて候補となる論文を取り込んだ。その後，リウマチ性や変形性関節症を除外し，本項のテーマに合った論文を選択した。さらにハンドサーチを加えて，合計 112 論文を採用した。

B. 軟骨損傷

1. 非観血的治療

PF 関節の疼痛に対する保存療法として，股関節外転筋強化，膝蓋骨テーピング・装具，足部装具がある。Bolgla ら[14]は，これらの保存療法により疼痛が減少したことを報告した。同様に，Bakhtiary ら[6]の介入研究において，膝蓋軟骨軟化症に対して大腿四頭筋のオープンキネティックチェーンとクローズドキネティックチェーンの筋力強化を行った結果，疼痛軽減効果が認められた。ただし，これら 2 つの論文において軟骨損傷の変化に関しては言及されていない。膝関節や股関節の変形性関節症に対する薬物治療では，アボカド-大豆不鹸化物[22]，コンドロイチン[53]，関節内ステロイド[47]による疼痛軽減効果や関節裂隙狭小化を抑制する効果が報告された。しかしながら，PF 関節に絞った研究はみられなかった。なお，手術療法の適応として，6 ヵ月の保存療法で改善しないことが示された[26]。

2. マイクロフラクチャー（microfracture：MFX）

1）術式

関節軟骨周囲縁に不安定な軟骨がある場合，損傷周囲軟骨の安定した垂直縁を形成するように創面郭清する（図 8-1A）。また，病変を覆う石灰化軟骨がある場合，それを除去する[96]（図 8-1B）。そのうえで，軟骨下骨に深さ 2～4 mm の微細損傷を 3～4 mm 間隔でつくる MFX を実施する[96]（図 8-1C）。軟骨下骨から解放された骨髄要素（間葉幹細胞や成長因子，修復タンパク質）は血塊を形成し，新しい組織形成を促進する環境を提供する[96]（図 8-1D）。

Benthien ら[12]が提唱した自家基質誘導性軟骨

8. 治療

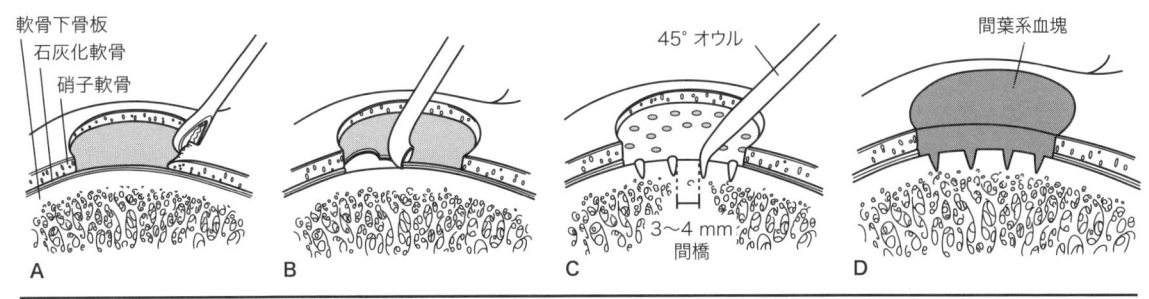

図 8-1 マイクロフラクチャー（文献 71 より引用）
関節軟骨周囲縁に不安定な軟骨がある場合，損傷周囲軟骨の安定した垂直縁を形成するように創面を郭清する（A）。また，病変を覆う石灰化軟骨がある場合，除去する（B）。そのうえで，軟骨下骨に深さ 2～4 mm の微細損傷を 3～4 mm 間隔でつくる MFX を実施する（C）。軟骨下骨から解放された骨髄要素は血塊を形成し，新しい組織形成を促進する環境を提供する（D）。

形成（autologous matrix-induced chondrogenesis）は，MFX で得られる血塊をコラーゲン膜で覆う技術である。MFX において結成された血塊は機械的に安定していないため，コラーゲン薄膜で損傷部を覆うことで外来性の足場となり，機械的安定性および耐久性を向上させることができる[12]（図 8-2）。また軟骨細胞分化および軟骨再生のための適切な刺激を提供することができる[40]。

2）適応と禁忌

MFX の適応は，①大腿骨と脛骨の間の体重負荷領域，または膝蓋骨と滑車溝との接触面における関節軟骨全層損傷，あるいは②下肢アライメントは良好ではあるが退行性変化として軟骨下骨の上に不安定な軟骨がある場合である[96]。免疫性疾患や関節炎に伴う軟骨損傷，軟骨部分層損傷，リハビリテーションプロトコルに従わない患者，荷重制限のために反対側の脚を使う能力がない患者は禁忌とされる[96]。前後方向 X 線像での大腿骨と脛骨の角度が正常より 5°以上の内・外反や，荷重線が脛骨プラトーの内・外側 1/4 より外に出るアライメント不良は相対的禁忌とされる[96]。

3）臨床成績

PF 関節に対して MFX を行った結果の報告を

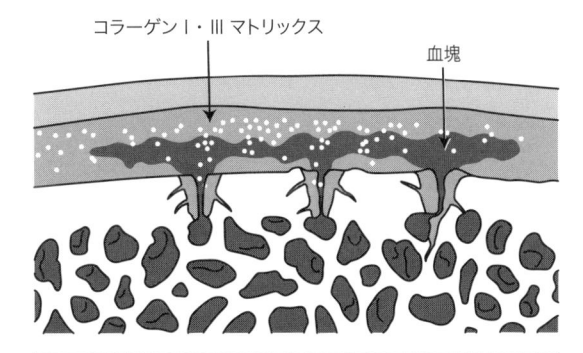

図 8-2 自家基質誘導性軟骨形成（文献 12 より引用）
コラーゲン薄膜で損傷部を覆うことで，機械的安定性および耐久性を向上させることができる。

表 8-1 にまとめた。総対象者は 100 名，平均年齢 40.0 歳，平均損傷サイズは 2.1 cm^2 であった。

3. 骨軟骨自家移植（osteochondral autograft transfer：OAT）

1）術式

OAT は，全層軟骨損傷において非荷重部位から骨軟骨柱を採取し，損傷部位に挿入する術式である（図 8-3A）[69]。これまでの方法では，損傷が大きい場合，ドナー部位の罹患率と損傷部の輪郭へのマッチングが困難であった。しかし，ドナーの欠損を最小としつつ，軟骨欠損部を骨軟骨柱

第2章 骨軟骨病変（膝蓋大腿関節）

表 8-1 マイクロフラクチャー（MFX）の術後臨床結果

報告者	例数	平均年齢（歳）	平均損傷サイズ (cm²)	結果
Kreuz ら [66]	PT：11 TG：16	PT：38.5 TG：41.6	PT：2.0 TG：2.3	ICRS：PT (3.64→2.91), TG (4.0→2.55) Cincinnati：PT (4.0→2.55), TG (4.0→2.94)
Mithoefer ら [72]	TG：8	38	0.5	Brittberg 評価（excellent/good）：63%
Dhollander ら [28] *	PT：5	27	2.0	VAS (52→14), Tegner (2→3), Kujala (38→71), KOOS (41.6→71.4)
Balain ら [7]	PF：50	40.6	—	患者満足度 80%
Petri ら [86] *	PF：10	41	3.0	Lysholm (43.6→59.6), IKDC (31.7→50.1), CMRS (31.5→53.8)

＊：膝蓋大腿関節のみを対象としている研究。PF：膝蓋大腿関節，PT：膝蓋骨，TG：滑車溝，ICRS：International Cartilage Repair Society score system（1＝excellent, 2＝good, 3＝fair, 4＝poor），Cincinnati：改訂 Cincinnati score（1＝excellent, 2＝good, 3＝fair, 4＝poor），VAS：visual analogue scale, KOOS：knee injury and osteoarthritis outcome scale, Tegner：Tegner activity scale, Kujala：Kujala patellofemoral score, IKDC：International Knee Documentation Committee, CMRS：Cincinnati modified rating scale。

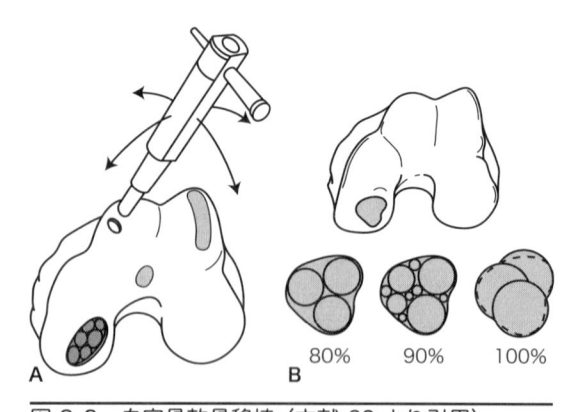

図 8-3 自家骨軟骨移植（文献 69 より引用）
A：全層軟骨損傷の非荷重部位から骨軟骨柱を採取し，損傷部位に挿入する．B：多数の小型骨軟骨柱をモザイク状に損傷部位に挿入するモザイク・プラスティ．数値は損傷に対する移植軟骨柱の面積の割合．

で的確に埋めるための方法として，多数の小型骨軟骨柱をモザイク状に損傷部位に挿入するモザイク・プラスティが提唱された（**図 8-3B**）[69]。

2）適応と禁忌

理論的・実際的な OAT の適応は，損傷の面積が 1〜4 cm² とされる[49]。膝蓋大腿周囲からは 3〜4 cm² の移植片を収集できるため，両側から採取して 8〜9 cm² の大きい損傷に使用することもできる。しかし，損傷が大きすぎる場合にはドナー部位に症状が残る確率が高くなる[49]。OAT の禁忌としては，感染，腫瘍，リウマチ性関節炎があげられた。1 ブロックの骨軟骨移植の臨床経験から，年齢の上限を 50 歳とすることが推奨された[49]。

3）臨床成績

PF 関節に対して OAT を行った結果を**表 8-2**にまとめた。総対象者は 189 名，平均年齢 25.5 歳，平均損傷サイズは 2.1 cm² であった。

4. 自家軟骨細胞移植（autologous chondrocyte implantation：ACI）

1）術 式

ACI の手術は，細胞採取と細胞移植の 2 回に分けて行われる。1 回目の手術では，大腿骨滑車上中部または上外側の最小荷重部位から 200〜300 mg の軟骨表面を含む軟骨下骨を採取し，体外で培養する。2 回目の手術では，損傷部位を郭清して剥離した軟骨片を除去した後，脛骨近位内側の鵞足停止遠位より採取された骨膜により損傷部位を密封し（**図 8-4A**），そのなかに細胞を移植する（**図 8-4B**）[62]。

第 1 世代 ACI（ACI1）は複雑で関節切開を必

8. 治療

表 8-2　骨軟骨自家移植（OAT）の術後臨床結果

報告者	例数	平均年齢（歳）	平均損傷サイズ (cm²)	結果
Bentley ら [13]	PT：5 TG：2	31.6	4.7	CMRS（excellent/good）：PT（60%），TG（100%）
Hangody ら [49]	PF：118	—	—	HSS（excellent/good）：膝蓋骨・滑車 79%
Nho ら [75] *	PT：22	28.7	1.7	IKDC（47.2→74.4），ADL（60.1→84.7），SF-36（64.0→79.4）
Hangody ら [48]	PT：18 TG：8	24.3	PT：2.4 TG：2.1	HSS：PT（57→71），TG（66→79），excellent/good：PF（74%）
Visonà ら [107]	PT：6	20.5	0.9	Lysholm（58.3→85.7），IKDC（37.2→66.3），Tegner（3.5→5.7）
Figueroa ら [32]	PT：10	20.2	1.2	Lysholm（73.8→95）

＊：膝蓋大腿関節のみを対象としている研究。PF：膝蓋大腿関節，PT：膝蓋骨，TG：滑車溝。HSS：hospital for special surgery scoring system, Lysholm：Lysholm（knee）score，その他については表 8-1 を参照。

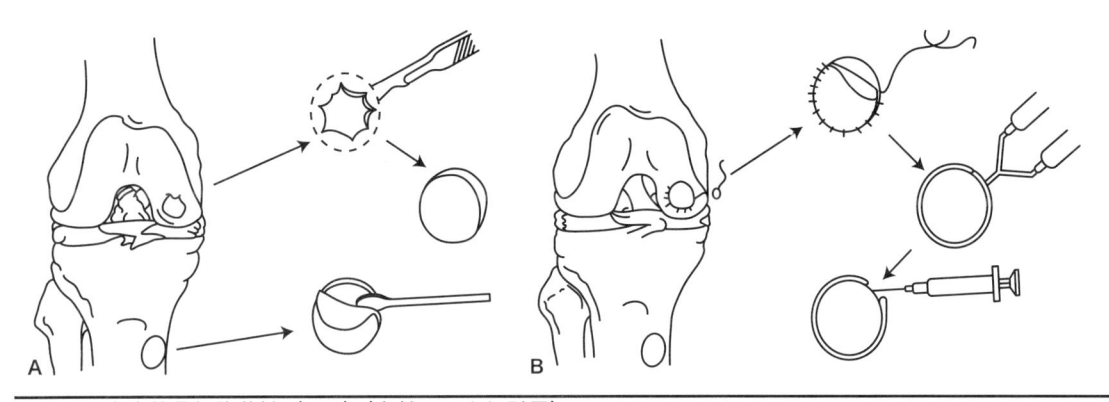

図 8-4　自家軟骨細胞移植（ACI）（文献 98 より引用）
ACI の手術は，細胞採取と細胞移植の 2 回に分けて行う。1 回目の手術では，大腿骨滑車上中部または上外側の最小荷重部位から軟骨表面を含む軟骨下骨を採取し，体外で培養する。2 回目の手術で，損傷部位を郭清して剥離した軟骨片を除去した後，脛骨近位内側の鵞足停止遠位より採取された骨膜により損傷部位を密封し（A），そのなかに細胞を移植する（B）。

要とし，外科的処置に伴う関節のこわばりや線維化のような合併症の危険がある。骨膜の使用は回復期間中の関節拘縮や関節線維症を含む合併症の危険を高め，リハビリテーションを困難にする。さらに，二次元細胞培養された軟骨細胞は，自身の表現形を変化させ，II 型コラーゲンやプロテオグリカンを生産する能力を有していない線維化細胞に脱分化するが，その表現形を移植後に再表現できるかどうかはまだ明らかではない。また，移植後の細胞の表現型は不明であり，三次元の損傷空間に培養細胞が均一に分配されるかどうかよくわかっていない。

上記の問題を解決するため，軟骨様組織を作成するための組織工学技術を使用した第 2 世代の ACI（ACI2）が開発された。三次元培養系を用いる ACI2 では，軟骨細胞の試験管内増殖および欠損部位への移植のための一時的な足場として生体分解性ポリマーを使用する [64]。

2）適応と禁忌

ACI は，大腿骨顆，あるいは滑車部の症候性 ICRS グレード III/IV 損傷に適している [62]。リハビリテーションに対するモチベーションが高いこと，そのプロトコルを順守する可能性が高いこ

第2章 骨軟骨病変（膝蓋大腿関節）

表 8-3 第1世代自家軟骨細胞移植（ACI1）の術後臨床結果

報告者	例数	平均年齢(年)	平均損傷サイズ (cm²)	結果
Brittberg ら [15]	PT：7	25.1	3.5	Brittberg 評価（excellent/good）：29%
Peterson ら [85]	PT：19	26.9	4.7	Brittberg 評価（excellent/good）：58%, 主観評価：改善 68%
Bentley ら [13]	PT：20 TG：1	30.9	4.7	MCS（excellent/good）：PT：85%, TG：100%
Peterson ら [84]	PT：17	27.3	4.4	excellent/good：76%, Cincinnati（1.6→6.6）, VAS（68.1→27.8）, Tegner（5.5→9.2）
Bartlett ら [9]	PT：20 TG：9	33.4	6	MCS（excellent/good）：PT：54.5%, TG：100%
Minas ら [70] *	PT：34 TG：35	36.9	PT：4.9 TG：5.2	患者満足度：excellent/good 71%, SF-36PC（35.2→40.3）, SF-36MCS（47.8→53.4）, WOMAC（37.1→24.4）, KSS 膝スコア（53→74）, KSS 機能スコア（67→78）, 修正 Cincinnati（3.8→5.8）
Amin ら [2]	TG：1	39	3	MCS（51→68）, VAS（3→0）, Stanmore（2→0）
Henderson ら [52] *	PTI：22 PTII：22	32.1 35.1	2.9 3.2	I：伸筋リアライメントあり，II：ACI 単独, Cincinnati（excellent/good）：I（86%）, II（55%）
Farr [31] *	PT：39	31.2	5.4	Cincinnati：患者（4→6）, 医師（4→6）, Lysholm（56→86）, VAS 安静時（2→0）, VAS 最大（8→4）
Kreuz ら [65]	PTI：11 PTII：12 TGI：8 TGII：9	33.3 34.8 35.8 38.6	6.4 6.7 6.9 7.3	スポーツ活動レベル I＞II で群分け ICRS：PTI（3.7→1.6）, PTII（3.8→2.8）, TGI（3.6→1.6）, TGII（3.8→2.2）, Cincinnati：PTI（3.6→1.5）, PTII（3.7→2.6）, TGI（3.6→1.5）, TGII（3.8→2.2）
Mandelbaum ら [68] *	TG：40	37.1	4.5	修正 Cincinnati：全体スコア（3.1→6.4）
Niemeyer ら [76] *	PTI：11 PTII：13	40.4 35.2	5.4 7.3	I：「2つ目」群，II：対照群，Lysholm：I（術後 75）, II（術後 60）, IKDC：I（術後 60）, II（術後 58）,（very good/good）：I（82%）, II（54%）
Steinwachs ら [97]	PT：19 TG：10	32.4 36.9	6.1 6.3	ICRS：PT（3.9→1.8）, TG（3.3→1.8）, Cincinnati：PT（3.8→1.8）, TG（3.8→1.7）
Pascual-Garrido ら [83] *	PF：52	31.8	4.2	Lysholm（37→63）, IKDC（31→57）, Tegner（4→6）, MCS（43→63）, 患者満足度：膝 excellent/good 71%, 全体 82%
Vasiliadis ら [106] *	PF：92	35	5.5	Lysholm（61→70）, Tegner（2→3）
Macmull ら [67] *	PT：25	34.6	4.7	VAS（6.3→5）, Sanmore（2.3→3.0）, MCS（42.1→48.8）, excellent/good 40%
Vanlauwe ら [104] *	PF：38	30.9	4.9	KOOS 全体（47.9→73.6）
Gillogly ら [41] *	PT：25	31	6.4	Lysholm（40→79）, IKDC（43→76）

＊：膝蓋大腿関節のみを対象としている研究。PF：膝蓋大腿関節，PT：膝蓋骨，TG：滑車溝。SF-36：short form-36, WOMAC：Western Ontario McMaster osteoarthritis score, KSS：Knee Society score, その他については表 8-1, 表 8-2 を参照。

と，15～55 歳，体格の大きい患者，欠損面積が 2～12 cm² が適応となる[62]。骨浸潤が 6～8 mm より深い場合は自家骨移植を同時に行うべきであり，互いに接する 2 つの骨の両方に損傷があるキッシング損傷は適応とはならない[62]。

3）臨床成績

PF 関節に対する ACI1 の結果を表 8-3 に，ACI2 の結果を表 8-4 にまとめた。ACI1 の対象者は 611 名，平均年齢 33.6 歳，平均損傷サイズ 5.1 cm²，ACI2 の対象者は 143，平均年齢 32.2 歳，平均損傷サイズ 4.7 cm² であった。

表 8-4 第 2 世代自家軟骨細胞移植（ACI2）の術後臨床結果

報告者	例数	平均年齢（年）	平均損傷サイズ (cm²)	結果
Ochi ら [78]	PT：3	17.7	6.9	Lysholm (71.7→96)
Bartlett ら [9]	PT：16 TG：6	33.7	6.1	MCS (excellent/good)：PT (62.5%), TG (100%)
Amin ら [2]	PF：1 TG：2	PF：37 TG：37.5	PF：3.8 TG：1.6	MCS：PT (31→84), TG (55.5→80.5)
Gobbi ら [43] *	PF：22 TG：10	30.5	4.7	IKDC：PT (42→71.2), TG (45.8→80.5)
Gigante ら [38] *	PT：12	31	4.0	Lysholm (55→92.5), Tegner (1→4)
Gobbi ら [42] *	PF：34	31.2	4.45	IKDC (46.1→77.1)
Macmull ら [67] *	PF：23	35	4.76	IKDC（術後 70.4）
Takazawa ら [101]	PF：4	31.8	2.6	Lysholm (64.5→89.3)
Petri ら [86] *	PF：10	35.8	3.4	Lysholm (43.6→64.7), IKDC (31.7→61.3), MCS (31.5→56.2)

＊：膝蓋大腿関節のみを対象としている研究。PF：膝蓋大腿関節，PT：膝蓋骨，TG：滑車溝，その他については表 8-1，表 8-2 を参照。

5. 骨軟骨同種移植（osteochondral allograft：OCA）

1) 術 式

OCA は，死亡したドナーからの組織提供を受けて実施される。提供者の年齢基準は 15～40 歳であり，移植片は死亡後 12 時間以内に採取される。潜在的な感染症や免疫反応の主原因となる骨髄をパルス洗浄した後，37℃の抗菌性溶液に 24 時間漬ける。移植片の保存には，古くは-80℃での新鮮冷凍保存（fresh-frozen）やグリセリンやジメチルスルホキシドを媒介にして-70℃で低温保存（cryopreserved）が行われていた。しかし，これらの方法は細胞生存率が低いため，新たに 4℃の乳酸リンゲル培養液での新鮮保存（fresh）が導入された [21]。

2) 適応と禁忌

OCA の適応は，他の術式の適応からはずれる大きい骨軟骨損傷（2 cm² 以上），深い軟骨損傷（6～10 mm 以上）である。不安定性やアライメント不良が合併している場合は，OCA と骨切り術や靱帯再建術を同時に行う場合もある。人工関節置換の基準を満たす末期変形性膝関節症や活動レベルの低い高齢患者は適応から除外される。若い患者のキッシング損傷や多コンパートメント損傷は成功しうるが，進行した多コンパートメント損傷では相対的な禁忌とされる。長期にわたるステロイド使用やアルコール中毒，喫煙でみられる異常骨代謝がある炎症性関節症も相対的禁忌とされた [21]。

3) 臨床成績

OCA の臨床成績を表 8-5 にまとめた。各研究において対象となった損傷サイズは不明確だが，概ねよい成績であった。しかし，Jamali ら [60] の PF 関節のみを対象とした OCA の治療成績によると，D'Aublgne-Postel スコアでの excellent/good の割合が 60％と，やや不満足な結果であった。

6. 脛骨粗面前内方移行術（anteromedialization：AMZ）

1) 術 式

AMZ は，PF 関節のアライメント不良の修正のため，Fulkerson [34] によって提唱された術式である。膝蓋靱帯停止部の近位から脛骨粗面の 5～

第2章 骨軟骨病変（膝蓋大腿関節）

表 8-5 骨軟骨同種移植（OCA）の術後臨床結果

報告者	例数	平均年齢（年）	平均損傷サイズ（cm²）	結果
Bayne ら [10]	PT：2	62	—	Mount Sinai 病院膝評価：excellent 2
Convery ら [24]	PT：4 PF：8	35	—	18 ポイントスコア（excellent/good）：PT（75%），PF（63%）
Bakay ら [5]	PT：8	48	—	Bentley スコア（excellent/good）：75%
Chu ら [23]	PT：5 PF4	35 18	7.7 18	D'Aublgne' and Postel（excellent/good）：PT（100%），PF（75%）
Jamali ら [60] *	PF：20	42	—	D'Aublgne-Postel スコア（excellent/good）60%

＊：膝蓋大腿関節のみを対象としている研究．PF：膝蓋大腿関節，PT：膝蓋骨，TG：滑車溝．

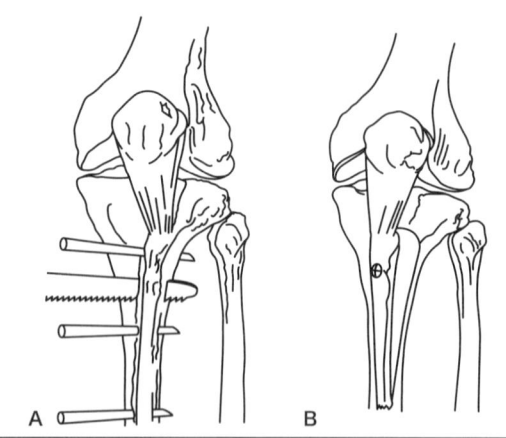

図 8-5 脛骨粗面前内方移行術（文献 34 より引用）
膝蓋靱帯停止部の近位から脛骨粗面の 5〜8 cm 下部までの脛骨前縁の骨ブロックを切り取り（A），その近位部を前内側に転位させてネジで固定する（B）．

8 cm 下部までの脛骨前縁の骨ブロックを切り取り（**図 8-5A**），その近位部を前内側に転位させてネジで固定する（**図 8-5B**）．AMZ は，膝蓋腱停止部の内側化によって PF 関節の適合性改善と接触面積増大を得るとともに，その前方化により PF 関節の圧迫力を減少させることにより，過負荷による疼痛を改善する [30]．

2）適　応

AMZ の適応は，4〜6ヵ月の保存療法に反応せず，また PF 関節のアライメント不良の明確な臨床所見および X 線所見のある場合である [34]．

3）臨床成績

AMZ の臨床成績に関して，Pidoriano ら [87] は，36 例 37 膝の軟骨損傷部位を Fulkerson 分類に基づいて群分けし，Lysholm 評価での excellent/good の割合を求めた．その結果，Fulkerson 軟骨損傷部位分類タイプ I（遠位損傷）90%（10 膝中 9 膝），タイプ II（外側損傷）85%（13 膝中 11 膝），タイプ III（内側損傷）56%（9 膝注 5 膝），タイプ IV（近位または全体の 80% 以上の損傷）20%（5 膝中 1 膝）であった．37 膝中 10 膝が滑車損傷を併発し，滑車外側部損傷 3 膝はすべて良好（excellent/good）であったのに対し，滑車中央部損傷 7 膝の結果はすべて不良好（poor）であったことから，膝蓋骨タイプ III/IV 損傷と滑車中央部損傷には細心の注意を払って使用する必要があると考察された．Jack ら [59] は Kujala 膝スコアが術前 39.2 から術後 57.7，視覚アナログ疼痛評価（VAS）は術前 7.8 から術後 5.0 に改善し，患者満足度の excellent/good の割合は 72% だったと報告した．以上より，AMZ は軟骨損傷を直接修復するものではないが，軟骨損傷に伴う疼痛の改善には有用であるといえる．

7．術後臨床成績

軟骨損傷に対して一般的に行われる修復術である MFX，OAT，ACI（第 1 世代，第 2 世代）の

8. 治 療

表 8-6 各術式の Lyshom スコア

術式	例数	年齢（歳）	サイズ（cm²）	術前	術後
MFX[86]	10	41.0	3.0	43.6	59.6
OAT[32,107]	16	20.3	1.1	68.0	91.5
ACI1[31,41,83,106]	168	32.5	5.2	49.3	72.9
ACI2[38,86,101]	26	33.0	3.6	52.1	81.3

表 8-7 術後臨床結果の比較

報告者	比較	結果
Bentley ら[13]	OAT vs. ACI1	膝蓋骨での術後修正 Cincinnati スコア（excellent/good の割合）は，OAT：60%，ACI1：85%（ns）。関節鏡視下検査では OAT 5 名はすべてよい結果を示さなかった。
Bartlett ら[9]	ACI1 vs. ACI2	膝蓋骨での術後修正 Cincinnati スコア（excellent/good の割合）は，ACI1：54.5%，ACI2：62.5%（ns）。
Macmull ら[67]*	ACI1 vs. ACI2	膝蓋軟骨軟化症での術後修正 Cincinnati スコア（excellent/good の割合）は，ACI1：48.8%，ACI2：61.4%（ns）。
Petri ら[86]*	MFX vs. ACI2	膝蓋骨での術後平均 Lysholm スコアは MFX：59.6，ACI2：64.7（ns）。

結果をまとめた。

1）臨床成績スコア

MFX，OAT，ACI1，ACI2 はいずれの術式においても臨床症状の改善が示された（表 8-1〜表 8-4）。しかしながら，それぞれの論文で使用している指標が異なり比較が難しいため，4 つの術式に共通していた Lysholm スコアのみを抽出して臨床成績を比較した（表 8-6）。その結果，どの術式でも改善がみられたが，研究間で平均年齢や平均損傷サイズなど条件の違いがあるため，改善の度合を術式間で比較することはできなかった。直接術式間の臨床成績を比較した研究によると，ACI2 が他の術式よりよい傾向にあるが，有意差は検出されなかった（表 8-7）。

2）修復状態

一般に MFX では線維軟骨が，OAT・ACI では硝子軟骨での修復が得られるとされる[94]。しかし，PF 関節での MFX，OAT の単独の修復組織を分析した研究はない。ACI1 によって修復される硝子軟骨の割合は 14% と低く，期待通りの結果ではなかった[15]。一方，ACI2 では 2/3 の症例において硝子軟骨での修復が得られ，良好な結果であった[42,43]。術後の MRI 所見では，MFX と ACI1 でやや不良好[66,104]，OAT と ACI2 で良好な結果[42,75]などが報告されてきた（表 8-8）。

3）耐久性

MFX では，術後 1.5〜3 年の間での臨床スコアの低下が認められた[66]。つまり，術後に即時的な改善はあるが，中期的な耐久性がなかった。OAT では，中期の経過観察において臨床スコアの改善が認められた[32]。しかし，OAT 後の臨床スコアの長期経過は報告されておらず，その耐久性は不明である。ACI2 では，中期の経過観察でスコアが改善し，術後 2 年と術後 5 年間での有意の臨床スコア低下がみられた[42]。ACI1 だけが，長期経過観察でのスコアの改善[41]と，長期的な耐久性が報告された[84]（表 8-9）。

4）臨床成績に影響を与える因子

術後成績は大腿骨顆と比較してやや不良な傾向が報告された[49,66,84]（表 8-10）。成績が不良とな

第2章 骨軟骨病変（膝蓋大腿関節）

表 8-8 術式別の術後修復状態の報告

術式		報告者	結果
MFX	生検		なし
	MRI	Kreuz ら[66]	Henderson の分類による評価（最高 1，最低 4）。 （損傷充填/軟骨下浮腫/軟骨信号/滲出液/全体） TG：2.56/2.31/2.31/1.88/2.56 PT：2.55/2.45/2.36/2.18/2.64
OAT	生検		なし
	MRI	Nho ら[75]	すべての移植片が良好（67〜100%）の損傷充填，64%が接触面の裂溝 2 mm 以下，71%が完全な骨梁融合，71%が移植片が平らな外観
ACI1	生検	Brittberg ら[15]	硝子軟骨 14%，硝子線維軟骨 86%
	MRI	Vanlauwe ら[104]	MOCART で評価。61%が 50%以上の損傷充填，87%が組織構造不均質，51%が周囲と完全融合
ACI2	生検	Gobbi ら[42,43]	硝子軟骨 67%，硝子線維軟骨 33%
	MRI	Gobbi ら[42]	70%が 50%以上の損傷充填，75%が軟骨信号が正常かほぼ正常，70%が滲出液がなしか軽度，80%が軟骨下浮腫なしか軽度

MOCART：magnetic resonance observation of cartilage repair tissue（MRI での軟骨組織の修復度合）。

表 8-9 術式別の術後耐久性の報告

術式	報告者	結果
MFX	Kreuz ら[66]	ICRS，Cincinnati スコアが 18〜36 ヵ月の間に有意の減少あり
OAT	Figueroa ら[32]	平均 37.3 ヵ月（24〜70 ヵ月）の中期の経過観察での Lysholm スコア，IKDC スコアは術前より有意に改善
ACI1	Peterson ら[84]	術後 2 年と術後平均 7.4 年での比較で Cincinnati スコア，Brittberg スコア，Tegner-Wallgren 活動スコアに変化なし
	Gillogly ら[41]	術後平均 90.7 ヵ月で IKDC スコア，Cincinnati スコア，Lysholm スコア，SF-12 スコアが有意に改善
ACI2	Gobbi ら[42]	術後 2 年と術後 5 年の比較で IKDC スコアが有意に減少
ACI1, 2	Macmull ら[67]	術後平均 40.3 ヵ月で MCS，VAS，Bentley スコアが有意に改善

表 8-10 軟骨修復術での大腿骨顆と膝蓋大腿関節の術後成績の比較

術式	報告者	結果
MFX	Kreuz ら[66]	大腿骨顆，滑車，脛骨，後膝蓋骨の 4 群を術後 ICRS，Cincinnati スコア，MRI 画像で比較：大腿骨顆群は他群と比較し，有意に改善し，MRI での損傷充填も有意に改善
OAT	Hangody ら[49]	病院の特別な手術のための修正スコアシステムで評価：Excellent/good は大腿骨顆 92%，膝蓋骨/滑車 79%。
ACI	Peterson ら[84]	Brittberg 臨床分類スコアで評価：Excellent/good は大腿骨顆 89%，膝蓋骨 76%

る原因として，PF 関節における複雑な生体力学的環境や荷重活動中に生じる大きな力が関与すると考察された[99]。その他の因子を表 8-11 にまとめた。Niemeyer ら[77]は ACI において膝蓋骨外側損傷は内側損傷や両側損傷と比較して，術後成績がよいことを報告した。Kreuz ら[65]は ACI をスポーツの活動時間で群分けし，スポーツ活動の多い群の臨床スコアが有意に改善したと報告した。膝蓋骨のアライメント不良を改善するため，軟骨修復術は大腿四頭筋リアライメント術と組み合わせて行う場合があるが，ACI1 では組み合わせた群のほうが臨床スコアが有意に改善し[52,83]，骨膜肥厚化の危険が小さかった[106]。しかし，ACI2 との組み合わせの臨床スコアは術

表 8-11 臨床成績に影響を与える因子

術式	報告者	結果
ACI	Niemeyer ら [77] *	(ACI1 と ACI2 両方を含む) 術後 Lysholm スコアでは外側損傷 (タイプ II) に比べ内側損傷 (タイプ III), 両側損傷 (タイプ I/IV) が有意に低い。術後 IKDC はタイプ II に比べタイプ I/IV が有意に低い。
ACI1	Kreuz ら [65]	スポーツ活動時間で群分け：I 群 (1～3 時間/週, 4～7 時間/週), II 群 (なし, 1～3 時間/週)。ICRS, Cincinnati スコアは I 群で II 群より有意に改善。MRI スコアは ICRS スコアと有意に相関
ACI1	Henderson ら [52] *	ACI + 伸筋リアライメント群は修正 Cincinnati スコア, SF-36, IKDC で ACI 群より有意に改善
ACI1	Pascual-Garrido ら [83] *	ACI + AMZ 群は Lysholm, IKDC, 全 KOOS サブグループ, SF-12 スコア, Cinicinnati スコア, Tegner スコアの各スコアで ACI 群よりよい値を示したが有意差なし
ACI1	Vasiliadis ら [106] *	ACI + リアライメント群で骨膜肥厚のリスクは少ないが, 臨床スコアや再手術に影響なし
ACI2	Gobbi ら [42] *	IKDC 客観的スコアにおいて既往手術あり, 外傷性損傷に対して退行性損傷, 単独損傷に対して多発損傷, 単独 ACI に対して伸筋リアライメントの組み合わせは, 術後 2～5 年の間に有意に悪化

表 8-12 術後の軟骨修復過程 (文献 103 より引用)

術式	結果
MFX	6 週で軟骨下骨の吸収がある限定された軟骨修復を示す。12 週でさらに成熟し, 硝子様軟骨となる [39]。
OAT	術後 1 週の圧入と引抜きの強度は 44%低減する [110]。イヌでの研究で骨プラグの完全な軟骨化融合が 6 週までに起こったが, 移植片剛性に 63%の減少がみられた [50]。
ACI	6 週で細胞が軟骨下骨に付着した。6～18 ヵ月で隣接する軟骨の硬さにまで硬化する [62]。

後 2～5 年の間に悪化した[42]。MFX あるいは OAT において, PF 関節単独の結果を報告した文献は見出せなかった。

5) 術後リハビリテーションの注意点

Reinold ら[89]のレビュー論文では, 関節軟骨修復後のリハビリテーションにおいて, 荷重制限と関節可動域 (range of motion : ROM) 制限の設定が重要であることが指摘された。これによると, 修復された関節軟骨の生着を得るために一定の制限は不可欠だが, 過剰な負荷の軽減と固定はプロテオグリカンの減少とゆるやかな弱化をもたらし, 修復には有害となる[11, 46, 105]。これに対し, 荷重間の加圧と除圧によって関節軟骨が養分され, 組織修復に必要な基質生成を促す信号が提供される[11, 46, 105]。そして, 他動 ROM 運動や CPM は修復軟骨に滑液からの栄養を供給し, 癒着を防止し, 関節面の滑らかな表面をつくり, 修復を促進するため, 管理下での荷重と ROM 運動は修復を促進し, 退行変性を防ぐために不可欠と考えられている[90~92, 111]。

適切な術後管理を行ううえで, PF 関節の生体力学を知ることは重要である。膝蓋骨下部と滑車間の関係は膝屈曲 10～20°で接触がはじまり, 屈曲に伴って膝蓋骨の接触域は近位に移動し, 90°で接触面積が最大になる[54]。膝伸展位では膝蓋骨と滑車の接触がないため, 術後のリハビリテーションにおいて完全伸展位で固定された装具を装着することで術直後に荷重が許可されることもある。同様に術後の軟骨修復の期間により軟骨の保護期間が決められる (表 8-12)[103]。どの術式でも, ある程度の修復がみられるまで術後 6 週かかるため, その時期まで荷重時の固定が行われ, その後全荷重歩行が許可される。

第2章 骨軟骨病変（膝蓋大腿関節）

表8-13 軟骨修復後のリハビリテーションフェイズ（文献89より引用）

第1相	増殖段階 (MFX：0～4週，OAT/ACI：0～6週)	他動ROMと部分荷重が軟骨修復を助ける 腫脹を減少させ，徐々に他動ROMと荷重を回復させ，大腿四頭筋の随意収縮を強化させる
第2相	移行段階 (MFX：4～8週，OAT/ACI：6～12週)	組織修復の継続的成熟が，高レベルの機能的運動によって促進 全ROM，全荷重を達成し，日常生活に復帰
第3相	リモデリング段階 (MFX：8～16週，OAT/ACI：12～16週)	強さと耐久性が増加した構造物への組織リモデリングが継続 自転車やウォーキングなどの低・中等度の衝撃活動へ復帰
第4相	成熟段階 (MFX：16～26週，OAT/ACI：26～52週)	修復組織が完全に成熟 発病前活動への完全復帰

表8-14 軟骨修復後のリハビリテーションプロトコルの比較

術式	CPM	荷重時固定	全荷重	復帰
MFX [66, 86, 95]	術後初日より開始	0～8週	6週	4～6ヵ月
OAT [32, 100]		0～6週	2～6週	5～6ヵ月
ACI1 [31, 41, 65, 68, 70, 83, 97, 104]		6～8週	0～6週	8～24ヵ月
ACI2 [38, 42, 43, 52]		6週	0～6週	4～12ヵ月

6）術後リハビリテーションプロトコル

軟骨修復後のリハビリテーションは大きく4相に分けられる[89]（**表8-13**）。第1相は修復プロセスのはじまりで，保護が必要となる。腫張を軽減させ，段階的に他動ROMと荷重を改善させ，大腿四頭筋の随意収縮を強化させる。段階的な他動ROMと部分荷重は軟骨に適切な刺激を与え，回復に役立つ[11, 18, 19, 46, 105, 108]。第2相はリハビリテーションを進行させる時期で，全荷重歩行，全可動域が達成され，正常な日常生活動作を再開する。修復組織の継続的な成熟は，より高いレベルの機能と動作の練習を通じて培われる。第3相は強度と耐久性が増加した組織構造への継続的なリモデリングが行われる[15, 16, 33, 44, 45, 50, 74, 84, 85]。組織が強固に統合されるために，より機能的なトレーニングを行うことが許可される。自転車やゴルフ，ウォーキングなどの低・中等度の衝撃活動が段階的に組み入れられる。第4相では組織の修復が完全に成熟し，発症前の活動に復帰する。実際に論文に記載されたプロトコル（**表8-14**）では，CPMの開始時期や荷重時の固定期間，全荷重開始時期はいずれの術式でも大きな違いはない。ACIの復帰までの期間は他の術式よりもやや長かった[38, 41, 43, 65, 68, 83, 97]。

C. 膝蓋骨疲労骨折

1. 非観血的治療

膝蓋骨疲労骨折は非常にまれな疾患である[63]。通常，非転移骨折には保存療法が選択される[63]。Iwayaら[58]は，3症例で活動量の制限を行った結果2～5ヵ月でスポーツ復帰したと報告した。他の2文献[27, 81]（合計2症例）では，活動量の制限が行われたが復帰にはいたらず，それぞれ3ヵ月後[27]，5ヵ月後[81]に骨片摘出術が行われた。ギプスや装具による固定は5文献5症例で行われ[29, 37, 81, 88, 102]，復帰時期が記載された4症例は平均6.75ヵ月（範囲3～12ヵ月）でスポーツ復帰した。

2. 観血的治療

膝蓋骨疲労骨折に対する観血的治療法は，活動への即復帰を必要とする場合や転移骨折が認められる場合に適応となる[63]。観血的整復固定術が7文献8症例で行われ[17,25,27,36,61,81,102]，復帰時期が記載された6症例は平均6.6ヵ月（範囲6週〜10ヵ月）でスポーツ復帰した。骨片の摘出が3文献3症例で行われ[27,81,93]，復帰時期が記載された1症例は2ヵ月後にスポーツ復帰した。

D. 分裂膝蓋骨

1. 非観血的治療

有痛性分裂膝蓋骨の治療は主に保存療法が選択される[35]。その内容は局所安静，スポーツ活動の制限，抗炎症薬，大腿四頭筋ストレッチ，膝蓋骨サポーターの使用などであり，大部分は標準的なスポーツ活動に復帰できる[45,82]。保存療法を6ヵ月実施したが，スポーツ復帰ができない患者が観血的治療の適応となる[35]。

2. 骨片摘出術

有痛性分裂膝蓋骨において骨片摘出術が適応となるのは，6ヵ月間以上の保存療法の失敗，X線での分離片関節面の重大な凹凸，強い症状が長期にわたる場合などである[57]。骨片の摘出術の治療成績は9文献[4,20,55〜57,79,80,109,112]で良好であった。

骨片摘出術後の管理は報告ごとにばらつきがみられた。荷重開始時期は伸展固定膝装具着用で術後1日で即時全荷重許可[79]や，装具を着用せずに平均3週の部分荷重歩行を許可するプロトコル[109]など，術後1日〜3週までの幅があった。可動域の開始時期についても，術直後から開始した報告[109]や術後4〜5日から開始した報告[79]があった。スポーツ活動への復帰は4〜8週とされた[79,109]。

3. 外側構成体切離術

膝蓋骨の上外側極に作用する軟部組織の持続的かつ過剰な張力が，骨片と膝蓋骨との融合を妨げる原因と解釈される。外側支帯切離術は，この張力を軽減し，疼痛改善と骨癒合を達成する[73]。Moriら[73]が16膝の分裂膝蓋骨患者を治療した結果，15膝で8ヵ月以内に骨癒合が達成された。

外側広筋切離術は大規模な外側支帯の切離を行わずに骨片への張力を減少させることを目的として行われる[1]。Adachiら[1]が17膝の分裂膝蓋骨患者を治療した結果，平均3.1ヵ月でスポーツ復帰した。ただし，6ヵ月での骨癒合は17膝中11膝であり，術前筋力に改善するまでの期間は関節鏡視下術では平均6ヵ月，切開術では平均9ヵ月であった[1]。Ogata[79]が同様の目的で外側広筋の骨膜下剥離術を15膝に施行した結果，平均2〜6ヵ月でスポーツ復帰し，13膝がexcellent，2膝がgoodであった。

4. 観血的整復固定術

膝蓋骨に対する骨片の内部固定に対する観血的整復固定術は，手術の侵襲性のため過剰治療と解釈される[3]。大規模な骨片を有する患者での切除は，PF関節の不適合やリウマチにつながる可能性がある[3]。なお，内固定法の適応を記載した論文はなかった。

E. まとめ

1. すでに真実として承認されていること

- PF関節の軟骨損傷では，手術療法により機能改善する。
- 軟骨損傷の修復のための手術療法には主にMFX，OAT，ACIの3つの術式があり，どの術式も機能を改善させる。
- AMZは軟骨損傷を修復はしないが，除痛には

有効である。
- 膝蓋骨疲労骨折の非転位例ではまず保存療法が選択され，スポーツ復帰が可能である。
- 疲労骨折の転位例や保存療法によりスポーツ復帰ができなかった例では手術療法が選択されるが，治療成績は良好である。
- 有痛性の分裂膝蓋骨の治療は主に保存療法が選択され，大部分はスポーツ活動に復帰できる。
- 6ヵ月以上の保存療法で効果がない場合は手術療法が行われ，治療成績は良好である。

2. 議論の余地はあるが，今後の重要な研究テーマとなること

- PF関節における疼痛は保存療法により改善する可能性があるが，軟骨損傷との関連は不明である。
- 臨床成績の比較ではACI2が他の術式より良好な可能性がある。
- PF関節の軟骨損傷におけるMFXは長期的な耐久性がなく，ACI1は中・長期的な耐久性に優れる可能性がある。OATは報告がなく，耐久性が不明である。
- PF関節軟骨修復術後のリハビリテーションは，軟骨修復に沿って行われているがACIのみやや期間が長いため，リハビリテーションを加速させることが可能であるか。
- 膝蓋骨疲労骨折では保存療法と手術療法のどちらでも成績が良好であるが，両者を比較してどちらがより機能を改善させるかは不明である。
- 分裂膝蓋骨においても疲労骨折と同様のことがいえる。

3. 真実と思われていたが実は疑わしいこと

- ACIでは硝子軟骨での修復が得られるとされるが，PF関節では良好な修復が得られない可能性がある。

F. 今後の課題

- PF関節の軟骨損傷に対する保存療法の効果検討は不十分である。またその際の軟骨損傷の進行度合も不明であり，MRIなどの画像診断が必要と考えられる。
- 各術式のより明確な適応を決めるうえで，PF関節の軟骨修復術後の無作為化対照試験や，それぞれの術式において術後成績に影響を与える因子を検証していく必要がある。
- PF関節の軟骨修復術後のリハビリテーションのプロトコルの妥当性の検証が必要である。
- 膝蓋骨疲労骨折の保存療法と手術療法のより的確な選択のための無作為化対照試験を行う必要がある。
- 分裂膝蓋骨の保存療法，術後のリハビリテーションに対する効果検討が必要である。

文献

1. Adachi N, Ochi M, Yamaguchi H, Uchio Y, Kuriwaka M: Vastus lateralis release for painful bipartite patella. *Arthroscopy*. 2002; 18: 404-11.
2. Amin AA, Bartlett W, Gooding CR, Sood M, Skinner JA, Carrington RWJ, Briggs TWR, Bentley G: The use of autologous chondrocyte implantation following and combined with anterior cruciate ligament reconstruction. *Int Orthop*. 2006; 30: 48-53.
3. Atesok K, Doral MN, Lowe J, Finsterbush A: Symptomatic bipartite patella: treatment alternatives. *J Am Acad Orthop Surg*. 2008; 16: 455-61.
4. Azarbod P, Agar G, Patel V: Arthroscopic excision of a painful bipartite patella fragment. *Arthroscopy*. 2005; 21: 1006.
5. Bakay A, Csönge L, Papp G, Fekete L: Osteochondral resurfacing of the knee joint with allograft. Clinical analysis of 33 cases. *Int Orthop*. 1998; 22: 277-81.
6. Bakhtiary AH, Fatemi E: Open versus closed kinetic chain exercises for patellar chondromalacia. *Br J Sports Med*. 2008; 42: 99-102; discussion 102.
7. Balain B, Kerin C, Kanes G, Roberts SN, Rees D, Kuiper JH: Effects of knee compartment, concomitant surgery and smoking on medium-term outcome of microfracture. *Knee*. 2012; 19: 440-4.
8. Bartlett W, Gooding CR, Carrington RW, Skinner JA, Briggs TW, Bentley G: Autologous chondrocyte implantation at the knee using a bilayer collagen membrane with bone graft. A preliminary report. *J Bone Joint Surg Br*. 2005; 87: 330-2.

8. 治 療

9. Bartlett W, Skinner JA, Gooding CR, Carrington RW, Flanagan AM, Briggs TW, Bentley G: Autologous chondrocyte implantation versus matrix-induced autologous chondrocyte implantation for osteochondral defects of the knee: a prospective, randomised study. *J Bone Joint Surg Br*. 2005; 87: 640-5.
10. Bayne O, Langer F, Pritzker KP, Houpt J, Gross AE: Osteochondral allografts in the treatment of osteonecrosis of the knee. *Orthop Clin North Am*. 1985; 16: 727-40.
11. Behrens F, Kraft EL, Oegema TR Jr: Biochemical changes in articular cartilage after joint immobilization by casting or external fixation. *J Orthop Res*. 1989; 7: 335-43.
12. Benthien JP, Behrens P: Autologous matrix-induced chondrogenesis (AMIC). A one-step procedure for retropatellar articular resurfacing. *Acta Orthop Belg*. 2010; 76: 260-3.
13. Bentley G, Biant LC, Carrington RW, Akmal M, Goldberg A, Williams AM, Skinner JA, Pringle J: A prospective, randomised comparison of autologous chondrocyte implantation versus mosaicplasty for osteochondral defects in the knee. *J Bone Joint Surg Br*. 2003; 85: 223-30.
14. Bolgla LA, Boling MC: An update for the conservative management of patellofemoral pain syndrome: a systematic review of the literature from 2000 to 2010. *Int J Sports Phys Ther*. 2011; 6: 112-25.
15. Brittberg M, Lindahl A, Nilsson A, Ohlsson C, Isaksson O, Peterson L: Treatment of deep cartilage defects in the knee with autologous chondrocyte transplantation. *N Engl J Med*. 1994; 331: 889-95.
16. Brittberg M, Nilsson A, Lindahl A, Ohlsson C, Peterson L: Rabbit articular cartilage defects treated with autologous cultured chondrocytes. *Clin Orthop Relat Res*. 1996; 270-83.
17. Brogle PJ, Eswar S, Denton JR: Propagation of a patellar stress fracture in a basketball player. *Am J Orthop (Belle Mead NJ)*. 1997; 26: 782-4.
18. Buckwalter JA: Articular cartilage: injuries and potential for healing. *J Orthop Sports Phys Ther*. 1998; 28: 192-202.
19. Buckwalter JA, Lohmander S: Operative treatment of osteoarthrosis. Current practice and future development. *J Bone Joint Surg Am*. 1994; 76: 1405-18.
20. Canizares GH, Selesnick FH: Bipartite patella fracture. *Arthroscopy*. 2003; 19: 215-7.
21. Capeci CM, Turchiano M, Strauss EJ, Youm T: Osteochondral allografts: applications in treating articular cartilage defects in the knee. *Bull Hosp Jt Dis*. 2013; 71: 60-7.
22. Christensen R, Bartels EM, Astrup A, Bliddal H: Symptomatic efficacy of avocado-soybean unsaponifiables (ASU) in osteoarthritis (OA) patients: a meta-analysis of randomized controlled trials. *Osteoarthritis Cartilage*. 2008; 16: 399-408.
23. Chu CR, Convery FR, Akeson WH, Meyers M, Amiel D: Articular cartilage transplantation. Clinical results in the knee. *Clin Orthop Relat Res*. 1999; (360):159-68.
24. Convery FR, Botte MJ, Akeson WH, Meyers MH: Chondral defects of the knee. *Contemp Orthop*. 1994; 28: 101-7.
25. Crowther MA, Mandal A, Sarangi PP: Propagation of stress fracture of the patella. *Br J Sports Med*. 2005; 39: e6.
26. Dennis EK: Management of patellar and trochlear chondral injuries. *Operative Techniques in Orthopaedics*. 2007; 17: 234-43.
27. Devas MB: Stress fractures of the patella. *J Bone Joint Surg Br*. 1960; 42-B: 71-4.
28. Dhollander AA, De Neve F, Almqvist KF, Verdonk R, Lambrecht S, Elewaut D, Verbruggen G, Verdonk PC: Autologous matrix-induced chondrogenesis combined with platelet-rich plasma gel: technical description and a five pilot patients report. *Knee Surg Sports Traumatol Arthrosc*. 2011; 19: 536-42.
29. Dickason JM, Fox JM: Fracture of the patella due to overuse syndrome in a child. A case report. *Am J Sports Med*. 1982; 10: 248-9.
30. Farr J, Schepsis A, Cole B, Fulkerson J, Lewis P: Anteromedialization: review and technique. *J Knee Surg*. 2007; 20: 120-8.
31. Farr J: Autologous chondrocyte implantation improves patellofemoral cartilage treatment outcomes. *Clin Orthop Relat Res*. 2007; 463: 187-94.
32. Figueroa D, Meleán P, Calvo R, Gili F, Zilleruelo N, Vaisman A: Osteochondral autografts in full thickness patella cartilage lesions. *Knee*. 2011; 18: 220-3.
33. Frisbie DD, Oxford JT, Southwood L, Trotter GW, Rodkey WG, Steadman JR, Goodnight JL, McIlwraith CW: Early events in cartilage repair after subchondral bone microfracture. *Clin Orthop Relat Res*. 2003; (407): 215-27.
34. Fulkerson JP: Anteromedialization of the tibial tuberosity for patellofemoral malalignment. *Clin Orthop Relat Res*. 1983; (177): 176-81.
35. Gaheer RS, Kapoor S, Rysavy M: Contemporary management of symptomatic bipartite patella. *Orthopedics*. 2009; 32(11): doi: 10.3928/01477447-20091101-04.
36. García Mata S, Hidalgo Ovejero A, Martinez Grande M: Transverse stress fracture of the patella in a child. *J Pediatr Orthop B*. 1999; 8: 208-11.
37. García Mata S, Martinez Grande M, Hidalgo Ovejero A: Transverse stress fracture of the patella: a case report. *Clin J Sport Med*. 1996; 6: 259-61.
38. Gigante A, Enea D, Greco F, Bait C, Denti M, Schonhuber H, Volpi P: Distal realignment and patellar autologous chondrocyte implantation: mid-term results in a selected population. *Knee Surg Sports Traumatol Arthrosc*. 2009; 17: 2-10.
39. Gill TJ, McCulloch PC, Glasson SS, Blanchet T, Morris EA: Chondral defect repair after the microfracture procedure: a nonhuman primate model. *Am J Sports Med*. 2005; 33: 680-5.
40. Gille J, Behrens P, Volpi P, de Girolamo L, Reiss E, Zoch W, Anders S: Outcome of autologous matrix induced chondrogenesis (AMIC) in cartilage knee surgery: data of the AMIC Registry. *Arch Orthop Trauma Surg*. 2013; 133: 87-93.

41. Gillogly SD, Arnold RM: Autologous chondrocyte implantation and anteromedialization for isolated patellar articular cartilage lesions: 5- to 11-year follow-up. *Am J Sports Med*. 2014; 42: 912-20.

42. Gobbi A, Kon E, Berruto M, Filardo G, Delcogliano M, Boldrini L, Bathan L, Marcacci M: Patellofemoral full-thickness chondral defects treated with second-generation autologous chondrocyte implantation: results at 5 years' follow-up. *Am J Sports Med*. 2009; 37: 1083-92.

43. Gobbi A, Kon E, Berruto M, Francisco R, Filardo G, Marcacci M: Patellofemoral full-thickness chondral defects treated with hyalograft-C: a clinical, arthroscopic, and histologic review. *Am J Sports Med*. 2006; 34: 1763-73.

44. Grande DA, Pitman MI, Peterson L, Menche D, Klein M: The repair of experimentally produced defects in rabbit articular cartilage by autologous chondrocyte transplantation. *J Orthop Res*. 1989; 7: 208-18.

45. Grogan DP, Carey TP, Leffers D, Ogden JA: Avulsion fractures of the patella. *J Pediat Orthop*. 1990; 10: 721-30.

46. Haapala J, Arokoski J, Pirttimäki J, Lyyra T, Jurvelin J, Tammi M, Helminen HJ, Kiviranta I: Incomplete restoration of immobilization induced softening of young beagle knee articular cartilage after 50-week remobilization. *Int J Sports Med*. 2000; 21: 76-81.

47. Habib GS, Saliba W, Nashashibi M: Local effects of intra-articular corticosteroids. *Clin Rheumatol*. 2010; 29: 347-56.

48. Hangody L, Dobos J, Baló E, Pánics G, Hangody LR, Berkes I: Clinical experiences with autologous osteochondral mosaicplasty in an athletic population: a 17-year prospective multicenter study. *Am J Sports Med*. 2010; 38: 1125-33.

49. Hangody L, Füles P: Autologous osteochondral mosaicplasty for the treatment of full-thickness defects of weight-bearing joints: ten years of experimental and clinical experience. *J Bone Joint Surg Am*. 2003; 85-A Suppl 2: 25-32.

50. Hangody L, Kish G, Karpati Z: Autogenous osteochondral graft technique for replacing knee cartilage defects in dogs. *Orthop Int*. 1997; 5: 175-81.

51. Hangody L, Ráthonyi GK, Duska Z, Vásárhelyi G, Füles P, Módis L: Autologous osteochondral mosaicplasty. Surgical technique. *J Bone Joint Surg Am*. 2004; 86-A Suppl 1: 65-72.

52. Henderson IJ, Lavigne P: Periosteal autologous chondrocyte implantation for patellar chondral defect in patients with normal and abnormal patellar tracking. *Knee*. 2006; 13: 274-9.

53. Hochberg MC, Zhan M, Langenberg P: The rate of decline of joint space width in patients with osteoarthritis of the knee: a systematic review and meta-analysis of randomized placebo-controlled trials of chondroitin sulfate. *Curr Med Res Opin*. 2008; 24: 3029-35.

54. Hungerford DS, Barry M: Biomechanics of the patellofemoral joint. *Clin Orthop Relat Res*. 1979; (144): 9-15.

55. Iossifidis A, Brueton RN: Painful bipartite patella following injury. *Injury*. 1995; 26: 175-6.

56. Ireland ML, Chang JL: Acute fracture bipartite patella: case report and literature review. *Med Sci Sports Exerc*. 1995; 27: 299-302.

57. Ishikawa H, Sakurai A, Hirata S, Ohno O, Kita K, Sato T, Kashiwagi D: Painful bipartite patella in young athletes. The diagnostic value of skyline views taken in squatting position and the results of surgical excision. *Clin Orthop Relat Res*. 1994; (305):223-8.

58. Iwaya T, Takatori Y: Lateral longitudinal stress fracture of the patella: report of three cases. *J Pediatr Orthop*. 1985; 5: 73-5.

59. Jack CM, Rajaratnam SS, Khan HO, Keast-Butler O, Butler-Manuel PA, Heatley FW: The modified tibial tubercle osteotomy for anterior knee pain due to chondromalacia patellae in adults: A five-year prospective study. *Bone Joint Res*. 2012; 1: 167-73.

60. Jamali AA, Emmerson BC, Chung C, Convery FR, Bugbee WD: Fresh osteochondral allografts: results in the patellofemoral joint. *Clin Orthop Relat Res*. 2005 ; (437): 176-85.

61. Jerosch JG, Castro WH, Jantea C: Stress fracture of the patella. *Am J Sports Med*. 1989; 17: 579-80.

62. Jones DG, Peterson L: Autologous chondrocyte implantation. *J Bone Joint Surg Am*. 2006; 88: 2502-20.

63. Keeley A, Bloomfield P, Cairns P, Molnar R: Iliotibial band release as an adjunct to the surgical management of patellar stress fracture in the athlete: a case report and review of the literature. *Sports Med Arthrosc Rehabil Ther Technol*. 2009; 1: 15.

64. Kon E, Verdonk P, Condello V, Delcogliano M, Dhollander A, Filardo G, Pignotti E, Marcacci M: Matrix-assisted autologous chondrocyte transplantation for the repair of cartilage defects of the knee: systematic clinical data review and study quality analysis. *Am J Sports Med*. 2009; 37 Suppl 1: 156S-66S.

65. Kreuz PC, Steinwachs M, Erggelet C, Lahm A, Krause S, Ossendorf C, Meier D, Ghanem N, Uhl M: Importance of sports in cartilage regeneration after autologous chondrocyte implantation: a prospective study with a 3-year follow-up. *Am J Sports Med*. 2007; 35: 1261-8.

66. Kreuz PC, Steinwachs MR, Erggelet C, Krause SJ, Konrad G, Uhl M, Südkamp N: Results after microfracture of full-thickness chondral defects in different compartments in the knee. *Osteoarthritis Cartilage*. 2006; 14: 1119-25.

67. Macmull S, Jaiswal PK, Bentley G, Skinner JA, Carrington RW, Briggs TW: The role of autologous chondrocyte implantation in the treatment of symptomatic chondromalacia patellae. *Int Orthop*. 2012; 36: 1371-7.

68. Mandelbaum B, Browne JE, Fu F, Micheli LJ, Moseley JB Jr, Erggelet C, Anderson AF: Treatment outcomes of autologous chondrocyte implantation for full-thickness articular cartilage defects of the trochlea. *Am J Sports Med*. 2007; 35: 915-21.

69. McCoy B, Miniaci A: Osteochondral autograft transplantation/mosaicplasty. *J Knee Surg*. 2012; 25: 99-108.

70. Minas T, Bryant T: The role of autologous chondrocyte

70. implantation in the patellofemoral joint. *Clin Orthop Relat Res*. 2005; (436): 30-9.
71. Mithoefer K, McAdams T, Williams RJ, Kreuz PC, Mandelbaum BR: Clinical efficacy of the microfracture technique for articular cartilage repair in the knee: an evidence-based systematic analysis. *Am J Sports Med*. 2009; 37: 2053-63.
72. Mithoefer K, Williams RJ, Warren RF, Wickiewicz TL, Marx RG: High-impact athletics after knee articular cartilage repair: a prospective evaluation of the microfracture technique. *Am J Sports Med*. 2006; 34: 1413-8.
73. Mori Y, Okumo H, Iketani H, Kuroki Y: Efficacy of lateral retinacular release for painful bipartite patella. *Am J Sports Med*. 1995; 23: 13-8.
74. Nam EK, Makhsous M, Koh J, Bowen M, Nuber G, Zhang LQ: Biomechanical and histological evaluation of osteochondral transplantation in a rabbit model. *Am J Sports Med*. 2004; 32: 308-16.
75. Nho SJ, Foo LF, Green DM, Shindle MK, Warren RF, Wickiewicz TL, Potter HG, Williams RJ 3rd: Magnetic resonance imaging and clinical evaluation of patellar resurfacing with press-fit osteochondral autograft plugs. *Am J Sports Med*. 2008; 36: 1101-9.
76. Niemeyer P, Kreuz PC, Steinwachs M, Köstler W, Mehlhorn A, Kraft N, Norbert P. Südkamp NP: Technical note: the "double eye" technique as a modification of autologous chondrocyte implantation for the treatment of retropatellar cartilage defects. *Knee Surg Sports Traumatol Arthrosc*. 2007; 15: 1461-8.
77. Niemeyer P, Steinwachs M, Erggelet C, Kreuz PC, Kraft N, Köstler W, Mehlhorn A, Südkamp NP: Autologous chondrocyte implantation for the treatment of retropatellar cartilage defects: clinical results referred to defect localisation. *Arch Orthop Trauma Surg*. 2008; 128: 1223-31.
78. Ochi M, Uchio Y, Kawasaki K, Wakitani S, Iwasa J: Transplantation of cartilage-like tissue made by tissue engineering in the treatment of cartilage defects of the knee. *J Bone Joint Surg Br*. 2002; 84: 571-8.
79. Ogata K: Painful bipartite patella. A new approach to operative treatment. *J Bone Joint Surg Am*. 1994; 76: 573-8.
80. Okuno H, Sugita T, Kawamata T, Ohnuma M, Yamada N, Yoshizumi Y: Traumatic separation of a type I bipartite patella: a report of four knees. *Clin Orthop Relat Res*. 2004; (420): 257-60.
81. Orava S, Taimela S, Kvist M, Karpakka J, Hulkko A, Kujala U: Diagnosis and treatment of stress fracture of the patella in athletes. *Knee Surg Sports Traumatol Arthrosc*. 1996; 4: 206-11.
82. Palumbo PM Jr: Dynamic patellar brace: a new orthosis in the management of patellofemoral disorders. A preliminary report. *Am J Sports Med*. 1981; 9: 45-9.
83. Pascual-Garrido C, Slabaugh MA, L'Heureux DR, Friel NA, Cole BJ: Recommendations and treatment outcomes for patellofemoral articular cartilage defects with autologous chondrocyte implantation: prospective evaluation at average 4-year follow-up. *Am J Sports Med*. 2009; 37 (Suppl 1): 33S-41S.
84. Peterson L, Brittberg M, Kiviranta I, Akerlund EL, Lindahl A: Autologous chondrocyte transplantation. Biomechanics and long-term durability. *Am J Sports Med*. 2002; 30: 2-12.
85. Peterson L, Minas T, Brittberg M, Nilsson A, Sjögren-Jansson E, Lindahl A: Two- to 9-year outcome after autologous chondrocyte transplantation of the knee. *Clin Orthop Relat Res*. 2000; (374): 212-34.
86. Petri M, Broese M, Simon A, Liodakis E, Ettinger M, Guenther D, Zeichen J, Krettek C, Jagodzinski M, Haasper C: CaReS (MACT) versus microfracture in treating symptomatic patellofemoral cartilage defects: a retrospective matched-pair analysis. *J Orthop Sci*. 2013; 18: 38-44.
87. Pidoriano AJ, Weinstein RN, Buuck DA, Fulkerson JP: Correlation of patellar articular lesions with results from anteromedial tibial tubercle transfer. *Am J Sports Med*. 1997; 25: 533-7.
88. Piétu G, Hauet P: Stress fracture of the patella. *Acta Orthop Scand*. 1995; 66: 481-2.
89. Reinold MM, Wilk KE, Macrina LC, Dugas JR, Cain EL: Current concepts in the rehabilitation following articular cartilage repair procedures in the knee. *J Orthop Sports Phys Ther*. 2006; 36: 774-94.
90. Salter RB: The biological concept of continuous passive motion of synovial joints: the first 18 years of basic research and its clinical application. In: Ewing JW, ed. *Articular Cartilage and Knee Joint Function*. 1990; Raven Press, New York, NY.
91. Salter RB: The physiologic basis of continuous passive motion for articular cartilage healing and regeneration. *Hand Clin*. 1994; 10: 211-9.
92. Salter RB, Hamilton HW, Wedge JH, Tile M, Torode IP, O'Driscoll SW, Murnaghan JJ, Saringer JH: Clinical application of basic research on continuous passive motion for disorders and injuries of synovial joints: a preliminary report of a feasibility study. *J Orthop Res*. 1984; 1: 325-42.
93. Schranz PJ: Stress fracture of the patella. *Br J Sports Med*. 1988; 22: 169.
94. Seo SS, Chang-Wan Kim CW, Jung DW: Management of focal chondral lesion in the knee joint. *Knee Surg Relat Res*. 2011; 23: 185-96.
95. Steadman JR, Briggs KK, Rodrigo JJ, Kocher MS, Gill TJ, Rodkey WG: Outcomes of microfracture for traumatic chondral defects of the knee: average 11-year follow-up. *Arthroscopy*. 2003; 19: 477-84.
96. Steadman JR, Rodkey WG, Rodrigo JJ: Microfracture: surgical technique and rehabilitation to treat chondral defects. *Clin Orthop Relat Res*. 2001; (391 Suppl): S362-9.
97. Steinwachs M, Kreuz PC: Autologous chondrocyte implantation in chondral defects of the knee with a type I/III collagen membrane: a prospective study with a 3-year follow-up. *Arthroscopy*. 2007; 23: 381-7.
98. Strauss EJ, Fonseca LE, Shah MR, Yorum T: Management of focal cartilage defects in the knee -Is ACI the answer? *Bull NYU Hosp Jt Dis*. 2011; 69: 63-72.
99. Strauss EJ, Galos DK: The evaluation and management

of cartilage lesions affecting the patellofemoral joint. *Curr Rev Musculoskelet Med*. 2013; 6: 141-9.
100. Szerb I, Hangody L, Duska Z, Kaposi NP: Mosaicplasty: long-term follow-up. *Bull Hosp Jt Dis*. 2005; 63: 54-62.
101. Takazawa K, Adachi N, Deie M, Kamei G, Uchio Y, Iwasa J, Kumahashi N, Tadenuma T, Kuwata S, Yasuda K, Tohyama H, Minami A, Muneta T, Takahashi S, Ochi M: Evaluation of magnetic resonance imaging and clinical outcome after tissue-engineered cartilage implantation: prospective 6-year follow-up study. *J Orthop Sci*. 2012; 17: 413-424.
102. Teitz CC, Harrington RM: Patellar stress fracture. *Am J Sports Med*. 1992; 20: 761-5.
103. Tyler TF, Lung JY: Rehabilitation following osteochondral injury to the knee. *Curr Rev Musculoskelet Med*. 2012; 5: 72–81.
104. Vanlauwe JJ, Claes T, Van Assche D, Bellemans J, Luyten FP: Characterized chondrocyte implantation in the patellofemoral joint: an up to 4-year follow-up of a prospective cohort of 38 patients. *Am J Sports Med*. 2012; 40: 1799-807.
105. Vanwanseele B, Lucchinetti E, Stussi E: The effects of immobilization on the characteristics of articular cartilage: current concepts and future directions. *Osteoarthritis Cartilage*. 2002; 10: 408-19.
106. Vasiliadis HS, Lindahl A, Georgoulis AD, Peterson L: Malalignment and cartilage lesions in the patellofemoral joint treated with autologous chondrocyte implantation. *Knee Surg Sports Traumatol Arthrosc*. 2011; 19: 452-7.
107. Visonà E, Chouteau J, Aldegheri R, Fessy MH, Moyen B: Patella osteochondritis dissecans end stage: The osteochondral mosaicplasty option. *Orthop Traumatol Surg Res*. 2010; 96: 543-8.
108. Waldman SD, Spiteri CG, Grynpas MD, Pilliar RM, Hong J, Kandel RA: Effect of biomechanical conditioning on cartilaginous tissue formation *in vitro*. *J Bone Joint Surg Am*. 2003; 85-A Suppl 2: 101-5.
109. Weckström M, Parviainen M, Pihlajamäki HK: Excision of painful bipartite patella: good long-term outcome in young adults. *Clin Orthop Relat Res*. 2008; 466: 2848-55.
110. Whiteside RA, Bryant JT, Jakob RP, Mainil-Varlet P, Wyss UP: Short term load bearing capacity of osteochondral autografts implanted by the mosaicplasty technique: an *in vitro* porcine model. *J Biomech*. 2003; 36: 1203-8.
111. Williams JM, Moran M, Thonar EJ, Salter RB: Continuous passive motion stimulates repair of rabbit knee articular cartilage after matrix proteoglycan loss. *Clin Orthop Relat Res*. 1994; (304): 252-62.
112. Woods GW, O'Connor DP, Elkousy HA: Quadriceps tendon rupture through a superolateral bipartite patella. *J Knee Surg*. 2007; 20: 293-5.

〔井上　雅之〕

第3章
半月板

　半月板損傷の治療では，損傷部位や形態などによって保存療法もしくは手術療法が選択される。いずれの治療方針の場合にも損傷部位の保護は不可欠であり，治療において病態により個別性が求められる。それには，半月板の基本的な機能解剖と半月板損傷の病態を理解することが必要である。そこで本章では，「基礎科学」「疫学・病態」「診断・評価」「治療」の4項目に分け，半月板の基礎的な知識から病態の理解，最新の半月板治療にいたるまで，幅広くレビューした。

　「基礎科学」では，まず半月板損傷治療の基礎となる解剖を整理した。次に，正常半月板と半月板損傷モデルのバイオメカニクスに関するエビデンスから，損傷部位や形態が半月板機能へ及ぼす影響をまとめた。さらに，半月板の治癒反応に関しては，従来は半月板の治癒能力が低いとされていたが，細胞増殖因子の注入などにより治癒能力を高める方法が近年発展しつつあり，将来的に治療法の選択に影響する可能性が示唆された。

　「疫学・病態」では，スポーツ活動中に頻発する①急性単独損傷，②ACL損傷併発，および③中高年に頻発する退行変性，の3タイプに分類した。また，受傷機転を調査した研究から損傷メカニズムをそれぞれのタイプごとにまとめた。また，円板状半月の損傷形態などの病態が特徴的であることが示された。

　「評価・診断」では，理学所見や画像所見について感度・特異度も含めて整理した。あらゆる疾患の診断においてMRIが現時点ではゴールデンスタンダードとなっているが，半月板損傷の診断の妥当性は高くはないとの報告もあった。したがって，それぞれの検査法の妥当性を理解したうえで，組み合わせて用いていくことが推奨された。

　最後に「治療」では，保存療法および手術療法は半月板縫合術と切除術に分類してレビューした。保存療法に関しては，その選択基準や効果についてのエビデンスに乏しく，今後の報告が待たれる。手術療法に関しては，縫合術と切除術を比較するという観点で術後成績をまとめた。切除術は，将来的なOAのリスクが高まることから，今後は縫合術の適応が広がっていく可能性が示された。

第3章編集担当：鈴川　仁人

9. 基礎科学

はじめに

　半月板は靱帯や軟骨とともに膝関節の機能において重要な組織である．スポーツ選手の膝関節疾患のなかで，半月板損傷の発生頻度は高い．半月板損傷の治療として，かつては半月板切除が多く行われてきたが，半月板切除により変形性関節症になる危険が高まることなどが報告されて以降，縫合術をはじめとする修復治療が推進されてきた．しかしながら，半月板の解剖あるいは機能的な特徴により，縫合術によって半月板機能が完全に回復するとはかぎらない．また近年においては，半月板の再生医療が進歩しつつある．本項では，半月板損傷治療の基礎となる解剖，バイオメカニクス，治癒反応について整理した．

A. 文献検索方法

　文献検索には PubMed を用いた．言語は英語に限定し，**表 9-1** に示した検索式を用いた．さらに，1990 年以降に公表された半月板の解剖，運動，機能，治癒に関するレビューを参考にハンドサーチを行い，最終的に 54 論文を本レビューに使用した．

B. 解　剖

1. 微細構造

　半月板の湿重量の 72% が水，28% が細胞外基質や細胞などの有機物である[19]．細胞外基質にはコラーゲンやプロテオグリカンが含まれ，半月板の粘弾性や抗張性に寄与している．また，細胞外基質の構成は半月板辺縁と中心で異なる[25]．辺縁領域はコラーゲン I が 80% 以上を占め張力に抗する構成となっているのに対し，中心領域はコラーゲン II とプロテオグリカンの割合が高く圧縮力に抗する構成となっている[25, 28]．

　半月板には細胞外基質の合成や維持に貢献する細胞が存在し，半月板の領域により細胞の種類が異なる[25]．表層には平坦な細胞が密集し，辺縁には他の細胞や細胞外基質と連絡する線維芽細胞様の細胞が，中心領域には軟骨細胞様の細胞が存在する[53]．加齢とともに細胞数は減少し，コラーゲンやプロテオグリカンなど圧縮負荷に抗する細胞外基質が増加する[21]．

　Petersen ら[41] は半月板のコラーゲン線維の配列に関して詳細に分析した．半月板のコラーゲン線維の配列は 3 層構造を呈しており，表層から superficial network, lamellar layer, central main layer と呼ばれている（**図 9-1**）．半月板の体積の大部分を占める central main layer は，コラーゲン線維の円周方向の配列を有し，圧縮負荷を分散する構造となっている．また，その表層

表 9-1　文献検索の検索式とヒット件数

検索式	ヒット件数
meniscus AND anatomy	2,222
meniscus AND function	2,289
meniscus AND biomechanics	133
meniscus AND kinematics	386
meniscus AND healing	453

第3章 半月板

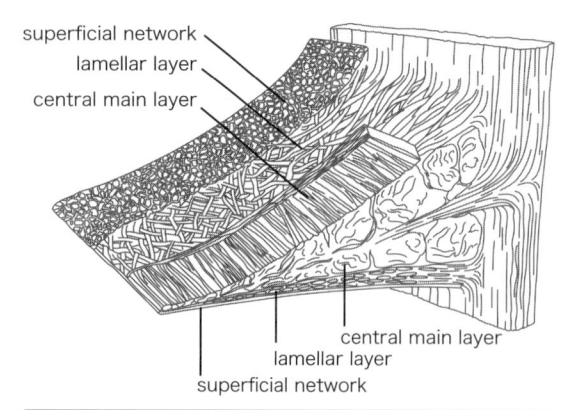

図9-1 コラーゲン線維の配列（文献41より引用）
表層の線維はランダムに走行することで剪断力に抗し，中心部の円周方向の線維は圧縮負荷を分散する。

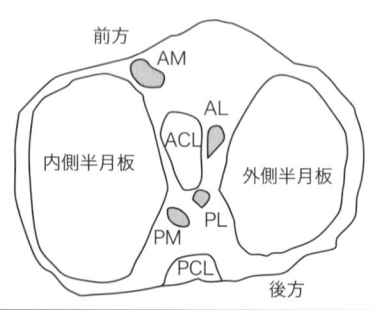

	AM	PM	AL	PL
付着部のサイズ（mm²）	61.4	47.3	44.5	28.5
AMに対する割合（%）	—	77	72	46

図9-2 半月板の付着部とサイズ（文献22より作図）
AM：内側半月板前角，PM：内側半月板後角，AL：外側半月板前角，PL：外側半月板後角，ACL：前十字靱帯，PCL：後十字靱帯，ACLの付着部を挟むように内側半月板前角と後角が付着し，ACLと近傍する形で外側半月板の前角と後角が付着する。

にある線維がランダムに走行し，関節表面に生じる剪断力などのさまざまな負荷に耐える構造となっている。

2. 形態と付着

半月板は内側がC字形，外側がO字形を呈し，円周長は内側半月板のほうが大きい。脛骨被覆率は内側64％（51〜74％），外側84％（75〜93％）と外側半月板のほうが高い[15, 31]。半月板の脛骨付着部の解剖に関して，Johnsonら[22]が15体の屍体膝において探索した。それによると，前十字靱帯（ACL）を挟むように内側半月板の前角と後角が脛骨に付着し，ACLの付着部に近傍する形で外側半月板の前角と後角が脛骨に付着していた。また，付着部のサイズに関しては，内側半月板前角の付着部のサイズが最も大きく，内側半月板後角と外側半月板前角の付着部のサイズはその7割程度，外側半月板後角の付着部サイズはその5割程度であった（**図9-2**）。

3. 半月板に付着する筋腱

さまざまな軟部組織が半月板に付着し，安定性や運動に寄与している。内側半月板後角には半膜様筋腱の複数ある停止腱の一部が後斜靱帯や後方関節包を介して付着する[45]。外側半月板後角には膝窩筋腱が付着する[8, 12]。膝関節屈筋が半月板後方に付着することから，膝屈曲時には半月板は後方へ牽引され，半月板が大腿骨と脛骨の間に挟まれることのないスムーズな膝の運動が可能となっている[45]。

4. 半月板に付着する靱帯

半月大腿靱帯は，外側半月板後角から後十字靱帯（PCL）を挟むように前半月大腿靱帯（Humphry靱帯）と後半月大腿靱帯（Wrisberg靱帯）に分かれ，大腿骨内側顆に付着する[3]。半月大腿靱帯の前後の両方が存在する率は30〜50％程度，少なくともどちらか片方が存在する率は90％以上である[3, 17, 34]。半月大腿靱帯の機能に関してはさまざまな生体外研究が行われ，脛骨大腿関節の関節圧の分散への貢献[2]や，PCL不全膝における後方安定性への寄与[16]が推測されている。

横靱帯は，外側半月板前面の凸縁から内側半月板前縁に走行する[29]。半月板への付着形態により，内側半月板前角から外側半月板前縁，内側半

月板前縁から外側半月板前方の関節包，内側半月板前角や外側半月板前縁には付着せず関節包に付着の3タイプに分類される[35]。横靱帯の存在率は55～94%と研究によりばらつきがある[29,35,51]。

内側半月板の外縁近傍には内側側副靱帯（MCL）が存在する。Steinら[46]は屍体膝を用いた組織学的研究を行い，内側半月板の後方とMCL深層に連続性を認めたことを報告し，半月板の可動性に関与すると考察した。

5．血行

半月板の血行は，内側・外側膝動脈の上枝および下枝から供給される[4]。これらの血管は，辺縁10～30%の範囲（内側半月板10～30%，外側半月板10～25%）において毛細血管網を形成し半月板の栄養を担っている[4]。また，前角や後角の血流は豊富であるのに対し，膝窩筋腱周囲は血流が乏しい[4,10]。

半月板の血行は加齢により変化する。出生時は半月板全体に血流があるが，生後18ヵ月の頃より辺縁1/3に限局され，50歳を超えるとさらに辺縁に限局した血行動態になる[40]。半月板は，血流と中心部からの滑液の拡散により栄養される。滑液による栄養供給には間欠的な荷重が必要となるため，出生から歩行開始までは半月板全体に毛細血管による血流があると推察された[14]。また，50歳以上の血行範囲の減少は，半月板内の水分の移動や栄養に関与する細胞の活動が阻害されることが影響していると考察された[14]。

6．神経

半月板には，侵害受容器である自由神経終末と，機械受容器であるルフィニ小体，パッチーニ小体，ゴルジ腱器官が存在する[14]。半月板の神経分布は血行動態と類似し，辺縁で密，中心で疎あるいは無となっている[10]。また，血行と同様に前後角，特に後角においては神経支配が豊富である[10]。

半月板内に加えられた圧縮力や伸張負荷は半月板の機械受容器を介して中枢神経系に伝達され，身体や膝の運動がコントロールされる[36]。荷重による力学的な負荷が半月板に生じた際には，半月板辺縁が外側に広がるため，半月板辺縁には多くの神経が必要となると考えられている[14]。また，膝屈曲・伸展時には半月板の移動や圧縮により前角や後角には過度なストレスが生じやすいため，前角と後角に神経支配が多いと推察された[15]。

7．解剖学的異常

半月板の解剖学的異常として，付着部の異常，円板状半月，靱帯の欠損などが報告された[17,35,37,42,51]。特に円板状半月に関しては外側円板状半月板に関連した症状を呈する場合があるため，その発生率や形態に関する研究が行われてきた。Ryuら[42]は，日本人の円板状半月の発生率を調査するため，437体の屍体膝を解剖した。その結果，内側半月板は全例が正常，外側半月板は60.3%が正常であった。また，異常形態を完全型（6.2%），不完全型（31.8%），リング型（0.9%），二層型（0.5%）に分けたところ，その多くは不完全型であった。

C．バイオメカニクス

半月板のバイオメカニクスに関するトピックスとして，半月板の材料特性，コンタクトキネマティクス，膝関節運動時の半月板の動き，関節安定性への寄与があげられる。

1．材料特性

半月板の組織強度について，伸張負荷と圧縮負荷に関する研究が，半月板の領域や伸張方向を変数として行われてきた。ヒト半月板を対象とした

第3章 半月板

表 9-2 半月板の伸張率（単位：MPa）

		円周方向			放射方向
		Tissakht ら[50]	Fithian ら[13]	Lechner ら[26]	Tissakht ら[50]
外側半月板	前方	124.5 ± 39.5	159.1 ± 47.4		48.4 ± 25.6
	中央	91.3 ± 23.0	228.8 ± 51.4		45.8 ± 24.2
	後方	143.7 ± 38.9	294.1 ± 26.2		29.8 ± 23.7
内側半月板	前方	106.2 ± 77.9	159.5 ± 26.2	141.2 ± 56.7	48.3 ± 24.3
	中央	77.9 ± 25.0	93.1 ± 52.4	116.4 ± 47.5	46.2 ± 27.5
	後方	82.3 ± 22.2	110.2 ± 40.7	108.4 ± 42.9	32.5 ± 11.2

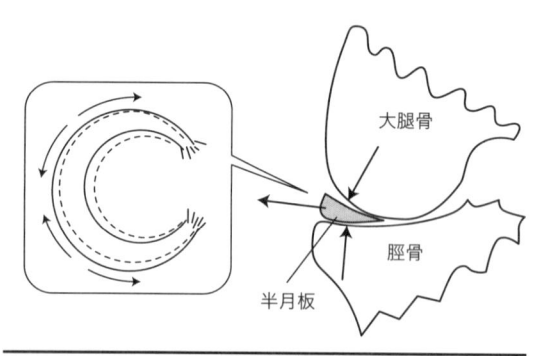

図 9-3 Hoop strain（文献 30 より引用）
垂直方向への負荷は半月板の形状（wedge-shape）および前角・後角への強固な付着の影響で円周方向に配列するコラーゲン線維への tensile stress（hoop strain）に変換される。点線：圧を受ける前の半月板，実線：圧を受け関節中心から外側へ力が伝達された半月板，矢印：円周方向への tensile stress（張力）。

研究では，半月板を円周方向にカットして伸張した場合と放射方向にカットした場合を比較し，半月板が円周方向の伸張負荷に強い組織であることが示された（表 9-2）[13,26,50]。半月板のコラーゲンが円周方向に配列していることからも，半月板が負荷を円周方向に受け止める組織であることが示唆された。また，前節・中節・後節といった領域ごとの特性に関しては一定の見解が得られていない[50]。

圧縮負荷に関して，半月板は関節軟骨の1/10程度の強度であることがわかってきた[30]。これにより，膝関節運動時に大腿骨顆の接触領域に応じて半月板の形状に変形が起こり，関節の適合性

向上に貢献していることが示唆された[24,30]。

2. コンタクトキネマティクス

半月板は，放射状の力に対する抵抗力に優れた構造をもつ。荷重により圧縮負荷が生じた際に，半月板は潰れずに半月板特有の形状やコラーゲン線維配列により関節中心から放射状に外側へと力が伝達される[30]。この圧縮負荷が円周方向のコラーゲン線維への張力に変換されることを hoop strain と呼ぶ（図 9-3）。損傷した半月板に残存する機能を理解するうえで，hoop strain が保たれているか否かが重要となる[30]。

半月板の損傷形態がコンタクトキネマティクスに与える影響に関して，Jones ら[23]が半月板の縦断裂モデルと前方部横断裂モデルを用いて実験を行った。その結果，縦断裂は半月板機能に大きな影響を及ぼさないが，前方部横断裂は 50％断裂により断裂部周囲でのストレインの減少が，完全断裂により半月板全体のストレインが大きく減少した（図 9-4）。この実験は，central main layer の円周方向へのコラーゲン配列の連続性が途絶えることにより，hoop strain による荷重伝達能力が低下し，半月板の機能が損なわれることを実証した。

半月板の切除がコンタクトキネマティクスに与える影響に関して，多くの研究が存在する。Seitz ら[44]は，内側半月板後節を放射方向に段階的に切除し，50％切除においては膝関節 60°屈曲

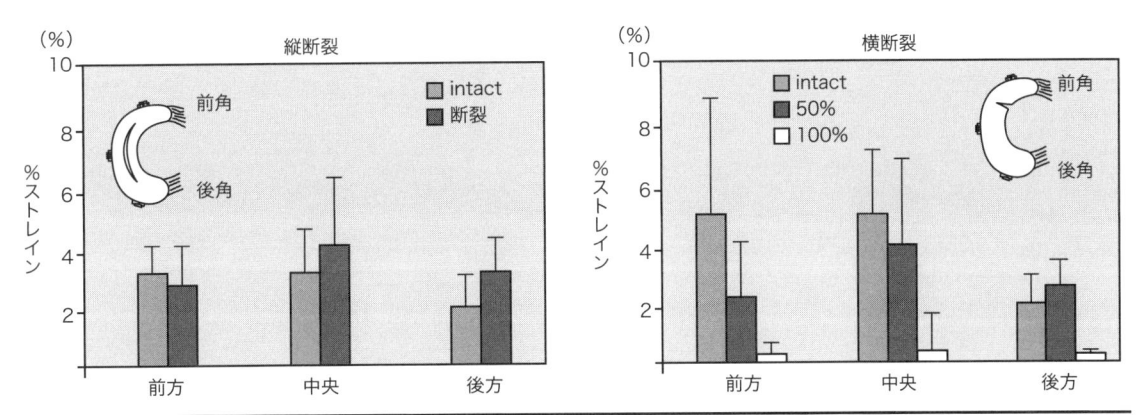

図 9-4 損傷方向が半月板のコンタクトキネマティクスに及ぼす影響（文献 23 より改変）
横断裂により central main layer の円周方向へのコラーゲン配列の連続性が途絶えることにより，hoop strain による荷重伝達能力が低下し，半月板の機能は損なわれる。

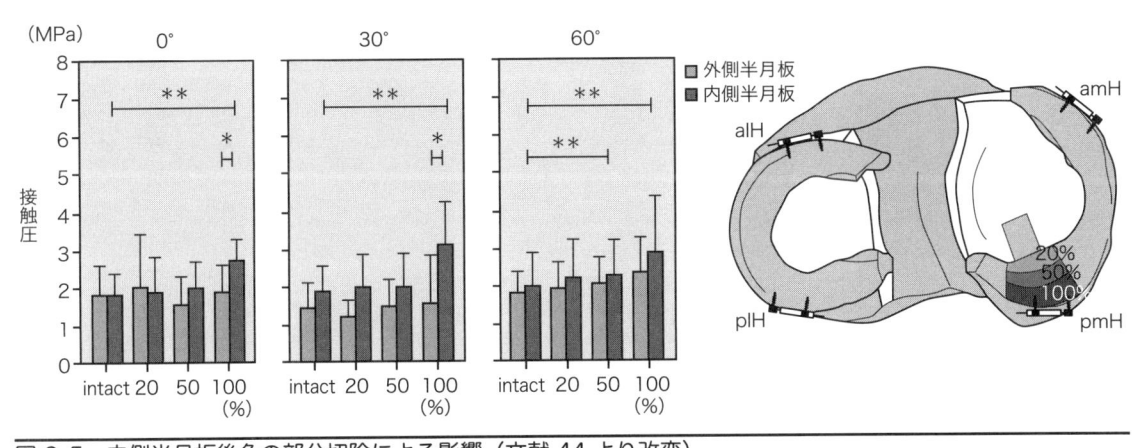

図 9-5 内側半月板後角の部分切除による影響（文献 44 より改変）
50%切除では膝 60°屈曲位のみ有意に接触圧が増加したが，100%切除では全角度において接触圧が増加した。つまり，中心部 50%以下の切除は膝浅屈曲角度においてコンタクトキネマティクスに及ぼす影響が少ないことが示唆される。aIH：外側半月板前角，pIH：外側半月板後角，amH：内側半月板前角，pmH：内側半月板後角。

位のみ，全切除においては膝関節の角度に関係なく接触圧が増大したことを報告した（**図 9-5**）。これにより，中心部 50%以下の切除は膝浅屈曲角度においてはコンタクトキネマティクスに及ぼす影響は少ないことがわかった。Lee ら[27]は内側半月板後節の切除範囲を変数とし，正常モデル，50%切除，75%切除，後節全切除，内側半月板全切除モデルを作成し，軸圧負荷時の関節圧を測定した。その結果，後節全切除と内側半月板全切除における接触圧に有意差は認められず，円周方向の連続性が途絶えた場合に半月板の機能が失われることが示された。

3. 膝関節運動に伴う半月板の動き

半月板は脛骨大腿関節の適合性向上に貢献する。膝関節屈曲・伸展時には，大腿骨と脛骨の関節接触面の移動に合わせて，半月板は前後に移動する[52]。これにより脛骨大腿関節と密着し，応力分散の役割を果たすことができる[52]。膝関節運動時の半月板の運動に関して，生体内，生体外，MRI，open MRI，荷重，非荷重など多くの条件で分析されてきた（**表 9-3**）[11, 43, 48, 49, 52, 54]。

第3章 半月板

表9-3 膝屈曲時の半月板の動き（文献43より改変）（単位：mm）

		内側半月板前角	内側半月板後角	外側半月板前角	外側半月板後角
Thompsonら[48]	屍体膝	7	3.2	12.8	9.6
Tienenら[49]		6.4	3.2	—	—
Yaoら[54]	生体内	6.5	3.1	10.2	6.2
Eplerら[11]		8.9	7.6	7.5	6.1
Vediら[52]		7.1	3.9	9.5	5.6

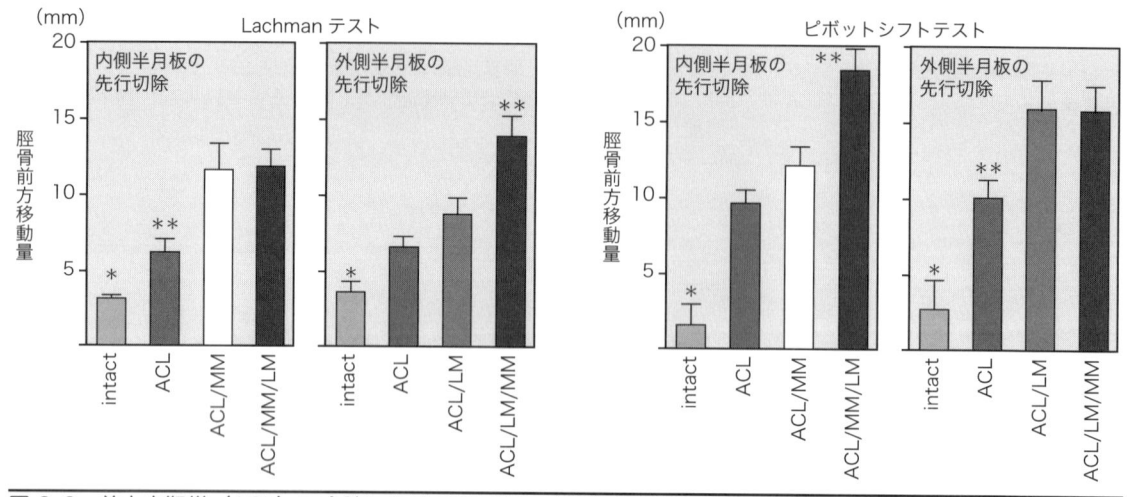

図9-6 前十字靱帯（ACL）不全膝における半月板の膝関節安定化作用（文献32より改変）
内側半月板（MM）は脛骨前方移動の，外側半月板（LM）は回旋と前方移動の複合的な動きのセカンダリースタビライザーであることが示唆される。

Scholesら[43]は膝関節運動中の半月板の移動に関する各研究の方法論を，改訂版Coleman methodology scoreを用いて質的に比較した。その結果，Yao[54]およびVedi[52]の研究が良質と認められた。これらの研究によると，半月板は膝関節屈曲時に後方へ移動し，その移動量は内側半月板よりも外側半月板のほうが大きく，また，後角よりも前角のほうが大きい。一方，膝関節内・外旋時の半月板の動きに関して，Tienenら[49]が屍体膝を用いて検証した。その結果，外旋位では脛骨に対して外側半月板は前方，内側半月板は後方へ偏位し，内旋位ではその逆に偏位していた。

4. 関節安定性への寄与

膝関節前方安定性に対する半月板の寄与は特にACL不全膝において重要である。Musahlら[32]は，ACLを切離した屍体膝において，内側半月板切除の後に両側切除する「内側半月板切除群」と外側半月板切除後に両側切除する「外側切除群」に分け，Lachmanテストおよびピボットシフトテスト中の，脛骨の移動量を計測した。その結果，ACL不全膝においては，内側半月板は前方不安定性の，外側半月板は前方と回旋不安定性のスタビライザーとして貢献していた（図9-6）。

D. 治癒反応

損傷した組織が修復するためには，栄養や細胞を運搬するための血流，組織の修復に関与する細胞の働き，細胞の働きを増幅させるための成長因

表 9-4　半月板の修復に関与する細胞増殖因子（文献 1，6，7，9，18，33，38，39，47，53 より作成）

細胞増殖因子	対象	効果
血管内皮増殖因子（VEGF）	ヒツジ	線維軟骨の増殖に関与
	ウサギ	細胞増殖
血小板由来増殖因子（PDGF）	ヒト	組織再生
	ウシ	DNA 合成
上皮成長因子（EGF）	イヌ	有意差なし
	イヌ	細胞増殖
線維芽細胞成長因子（FGF）	ヒト	軟骨形成の信号
	ウサギ	半月細胞の分裂増殖
トランスフォーミング成長因子（TGF-β1）	ウサギ	ECM 組織化の促進
	ヒト	線維軟骨細胞のプロテオグリカン合成促進
	ヒツジ	プロテオグリカン合成促進

子などの増殖因子といった要素が必要であり，さらにそれらが集積するための足場材料が重要となる[20]。半月板の修復に関しても同様であり，これらの要素に関する研究が進められてきている。

半月板は領域により血流が異なるため，損傷した部位により修復能力が異なる[4]。血流が豊富な辺縁領域（red–redzone）は損傷しても治癒が良好といわれているが，中心部の無血管領域（white–whitezone）は血流による修復過程が生じないため，修復はされない[4,5]。また，辺縁と中心の中間にあたる領域（red–whitezone）は損傷形態によっては修復が望める[4,5]。

近年，半月板の無血管領域の再生を目指し，成長因子に代表される細胞増殖因子を注入する方法などが研究されている。その基礎研究として，血管内皮成長因子や血小板由来成長因子などさまざまな細胞増殖因子が半月板内のコラーゲンやプロテオグリカンの合成，細胞の増殖や遊走を促進することがわかってきた[1,6,7,9,18,33,38,39,47,53]（表 9-4）。

E. まとめ

1. すでに真実として承認されていること

- 半月板は解剖学的かつバイオメカニクス的に伸張負荷に抗する組織である。
- 半月板の辺縁は血行および神経支配が豊富であり，損傷後の修復が良好である。
- 円周方向へのコラーゲン線維の配列が途絶することにより，半月板の機能は大きく損なわれる。

2. 議論の余地はあるが，今後の重要な研究テーマとなること

- 中心部の小範囲の損傷や部分切除は関節キネマティクスへの影響が少ない。
- 無血管領域の半月板の治癒の可能性。

F. 今後の課題

再生医療の技術の進歩に伴い半月板の再生が期待されるため，半月板の無血管領域の修復および修復後の半月板の組織学的・機能的検討が必要である。一方で，半月板を切除するにあたって，バイオメカニクス的に機能する半月板を保つためには，どのような部分切除が可能なのか，さらに詳細に検証していくことが望まれる。

文　献

1. Adesida AB, Grady LM, Khan WS, Hardingham TE: The matrix-forming phenotype of cultured human meniscus cells is enhanced after culture with fibroblast growth

factor 2 and is further stimulated by hypoxia. *Arthritis Res Ther*. 2006; 8: R61.
2. Amadi HO, Gupte CM, Lie DT, McDermott ID, Amis AA, Bull AM: A biomechanical study of the meniscofemoral ligaments and their contribution to contact pressure reduction in the knee. *Knee Surg Sports Traumatol Arthrosc*. 2008; 16: 1004-8.
3. Amis AA, Gupte CM, Bull AM, Edwards A: Anatomy of the posterior cruciate ligament and the meniscofemoral ligaments. *Knee Surg Sports Traumatol Arthrosc*. 2006; 14: 257-63.
4. Arnoczky SP, Warren RF: Microvasculature of the human meniscus. *Am J Sports Med*. 1982; 10: 90-5.
5. Arnoczky SP, Warren RF: The microvasculature of the meniscus and its response to injury. An experimental study in the dog. *Am J Sports Med*. 1983; 11: 131-41.
6. Becker R, Pufe T, Kulow S, Giessmann N, Neumann W, Mentlein R, Petersen W: Expression of vascular endothelial growth factor during healing of the meniscus in a rabbit model. *J Bone Joint Surg Br*. 2004; 86: 1082-7.
7. Bhargava MM, Hidaka C, Hannafin JA, Doty S, Warren RF: Effects of hepatocyte growth factor and platelet-derived growth factor on the repair of meniscal defects *in vitro*. *In Vitro Cell Dev Biol Anim*. 2005; 41: 305-10.
8. Chuncharunee A, Chanthong P, Lucksanasombool P: The patterns of proximal attachments of the popliteus muscle: form and function. *Med Hypotheses*. 2012; 78: 221-4.
9. Collier S, Ghosh P: Effects of transforming growth factor beta on proteoglycan synthesis by cell and explant cultures derived from the knee joint meniscus. *Osteoarthritis Cartilage*. 1995; 3: 127-38.
10. Day B, Mackenzie WG, Shim SS, Leung G: The vascular and nerve supply of the human meniscus. *Arthroscopy*. 1985; 1: 58-62.
11. Epler M, Sitler M, Moyer R: Kinematics of healthy and meniscal repaired knees. *Res Sports Med*. 2005; 13: 91-109.
12. Feipel V, Simonnet ML, Rooze M: The proximal attachments of the popliteus muscle: a quantitative study and clinical significance. *Surg Radiol Anat*. 2003; 25: 58-63.
13. Fithian DC, Kelly MA, Mow VC: Material properties and structure-function relationships in the menisci. *Clin Orthop Relat Res*. 1990; (252): 19-31.
14. Gray JC: Neural and vascular anatomy of the menisci of the human knee. *J Orthop Sports Phys Ther*. 1999; 29: 23-30.
15. Greis PE, Bardana DD, Holmstrom MC, Burks RT: Meniscal injury: I. Basic science and evaluation. *J Am Acad Orthop Surg*. 2002; 10: 168-76.
16. Gupte CM, Bull AM, Thomas RD, Amis AA: The meniscofemoral ligaments: secondary restraints to the posterior drawer. Analysis of anteroposterior and rotary laxity in the intact and posterior-cruciate-deficient knee. *J Bone Joint Surg Br*. 2003; 85: 765-73.
17. Gupte CM, Bull AM, Thomas RD, Amis AA: A review of the function and biomechanics of the meniscofemoral ligaments. *Arthroscopy*. 2003; 19: 161-71.
18. Hashimoto J, Kurosaka M, Yoshiya S, Hirohata K: Meniscal repair using fibrin sealant and endothelial cell growth factor. An experimental study in dogs. *Am J Sports Med*. 1992; 20: 537-41.
19. Herwig J, Egner E, Buddecke E: Chemical changes of human knee joint menisci in various stages of degeneration. *Ann Rheum Dis*. 1984; 43: 635-40.
20. Houglum PA: Soft tissue healing and its impact on rehabilitation. *J Sports Rehabil*. 1992; 1: 19-39.
21. Ionescu LC, Lee GC, Garcia GH, Zachry TL, Shah RP, Sennett BJ, Mauck RL: Maturation state-dependent alterations in meniscus integration: implications for scaffold design and tissue engineering. *Tissue Eng Part A*. 2011; 17: 193-204.
22. Johnson DL, Swenson TM, Livesay GA, Aizawa H, Fu FH, Harner CD: Insertion-site anatomy of the human menisci: gross, arthroscopic, and topographical anatomy as a basis for meniscal transplantation. *Arthroscopy*. 1995; 11: 386-94.
23. Jones RS, Keene GC, Learmonth DJ, Bickerstaff D, Nawana NS, Costi JJ, Pearcy MJ: Direct measurement of hoop strains in the intact and torn human medial meniscus. *Clin Biomech (Bristol, Avon)*. 1996; 11: 295-300.
24. Joshi MD, Suh JK, Marui T, Woo SL: Interspecies variation of compressive biomechanical properties of the meniscus. *J Biomed Mater Res*. 1995; 29: 823-8.
25. Kawamura S, Lotito K, Rodeo SA: Biomechanics and healing response of the meniscus. *Operative Techniques in Sports Medicine*. 2003; 11: 68-76.
26. Lechner K, Hull ML, Howell SM: Is the circumferential tensile modulus within a human medial meniscus affected by the test sample location and cross-sectional area? *J Orthop Res*. 2000; 18: 945-51.
27. Lee SJ, Aadalen KJ, Malaviya P, Lorenz EP, Hayden JK, Farr J, Kang RW, Cole BJ: Tibiofemoral contact mechanics after serial medial meniscectomies in the human cadaveric knee. *Am J Sports Med*. 2006; 34: 1334-44.
28. Makris EA, Hadidi P, Athanasiou KA: The knee meniscus: structure-function, pathophysiology, current repair techniques, and prospects for regeneration. *Biomaterials*. 2011; 32: 7411-31.
29. Marcheix PS, Marcheix B, Siegler J, Bouillet P, Chaynes P, Valleix D, Mabit C: The anterior intermeniscal ligament of the knee: an anatomic and MR study. *Surg Radiol Anat*. 2009; 31: 331-4.
30. Masouros SD, McDermott ID, Amis AA, Bull AM: Biomechanics of the meniscus-meniscal ligament construct of the knee. *Knee Surg Sports Traumatol Arthrosc*. 2008; 16: 1121-32.
31. McDermott ID, Sharifi F, Bull AM, Gupte CM, Thomas RW, Amis AA: An anatomical study of meniscal allograft sizing. *Knee Surg Sports Traumatol Arthrosc*. 2004; 12: 130-5.
32. Musahl V, Citak M, O'Loughlin PF, Choi D, Bedi A, Pearle AD: The effect of medial versus lateral meniscectomy on the stability of the anterior cruciate ligament-deficient knee. *Am J Sports Med*. 2010; 38: 1591-7.
33. Nabeshima Y, Kurosaka M, Yoshiya S, Mizuno K: Effect of fibrin glue and endothelial cell growth factor on

33. the early healing response of the transplanted allogenic meniscus: a pilot study. *Knee Surg Sports Traumatol Arthrosc*. 1995; 3: 34-8.
34. Nagasaki S, Ohkoshi Y, Yamamoto K, Ebata W, Imabuchi R, Nishiike J: The incidence and cross-sectional area of the meniscofemoral ligament. *Am J Sports Med*. 2006; 34: 1345-50.
35. Nelson EW, LaPrade RF: The anterior intermeniscal ligament of the knee. An anatomic study. *Am J Sports Med*. 2000; 28: 74-6.
36. Nyland J, Brosky T, Currier D, Nitz A, Caborn D: Review of the afferent neural system of the knee and its contribution to motor learning. *J Orthop Sports Phys Ther*. 1994; 19: 2-11.
37. Ohkoshi Y, Takeuchi T, Inoue C, Hashimoto T, Shigenobu K, Yamane S: Arthroscopic studies of variants of the anterior horn of the medical meniscus. *Arthroscopy*. 1997; 13: 725-30.
38. Pangborn CA, Athanasiou KA: Growth factors and fibrochondrocytes in scaffolds. *J Orthop Res*. 2005; 23: 1184-90.
39. Petersen W, Pufe T, Stärke C, Fuchs T, Kopf S, Neumann W, Zantop T, Paletta J, Raschke M, Becker R: The effect of locally applied vascular endothelial growth factor on meniscus healing: gross and histological findings. *Arch Orthop Trauma Surg*. 2007; 127: 235-40.
40. Petersen W, Tillmann B: Age-related blood and lymph supply of the knee menisci. A cadaver study. *Acta Orthop Scand*. 1995; 66: 308-12.
41. Petersen W, Tillmann B: Collagenous fibril texture of the human knee joint menisci. *Anat Embryol (Berl)*. 1998; 197: 317-24.
42. Ryu K, Iriuchishima T, Oshida M, Saito A, Kato Y, Tokuhashi Y, Aizawa S: Evaluation of the morphological variations of the meniscus: a cadaver study. *Knee Surg Sports Traumatol Arthrosc*. 2015; 23: 15-9.
43. Scholes C, Houghton ER, Lee M, Lustig S: Meniscal translation during knee flexion: what do we really know? *Knee Surg Sports Traumatol Arthrosc*. 2015; 23: 32-40.
44. Seitz AM, Lubomierski A, Friemert B, Ignatius A, Durselen L: Effect of partial meniscectomy at the medial posterior horn on tibiofemoral contact mechanics and meniscal hoop strains in human knees. *J Orthop Res*. 2012; 30: 934-42.
45. Sims WF, Jacobson KE: The posteromedial corner of the knee: medial-sided injury patterns revisited. *Am J Sports Med*. 2004; 32: 337-45.
46. Stein G, Koebke J, Faymonville C, Dargel J, Muller LP, Schiffer G: The relationship between the medial collateral ligament and the medial meniscus: a topographical and biomechanical study. *Surg Radiol Anat*. 2011; 33: 763-6.
47. Tanaka T, Fujii K, Kumagae Y: Comparison of biochemical characteristics of cultured fibrochondrocytes isolated from the inner and outer regions of human meniscus. *Knee Surg Sports Traumatol Arthrosc*. 1999; 7: 75-80.
48. Thompson WO, Thaete FL, Fu FH, Dye SF: Tibial meniscal dynamics using three-dimensional reconstruction of magnetic resonance images. *Am J Sports Med*. 1991; 19: 210-5; discussion 215-6.
49. Tienen TG, Buma P, Scholten JG, van Kampen A, Veth RP, Verdonschot N: Displacement of the medial meniscus within the passive motion characteristics of the human knee joint: an RSA study in human cadaver knees. *Knee Surg Sports Traumatol Arthrosc*. 2005; 13: 287-92.
50. Tissakht M, Ahmed AM: Tensile stress-strain characteristics of the human meniscal material. *J Biomech*. 1995; 28: 411-22.
51. Tubbs RS, Michelson J, Loukas M, Shoja MM, Ardalan MR, Salter EG, Oakes WJ: The transverse genicular ligament: anatomical study and review of the literature. *Surg Radiol Anat*. 2008; 30: 5-9.
52. Vedi V, Williams A, Tennant SJ, Spouse E, Hunt DM, Gedroyc WM: Meniscal movement. An *in-vivo* study using dynamic MRI. *J Bone Joint Surg Br*. 1999; 81: 37-41.
53. Webber RJ, Harris MG, Hough AJ Jr: Cell culture of rabbit meniscal fibrochondrocytes: proliferative and synthetic response to growth factors and ascorbate. *J Orthop Res*. 1985; 3: 36-42.
54. Yao J, Lancianese SL, Hovinga KR, Lee J, Lerner AL: Magnetic resonance image analysis of meniscal translation and tibio-menisco-femoral contact in deep knee flexion. *J Orthop Res*. 2008; 26: 673-84.

〔木村　佑〕

10. 疫学・病態

はじめに

半月板損傷は膝関節疾患のなかでも高頻度に発生する疾患である．しかしながら，その疫学や病態には依然として不明な点が多い．本項では，半月板損傷の疫学，病態，受傷メカニズム，危険因子についての知見を整理した．

A. 文献検索方法

文献検索には PubMed を使用し，キーワードには，①knee AND (meniscus injury OR meniscus tear) AND (epidemiology OR etiology OR incidence)：821 編，②knee AND (meniscus injury OR meniscus tear) AND (pathology OR symptom)：1,108 編，③knee AND (meniscus injury OR meniscus tear) AND (mechanism OR risk factor OR biomechanics OR kinematics OR alignment)：504 編，を用いた．また，論文の引用文献リストを参照し，ハンドサーチも行った．後述のとおり，半月板損傷にはいくつかのタイプがあると考えられたため，それらが分類されていなかったものや損傷や対象者の詳細な情報がなかったものはすべて除外した．その結果，本項のテーマに合致すると判断された論文 65 編を採用した．

B. 半月板損傷の分類

半月板損傷は非常に幅広い年齢層において発生し，多様な病態を呈する．したがって，さまざまなタイプの半月板損傷の疫学や病態を一括して論じることは難しい．そこで本項では，半月板損傷を①急性単独損傷，②ACL 損傷併発，③退行変性，の 3 タイプに分類した．急性単独損傷はスポーツなど特定の発生機転の結果として起こったと考えられるものである．ACL 損傷併発は，ACL 損傷と同時に発生，または ACL 損傷による膝関節弛緩性の結果として発生したと思われるものを指す．退行変性は長期間にわたる負荷への曝露の結果として発生したと思われるもので，中高年者に好発する．また，本項における半月板の断裂形態は図 10-1 の分類に準じた．

C. 急性単独損傷

1. 疫　学

半月板の急性単独損傷は比較的高い頻度で発生する．米国高校生アスリートを対象に膝関節外傷

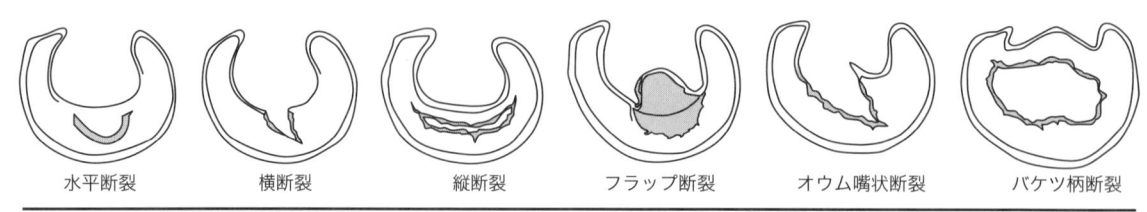

| 水平断裂 | 横断裂 | 縦断裂 | フラップ断裂 | オウム嘴状断裂 | バケツ柄断裂 |

図 10-1　半月板の断裂形態

10. 疫学・病態

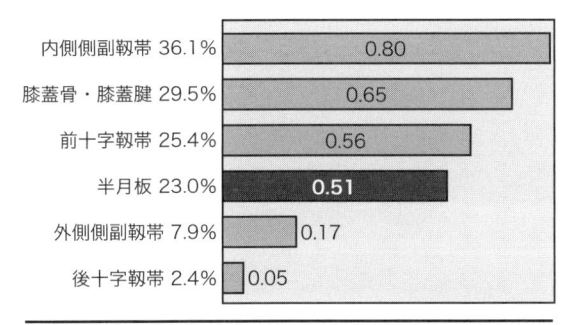

図 10-2 全膝関節外傷に占める半月板損傷の割合（/10,000AE）（文献 59 より作図）
米国の高校生アスリートを対象に膝関節外傷の内訳を調査した研究では，半月板損傷が全体の 23％を占めた．

内側側副靱帯 36.1%　0.80
膝蓋骨・膝蓋腱 29.5%　0.65
前十字靱帯 25.4%　0.56
半月板 23.0%　0.51
外側側副靱帯 7.9%　0.17
後十字靱帯 2.4%　0.05

表 10-1 急性単独型半月板損傷の発生率（文献 32，59，64 より作成）

報告者	対象	発生率
Swenson ら[59]	高校生アスリート	0.51 / 10,000 AE
Yeh ら[64]	NBA 選手	1.58 / 10,000 AE
Lauder ら[32]	軍人	3.26 / 10,000 PY

AE：athlete exposures，PY：person-years．

の内訳を調査した研究では，半月板損傷が全体の 23％を占め，第 4 位であった（図 10-2）[59]．発生率は，高校生アスリートで 0.51/10,000 athlete-exposures（AE）[59]，NBA 選手で 1.58/10,000 AE[64]，軍人で 3.26/10,000 person-years（PY）[32] であった（表 10-1）．

急性単独損傷の好発年齢は半月板の内外側で異なる．Yeh ら[64] は，NBA の外傷データベースを利用し，1988〜2009 年の 21 シーズン（1998〜1999 シーズンはストライキにより開幕が 2 ヵ月間遅れたため除外）において発生したすべての半月板損傷について詳細に調査した．好発年齢は外側半月板損傷で 20 歳未満，内側半月板損傷で 30 歳以上であった（図 10-3）．外側半月板損傷では，年齢と発生率との間に有意な相関関係が示された（$R^2=0.255$, $p<0.05$）．

急性単独損傷発生率の性差については，結果が研究間で一致しなかった．高校生アスリートでは女性（0.22 vs. 0.42/10,000 AE）[59]，軍人では男性（3.46 vs. 1.82/10,000 PY[32]，70.8 vs. 60.2/10,000 PY[23]）に多く発生し，コンセンサスは得られていない．

競技別発生率では，アメリカンフットボール，サッカー，レスリングなどが上位を占めた[59]（表 10-2）．それぞれの発生率は，アメリカンフットボールで 1.15/10,000 AE，男子サッカーで 0.35/10,000 AE，女子サッカーで 0.89/10,000 AE，レスリングで 0.80/10,000 AE であった．

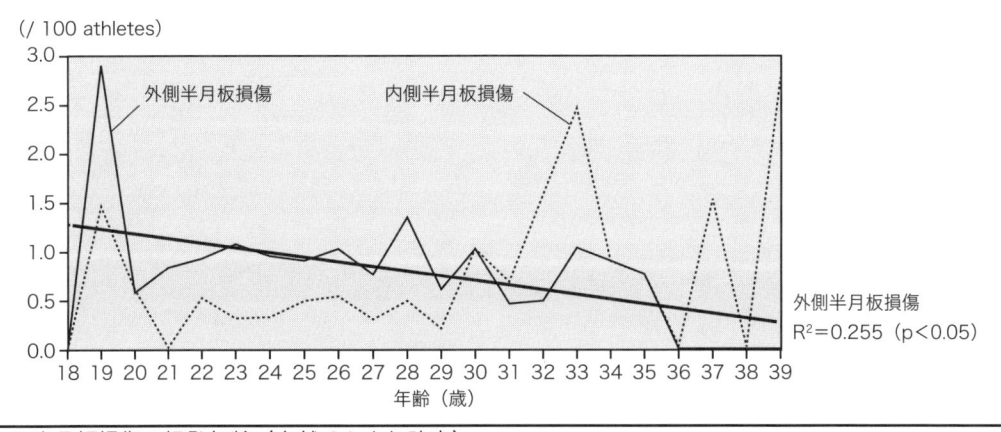

図 10-3 半月板損傷の好発年齢（文献 64 より改変）
半月板損傷の好発年齢は外側半月板損傷で 20 歳未満，内側半月板損傷で 30 歳以上であり，外側半月板損傷では，年齢と発生率との間に有意な相関関係がみられた．

第3章 半月板

表10-2 急性単独型半月板損傷の競技別発生率（文献59より作成）

競技		発生率 (/10,000 AE)	男女比 (95% CI)
アメリカンフットボール		1.15	—
サッカー	男子	0.35	2.55 (1.71, 3.78)
	女子	0.89	
レスリング		0.80	—
女子体操		0.65	—
ラクロス	男子	0.44	1.39 (0.68, 2.84)
	女子	0.61	
バスケットボール	男子	0.28	2.11 (1.38, 3.25)
	女子	0.59	
男子アイスホッケー		0.36	—

内側半月板損傷
- 前角：19%
- 中節：29%
- 後角：52%

外側半月板損傷
- 前角：15%
- 中節：58%
- 後角：27%

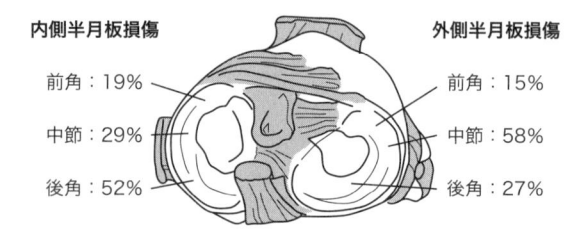

図10-4 急性単独型半月板損傷の好発部位（文献61より作図）
断裂部位は，内側では後角，外側では中節の損傷が半数以上を占めていた。

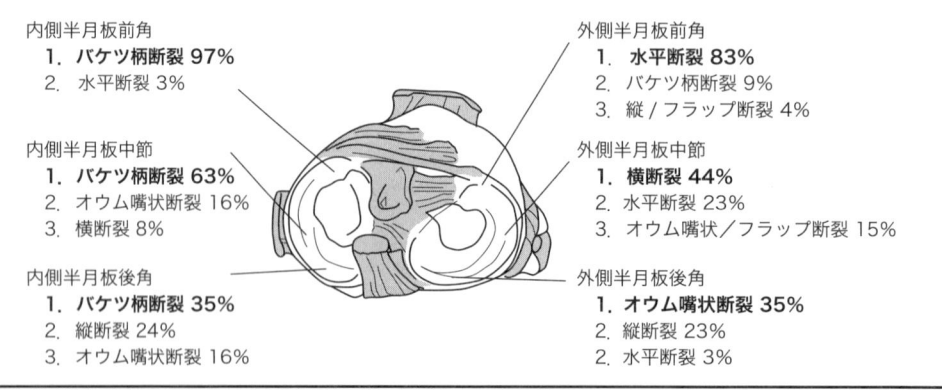

内側半月板前角
1. バケツ柄断裂 97%
2. 水平断裂 3%

内側半月板中節
1. バケツ柄断裂 63%
2. オウム嘴状断裂 16%
3. 横断裂 8%

内側半月板後角
1. バケツ柄断裂 35%
2. 縦断裂 24%
3. オウム嘴状断裂 16%

外側半月板前角
1. 水平断裂 83%
2. バケツ柄断裂 9%
3. 縦／フラップ断裂 4%

外側半月板中節
1. 横断裂 44%
2. 水平断裂 23%
3. オウム嘴状／フラップ断裂 15%

外側半月板後角
1. オウム嘴状断裂 35%
2. 縦断裂 23%
2. 水平断裂 3%

図10-5 急性単独型半月板損傷の好発断裂形態（文献61より作図）
後角と中節の各区域における断裂形態は，内側では縦方向の断裂，外側では横方向の断裂が多い傾向が認められた。

2. 病態

　急性単独損傷の内外側分布には，若干の偏りがみられる。前述のNBAの外傷データベースを用いた調査によると，急性単独損傷129症例のうち，外側半月板損傷は77症例（59.7%），内側半月板損傷は52症例（40.3%）であり，発生率は外側半月板損傷のほうが有意に高かった（1.01 vs. 0.57/10,000 AE）[64]。

　好発部位は内側と外側では異なる。急性単独損傷の位置を調査したTerzidisら[61]の研究結果をもとに，断裂部位を内外側の前角，中節，後角の計6区域に独自に分類した。その結果，内側では後角，外側では中節の損傷がそれぞれ半数以上を占めていた（図10-4）。また，特に損傷が起こりやすい後角と中節の各区域において断裂形態を調べたところ，内側ではいずれも縦方向の断裂，外側では横方向の断裂が多い傾向が認められた（図10-5）。

　円板状半月損傷（discoid損傷）については，上記と異なる特徴が認められた。Shiehら[55]は10〜19歳の半月板損傷症例の詳細を後ろ向きに調査した。その結果，半月板損傷324件中46件（14%）がdiscoid損傷で，すべて外側半月板損傷であった。非discoid群に比してdiscoid群では，有意に年齢とBMIが低く，女性に多い傾向が認められた。また，児童群（骨端軟骨板閉鎖前）に有意に多かった。好発する断裂形態はdiscoidが完全型なのか不完全型なのかによって異な

表 10-3 円板状半月板（discoid）損傷の断裂形態（文献 3, 7 より作成）

	断裂形態					
	水平	縦	横	複雑	退行変性	バケツ柄
完全型	76.1%	18.3%	1.4%	1.4%	0%	2.8%
不完全型	27.6%	28.7%	26.4%	8.0%	6.9%	2.3%

表 10-4 急性単独型半月板損傷の発生機転（文献 64 より作成）

	受傷メカニズム			
	潜行型	非接触型	接触型	不明
内側半月板損傷	36.5%	32.7%	19.2%	11.5%
外側半月板損傷	33.8%	31.2%	19.5%	15.6%

る。Discoid 損傷の断裂形態を調査した研究[3,7]の結果を統合したところ，完全型では水平断裂が大多数を占めたのに対し，不完全型では水平，縦，または横断裂が混在していた（**表 10-3**）。

3. 受傷メカニズム

一般的に，半月板損傷の受傷機転は，カッティングやツイスティングなどの動作と考えられがちであるが，実際にその根拠となる論文は意外なほどなく，急性単独損傷の受傷機転を分析した研究は NBA 選手のデータのみであった[64]。この調査によると，内外側を問わず半月板損傷の受傷機転は潜行型または非接触型が多かったが（**表 10-4**），それぞれの詳細については記述されていなかった。したがって，急性単独損傷の受傷メカニズムはほぼ何もわかっていないのが現状である。

4. 危険因子

急性単独損傷の危険因子としてスポーツ種目があげられる。Snoeker ら[57]は，Baker ら[4,5]の研究データを用いてメタ分析を行った。なお，対照群は過去 12 ヵ月にわたってスポーツを行っていなかった者であった。その結果，サッカーを行うことによって半月板損傷受傷のリスクは有意に増加すると算出された（オッズ比 3.58；95%CI 1.87, 6.86）。同様に，ラグビーのオッズ比は 2.84（95%CI 1.48, 5.45）であった。意外にも，荷重動作が比較的少ない水泳のオッズ比は 1.54（95%CI：1.09, 2.17）と算出された。分析対象となった競技でオッズ比が最も低かったのはランニング（1.24；95%CI 0.74, 2.07）であり，有意ではなかった。他の研究では，外傷受傷時に非荷重だった場合に比べ，荷重していた場合は半月板損傷のリスクが高かった（オッズ比 4.5）[20]。

D. 前十字靱帯（ACL）損傷併発

1. 疫　学

半月板損傷の ACL 損傷との併発率，内外側分布を**表 10-5**，**表 10-6**にまとめた。なお，半月板損傷は ACL 損傷からの期間に影響を受ける可能性があるため，受傷 6 週後を便宜上のカットオフとし，それ以前を急性 ACL 損傷膝，それ以後を慢性 ACL 不全膝に分類した。その結果，急性 ACL 損傷膝では平均 60%[9,12,14,16,21,25,27,38,42,45,50,51,53,54,58,63]，慢性 ACL 不全膝では平均 72%[11,13,18,19,22,26,31,37,38,41,50,63]の症例に半月板損傷が併発していた。また，急性 ACL 損傷膝では外側半月板損傷が半数以上を占めていた[9,12,14,16,21,25,27,38,42,45,50,51,53,54,58,63]のに対し，慢性 ACL 不全膝では内側半月板損傷が多い傾向が認められた[1,11,13,15,18,19,22,25,26,31,37,38,41,50,63]。かつて O'Donoghue

第3章 半月板

表10-5 急性ACL損傷膝における半月板損傷併発率と内外側分布

報告者	受傷から再建術までの期間	半月板損傷併発率	内外側分布 内側	内外側分布 外側	内外側分布 両側
DeHaven [14]	<3週	65%	20%	52%	27%
Noyes ら [42]	<3週	62%	34%	61%	5%
Woods ら [63]	<2週	50%	52%	46%	2%
Cerabona ら [9]	<4週	46%	53%	40%	6%
Sgaglione ら [51]	<3週	60%	44%	56%	―
Shelbourne ら [53]	<4週	83%	13%	88%	―
Sherman ら [54]	<3週	46%	65%	17%	17%
Paletta ら [45] *	<3週	41%	19%	74%	6%
Paletta ら [45] **	<3週	63%	40%	45%	15%
Keene ら [25]	<6週	81%	40%	60%	―
Sgaglione ら [50]	<3週	73%	19%	50%	31%
Spindler ら [58]	<2週	93%	40%	60%	―
Cimino [12]	<3週	23%	43%	57%	―
Duncan ら [16]	<4週	50%	11%	82%	7%
Millet ら [38]	<6週	59%	20%	80%	―
Kilcoyne ら [27]	<4週	52%	56%	44%	―
Illingworth ら [21]	<4週	68%	21%	38%	41%
平均		60%	35%	56%	16%

＊：スキー選手，＊＊：非スキー選手。

表10-6 慢性ACL不全膝における半月板損傷併発率と内外側分布

報告者	受傷から再建術までの期間	半月板損傷併発率	内外側分布 内側	内外側分布 外側	内外側分布 両側
Woods ら [63]	37ヵ月（43日〜20年）	88%	64%	36%	1%
Fowler ら [19]	4.3年（6ヵ月〜37年）	75%	50%	50%	―
Aglietti ら [1]	43ヵ月（1〜300ヵ月）	―	82%	8%	10%
Kornblatt ら [31]	3年（2ヵ月〜18年）	82%	75%	25%	―
Finsterbush ら [18]	14ヵ月（3週〜15年）	65%	73%	23%	5%
Irvine ら [22]	36ヵ月（0〜240ヵ月）	86%	44%	56%	―
Keene ら [25]	6週〜12ヵ月	―	59%	41%	―
	>12ヵ月	89%	58%	42%	―
Sgaglione ら [50]	22.5ヵ月（1.5〜72ヵ月）	57%	44%	19%	38%
Millet ら [38]	>6週	73%	50%	50%	―
de Roek ら [13]	10ヵ月（0〜52ヵ月）	63%	49%	23%	28%
Church ら [11]	>12ヵ月	71%	56%	28%	16%
Naranje ら [41]	17ヵ月（3〜90ヵ月）	74%	49%	30%	22%
Kennedy ら [26]	>8週	68%	23%	60%	17%
Dumont ら [15]	>3ヵ月	―	40%	60%	―
Michalitsis ら [37]	3〜12ヵ月	54%	43%	29%	29%
	>12ヵ月	63%	45%	41%	14%
平均		72%	53%	36%	18%

10. 疫学・病態

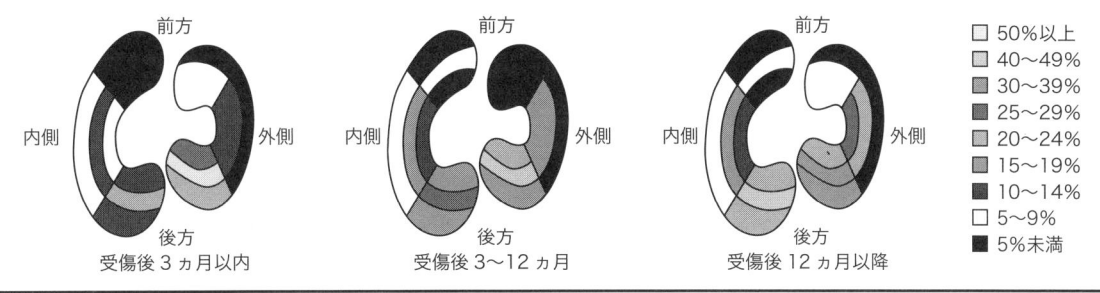

図 10-6　ACL 損傷併発型半月板損傷の好発部位（文献 56 より作図）
急性期では外側半月板後角損傷が多く，受傷から再建術までの期間が長くなるにつれて内側半月板後角損傷の割合も増加している．

表 10-7　ACL 損傷併発型半月板損傷の好発断裂形態（文献 1, 9, 19, 22, 25, 41, 45 より作成）

| 急性 ACL 損傷膝 ||慢性 ACL 不全膝 ||
内側	外側	内側	外側
1. 縦断裂（70%）	1. 縦断裂（47%）	1. バケツ柄断裂（46%）	1. 縦断裂（36%）
2. バケツ柄断裂（13%）	2. 横断裂（26%）	2. 縦断裂（33%）	2. 横断裂（23%）
3. 水平断裂（7%）	3. フラップ断裂（13%）	3. フラップ断裂（12%）	3. バケツ柄断裂（16%）
3. 複雑断裂（7%）	―	―	3. フラップ断裂（16%）

は "unhappy triad（不幸の三徴）" を提唱し，急性 ACL 損傷には MCL 損傷と内側半月板損傷が併発しやすいことを指摘した[43,44]．しかし，前述のデータで示されたとおり，急性 ACL 損傷には外側半月板損傷のほうが併発しやすいと考えるべきであろう．

好発部位も受傷からの期間によって異なる．Slauterbeck ら[56]は，半月板損傷が認められた ACL 再建症例 722 名の術中所見をもとに，期間別に好発部位をまとめた．図 10-6 で明らかなとおり，急性期では外側半月板後角損傷が多く，受傷から再建術までの期間が長くなるにつれて内側半月板後角損傷の割合も増加していた．なお，内外側を問わず，後角損傷が多いこともわかった．

複数の研究のデータをもとに，好発する断裂形態を表 10-7 にまとめた．急性 ACL 損傷膝において内外側ともに縦断裂が最多であった[9,25,45]．慢性 ACL 不全膝では，外側は縦断裂が半数近く占めていたのに対し，内側はバケツ柄断裂が最多であった[1,19,22,25,41]．

2. 受傷メカニズム

受傷メカニズムについても，急性 ACL 損傷膝併発型と慢性 ACL 不全膝併発型に分けて考える必要がある．しかしながら，ACL 損傷併発半月板損傷の受傷メカニズムを調査した研究は存在しなかった．そこで，間接的なエビデンスから受傷メカニズムを推察する必要がある．

前述のとおり，急性 ACL 損傷膝には外側半月板損傷が併発しやすい．その理由として考えられるのは，ACL 損傷時に観察される "valgus collapse" である．既存のエビデンスからは，ACL 損傷の受傷メカニズムとして，足部接地直後の膝関節外反・内旋および脛骨前方偏位による 3 平面の負荷が有力視されている[29,30]．有限要素法を用いたモデルシミュレーション[48]では，膝関節外反と脛骨前方偏位の複合負荷により脛骨後外側エリアの関節軟骨圧の増加が観察された．あくまで関節軟骨圧ではあるが，半月板の負荷メカニズムにも換言できると考えられる．また，in vitro モデル[34]では，①膝関節外反・内旋 + 脛骨前方

第3章 半月板

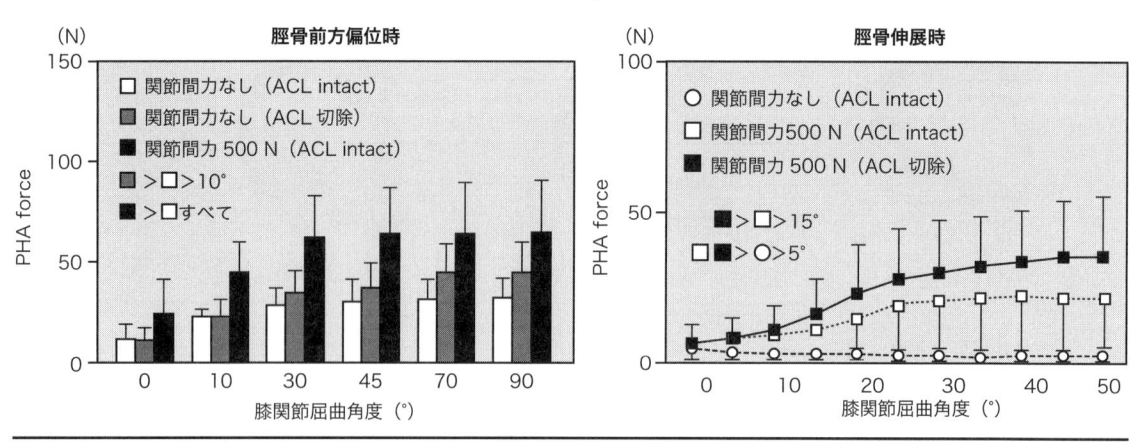

図10-7 ACL不全と内側半月板後角付着部への牽引ストレス（文献35のデータより改変）
脛骨前方偏位操作または膝関節伸展操作を加えた際のPHA forceは，ACLを切除することによって有意に増加した。

偏位，②膝関節内旋単独，③脛骨前方偏位単独負荷，のすべてにおいてACL損傷と外側半月板後角損傷が発生した。Kaedingら[24]がACL単独損傷に比べACL・MCL複合損傷のほうが外側半月板損傷の存在率が高いと報告したことからも，膝関節外反負荷の影響が疑われる。以上のことから，ACL損傷の受傷時に起こる"valgus collapse"により膝関節外側コンパートメントへの圧縮・剪断力が加わるため，外側半月板が損傷されやすいと推測される。

慢性ACL不全膝には内側半月板損傷が併発しやすい。これは内側半月板後角が脛骨前方偏位に対する二次的安定化機構であるためと考えられる[40]。Markolfら[35]の屍体実験では，ACLの有無が内側半月板後角付着部（posterior horn attachment：PHA）への牽引力（以下，PHA force）に及ぼす影響が調査された。その結果，脛骨前方偏位操作または膝関節伸展操作を加えた際のPHA forceは，ACLを切除することによって有意に増加した（**図10-7**）。他の研究では，健常膝に比べACL不全膝では屈曲に伴う脛骨に対する大腿骨後方偏位が有意に増大したのに対し，脛骨に対する半月板の偏位量は変化しなかった[52, 62]。この結果から，ACL不全膝では内側半月板後

角は過大な剪断力にさらされることが示唆された。Papageorgiouら[46]は，134 Nの脛骨前方剪断力と200 Nの脛骨軸圧を加えた際に半月板に加わる力は，ACL不全膝では健常膝の2倍に及んだことを報告した。また，脛骨後下方傾斜が13°以上の症例はACL損傷後の内側半月板損傷のリスクが高いというLeeら[33]の報告は，受傷メカニズムとしての脛骨前方偏位の関与を支持するものである。したがって，慢性ACL不全膝に併発した内側半月板損傷の受傷メカニズムは，繰り返される脛骨前方偏位であると考えられる。

3. 危険因子

半月板損傷の危険因子として，ACL損傷から再建術までの期間が最も重要である。内側半月板損傷に関して，複数の研究においてACL損傷から再建術までの期間が長いほうがリスクは増加していた（**表10-8**）[10, 15, 26, 57]。特に4つの研究[11, 24, 41, 65]をもとにしたメタ分析では，12ヵ月を超えるとリスクが3.5倍になると算出された[57]。一方，外側半月板損傷に関してはACL損傷受傷から再建術までの期間はリスクと関係がないことがわかった（**表10-8**）[10, 15, 26, 57]。

前述のとおり，ACL損傷に併発した内側半月

表 10-8 内側半月板損傷，外側半月板損傷のリスクと ACL 損傷からの期間の関係（文献 10, 15, 26, 57 より作成）

報告者	ケース	コントロール	オッズ比（95%CI）内側半月板損傷	オッズ比（95%CI）外側半月板損傷
Snoeker ら [57] *	>12 ヵ月	<12 ヵ月	3.50（2.09, 5.88）	1.49（0.94, 2.38；NS）
Dumont ら [15]	>150 日	<150 日	1.80（1.12, 2.83）	NS
Chhadia ら [10]	6〜12 ヵ月	<3 ヵ月	1.81（1.29, 2.54）	1.24（0.89, 1.73；NS）
	>12 ヵ月	<3 ヵ月	2.19（1.58, 3.02）	1.08（0.78, 1.49；NS）
Kennedy ら [26]	12〜18 ヵ月	<2 ヵ月	7.99（1.48, 43.06）	0.81（0.11, 5.62；NS）

＊：文献 11, 24, 41, 65 をもとにしたメタ分析。

板損傷の受傷メカニズムは度重なる脛骨前方偏位と推測されるため，その受傷リスクは ACL 損傷から再建術までの期間に依存しやすいと考えられる。実際に，ACL 損傷受傷から再建術までの期間に膝崩れを 5 回起こすと内側半月板損傷のリスクが 3.53 倍になることも報告された（**表 10-9**）[28]。一方，外側半月板損傷には ACL 損傷時の"valgus collapse"という突発的な機転の関与が疑われるため，受傷からの期間の影響を受けにくいと思われる。以上より，ACL 損傷に併発した内側半月板損傷は慢性発症，外側半月板損傷は急性発症の傾向があるといえる。

E. 退行変性

1. 疫　学

一般集団における半月板の退行変性の存在率は意外なほど高い。Englund ら [17] が米国フラミンガム市においてランダムに集めた 50〜90 歳の 991 名の右膝を対象に MRI を撮像したところ，31％に半月板損傷が認められ，うち 61％の症例は無症候性であった。また，年齢が高くなるにつれて存在率が上昇し，男女別ではやや男性に高率となる傾向がみられた（**図 10-8**）。

2. 病　態

半月板退行変性にも，頻発する断裂パターンがある。前述のフラミンガム研究 [17] の症例のうち，

表 10-9 半月板損傷のリスクと膝崩れの回数の関係（文献 28 より作成）

損傷部位	ケース	コントロール	オッズ比（95% CI）
内側	5 回	0 回	3.53（1.54, 8.14）
外側			0.89（0.38, 2.04）

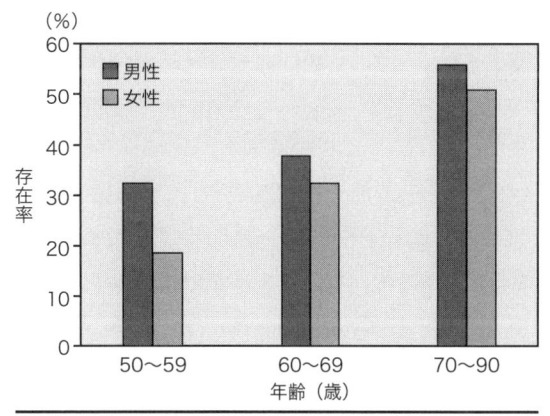

図 10-8 退行変性型半月板損傷の年齢別存在率（文献 17 より作図）
退行変性型半月板損傷は年齢が高くなるにつれて存在率が上昇し，男女別ではやや男性に高率となる傾向がみられた。

66％が内側，24％が外側，10％が内外側に半月板損傷が認められた。また，症例の 11％が前角，62％が中節，66％が後角に損傷が認められた。好発した断裂形態は水平断裂と複雑断裂であった（**図 10-9**）。アジア人を対象とした調査では，特定の断裂形態の高い存在率が示された。Bin ら [8] は，内側半月板部分切除術を行った 345 症例中 96 症例（27.8％）が後角横断裂を呈していたことを報告した。以上のデータより，退行変性とし

第3章 半月板

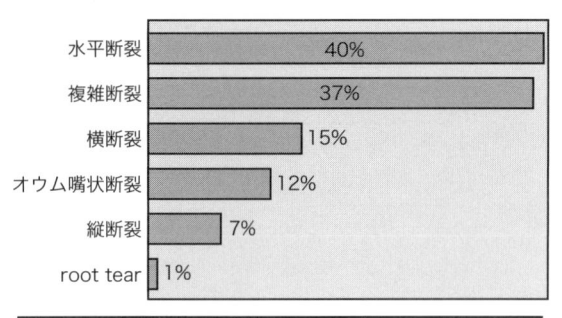

図 10-9 退行変性型半月板損傷の好発断裂形態（文献 17 より作図）
半月板退行変性に好発した断裂形態は水平断裂と複雑断裂であった。

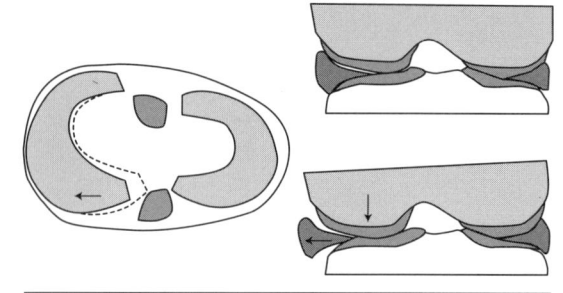

図 10-10 内側半月板後角横断裂・root tear のシェーマ（文献 47 より引用）
後角の横断裂，付着部断裂（root tear）や剥離によって半月板が外方へ脱出し，脛骨大腿関節の接触圧増大などに寄与する。

表 10-10 内側半月板後角 root tear によるコンタクトキネマティクスの変化（文献 36 より作成）

アウトカム	intact	root tear
FT 関節接触面積 (mm^2)	594 ± 59	474 ± 79
FT 関節ピーク接触圧 (kPa)	3841 ± 1240	5084 ± 1087

ては内側半月板の後角損傷が多いと推測される。

近年，後角の横断裂や付着部断裂（root tear）が問題視されている。この部位の横断裂や剥離によって半月板が外方へ脱出し，脛骨大腿 (femorotibial：FT) 関節の接触圧増大などに寄与すること（**図 10-10**）への懸念がその理由である[47]。実際に，いくつかの研究グループによって内側半月板後角損傷が膝関節バイオメカニクスに及ぼす影響が検証されてきた。Root tear の *in vitro* モデルを用いたシミュレーション研究では，歩行を模し，関節圧縮力 1,800 N を加えた際のコンタクトキネマティクスが調査された[36]。その結果，root tear 膝では intact 膝に比べ，FT 関節の接触面積が減少し，ピーク接触圧は増加した（**表 10-10**）。他の研究では，root tear の *in vitro* モデルに関節圧縮力 1,000 N を加えたところ，intact に比べ脛骨の外旋・外方偏位の増大が認められた（**図 10-11**）[2]。なお，興味深いことに，他の断裂形態ではコンタクトキネマティクスへの影響は小さかった。中節の横断裂または後角の縦断裂の *in vitro* モデルで 4 つの膝関節屈曲角度（完全伸展，30°，60°，90°）ごとに関節圧縮力 1,000 N を加えての検証を行ったところ，有意な変化は認められなかった[39]（**図 10-12**）。したがって，たとえ横断裂であっても中節に起これば，またはたとえ後角損傷であっても縦断裂であれば hoop stress 機能は損なわれず，弊害も少ないのではないかと推測できる。

3．受傷メカニズム

半月板退行変性には，慢性的なメカニズムが関与していると考えられる。Markolf ら[35]は，PHA force が加わる条件を調査した。具体的には，①5 Nm の脛骨内旋トルク，②5 Nm の外旋トルク，③5 Nm の脛骨内反モーメント，④5 Nm の脛骨外反モーメントのいずれかを加えながら膝関節を 50～0°まで他動伸展させ，その際の PHA force を測定した。その結果，脛骨外旋トルクを加えた際に，特に屈曲相において PHA force が増加した（**図 10-13**）。この研究から，脛骨外旋位での膝関節屈伸運動の反復がメカニズムの一端を担っていることが示唆された。

4．危険因子

半月板退行変性の危険因子はさまざまなものが

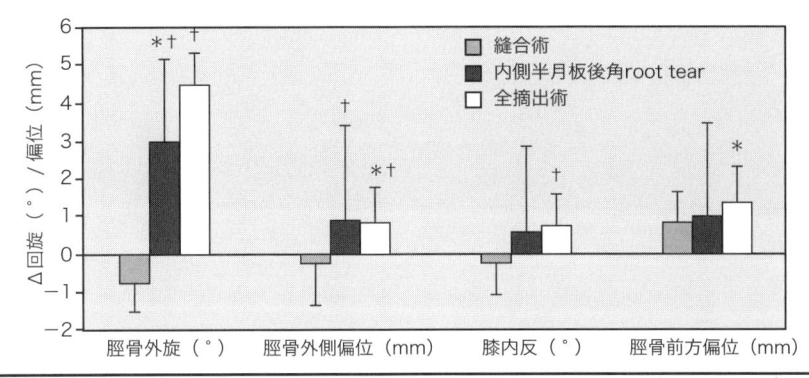

図 10-11 内側半月板後角 root tear によるコンタクトキネマティクスの変化（文献 2 のデータより改変）
root tear の in vitro モデルに関節圧縮力 1,000 N を加えたところ，intact に比べ脛骨の外旋・外方偏位の増大が認められた。

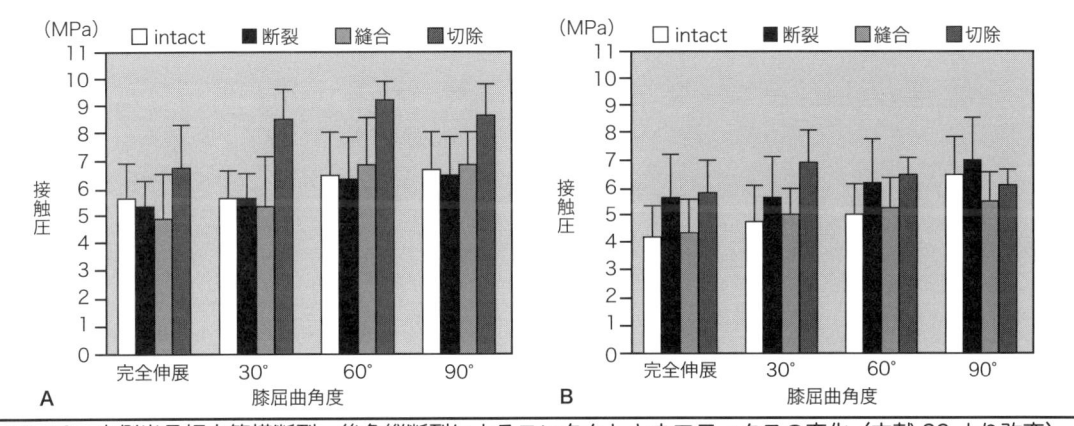

図 10-12 内側半月板中節横断裂・後角縦断裂によるコンタクトキネマティクスの変化（文献 39 より改変）
中節の横断裂（A）または後角の縦断裂（B）の in vitro モデルで 4 つの膝関節屈曲角度（完全伸展，30°，60°，90°）ごとに関節圧縮力 1,000 N を加えて検証を行ったが有意な変化は認められなかった。

検討されていたので，ここではエビデンスレベルごとに整理した．

1）強いエビデンス

(1) 年　齢

Snoeker ら[57]が行ったメタ分析では，2 つの研究結果[17, 49]から，60 歳以上の人は 60 歳未満の人に比べ半月板退行変性を発症するリスクが高いとされた（オッズ比＝2.32；95％CI：1.80，3.01）．

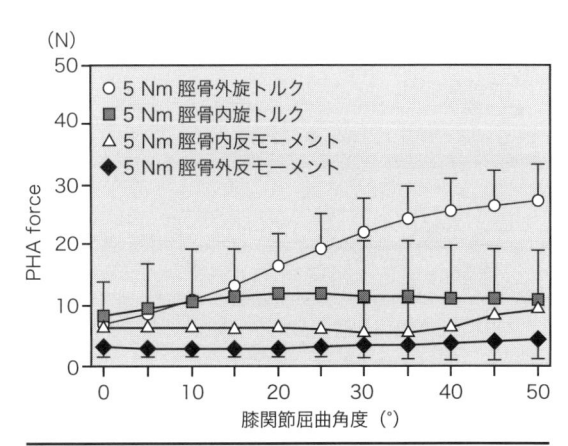

図 10-13 内側半月板後角付着部への負荷メカニズム（文献 35 より改変）

(2) 性　別

Snoeker ら[57]が行ったメタ分析では，3 つの

第3章　半月板

研究結果[6,17,60]から，男性は女性に比べ半月板退行変性を発症するリスクが高いとされた（オッズ比＝2.98；95％CI：2.30, 3.85）。

(3) しゃがみこみを行う労働

Snoekerら[57]が行ったメタ分析では，3つの研究結果[4,5,49]から，1日に1時間以上しゃがみこみを行う労働に就いている者はそうでない者に比べ半月板退行変性を発症するリスクが高いとされた（オッズ比＝2.69；95％CI：1.64, 4.40）。

(4) 階段昇降

Snoekerら[57]が行ったメタ分析では，3つの研究結果[4,5,49]から，1日に30階分以上の階段昇段を行う者は30階分未満の者に比べ半月板退行変性を発症するリスクが高いとされた（オッズ比＝2.28；95％CI：1.56, 3.31）。

(5) 長時間座位保持（1日2時間以上）

Snoekerら[57]が行ったメタ分析では，2つの研究結果[4,5]から，1日の座位時間が2時間以上の者は2時間未満の者に比べ半月板退行変性を発症するリスクが低いとされた（オッズ比＝0.68；95％CI：0.50, 0.92）。

2) 中等度のエビデンス

(1) Body mass index（BMI）

Bakerら[4]はBMIが24～27の症例群および27以上の症例群を24未満の症例群と比較した。その結果，オッズ比はそれぞれ2.3（95％CI：1.5, 3.4）と1.7（95％CI：1.2, 2.6）であった。同様に，BMIが24以上の症例群と24未満の症例群を比較したところ，オッズ比は5.83であった。Englundら[17]はBMIが25以上の症例群と25未満の症例群を比較したところ，オッズ比は1.43であったと報告した。したがって，25以上のBMIは半月板退行変性の危険因子といえる。

(2) 長時間立位・歩行（1日2時間以上）

Snoekerら[57]が行ったメタ分析では，2つの研究結果[4,5]から，1日の立位または歩行の時間が2時間以上の者は2時間未満の者に比べ半月板退行変性を発症するリスクが高いとされた（オッズ比＝1.63；95％CI：1.17, 2.27）。

(3) 歩行距離（1日3.2 km以上）

Snoekerら[57]が行ったメタ分析では，2つの研究結果[4,5]から，1日の歩行距離が3.2 km以上の者は3.2 km未満の者に比べ半月板退行変性を発症するリスクが高いとされた（オッズ比＝1.65；95％CI：1.22, 2.24）。

(4) 重量物運搬

Snoekerら[57]が行ったメタ分析では，2つの研究結果[4,5]から，1週間に10 kg以上の物を10回以上運搬した者は10 kg以下の物を運搬した者に比べ半月板退行変性を発症するリスクが高いとされた（オッズ比＝1.89；95％CI：1.41, 2.55）。また，1週間に25 kg以上の物を10回以上運搬した者は25 kg以下の物を運搬した者に比べ半月板退行変性を発症するリスクが高いとされた（オッズ比＝1.58；95％CI：1.15, 2.16）。同様に，1週間に50 kg以上の物を10回以上運搬した者は50 kg以下の物を運搬した者に比べ半月板退行変性を発症するリスクが高かった（オッズ比＝3.0；95％CI：1.7, 5.1）。

3) リスクを支持するエビデンスがない

(1) 長時間運転

Snoekerら[57]が行ったメタ分析では，2つの研究結果[4,5]から，1日の自動車運転時間が4時間以上の者は4時間未満の者と半月板退行変性を発症するリスクが同等であるとされた（オッズ比＝1.37；95％CI：0.94, 1.98）。

10. 疫学・病態

表 10-11 半月板損傷の推定受傷メカニズム

損傷タイプ		好発部位	好発する断裂形態	推定受傷メカニズム
急性単独型		内側半月板後角	バケツ柄・縦	膝外旋？
		外側半月板中節	横	膝外反？
ACL損傷併発型	急性損傷	外側半月板後角	縦	膝内旋 脛骨前方偏位
			横	膝外反
	慢性不全	内側半月板後角	バケツ柄・縦	度重なる脛骨前方偏位
退行変性型		内側半月板後角・中節	水平・複雑	下腿外旋位での膝屈曲

(2) 喫煙

Bakerら[4]は喫煙の影響を調査した。喫煙経験者は非喫煙者と半月板退行変性を発症するリスクが同等であった（オッズ比=1.1；95%CI：0.7, 1.8）。また，喫煙者も非喫煙者と半月板退行変性を発症するリスクが同等であるとされた（オッズ比=1.3；95%CI：0.8, 2.0）。

(3) アルコール摂取

Bakerら[4]はアルコール摂取の影響も調査した。1週間にアルコールを1～14ユニット摂取する者は非摂取者と半月板退行変性を発症するリスクが同等であるとされた（オッズ比=0.7；95%CI：0.4, 1.3）。また，1週間にアルコールを15ユニット以上摂取する者も非摂取者と半月板退行変性を発症するリスクが同等であるとされた（オッズ比=0.9；95%CI：0.5, 1.6）。

F. 半月板損傷の受傷メカニズムの推定

半月板損傷の受傷メカニズムを詳細に調査・検証した研究は存在しない。ACL損傷併発や退行変性は間接的なエビデンスからの推察は可能であったが，急性単独半月板損傷の受傷メカニズムに関する知見はほぼ皆無である。そこで，他の損傷タイプの受傷メカニズムからの推測を試みた。

表10-11に損傷タイプ，好発部位，好発する断裂形態，推定受傷メカニズムをまとめた。この表から，好発部位および断裂形態と受傷メカニズムには一定の傾向があることがわかる。例えば，慢性ACL不全膝に併発した内側半月板損傷は，後角のバケツ柄または縦断裂が好発し，受傷メカニズムは度重なる脛骨前方偏位と推測される。ここから，後角部の縦方向の断裂は大腿骨に対して脛骨が前方へ偏位することによって起こると仮定できる。すると，急性ACL損傷膝に併発した外側半月板損傷に好発する縦断裂は脛骨前方偏位と膝関節内旋，残った横断裂には膝関節外反がそれぞれ関与していると考えられる。これらの前提をもとに考えると，急性単独外側半月板損傷で好発するのは中節の横断裂なので，膝関節外反が関与していると思われる。内側半月板損傷は，バケツ柄または縦断裂という縦方向の断裂が後角に好発する。ただし，このタイプではACLは断裂していないので，過度な脛骨前方偏位が起こっているとは考えにくい。したがって，消去法により，膝関節外旋によって脛骨内側顆が大腿骨内側顆に対して前方へ偏位し，断裂が生じたと考えられる。

G. まとめ

1. すでに真実として承認されていること

1) 急性単独損傷

● サッカーやラグビー，アメリカンフットボール選手に好発する。

2) ACL損傷併発

● 急性ACL損傷膝には外側半月板損傷，慢性

ACL 不全膝には内側半月板損傷がそれぞれ多く併発する。
- 好発部位は内・外側半月板ともに後角である。
- ACL 損傷から ACL 再建術までの期間が長いほど，内側半月板損傷のリスクは増加する。

3）退行変性
- 一般集団における存在率は高い。
- 好発部位は内側半月板の後角と中節である。
- 危険因子は①年齢が 60 歳以上，②男性，③頻回のしゃがみこみ・階段昇降である。

2. 議論の余地はあるが，今後の重要な研究テーマとなること

1）急性単独損傷
- 外側半月板損傷のほうが多く発生する。ただし，損傷の内外側分布は症例の年齢にも依存し，30 歳以前では外側，30 歳以後では内側に多い。
- 発生率に大きな性差はない。
- 好発部位は内側半月板後角と外側半月板中節である。
- 円板状半月板損傷は外側半月板に認められることがほとんどである。
- 内側半月板損傷の受傷には，膝関節外旋が主に関与している。
- 外側半月板損傷の受傷には，膝関節外反が主に関与している。

2）ACL 損傷併発
- 外側半月板損傷の受傷には，膝関節外反・内旋，脛骨前方偏位が関与している。
- 内側半月板損傷の受傷には，度重なる脛骨前方偏位が関与している。
- ACL 損傷から ACL 再建術までの期間が長くても，外側半月板損傷のリスクは増加しない。

3）退行変性
- 内側半月板後角損傷のなかでも，特に横断裂と root tear は関節バイオメカニクスに悪影響を及ぼす。
- 内側半月板後角損傷には下腿外旋位での膝関節屈曲が関与している。
- ①高 BMI や②歩行時間・距離，③重量物運搬も危険因子である。
- ①長時間自動車運転や②喫煙，③アルコール摂取は危険因子ではない。

3. 真実と思われていたが実は疑わしいこと

1）急性単独損傷
- 受傷機転がカッティングやツイスティングなどであること。実際にはその可能性は否めないが，実証した研究はない。

2）ACL 損傷併発
- 急性 ACL 損傷に MCL 損傷と内側半月板損傷が併発した複合損傷，いわゆる"unhappy triad（不幸の三徴）"は，高頻度にみられる受傷パターンではない。

H. 今後の課題

- 半月板損傷の発生メカニズムに関する調査。特に，急性単独損傷半月板損傷における調査が急務である。
- 半月板の負荷メカニズムに関するモデルシミュレーション研究。
- 半月板の断裂形態と膝関節運動の関連の調査。

文　献

1. Aglietti P, Buzzi R, Bassi PB: Arthroscopic partial meniscectomy in the anterior cruciate deficient knee. *Am J Sports Med*. 1988; 16: 597-602.
2. Allaire R, Muriuki M, Gilbertson L, Harner CD: Biomechanical consequences of a tear of the posterior root of the medial meniscus. Similar to total meniscectomy. *J Bone Joint Surg Am*. 2008; 90: 1922-31.

3. Bae JH, Lim HC, Hwang DH, Song JK, Byun JS, Nha KW: Incidence of bilateral discoid lateral meniscus in an Asian population: an arthroscopic assessment of contralateral knees. *Arthroscopy*. 2012; 28: 936-41.
4. Baker P, Coggon D, Reading I, Barrett D, McLaren M, Cooper C: Sports injury, occupational physical activity, joint laxity, and meniscal damage. *J Rheumatol*. 2002; 29: 557-63.
5. Baker P, Reading I, Cooper C, Coggon D: Knee disorders in the general population and their relation to occupation. *Occup Environ Med*. 2003; 60: 794-7.
6. Bhattacharyya T, Gale D, Dewire P, Totterman S, Gale ME, McLaughlin S, Einhorn TA, Felson DT: The clinical importance of meniscal tears demonstrated by magnetic resonance imaging in osteoarthritis of the knee. *J Bone Joint Surg Am*. 2003; 85-A: 4-9.
7. Bin SI, Kim JC, Kim JM, Park SS, Han YK: Correlation between type of discoid lateral menisci and tear pattern. *Knee Surg Sports Traumatol Arthrosc*. 2002; 10: 218-22.
8. Bin SI, Kim JM, Shin SJ: Radial tears of the posterior horn of the medial meniscus. *Arthroscopy*. 2004; 20: 373-8.
9. Cerabona F, Sherman MF, Bonamo JR, Sklar J: Patterns of meniscal injury with acute anterior cruciate ligament tears. *Am J Sports Med*. 1988; 16: 603-9.
10. Chhadia AM, Inacio MC, Maletis GB, Csintalan RP, Davis BR, Funahashi TT: Are meniscus and cartilage injuries related to time to anterior cruciate ligament reconstruction? *Am J Sports Med*. 2011; 39: 1894-9.
11. Church S, Keating JF: Reconstruction of the anterior cruciate ligament: timing of surgery and the incidence of meniscal tears and degenerative change. *J Bone Joint Surg Br*. 2005; 87: 1639-42.
12. Cimino PM: The incidence of meniscal tears associated with acute anterior cruciate ligament disruption secondary to snow skiing accidents. *Arthroscopy*. 1994; 10: 198-200.
13. de Roeck NJ, Lang-Stevenson A: Meniscal tears sustained awaiting anterior cruciate ligament reconstruction. *Injury*. 2003; 34: 343-5.
14. DeHaven KE: Diagnosis of acute knee injuries with hemarthrosis. *Am J Sports Med*. 1980; 8: 9-14.
15. Dumont GD, Hogue GD, Padalecki JR, Okoro N, Wilson PL: Meniscal and chondral injuries associated with pediatric anterior cruciate ligament tears: relationship of treatment time and patient-specific factors. *Am J Sports Med*. 2012; 40: 2128-33,.
16. Duncan JB, Hunter R, Purnell M, Freeman J: Meniscal injuries associated with acute anterior cruciate ligament tears in alpine skiers. *Am J Sports Med*. 1995; 23: 170-2.
17. Englund M, Guermazi A, Gale D, Hunter DJ, Aliabadi P, Clancy M, Felson DT: Incidental meniscal findings on knee MRI in middle-aged and elderly persons. *N Engl J Med*. 2008; 359: 1108-15.
18. Finsterbush A, Frankl U, Matan Y, Mann G: Secondary damage to the knee after isolated injury of the anterior cruciate ligament. *Am J Sports Med*. 1990; 18: 475-9.
19. Fowler PJ, Regan WD: The patient with symptomatic chronic anterior cruciate ligament insufficiency. Results of minimal arthroscopic surgery and rehabilitation. *Am J Sports Med*. 1987; 15: 321-5.
20. Friden T, Erlandsson T, Zatterstrom R, Lindstrand A, Moritz U: Compression or distraction of the anterior cruciate injured knee. Variations in injury pattern in contact sports and downhill skiing. *Knee Surg Sports Traumatol Arthrosc*. 1995; 3: 144-7.
21. Illingworth KD, Hensler D, Casagranda B, Borrero C, van Eck CF, Fu FH: Relationship between bone bruise volume and the presence of meniscal tears in acute anterior cruciate ligament rupture. *Knee Surg Sports Traumatol Arthrosc*. 2014; 22: 2181-6.
22. Irvine GB, Glasgow MM: The natural history of the meniscus in anterior cruciate ligament insufficiency. Arthroscopic analysis. *J Bone Joint Surg Br*. 1992; 74: 403-5.
23. Jones JC, Burks R, Owens BD, Sturdivant RX, Svoboda SJ, Cameron KL: Incidence and risk factors associated with meniscal injuries among active-duty US military service members. *J Athl Train*. 2012; 47: 67-73.
24. Kaeding CC, Pedroza AD, Parker RD, Spindler KP, McCarty EC, Andrish JT: Intra-articular findings in the reconstructed multiligament-injured knee. *Arthroscopy*. 2005; 21: 424-30.
25. Keene GC, Bickerstaff D, Rae PJ, Paterson RS: The natural history of meniscal tears in anterior cruciate ligament insufficiency. *Am J Sports Med*. 1993; 21: 672-9.
26. Kennedy J, Jackson MP, O'Kelly P, Moran R: Timing of reconstruction of the anterior cruciate ligament in athletes and the incidence of secondary pathology within the knee. *J Bone Joint Surg Br*. 2010; 92: 362-6.
27. Kilcoyne KG, Dickens JF, Haniuk E, Cameron KL, Owens BD: Epidemiology of meniscal injury associated with ACL tears in young athletes. *Orthopedics*. 2012; 35: 208-12.
28. Kluczynski MA, Marzo JM, Bisson LJ: Factors associated with meniscal tears and chondral lesions in patients undergoing anterior cruciate ligament reconstruction: a prospective study. *Am J Sports Med*. 2013; 41: 2759-65.
29. Koga H, Bahr R, Myklebust G, Engebretsen L, Grund T, Krosshaug T: Estimating anterior tibial translation from model-based image-matching of a noncontact anterior cruciate ligament injury in professional football: a case report. *Clin J Sport Med*. 2011; 21: 271-4.
30. Koga H, Nakamae A, Shima Y, Iwasa J, Myklebust G, Engebretsen L, Bahr R, Krosshaug T: Mechanisms for noncontact anterior cruciate ligament injuries: knee joint kinematics in 10 injury situations from female team handball and basketball. *Am J Sports Med*. 2010; 38: 2218-25.
31. Kornblatt I, Warren RF, Wickiewicz TL: Long-term followup of anterior cruciate ligament reconstruction using the quadriceps tendon substitution for chronic anterior cruciate ligament insufficiency. *Am J Sports Med*. 1988; 16: 444-8.
32. Lauder TD, Baker SP, Smith GS, Lincoln AE: Sports and physical training injury hospitalizations in the army. *Am J Prev Med*. 2000; 18(3 Suppl): 118-28.
33. Lee JJ, Choi YJ, Shin KY, Choi CH: Medial meniscal tears in anterior cruciate ligament-deficient knees: effects of posterior tibial slope on medial meniscal tear. *Knee Surg Relat Res*. 2011; 23: 227-30.
34. Levine JW, Kiapour AM, Quatman CE, Wordeman SC, Goel VK, Hewett TE, Demetropoulos CK: Clinically relevant injury patterns after an anterior cruciate ligament injury provide insight into injury mechanisms. *Am J Sports Med*. 2013; 41: 385-95.
35. Markolf KL, Jackson SR, McAllister DR: Force measurements in the medial meniscus posterior horn attachment: effects of anterior cruciate ligament removal. *Am J Sports Med*. 2012; 40: 332-8.
36. Marzo JM, Gurske-DePerio J: Effects of medial meniscus

posterior horn avulsion and repair on tibiofemoral contact area and peak contact pressure with clinical implications. *Am J Sports Med*. 2009; 37: 124-9.

37. Michalitsis S, Vlychou M, Malizos KN, Thriskos P, Hantes ME: Meniscal and articular cartilage lesions in the anterior cruciate ligament-deficient knee: correlation between time from injury and knee scores. *Knee Surg Sports Traumatol Arthrosc*. 2015; 23: 232-9.

38. Millett PJ, Willis AA, Warren RF: Associated injuries in pediatric and adolescent anterior cruciate ligament tears: does a delay in treatment increase the risk of meniscal tear? *Arthroscopy*. 2002; 18: 955-9.

39. Muriuki MG, Tuason DA, Tucker BG, Harner CD: Changes in tibiofemoral contact mechanics following radial split and vertical tears of the medial meniscus an *in vitro* investigation of the efficacy of arthroscopic repair. *J Bone Joint Surg Am*. 2011; 93: 1089-95.

40. Musahl V, Citak M, O'Loughlin PF, Choi D, Bedi A, Pearle AD: The effect of medial versus lateral meniscectomy on the stability of the anterior cruciate ligament-deficient knee. *Am J Sports Med*. 2010; 38: 1591-7.

41. Naranje S, Mittal R, Nag H, Sharma R: Arthroscopic and magnetic resonance imaging evaluation of meniscus lesions in the chronic anterior cruciate ligament-deficient knee. *Arthroscopy*. 2008; 24: 1045-51.

42. Noyes FR, Bassett RW, Grood ES, Butler DL: Arthroscopy in acute traumatic hemarthrosis of the knee. Incidence of anterior cruciate tears and other injuries. *J Bone Joint Surg Am*. 1980; 62: 687-95, 757.

43. O'Donoghue DH: An analysis of end results of surgical treatment of major injuries to the ligaments of the knee. *J Bone Joint Surg Am*. 1955; 37-A: 1-13; passim.

44. O'Donoghue DH: Surgical treatment of fresh injuries to the major ligaments of the knee. *J Bone Joint Surg Am*. 1950; 32(A:4): 721-38.

45. Paletta GA Jr, Levine DS, O'Brien SJ, Wickiewicz TL, Warren RF: Patterns of meniscal injury associated with acute anterior cruciate ligament injury in skiers. *Am J Sports Med*. 1992; 20: 542-7.

46. Papageorgiou CD, Gil JE, Kanamori A, Fenwick JA, Woo SL, Fu FH: The biomechanical interdependence between the anterior cruciate ligament replacement graft and the medial meniscus. *Am J Sports Med*. 2001; 29: 226-31.

47. Petersen W, Forkel P, Feucht MJ, Zantop T, Imhoff AB, Brucker PU: Posterior root tear of the medial and lateral meniscus. *Arch Orthop Trauma Surg*. 2014; 134: 237-55.

48. Quatman CE, Kiapour A, Myer GD, Ford KR, Demetropoulos CK, Goel VK, Hewett TE: Cartilage pressure distributions provide a footprint to define female anterior cruciate ligament injury mechanisms. *Am J Sports Med*. 2011; 39: 1706-13.

49. Rytter S, Jensen LK, Bonde JP, Jurik AG, Egund N: Occupational kneeling and meniscal tears: a magnetic resonance imaging study in floor layers. *J Rheumatol*. 2009; 36: 1512-9.

50. Sgaglione NA, Del Pizzo W, Fox JM, Friedman MJ: Arthroscopically assisted anterior cruciate ligament reconstruction with the pes anserine tendons. Comparison of results in acute and chronic ligament deficiency. *Am J Sports Med*. 1993; 21: 249-56.

51. Sgaglione NA, Warren RF, Wickiewicz TL, Gold DA, Panariello RA: Primary repair with semitendinosus tendon augmentation of acute anterior cruciate ligament injuries. *Am J Sports Med*. 1990; 18: 64-73.

52. Shefelbine SJ, Ma CB, Lee KY, Schrumpf MA, Patel P, Safran MR, Slavinsky JP, Majumdar S: MRI analysis of *in vivo* meniscal and tibiofemoral kinematics in ACL-deficient and normal knees. *J Orthop Res*. 2006; 24: 1208-17.

53. Shelbourne KD, Nitz PA: The O'Donoghue triad revisited. Combined knee injuries involving anterior cruciate and medial collateral ligament tears. *Am J Sports Med*. 1991; 19: 474-7.

54. Sherman MF, Lieber L, Bonamo JR, Podesta L, Reiter I: The long-term followup of primary anterior cruciate ligament repair. Defining a rationale for augmentation. *Am J Sports Med*. 1991; 19: 243-55.

55. Shieh A, Bastrom T, Roocroft J, Edmonds EW, Pennock AT: Meniscus tear patterns in relation to skeletal immaturity: children versus adolescents. *Am J Sports Med*. 2013; 41: 2779-83.

56. Slauterbeck JR, Kousa P, Clifton BC, Naud S, Tourville TW, Johnson RJ, Beynnon BD: Geographic mapping of meniscus and cartilage lesions associated with anterior cruciate ligament injuries. *J Bone Joint Surg Am*. 2009; 91: 2094-103.

57. Snoeker BA, Bakker EW, Kegel CA, Lucas C: Risk factors for meniscal tears: a systematic review including meta-analysis. *J Orthop Sports Phys Ther*. 2013; 43: 352-67.

58. Spindler KP, Schils JP, Bergfeld JA, Andrish JT, Weiker GG, Anderson TE, Piraino DW, Richmond BJ, Medendorp SV: Prospective study of osseous, articular, and meniscal lesions in recent anterior cruciate ligament tears by magnetic resonance imaging and arthroscopy. *Am J Sports Med*. 1993; 21: 551-7.

59. Swenson DM, Collins CL, Best TM, Flanigan DC, Fields SK, Comstock RD: Epidemiology of knee injuries among U.S. high school athletes, 2005/2006-2010/2011. *Med Sci Sports Exerc*. 2013; 45: 462-9.

60. Taunton JE, Ryan MB, Clement DB, McKenzie DC, Lloyd-Smith DR, Zumbo BD: A retrospective case-control analysis of 2002 running injuries. *Br J Sports Med*. 2002; 36: 95-101.

61. Terzidis IP, Christodoulou A, Ploumis A, Givissis P, Natsis K, Koimtzis M: Meniscal tear characteristics in young athletes with a stable knee: arthroscopic evaluation. *Am J Sports Med*. 2006; 34: 1170-5.

62. von Eisenhart-Rothe R, Bringmann C, Siebert M, Reiser M, Englmeier KH, Eckstein F, Graichen H: Femoro-tibial and menisco-tibial translation patterns in patients with unilateral anterior cruciate ligament deficiency--a potential cause of secondary meniscal tears. *J Orthop Res*. 2004; 22: 275-82.

63. Woods GW, Chapman DR: Repairable posterior meniscocapsular disruption in anterior cruciate ligament injuries. *Am J Sports Med*. 1984; 12: 381-5.

64. Yeh PC, Starkey C, Lombardo S, Vitti G, Kharrazi FD: Epidemiology of isolated meniscal injury and its effect on performance in athletes from the National Basketball Association. *Am J Sports Med*. 2012; 40: 589-94.

65. Yuksel HY, Erka, S, Uzun M: The evaluation of intraarticular lesions accompanying ACL ruptures in military personnel who elected not to restrict their daily activities: the effect of age and time from injury. *Knee Surg Sports Traumatol Arthrosc*. 2006; 14: 1139-47.

（窪田　智史）

11. 診断・評価

はじめに

本項では，半月板の診断・評価に用いられる身体所見と画像所見に関する論文をレビューする。身体所見については，臨床症状と臨床で使用される徒手検査のうち感度・特異度が明記されている論文を中心にまとめた。画像所見については，MRI・超音波を中心に，スポーツにおける半月板損傷に着目して現在論文で報告されている知見についてまとめた。

A. 文献検索方法

文献検索には PubMed を用いた。「knee」「meniscus」「evaluation」というキーワードの組み合わせで 569 件がヒットし，「knee」「meniscus」「diagnosis」の組み合わせで 1,079 件がヒットした。その合計 1,648 件中，重複を除く 1,433 件から，要旨により対象者の年齢が若い者やスポーツ疾患に関連する内容の論文を中心に 244 件を抽出した。また，適宜ハンドサーチも加え，身体所見，画像所見に関する内容の 65 文献を採用した。

B. 身体所見

1. 臨床症状

Corea ら[8] は半月板損傷が疑われる 93 名の症状を報告した。対象者は平均 25.3 歳の男性，受傷機転の 84.9％はサッカーによるものであった。自覚症状の存在率は疼痛 100％，ロッキング 41.9％，クリック 65.6％，反復する腫脹 59.1％，膝くずれ 64.5％であった。他覚所見として，伸展制限 23.7％，筋萎縮 67.7％，関節水腫 35.5％，圧痛 93.5％などがあげられた。対象者の年齢が 40～75 歳の場合は，ロッキングや膝くずれがないという特徴や，腫脹や関節水腫のみでは半月板損傷を示唆できないため[13]，退行変性かスポーツによる損傷かで症状が異なるといえる。Abdon ら[1] は，半月板損傷が疑われた 145 名（16～66 歳）に関節鏡検査を実施し，半月板損傷が認められた 88 膝とそれ以外の 57 膝において，術前の基礎情報，症状，身体所見 68 項目にて多変量解析を行った。結果は，「内外側関節裂隙中央の圧痛」や「ロッキング症状」があると，半月板損傷が存在する確率が高くなり，「安静時痛」や「膝蓋骨内側縁の圧痛」，「関節鏡時に体調不良の訴え」があると確率が低くなるという結果であった。2 つの論文に共通した臨床症状としてはロッキングがあげられるため，ロッキングの有無の確認は必須事項であろう。

2. 徒手検査の感度・特異度

半月板損傷の診断のための徒手検査は数多くあるが，論文にて感度・特異度が検証された検査は少ない。圧痛，McMurray test，Apley test，荷重位でのテストなど，いくつかの検査については検証されてきた。なお一般的に，身体所見や診断の妥当性における論文では，関節鏡所見との比較で示されている。このため，関節鏡手術を受けなかった例や症状がない例は対象者に含まれない場

第3章 半月板

表 11-1　圧痛の感度・特異度

報告者	例数	平均年齢(歳)	感度 (%) MM/LM		特異度 (%) MM/LM		陽性的中率 (%) MM/LM		陰性的中率 (%) MM/LM	
Couture ら [9]	100	46.1 (15〜80)	87		30		77		53	
Karachalios ら [29]	410	29.4 (18〜55)	71	78	87	90	—	—	—	—
Akseki ら [2]	150	36.0 (17〜73)	88	67	44	80	74	47	—	—
Eren ら [17]	104	19.2 (18〜20)	86	92	67	97	59	92	74	96
Kurosaka ら [33]	160	23.0 (9〜54)	55		67		—		—	
Fowler ら [20]	161	33.0 (13〜67)	86		29		—		—	
Nobel ら [44]	200	10〜60	72		13		—		—	

MM：内側半月板，LM：外側半月板。

表 11-2　McMurray test の感度・特異度

| 報告者 | 例数 | 平均年齢(歳) | 内側半月板 | | | | 外側半月板 | | | |
			感度(%)	特異度(%)	PPV(%)	NPV(%)	感度(%)	特異度(%)	PPV(%)	NPV(%)
Sae-Jung ら [51]	68	18〜39	70	61	—	—	68	48	—	—
Karachalios ら [29]	410	29.4 (18〜55)	48	94	—	—	65	86	—	—
Akseki ら [2]	150	36 (17〜73)	67	69	80	—	53	88	59	—
Corea ら [8]	93	25.3	65	93	85	82	52	94	80	80
Evans ら [19]	104	—	16	98	83	65	50	94	29	93

PPV：陽性的中率，NPV：陰性的中率。

合が多く，結果の解釈には注意が必要である。

1) 圧痛

圧痛の感度・特異度を算出した研究が6件あった。Eren ら[17]が18〜20歳の若年者で，半月板損傷が疑われた104名の術前の圧痛の有無と関節鏡所見の結果を比較したところ，内側関節裂隙の圧痛の感度は86％，特異度は67％であった。外側関節裂隙の圧痛はそれぞれ92％，97％と良好な値が報告された。その他の研究では，対象者が若年者から高齢者まで幅広い。その結果，感度は55〜92％，特異度は13〜97％の範囲であり，特異度と比較して感度が同程度もしくはやや高い傾向であった（**表 11-1**）[2, 9, 17, 20, 29, 33, 44]。

2) McMurray test

McMurray test は膝を屈曲から伸展させながら下腿を回旋させるテストである。下腿外旋で内側の痛みやクリックが出現すれば内側半月板損傷が陽性と判断され，下腿内旋では外側半月板損傷を示唆する。McMurray test に関する研究結果を**表 11-2**にまとめた[2, 8, 19, 29, 51]。感度は16〜70％，特異度は48〜94％であった。多くの研究において疼痛出現を陽性の基準としていたのに対し，Evans ら[19]のみ疼痛とクリックの両方がある場合を陽性とした。このため，この論文における感度は16％と低い。総じて，McMurray test では，感度より特異度が高い傾向にある。

3) Apley test

Apley test は，腹臥位で膝関節屈曲90°にて下腿を回旋させ，疼痛が出現した場合を陽性とするテストである。3件の論文の結果をまとめると感度は13〜41％，特異度41〜90％であった（**表 11-3**）[20, 29, 33]。McMurray test と同様に，感度より特異度が高い傾向であった。

11. 診断・評価

4) Thessaly test

Thessaly testとは，膝軽度屈曲位にて，足底を接地させたまま膝を回旋させる方法であり（図11-1），患者が関節裂隙の不快感やロッキングまたはキャッチングを訴えたら陽性とする。Karachaliosら[29]はThessaly testの感度・特異度を報告した。彼らは半月板損傷が疑われた213名と，対照群197名に対して膝関節屈曲5°と20°で本テストを実施し，MRI所見と比較した。その結果，屈曲5°での内側半月板損傷に対する感度と特異度はそれぞれ66%と96%，外側半月板損傷に対する感度と特異度はそれぞれ81%と91%であった。屈曲20°における感度，特異度は内側89%，97%，外側92%，96%であった。以上の結果から，屈曲20°でテストを行うことを推奨した。Harisonら[26]の116名を対象に関節鏡所見と比較した研究では，感度・特異度・陽性的中率・陰性的中率はそれぞれ90.3%，97.7%，98.5%，86.0%であった（表11-4）。他の徒手検査と比較して，Thessaly testの感度・特異度はともに最も高く，半月板損傷の診断に有用なテストであり，半月板損傷を疑った際には最初に実施すべきとHarisonらは結論づけた[26]。

5) Ege test

荷重位で行うMcMurray testとして，Ege testが提唱された[2]。踵を30～40 cm離した立位からゆっくりとフルスクワットを実施するというものである。内側半月板損傷の判別には最大外旋位で屈曲し（図11-2A，B），外側半月板損傷の判別には最大内旋位で屈曲する（図11-2C，

表11-3 Apley testの感度・特異度

報告者	例数	平均年齢(歳)	感度(%)	特異度(%)
Karachaliosら[29]	410	29.4 (18～55)	41	41
Kurosakaら[33]	160	23.0 (9～54)	13	90
Fowlerら[20]	161	33.0 (13～67)	16	80

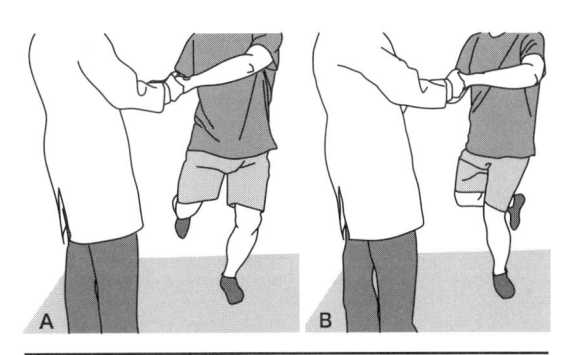

図11-1 Thessaly test
膝軽度屈曲位で足底を接地させたまま膝と身体を回旋させ，関節裂隙の不快感やロッキング，キャッチングを訴えたら陽性とする。

D）。関節裂隙に疼痛もしくはクリックがある場合を陽性とし，関節鏡所見と比較した。感度・特異度・陽性的中率・陰性的中率はそれぞれ内側で67%，81%，86%，57%であり，外側で64%，90%，58%，90%であった。この研究では圧痛やMcMurray testも同時に実施したが，3つのテスト間に統計的な有意差は認められなかった。

6) その他のテスト

Fowlerら[20]は161人の患者に対して術前の屈曲強制時痛と関節鏡所見を比較した。前十字靱

表11-4 Thessaly testの感度・特異度

報告者	例数	平均年齢(歳)	膝角度	感度(%) MM/LM	特異度(%) MM/LM	PPV(%) MM/LM	NPV(%) MM/LM
Karachaliosら[29]	410	29.4 (18～55)	5°	66　81	96　91	—　—	—　—
			20°	89　92	97　96	—　—	—　—
Harrisonら[26]	116	35.9 (11～67)	20°	90.3	97.7	98.5	86.0

第3章 半月板

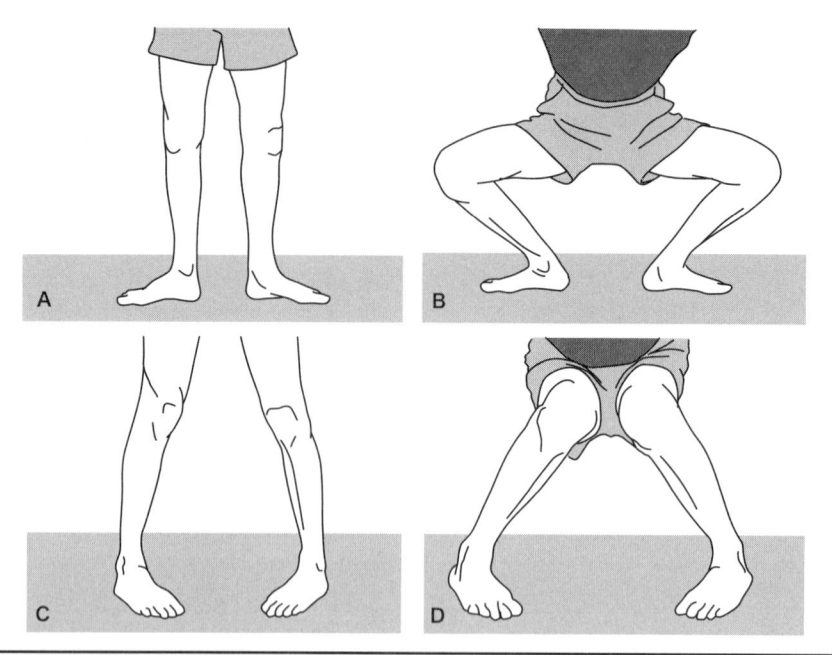

図11-2 Ege test（文献2より作図）
A, B：内側半月板損傷の判別。最大外旋位にて屈曲。C, D：外側半月板損傷の判別。最大内旋位にて屈曲。

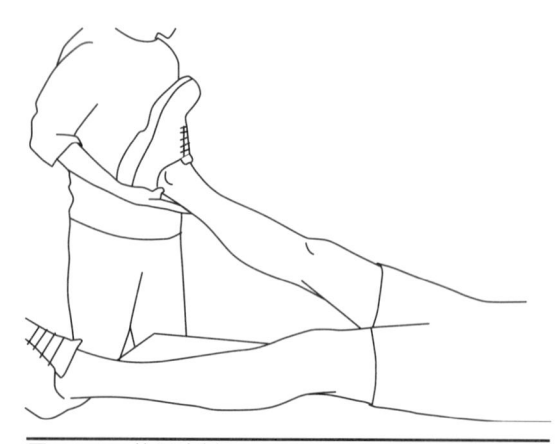

図11-3 伸展強制テスト
Bounce home test ともいわれ，膝屈曲位から他動的に膝伸展し，完全伸展不可にて陽性とするテスト。

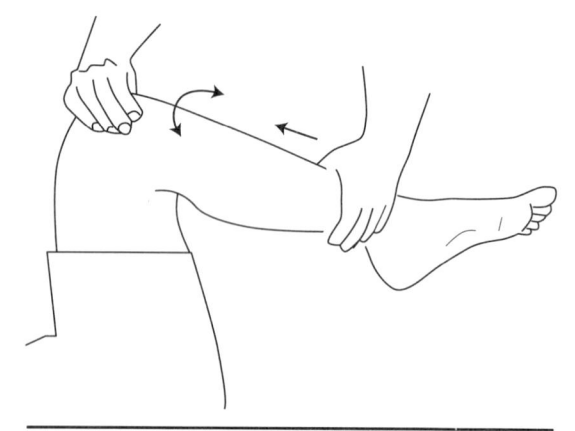

図11-4 Axial loaded pivot shift test
下腿に外反・最大内旋・軸圧を加えて屈曲させ，疼痛やクリック出現で陽性とするテスト。

帯（ACL）損傷の合併がない場合，感度50％，特異度68％であった。伸展強制テスト（**図11-3**）は感度36〜47％，特異度67〜86％と報告された。

Kurosakaら[33]は軸圧を加えて行うピボットシフトテストとして，axial loaded pivot shift testを提唱した（**図11-4**）。それは下腿に外反・最大内旋・軸圧を加えて屈曲させ，疼痛やクリック出現で陽性としたテストであり，感度71％，特異度83％であった。

Khon Kaen University（KKU）圧迫回旋テストは，膝屈曲位で軸圧を加えながら下腿を内外旋させ，疼痛やクリック出現で陽性とするテストである（**図11-5**）。感度86％，特異度88％と，比

較的高い値が報告された[51]。

Joint line fullness test は，Couture ら[9] によって提唱された。このテストは，内側では30°，45°屈曲位，外側では70°，90°屈曲位において，健側と比較して関節裂隙に腫脹が触診できたら陽性とするテストである。感度・特異度・陽性的中率・陰性的中率はそれぞれ70％，82％，88％，56％であった。対象者の平均年齢は46.1（15〜80）歳で，関節鏡で陽性であった断裂形態としては水平断裂が最も多かった。Joint line fullness test は慢性期の退行変性型半月板損傷に対するテストとして有用である可能性があるが，若年者に対しては不明である。

3. 徒手検査に影響を及ぼす因子

徒手検査の結果に影響を及ぼす因子として，靱帯損傷の合併，患者の年齢，検者の経験などがあげられる。Shelbourne ら[54] は，ACL 損傷受傷後平均8日（0〜30日）という急性期の173名において，関節裂隙の圧痛の有無と ACL 再建術時の半月板損傷の有無により，感度・特異度を算出した。その結果，内側半月板において感度44.9％，特異度34.5％，外側半月板で57.6％，49.1％で，ACL 損傷急性期では圧痛による半月板損傷の判別精度は落ちるとの見解を示した。また，彼らは ACL 損傷の亜急性期（受傷後1.6±4.2ヵ月），慢性期（受傷後85.4±149.5ヵ月）の3,531名の患者に対しても同様の調査をし，急性期と同様に感度・特異度ともに低下すると報告した[53]。これらの報告から ACL 損傷合併型の半月板損傷の場合，急性期から慢性期までのすべての時期において圧痛の感度・特異度は低下するといえる。McMurray test, Thessaly test に関しても，ACL 損傷が合併している場合，感度・特異度が低下するという報告がみられるため[39]，徒手検査を行う際には，ACL 損傷合併の有無を勘案する必要があるといえる。

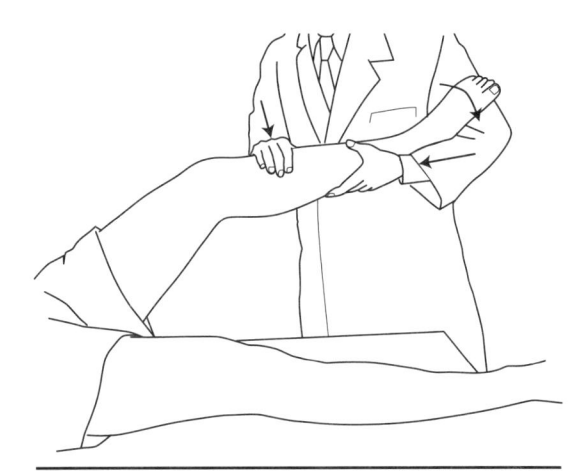

図 11-5　Khon Kaen University（KKU）圧迫回旋テスト
膝屈曲位で軸圧を加えながら下腿を内外旋させ，疼痛やクリック出現で陽性とするテスト。

急性期の若年者と比較して退行変性を呈する高齢者の半月板損傷に対しては，圧痛による判別が困難となる[13]。また，テストを実施する検者の経験年数については，熟練者のほうが徒手検査の検者間信頼性が高いとの報告もあった[50]。徒手検査をする際には対象者の年齢や検者の経験年数も考慮に入れることが必要であろう。

C. MRI

1. 損傷の判別

MRI は患者に対する侵襲がなく，微細な病態を把握できるため，現在半月板の診断に欠かせない診断ツールとなっている。一方で，無症候者の異常信号が誤って陽性と判断されることもある。Kornick ら[32] によると，20代の無症候者において半月板の MRI 異常信号は25％に存在し，内側半月板後角に有意に多く認められた。Kaplan ら[28] は MRI にて関節面に達しているかどうか疑わしい所見を有する142名（平均年齢28歳）に関節鏡検査を実施した。その結果，実際に断裂が認められたのは20名（14％）であった。

MRI 所見の分類として，グレード1は「損傷

第3章 半月板

表11-5 MRI所見のグレード分類

	MRI上の所見	図
グレード1	損傷が半月板内部にのみ留まり表面には及んでいない	
グレード2	損傷が半月板の上面または下面の一方のみに及び，全体として連続性はまだ保たれている	
グレード3	損傷が上面から下面まで貫通し，完全に断裂	

が半月板内部のみにとどまり表面には及んでいない」，グレード2は「損傷が半月板の上面または下面の一方のみに及び，全体として連続性はまだ保たれている」，グレード3は「損傷が上面から下面まで貫通し完全に断裂」，というものがよく知られている（**表11-5**）。Cruesら[10]はMRIにてグレード1または2に分類された場合，関節鏡所見では89%が正常な半月板を呈し，グレード3に分類されると94%で実際に損傷が確認できたと報告した。これらのことから，MRI画像上で断裂が関節面に達しているかどうか判断に困るような例では，実際に断裂している可能性が低いといえる。

De Smetら[12]は異常信号が関節面に達しているものでも，MRI上で1スライスだけで信号が認められる場合の断裂率は内側で56%，外側で30%，2スライス以上で認められる場合は内外側ともに90%以上であると報告した。これより異常信号のスライス数も考慮に入れる必要があることがわかる。2012年のレビュー[11]では，1980年代後半から約25年間にわたりMRI画像の向上がみられるが，半月板損傷の主な2つの診断基準は，「半月板内の信号が上面または下面まで達していること」と「半月板の正常な形態の歪曲」であることは変わらないと述べられた。

2．感度・特異度
1）MRIの感度・特異度

成人の半月板損傷の診断に用いられるMRIの感度・特異度についての論文は多くみられ，概ね良好な結果が報告されてきた。Ryzewiczら[50]のレビューによると，0.1テスラ（T）で撮像されたRappeportら[45]の報告を除くすべての論文において，内側半月板損傷に関しては90%前後の感度・特異度が示された（**表11-6**）[7, 23, 24, 34, 47, 64]。外側半月板損傷では感度で低い値がみられるが，特異度は90%以上であった。MRIが高い診断能を有することについて，コンセンサスはすでに得られたと考えられる。

ACL損傷合併例におけるMRIについても高い感度・特異度が報告された。Sharifahら[50]は平均年齢28歳のACL不全膝66膝について，内側半月板損傷の感度・特異度・陽性的中率・陰性

表11-6 MRIによる半月板損傷の診断精度

報告者	磁場(T)	例数	損傷数	内側半月板 精度(%)	感度(%)	特異度(%)	PPV(%)	NPV(%)	外側半月板 精度(%)	感度(%)	特異度(%)	PPV(%)	NPV(%)
Wintersら[64]	1.5	67	31	92	87	92	89	90	82	46	91	88	55
Rielら[47]	0.2	244	114	95	93	94	97	94	94	83	96	84	96
Rappeportら[45]	0.1	47	14	77	86	73	57	92	91	40	98	67	93
Bui-Mansfieldら[7]	1.5	50	20	94	90	97	95	94	88	60	100	100	85
LaPradeら[34]	1.0	72	34	99	100	97	97	100	90	70	98	93	89
Grevittら[24]	0.2	55	25	91	92	90	88	93	96	89	98	89	98
Gluckertら[23]	1.5	80	35	95	97	93	92	98	100	100	100	100	100

T：テスラ。

的中率を報告した。結果はそれぞれ82％，92％，82％，88％，外側半月板損傷で83％，97％，96％，90％であった。これは受傷から平均15ヵ月（2〜48ヵ月）経過してから撮像した例であり，慢性期のACL損傷合併型でも半月板単独損傷と同等の感度・特異度を有していた。Naranjeら[43]も同様にACL不全膝での高い感度・特異度を報告しており，特に内側半月板の後角損傷がACL損傷に多く合併した損傷タイプだったと報告した。

2) MRIの感度・特異度に影響を及ぼす因子

(1) 年齢

年齢は半月板損傷診断のMRIの感度・特異度に影響を及ぼす因子である。Kocherら[31]は11歳以下と12〜16歳で感度・特異度を比較し，11歳以下において感度・特異度は有意に低下すると報告した。また，Stanitskiら[59]は8〜17歳を対象とし，若年者ではMRIより臨床所見や関節鏡所見のほうが感度・特異度が上まわると報告した。若年者でMRIの精度が低下する理由としては，成長段階における膝の構成体が小さいという解剖学的特徴と，半月板の血流が多く偽陽性が多くなることが影響していると考えられている。青年期と成人を比較した報告もある。Majorら[37]は11〜17歳と18歳以上で分け，MRIの感度・特異度を算出した。11〜17歳の内側半月板損傷92％，87％，外側半月板損傷93％，95％，18歳以上の内側半月板損傷90％，80％，外側半月板損傷78％，93％という結果であり，青年期は成人と同等の検出率だった。これらの報告より，特に11歳以下の若年者にMRIを使用する場合は上述したような特徴を踏まえて考える必要があるといえる。

一方，退行変性型の高齢者においても偽陽性が多い。平均62歳の変形性膝関節症の無症候者の半月板異常信号は76％で存在した[4]。変形性膝関節症の患者は，半月板損傷が存在することだけが疼痛や機能を低下させる理由にはならないため，MRIの撮像は必ずしも必要ではないと考えられる。

(2) 急性期

受傷後3日以内の関節内血腫が残存した膝を1.5 T MRIにて撮像し，関節鏡所見と比較した研究がある。対象者69名の77％がスポーツによる損傷であった。内側半月板損傷の感度・特異度は74％，66％，外側半月板損傷は50％，84％と低く，明らかに外科的処置が必要であった半月板損傷のうち10例をMRIで見逃していた[35]。また，ACL損傷に合併した半月板損傷の急性期においては，正常なACLを有していた患者より感度・特異度が有意に低下したとの報告もあった[42]。ACL損傷を合併した急性期は，MRIによる診断が難しくなるといえる。早急な意思決定が求められる高いレベルのアスリートは，最も根拠が低い診断下での意思決定が求められる。

3. 臨床所見 vs. MRI

臨床所見とMRIの診断の精度を比較した研究は多い。臨床所見と比較してMRIのほうが精度が高いとする報告がある[6, 15, 41, 46, 58, 63]。一方で，精度は同程度であるとするものやMRIのほうが劣るとする報告もある。Roseら[48]は診断精度を徒手検査79％，MRI 72％と報告した。Miller[38]は徒手検査81％，MRI 74％と報告し，MRIは費用がかかるため徒手検査で十分であると結論づけた。このように，経験豊富な整形外科医が慎重に検査をしたうえで診断をすれば，必ずしもMRIは必要ないとする論文が他にも多数ある[5, 16, 18, 22, 30, 40, 56]。

Kocherら[31]も膝関節疾患を有する16歳以下の若者に対して，臨床所見による診断とMRI所見による診断を関節鏡所見と比較した。その結

第3章 半月板

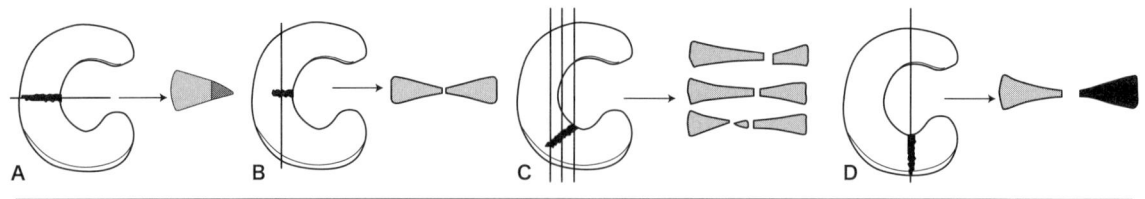

図 11-6 横断裂の MRI 徴候（文献 25 より引用）
A：三角形の先端が断ち切られた形を呈する（truncated triangle sign）。B：半月板に断裂が確認できる（cleft sign）。C：半月板の断裂がスライスごとで移動する（marching cleft sign）。D：半月板が消失した所見（ghost meniscus sign）。

果，内側半月板損傷の特異度が臨床所見 80.7% に対して，MRI 92% と有意に高かった。また，円板状半月に関しては，臨床所見の感度 88.9% に対して，MRI 38.9% と有意に低く，損傷した場所や半月の特徴により一長一短があることを示唆した。

Rui ら[49]は関節鏡を施行した 262 名（7～78 歳，平均 41 歳）を対象に，関節鏡により半月板損傷と診断された 189 名の術前の身体所見と MRI 画像のうち，診断に重要な所見をロジスティック回帰分析にて抽出した。腫脹，膝くずれ，ロッキング，大腿四頭筋萎縮，圧痛，可動域制限，Apley test，McMurray test，Kellogg-Speed test，過伸展時痛，過屈曲時痛の有無を説明因子としたところ，膝くずれ，ロッキング，McMurray test の 3 つが陽性だと 80.0% の確率で正確に診断可能という結果であった。さらに MRI 所見が加わると 91.6% で正確に診断が可能と報告された。このように，どの組み合わせが高い診断能を有するかという論文は，渉猟しえた範囲では Rui ら[49]の報告だけであった。臨床所見と MRI のどちらが優れているかという視点ではなく，それぞれのテストの特性を踏まえ，臨床症状と徒手検査，MRI を統合してベストな方法を探る必要がある。

4．断裂形態別

ここでは，若者のスポーツ障害に多いとされる，バケツ柄断裂と横断裂の感度・特異度の報告について記載する。

1）バケツ柄断裂

バケツ柄断裂を鑑別するための MRI 所見はさまざまなものがある。Double PCL sign とは，半月板自由縁の欠損と顆間側へ偏位した遊離片を認め，矢状断像において PCL が 2 本あるように描出されるものである。Double PCL sign は ACL 損傷合併を除いては内側半月板損傷でみられる[21]。このサインの感度は 27～44%，特異度は 98～100% と報告された[3, 14, 27, 36, 61, 65]。Absent bow tie sign は，正常では複数の裁断面で認められるべき「蝶ネクタイ」の数が減少することである[27]。感度は 58～98%，特異度は 62～100% と報告された[3, 14, 27, 60～62]。その他，感度，特異度が高いものとして，矢状断にて断裂した半月板が円錐状に描出される coronal truncation sign（感度 65.1%，特異度 71.4%）や，後角が前方へ移動し，前角が 2 つあるように描出される anterior flip sign（感度 60.5%，特異度 89.7%）などがあげられる[3, 14]。

2）横断裂

横断裂の代表的な MRI 所見には truncated triangle sign，cleft sign，marching cleft sign，ghost meniscus sign がある（図 11-6）。Truncated triangle sign は断裂部に一致する矢

状断もしくは冠状断像において，正常の三角形の半月板の先端部分が消失するもの．Cleft sign は断裂部に一致する矢状断もしくは冠状断像において，半月板を貫いて垂直に走る線状の高信号のみられるもの．Marching cleft sign は矢状断もしくは冠状断像にて，中央または周辺に向かって連続して確認できる半月板の断裂で，スライスごとに断裂部が"行進する"ようにみえる．Ghost meniscus sign は矢状断もしくは冠状断像にて，半月板の三角形の形状が欠如している所見で，隣接した画像では正常な半月板が確認できるが，断裂部のスライスでは，通常の暗い半月板信号に変わって高信号がみられる．

Harper ら[25]は関節鏡で横断裂を確認した 19 膝に対して，MRI にて上述した 4 つのサインを用いて鑑別した結果，17 膝（89％）が鑑別可能であったと報告した．

D. 超音波

近年，超音波による半月板損傷の診断を検討した研究が増えている．Shetty ら[55]は超音波所見と関節鏡所見を比較して感度・特異度を算出した．その結果，感度 86.4％，特異度 69.2％，陽性的中率 82.6％，陰性的中率 75％であった．特異度が低いため，偽陽性の数を減らす技術を向上させる必要性を述べた．外側半月板損傷の診断に超音波を用いた場合，急性期より慢性期で感度・特異度が高いという報告もある[57]．報告数はMRI や徒手検査と比較して多くないため，MRI と比較して優劣をつけることはできない．

E. まとめ

1. すでに真実として承認されていること

- ロッキングの有無は重要な臨床症状．
- 圧痛は感度が高く，特異度が低い傾向で，McMurray test と Apley test は感度が低く，特異度が高い．
- ACL 損傷合併の場合，徒手検査の感度・特異度が低下する．
- MRI は概ね 80％以上の感度・特異度がある．
- MRI では ACL 合併の有無には影響を受けないが，若年者や急性期では注意を要する．

2. 議論の余地はあるが，今後の重要な研究テーマとなること

- 荷重位のテストを加えることでより診断の妥当性が増す．
- 半月板損傷時期や年代によって徒手検査の妥当性が異なる．
- 超音波も半月板損傷の診断に活用できる可能性がある．

3. 真実と思われていたが実は疑わしいこと

- 徒手検査より MRI の妥当性が高いこと．

F. 今後の課題

- 徒手検査にて断裂部位や断裂形態の違いによる検出率に差があるのかどうかの検討．
- 検出率の高い徒手検査・MRI の組み合わせの検討．
- 超音波検査の有用性の検討．

文　献

1. Abdon P, Lindstrand A, Thorngren KG: Statistical evaluation of the diagnostic criteria for meniscal tears. *Int Orthop*. 1990; 14: 341-5.
2. Akseki D, Ozcan O, Boya H, Pinar H: A new weight-bearing meniscal test and a comparison with McMurray's test and joint line tenderness. *Arthroscopy*. 2004; 20: 951-8.
3. Aydingoz U, Firat AK, Atay OA, Doral MN: MR imaging of meniscal bucket-handle tears: a review of signs and their relation to arthroscopic classification. *Eur Radiol*. 2003; 13: 618-25.
4. Bhattacharyya T, Gale D, Dewire P, Totterman S, Gale ME, McLaughlin S, Einhorn TA, Felson DT: The clinical

importance of meniscal tears demonstrated by magnetic resonance imaging in osteoarthritis of the knee. *J Bone Joint Surg Am*. 2003; 85-A: 4-9.
5. Brooks S, Morgan M: Accuracy of clinical diagnosis in knee arthroscopy. *Ann R Coll Surg Engl*. 2002; 84: 265-8.
6. Bryan S, Weatherburn G, Bungay H, Hatrick C, Salas C, Parry D, Field S, Heatley F: The cost-effectiveness of magnetic resonance imaging for investigation of the knee joint. *Health Technol Assess*. 2001; 5: 1-95.
7. Bui-Mansfield LT, Youngberg RA, Warme W, Pitcher JD, Nguyen PL: Potential cost savings of MR imaging obtained before arthroscopy of the knee: evaluation of 50 consecutive patients. *AJR Am J Roentgenol*. 1997; 168: 913-8.
8. Corea JR, Moussa M, al Othman A: McMurray's test tested. *Knee Surg Sports Traumatol Arthrosc*. 1994; 2: 70-2.
9. Couture JF, Al-Juhani W, Forsythe ME, Lenczner E, Marien R, Burman M: Joint line fullness and meniscal pathology. *Sports Health*. 2012; 4: 47-50.
10. Crues JV 3rd, Mink J, Levy TL, Lotysch M, Stoller DW: Meniscal tears of the knee: accuracy of MR imaging. *Radiology*. 1987; 164: 445-8.
11. De Smet A: How I diagnose meniscal tears on knee MRI. *AJR Am J Roentgenol*. 2012; 199: 481-99.
12. De Smet AA, Norris MA, Yandow DR, Quintana FA, Graf BK, Keene JS: MR diagnosis of meniscal tears of the knee: importance of high signal in the meniscus that extends to the surface. *AJR Am J Roentgenol*. 1993; 161: 101-7.
13. Dervin GF, Stiell IG, Wells GA, Rody K, Grabowski J: Physicians' accuracy and interrator reliability for the diagnosis of unstable meniscal tears in patients having osteoarthritis of the knee. *Can J Surg*. 2001; 44: 267-4.
14. Dorsay TA, Helms CA: Bucket-handle meniscal tears of the knee: sensitivity and specificity of MRI signs. *Skeletal Radiol*. 2003; 32: 266-72.
15. Elvenes J, Jerome CP, Reikerås O, Johansen O: Magnetic resonance imaging as a screening procedure to avoid arthroscopy for meniscal tears. *Arch Orthop Trauma Surg*. 2000; 120: 14-6.
16. Ercin E, Kaya I, Sungur I, Demirbas E, Ugras AA, Cetinus EM: History, clinical findings, magnetic resonance imaging, and arthroscopic correlation in meniscal lesions. *Knee Surg Sports Traumatol Arthrosc*. 2012; 20: 851-6.
17. Eren OT: The accuracy of joint line tenderness by physical examination in the diagnosis of meniscal tears. *Arthroscopy*. 2003; 19: 850-4.
18. Esmaili Jah AA, Keyhani S, Zarei R, Moghaddam AK: Accuracy of MRI in comparison with clinical and arthroscopic findings in ligamentous and meniscal injuries of the knee. *Acta Orthop Belg*. 2005; 71: 189-96.
19. Evans PJ, Bell GD, Frank C: Prospective evaluation of the McMurray test. *Am J Sports Med*. 1993; 21: 604-8.
20. Fowler PJ, Lubliner JA: The predictive value of five clinical signs in the evaluation of meniscal pathology. *Arthroscopy*. 1989; 5: 184-6.
21. Fox MG: MR imaging of the meniscus: review, current trends, and clinical implications. *Radiol Clin North Am*. 2007; 45: 1033-53.
22. Gelb HJ, Glasgow SG, Sapega AA, Torg JS: Magnetic resonance imaging of knee disorders. Clinical value and cost-effectiveness in a sports medicine practice. *Am J Sports Med*. 1996; 24: 99-103.
23. Glückert K, Kladny B, Blank-Schäl A, Hofmann G: MRI of the knee joint with a 3-D gradient echo sequence. Equivalent to diagnostic arthroscopy? *Arch Orthop Trauma Surg*. 1992; 112: 5-14.
24. Grevitt MP, Pool CJ, Bodley RN, Savage PE: Magnetic resonance imaging of the knee: initial experience in a district general hospital. *Injury*. 1992; 23: 410-2.
25. Harper KW, Helms CA, Lambert HS 3rd, Higgins LD: Radial meniscal tears: significance, incidence, and MR appearance. *AJR Am J Roentgenol*. 2005; 185: 1429-34.
26. Harrison BK, Abell BE, Gibson TW: The Thessaly test for detection of meniscal tears: validation of a new physical examination technique for primary care medicine. *Clin J Sport Med*. 2009; 19: 9-12.
27. Helms CA: The meniscus: recent advances in MR imaging of the knee. *AJR Am J Roentgenol*. 2002; 179: 1115-22.
28. Kaplan PA, Nelson NL, Garvin KL, Brown DE: MR of the knee: the significance of high signal in the meniscus that does not clearly extend to the surface. *AJR Am J Roentgenol*. 1991; 156: 333-6.
29. Karachalios T, Hantes M, Zibis AH, Zachos V, Karantanas AH, Malizos KN: Diagnostic accuracy of a new clinical test (the Thessaly test) for early detection of meniscal tears. *J Bone Joint Surg Am*. 2005; 87: 955-62.
30. Kocabey Y, Tetik O, Isbell WM, Atay OA, Johnson DL: The value of clinical examination versus magnetic resonance imaging in the diagnosis of meniscal tears and anterior cruciate ligament rupture. *Arthroscopy*. 2004; 20: 696-700.
31. Kocher MS, DiCanzio J, Zurakowski D, Micheli LJ: Diagnostic performance of clinical examination and selective magnetic resonance imaging in the evaluation of intraarticular knee disorders in children and adolescents. *Am J Sports Mede*. 2001; 29: 292-6.
32. Kornick J, Trefelner E, McCarthy S, Lange R, Lynch K, Jokl P: Meniscal abnormalities in the asymptomatic population at MR imaging. *Radiology*. 1990; 177: 463-5.
33. Kurosaka M, Yagi M, Yoshiya S, Muratsu H, Mizuno K: Efficacy of the axially loaded pivot shift test for the diagnosis of a meniscal tear. *Int Orthop*. 1999; 23: 271-4.
34. LaPrade RF, Burnett QM 2nd, Veenstra MA, Hodgman CG: The prevalence of abnormal magnetic resonance imaging findings in asymptomatic knees. With correlation of magnetic resonance imaging to arthroscopic findings in symptomatic knees. *Am J Sports Med*. 1994; 22: 739-45.
35. Lundberg M, Odensten M, Thuomas KA, Messner K: The diagnostic validity of magnetic resonance imaging in acute knee injuries with hemarthrosis. A single-blinded evaluation in 69 patients using high-field MRI before arthroscopy. *Int J Sports Med*. 1996; 17: 218-22.
36. Magee TH, Hinson GW: MRI of meniscal bucket-handle tears. *Skeletal Radiol*. 1998; 27: 495-9.
37. Major NM, Beard LN Jr, Helms CA: Accuracy of MR

imaging of the knee in adolescents. *AJR Am J Roentgenol*. 2003; 180: 17-9.
38. Miller GK: A prospective study comparing the accuracy of the clinical diagnosis of meniscus tear with magnetic resonance imaging and its effect on clinical outcome. *Arthroscopy*. 1996; 12: 406-13.
39. Mirzatolooei F, Yekta Z, Bayazidchi M, Ershadi S, Afshar A: Validation of the Thessaly test for detecting meniscal tears in anterior cruciate deficient knees. *Knee*. 2010; 17: 221-3.
40. Muellner T, Weinstabl R, Schabus R, Vécsei V, Kainberger F: The diagnosis of meniscal tears in athletes. A comparison of clinical and magnetic resonance imaging investigations. *Am J Sports Med*. 1997; 25: 7-12.
41. Munk B, Madsen F, Lundorf E, Staunstrup H, Schmidt SA, Bolvig L, Hellfritzsch MB, Jensen J: Clinical magnetic resonance imaging and arthroscopic findings in knees: a comparative prospective study of meniscus anterior cruciate ligament and cartilage lesions. *Arthroscopy*. 1998; 14: 171-5.
42. Nam TS, Kim MK, Ahn JH: Efficacy of magnetic resonance imaging evaluation for meniscal tear in acute anterior cruciate ligament injuries. *Arthroscopy*. 2014; 30: 475-82.
43. Naranje S, Mittal R, Nag H, Sharma R: Arthroscopic and magnetic resonance imaging evaluation of meniscus lesions in the chronic anterior cruciate ligament-deficient knee. *Arthroscopy*. 2008; 24: 1045-51.
44. Noble J, Erat K: In defence of the meniscus. A prospective study of 200 meniscectomy patients. *J Bone Joint Surg Br*. 1980; 62-B: 7-11.
45. Rappeport ED, Wieslander SB, Stephensen S, Lausten GS, Thomsen HS: MRI preferable to diagnostic arthroscopy in knee joint injuries. A double-blind comparison of 47 patients. *Acta Orthop Scand*. 1997; 68: 277-81.
46. Rayan F, Bhonsle S, Shukla DD: Clinical, MRI, and arthroscopic correlation in meniscal and anterior cruciate ligament injuries. *Int Orthop*. 2009; 33: 129-32.
47. Riel KA, Reinisch M, Kersting-Sommerhoff B, Hof N, Merl T: 0.2-Tesla magnetic resonance imaging of internal lesions of the knee joint: a prospective arthroscopically controlled clinical study. *Knee Surg Sports Traumatol Arthrosc*. 1999; 7: 37-41.
48. Rose NE, Gold SM: A comparison of accuracy between clinical examination and magnetic resonance imaging in the diagnosis of meniscal and anterior cruciate ligament tears. *Arthroscopy*. 1996; 12: 398-405.
49. Rui Yan, Hong Wang, Zhen Yang, Zhen hao Ji, You min Guo: Predicted probability of meniscus tears: comparing history and physical examination with MRI. *Swiss Med Wkly*. 2011; 141: w13314.
50. Ryzewicz M, Peterson B, Siparsky PN, Bartz RL: The diagnosis of meniscus tears: the role of MRI and clinical examination. *Clin Orthop Relat Res*. 2007; 455: 123-33.
51. Sae-Jung S, Jirarattanaphochai K, Benjasil T: KKU knee compression-rotation test for detection of meniscal tears: a comparative study of its diagnostic accuracy with McMurray test. *J Med Assoc Thai*. 2007; 90: 718-23.
52. Sharifah MI, Lee CL, Suraya A, Johan A, Syed AF, Tan SP: Accuracy of MRI in the diagnosis of meniscal tears in patients with chronic ACL tears. *Knee Surg Sports Traumatol Arthrosc*. 2015; 23: 826-30.
53. Shelbourne KD, Benner RW: Correlation of joint line tenderness and meniscus pathology in patients with subacute and chronic anterior cruciate ligament injuries. *J Knee Surg*. 2009; 22: 187-90.
54. Shelbourne KD, Martini DJ, McCarroll JR, VanMeter CD: Correlation of joint line tenderness and meniscal lesions in patients with acute anterior cruciate ligament tears. *Am J Sports Med*. 1995; 23: 166-9.
55. Shetty AA, Tindall AJ, James KD, Relwani J, Fernando KW: Accuracy of hand-held ultrasound scanning in detecting meniscal tears. *J Bone Joint Surg Br*. 2008; 90: 1045-8.
56. Siddiqui MA, Ahmad I, Sabir AB, Ullah E, Rizvi SW, Rizvi SW: Clinical examination vs. MRI: evaluation of diagnostic accuracy in detecting ACL and meniscal injuries in comparison to arthroscopy. *Pol Orthop Traumatol*. 2013; 78: 59-63.
57. Sladjan T, Zoran V, Zoran B: Correlation of clinical examination, ultrasound sonography, and magnetic resonance imaging findings with arthroscopic findings in relation to acute and chronic lateral meniscus injuries. *J Orthop Sci*. 2014; 19: 71-6.
58. Spiers AS, Meagher T, Ostlere SJ, Wilson DJ, Dodd CA: Can MRI of the knee affect arthroscopic practice? A prospective study of 58 patients. *J Bone Joint Surg Br*. 1993; 75: 49-52.
59. Stanitski CL: Correlation of arthroscopic and clinical examinations with magnetic resonance imaging findings of injured knees in children and adolescents. *Am J Sports Med*. 1998; 26: 2-6.
60. Vande Berg BC, Malghem J, Poilvache P, Maldague B, Lecouvet FE: Meniscal tears with fragments displaced in notch and recesses of knee: MR imaging with arthroscopic comparison. *Radiology*. 2005; 234: 842-50.
61. Ververidis AN, Verettas DA, Kazakos KJ, Tilkeridis CE, Chatzipapas CN: Meniscal bucket handle tears: a retrospective study of arthroscopy and the relation to MRI. *Knee Surg Sports Traumatol Arthrosc*. 2006; 14: 343-9.
62. Watt AJ, Halliday T, Raby N: The value of the absent bow tie sign in MRI of bucket-handle tears. *Clin Radiol*. 2000; 55: 622-6.
63. Weinstabl R, Muellner T, Vécsei V, Kainberger F, Kramer M: Economic considerations for the diagnosis and therapy of meniscal lesions: can magnetic resonance imaging help reduce the expense? *World J Surg*. 1997; 21: 363-8.
64. Winters K, Tregonning R: Reliability of magnetic resonance imaging of the traumatic knee as determined by arthroscopy. *N Z Med J*. 2005 11; 118(1209): U1301.
65. Wright DH, De Smet AA, Norris M: Bucket-handle tears of the medial and lateral menisci of the knee: value of MR imaging in detecting displaced fragments. *AJR Am J Roentgenol*. 1995; 165: 621-5.

（森田　寛子）

12. 治 療

はじめに

半月板の治療は観血的療法と保存療法に大別される。観血的療法は，大きく縫合術と切除術に分けられる。両者の治療成績について，術後の膝機能，再手術率，OA変化の3点から比較する。次に術後リハビリテーションについて，スケジュールや術後に起こる膝関節機能低下についてまとめる。また保存療法については，その適応と半月板の自然治癒能力，platelet-pich plasma (PRP)療法など最新の治療法に関する論文を紹介する。

A. 文献検索方法

文献検索にはPubMedを用いた。検索用語に「meniscus」を用いた結果，6,689件がヒットした。さらに「treatment」「tear」「repair」「healing」「discoid」「PRP」「conservative」などのキーワードを加えた。またヒットした文献よりACL損傷が対象に含まれた論文は極力除外し，含まれていても本項に重要な場合には本文中にACL損傷膝が含まれている旨を記載した。また，半月板に対する治療法はその術式も変化が大きいため，2000年代の論文を中心に最終的にレビューを行った。以上のことを考慮し，最終的に半月板損傷の治療に関連する文献68件を採用した。

B. 観血的療法

1. 治療成績

Lysholm score[43]は代表的な膝機能スコアの1つである。図12-1は半月板損傷の形態，術式（縫合・切除），損傷部位（外側半月板・内側半月板）ごとの術後のLysholm scoreをまとめたものである[1～3, 5, 7, 8, 13, 15～20, 24, 27, 28, 30, 32, 33, 37, 38, 58, 61～64]。どの損傷形態や術式においてもおおむね良好な治療結果であるが，root tearに対する半月板部分切除術のみ治療成績がfairと低い値であった。また，縦断裂やバケツ柄断裂においては，外側半月板に比べ，内側半月板で術後成績が悪い。

術後機能に影響を与える因子として，半月板の治癒能力があげられる[54]。治癒率と半月板の血行との関連を調べた論文は多い。図12-2に縦断裂におけるred-red zone (R/R) とred-white zone (R/W) について，治癒までの期間と治癒率との関係を示す[4, 12, 18, 19, 24, 30, 33, 49, 54, 56, 65]。これによると，R/W（図12-2破線）に比べ，血行が豊富なR/R（図12-2実線）は治癒率が高い。損傷位置や損傷形態によっても治癒率は異なる。

術後半年における損傷部位による縦断裂の治癒率では，中節に比べ後角でその治癒率が低い[54]。図12-3に損傷形態別に，治癒までの期間と治癒率との関係を示す[4, 10, 12, 19, 49, 51, 56, 59, 65]。縦断裂の場合，外側半月板（図12-3実線）と内側半月板（図12-3破線）では，内側半月板のほうが治癒率がやや低い。これは，前述した内側半月板の膝術後機能低下と関連するものと考えられる。Root tearの治癒率は，短期的にはよいが，長期的に低下する。縦断裂が進行したものと考えられるバケツ柄断裂の治癒率は縦断裂よりも低い。

再手術率についていくつかの大規模な研究が行

12. 治 療

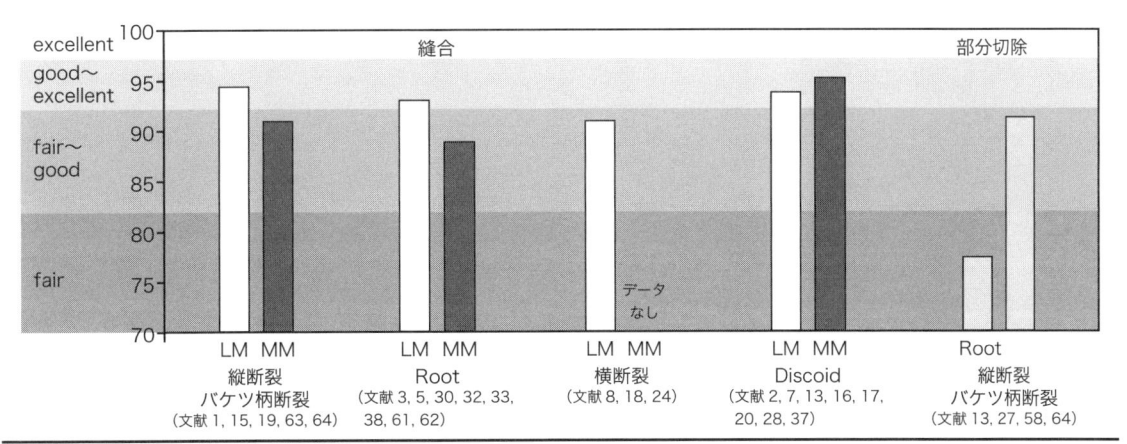

図 12-1 術式・損傷部位と術後膝の Lysholm score
LM：外側半月板，MM：内側半月板。いずれの損傷形態や術式においてもおおむね良好な治療結果であるが，root tear に対する半月板部分切除術のみ治療成績が fair と低い値であった。また，縦断裂やバケツ柄断裂では LM に比べ MM で術後成績が悪かった。

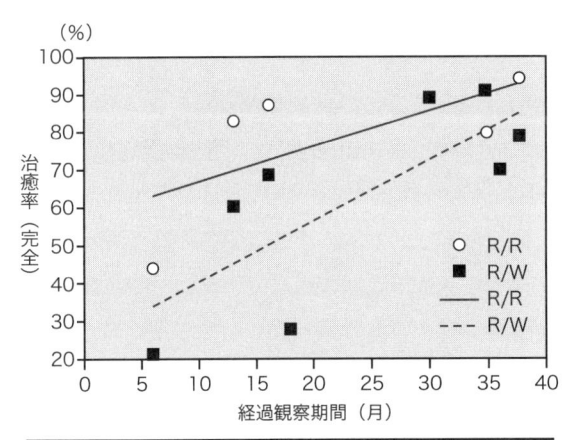

図 12-2 血行の有無と治癒率の推移（文献 4, 12, 18, 19, 24, 30, 33, 49, 54, 56, 65 より作図）
縦断裂における red-white zone（R/W，破線）より，血行が豊富な red-red zone（R/R，実線）のほうが治癒率が高かった。

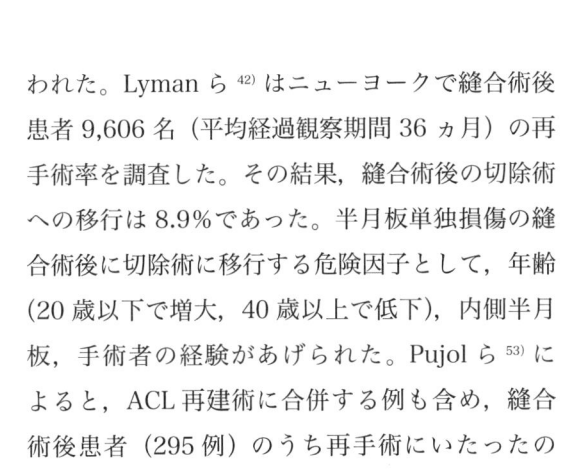

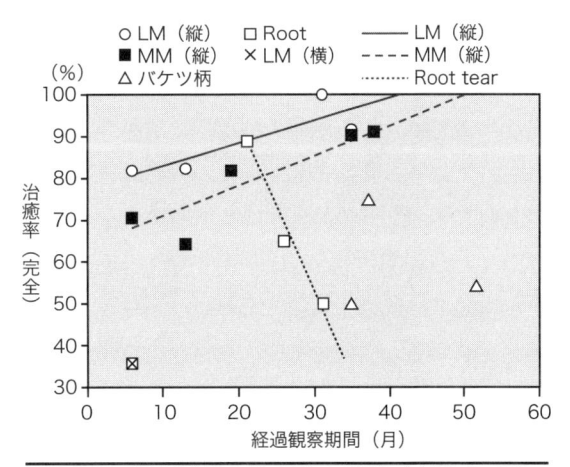

図 12-3 損傷形態と治癒率の推移（文献 4, 10, 12, 19, 49, 51, 56, 59, 65 より作図）
縦断裂の場合，MM（破線）のほうが LM（実線）に比べややその治癒率が低かった。Root tear の治癒率は短期的にはよいが，長期的には低下した。

われた。Lyman ら[42]はニューヨークで縫合術後患者 9,606 名（平均経過観察期間 36 ヵ月）の再手術率を調査した。その結果，縫合術後の切除術への移行は 8.9％であった。半月板単独損傷の縫合術後に切除術に移行する危険因子として，年齢（20 歳以下で増大，40 歳以上で低下），内側半月板，手術者の経験があげられた。Pujol ら[53]によると，ACL 再建術に合併する例も含め，縫合術後患者（295 例）のうち再手術にいたったのは 37 例（12.5％）（内側半月板 35 例，外側半月板 2 例，再手術までの平均期間 26 ヵ月）であった。ただし，再手術例における初回手術からの損傷拡大は，内側半月板において 5 例（全体の 2％），外側半月板において 0 例であった。一方，再断裂例の 35％は初回手術時よりも損傷範囲は縮小しており，一部治癒していたことがわかる。ACL 損傷との合併損傷であっても縫合術の成功率は 85％であること，再手術になっても損傷範

第3章 半月板

囲が縮小している例が多いことから，著者らは術式選択として縫合術を第一選択とすることを推奨した。

半月板損傷後のOA変化について，10年以上の長期経過を観察した研究は少ない[9, 26, 52]。Paxtonら[52]によると，部分切除術と縫合術後の再手術率は，それぞれ短期で1.4%と16.5%，長期で3.9%と20.7%と部分切除群のほうが低かったが，OA変化の発生率は縫合より部分切除のほうが高かった。切除後のOA進行の危険因子として切除量と内側半月板損傷があげられたが，手術時年齢，性別，手術時のOAレベルは危険因子ではなかった[9, 26]。

2. アスリートの術後成績

これまで紹介した研究の対象にはアスリート以外も含まれており，アスリートのみの術後成績の報告は多くない[6, 36, 41, 47, 48, 64, 66]。アスリートにおける半月板損傷にはACL損傷との合併損傷が含まれることに留意すべきである。リハビリテーションプログラムや復帰時期，復帰後の再受傷などの情報を解釈する際には，半月板単独損傷と合併損傷とを明確に区別する必要がある。

Loganら[41]は，トップアスリート（45例）の平均8.5年（5年以上）の長期術後成績を報告した。スポーツへの完全復帰率は81%，損傷前と同じ活動レベルにもどるのに要した期間は全体で平均10.4ヵ月，ACL損傷合併例では11.8ヵ月，半月板単独損傷では5.6ヵ月であった。再手術は12例（26.7%）であり，内側半月板が10例，外側半月板が1例，残り1例は他院受診のため不明であった。受傷機転別に分類すると，スポーツ中の急性外傷が7例（うち2例はACL損傷合併），非外傷性損傷が5例であった。再手術の危険因子としては内側半月板損傷があげられ，年齢，損傷範囲，損傷位置は危険因子ではなかった。

Steinら[64]はアスリート（81例）の内側半月板単独損傷に対する半月縫合術42例と部分切除術39例の術後成績を，中期（術後3.4年）と長期（術後8.8年）に分けて分析した。Lysholm scoreは縫合術・切除術ともに90点前後（中期・長期とも）と良好な成績であった。OA変化に関しては，長期において縫合術では80.8%に，部分切除術では40.0%にみられなかった。受傷前の活動レベルにもどれた割合は，縫合術で96.2%，部分切除術で50.0%であった。再手術率に関して，縫合術例で最終的に14.3%が再手術となり，すべて術後13ヵ月の時点で再手術にいたったのに対し，部分切除例は10.3%が再手術となり，術後36ヵ月の時点で再手術にいたった。縫合術では治癒不良者が，部分切除術では長期的な退行性変化が再手術の原因となっている可能性がある。Steinら[64]は対象を30歳以下と30歳以上のサブグループに分けた際のOA変化も調査した。30歳以下では部分切除でOA変化が増大した。それに対し，30歳以上では術式による違いはみられなかった。このことから，年齢による術式の選択についても考えるべきである。

アスリートのみを対象としたSteinら[64]と一般患者を含むPaxtonら[52]を比較すると，縫合術後の再手術率に大きな差は認められないが，部分切除後にアスリートにおいて再手術率がやや高いことが示された。図12-4にSteinら[64]とPaxtonら[52]の論文に記載された半月板縫合術後および部分切除後のOA変化率を合成したグラフを示した。グレード0はOA変化がなかったとみなす。中期では縫合と部分切除に術式間に差はなかった。長期において，縫合術後はアスリート，一般患者ともに20%弱のOA発生率と同じ程度であった。一方，部分切除後の長期では，アスリートで60%，一般患者で40%弱のOA発生率であった。一般の対象も含めた切除でのOA変化率を示した論文のデータと比べて，初期の

12. 治療

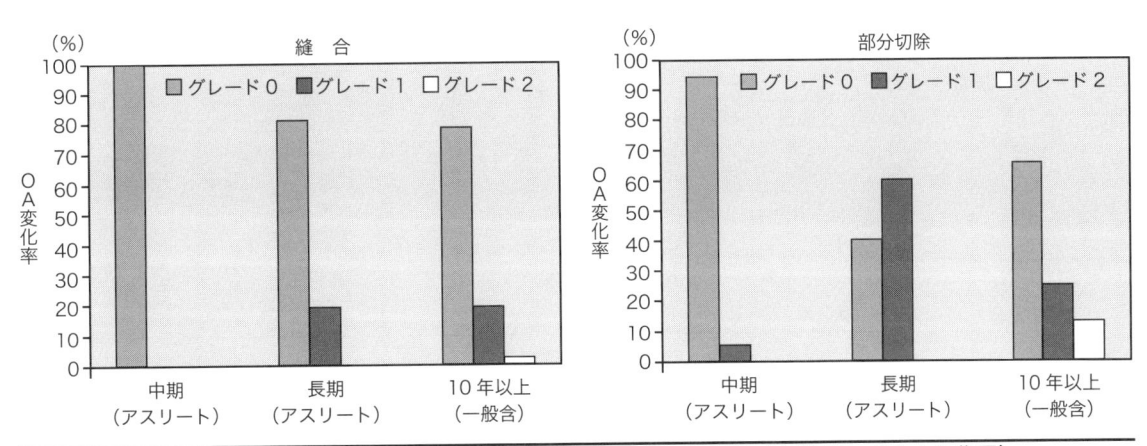

図12-4 アスリートおよび一般患者における半月板手術後のOA変化率（文献52, 64より作図）
グレード0はOA変化がなかったとみなす。縫合術後のOA発生率はアスリート，一般患者ともに20％弱であり，部分切除後のOA発生率はアスリートで60％，一般患者で40％弱であった。

OA変化率がアスリートで高いことは興味深い。

3. 若年アスリートの術後成績

アスリートの半月板損傷を考えるうえで，若いアスリートにおける術後成績を理解する必要がある。Vanderhaveら[66]は，49例の18歳未満のアスリート（9〜17歳，平均13.2歳）を対象に半月板縫合術後の成績を調査した。その結果，血行や骨端線閉鎖の有無にかかわらず，術後成績は良好であった。半月板単独の復帰時期は平均5.6ヵ月であり，再損傷は2例でいずれもR/W・骨端線閉鎖後（有意差なし）であった。

Krausら[36]による25例（29半月板損傷）の18歳未満のアスリート（4〜17歳，平均15歳）を対象とした研究では，平均2.3年の経過観察においてLysholm scoreは95（81〜100）と良好であった。平均15ヵ月の時点での再損傷は4例（16％），変性・離開が各2例（8％）であり，損傷部位は初回損傷と同じ部位であった。この報告では，ACL損傷合併も対象に含まれているが，術後成績・再損傷ともACL合併の有無，損傷位置や形態との関連はみられなかった。

対象を年齢でグループ分けし，その術後成績を比較した論文は少ない。Noyesらのグループは，対象年齢が異なるR/W部の半月板損傷に対する縫合術18ヵ月後の治療成績を2つの論文で発表した[47,59]。対象年齢は，20歳未満（71例）[47]と20〜30歳（198例）[59]であった。20歳未満と20〜30歳で，それぞれ75％と80％が無症状であり，それぞれ18％と20％が再手術を受けた。以上の結果に，年代による差はみられなかった。一方，縦断裂後の治癒率は，20歳未満が53％であったのに対し，20〜30歳では36％と低かった。これは，若年者における術後の半月板治癒能力が高いことを示唆している。20歳未満の53％の治癒率は，図12-2のR/Wの一般の対象を含んだ治癒率の近似直線において術後18ヵ月の治癒率は50％強とほぼ同等であった。それに対し，20〜30歳のアスリートの36％という治癒率は，近似直線よりも低い。これはスポーツ活動が，術後の半月板治癒にマイナスの影響を及ぼしていると考えられる。

Noyesら[48]は，20歳未満のアスリートを10年間追跡調査した。その結果，R/Wの治癒率は62％（18/29）であり，外側半月板で78％（14/18），内側半月板で36％（4/11）と外側半月板の治癒率が高いことを示した。一方で，半月板が治癒したものと治癒していないもののスポー

第3章 半月板

表12-1 術式と術後スケジュール

	縫合術					部分切除術			
報告者	可動域制限なし(週)	全荷重開始(週)	ジョギング開始(週)	スポーツ復帰(月)	報告者	可動域制限なし(週)	全荷重開始(週)	ジョギング開始(週)	スポーツ復帰(月)
Lind ら[40]	3.5	3.5	7	4	Bieder[11]	0	3	—	1
Koukoulias ら[35]	3	4	—	4	Dasic ら[21]	—	0.7	—	1
Biedert[11]	6	7	—	4	Bin ら[14]	0	0	—	—
Majewski ら[46]	7	7	—	4	Ozkoc ら[50]	—	0	—	—
Kotsovolos ら[34]	6	6	10	5	Stein ら[64]	3	3	—	—
Pujol ら[55]	5	0	14	6	Kim ら[33]	0	7	—	—
	5.1	4.6	10.3	4.5		0.8	2.3	—	1.0

縫合術後，可動域制限がなくなるのは5.1週，全荷重が4.6週，ジョグ開始が10.3週，スポーツ復帰が4.5ヵ月であった。部分切除術後では可動域制限がなくなるのは0.8週，全荷重が2.3週，スポーツ復帰が1ヵ月であった。

ツへの完全復帰率は，それぞれ60％と64％と差がみられなかった。このことから，必ずしも治癒率はスポーツ活動に影響しないと考察した。

4. 術後リハビリテーション

術後リハビリテーションを考えるうえで，術後の可動域制限の是非や，荷重のタイミング，スポーツ復帰時期について理解することは重要である。半月板単独損傷に対し，縫合術と切除術それぞれの術後スケジュールを表12-1にまとめた[11,14,21,33~35,40,46,50,55,64]。その結果，縫合術後，可動域制限がなくなるのは5.1週，全荷重が4.6週，ジョグ開始が10.3週，スポーツ復帰が4.5ヵ月であった。これに対し，部分切除は可動域制限がなくなるのは0.8週（多くが0週で制限なし），全荷重が2.3週，スポーツ復帰が1ヵ月であり，切除術のほうがスケジュールが早かった。Lindら[40]は，半月板縫合術後のリハビリテーションスケジュールについて，早期ROM・早期荷重の群とROM・荷重制限群に分け，術後成績を比較した。その結果，スポーツ復帰率に違いはみられなかったが，早期ROM・早期荷重群において1年以内の再手術率が低かった（図12-5）。Dowdyら[22]は，動物モデルにより半月板術後の加速的リハビリテーションによる機械的刺激は半月板治癒を促進することを証明した。Linら[39]は，新鮮凍結屍体膝6体を用い，OKC膝深屈曲運動のシミュレーションを行った。その結果，膝深屈曲時に半月板損傷部への離開は生じなかった。これらの研究より，早期可動域訓練開始を遅らせる根拠は乏しく，術後早期から積極的な最終伸展・最終屈曲の獲得を図るべきと考えられる。

半月板術後の膝関節には，神経筋機能の不全が起こる可能性がある。Huberら[29]は，縫合と切除1年後に筋力・下肢機能を計測した。その結果，膝伸展ピークトルク（60°/秒）および片脚ホップテストにおいて，縫合群と切除群はともに健常側よりも有意に低値であった。これに対し，膝屈曲ピークトルクでは，切除群のみ有意に低値であった。Saygiら[60]は，内側半月板後角に電気刺激を行ったところ，半膜様筋に筋活動が生じたが，大腿二頭筋や大腿四頭筋に筋活動は生じなかった。このことから，切除後のハムストリングスの筋力低下の要因として，神経筋機能の関与が考えられる。

切除術では，関節位置覚も低下する可能性がある。内側半月板後角切除（2年後）では，60°以上の屈曲角で位置覚が低下していた[31]。また姿勢制御・歩容も変化し，内側半月板切除術1年後では，外乱に対する反応低下[44]や，立脚期

12. 治療

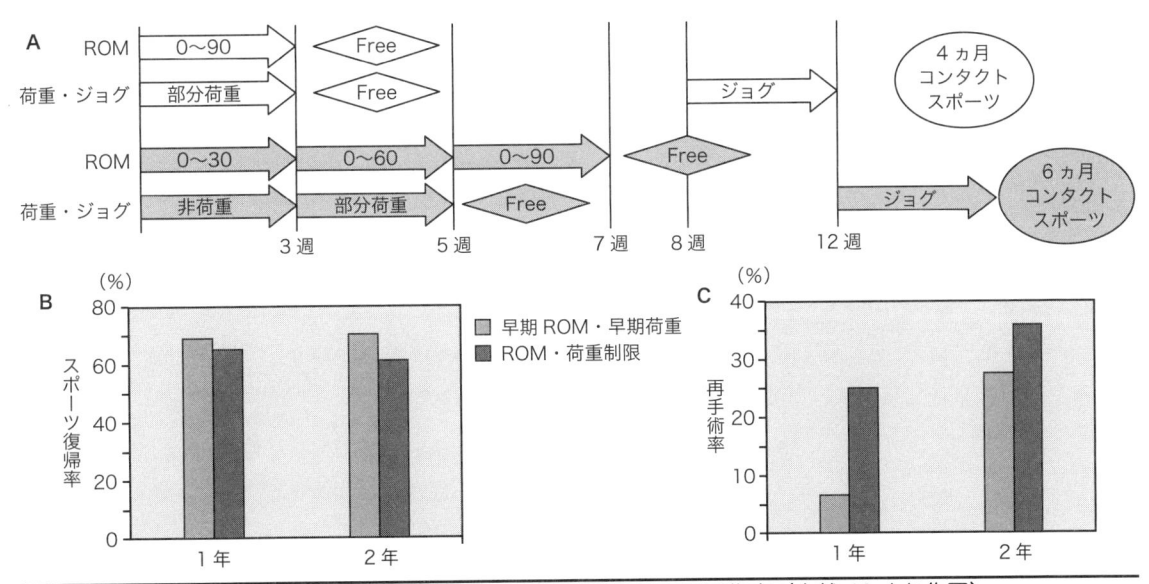

図 12-5　リハビリテーションプロトコルによるスポーツ復帰率と再手術率（文献 40 より作図）
早期 ROM・早期荷重の群と ROM・荷重制限群に分け（A），術後成績を比較した。スポーツ復帰率に違いはみられなかったが（B），早期 ROM・早期荷重群において 1 年以内の再手術率が低かった（C）。

の延長[45]がみられた。

外側半月板部分切除術後のアスリートを対象とした膝筋力・着地動作（9例，術後3ヵ月）に関する報告[23]では，膝伸展筋力に左右差はないものの，着地動作において膝屈曲角減少，内的膝伸展モーメントが減少した。内的膝伸展モーメントとIKDCスコアに関連がみられたことも報告された。

このように，術後の膝関節機能の変化を把握することは術後リハビリテーションを行ううえで有益である。一方，観血的療法の治療成績に関する報告に比べ，術式や損傷部位が詳細に分かれていないものも多く，より詳細な報告が待たれる。

C. 保存療法

保存療法の選択に関する論文は非常に少ない。Henningら[25]は，1 cm以内の損傷，遠位横断裂，不完全な縦断裂を保存療法の適応とした。ACL損傷に合併する半月板損傷に対し，ACL再建と同時に修復するのか否かを判断するのに影響する因子して，Wyattら[67]は若い年代，低いBMI，内側半月板損傷などがあげられると報告した。また，半月板単独での保存的治療の経過を報告したものはなく，その治療効果も明らかとなっていない。

保存療法の適応については，半月板損傷の自然治癒の可否も大きな比重を占めると考えられる。半月板の自然治癒が起きているか否かは，ACL再建患者におけるsecond lookでの半月板治癒に関する研究で報告されている。Yagishitaら[68]は半月板自然治癒（83例，術後17.1ヵ月）について，15 mm以内の不全断裂では，内側半月板で56％，外側半月板では74％が完全に治癒したと報告した。また，特筆すべきこととして，**図12-6**のように，W/Wにあたる部分も完全に治癒したものもあることから，血行以外にも損傷部位や損傷形態，損傷程度など，治癒を左右する要素があると考えられる。

最後に，新たな試みとして，Raら[57]が報告した横断裂に対する縫合術に加え，fibrin clotを用いた半月板治癒促進の治療成績を紹介する。それ

第3章 半月板

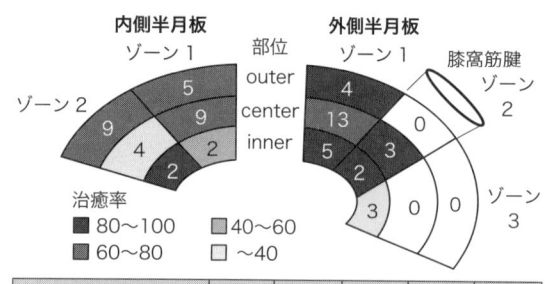

		合計	C	I	U	E
内側半月板							
ゾーン1	outer	5	3	0	1	1
	center	9	7	0	2	0
	innter	2	1	0	0	1
ゾーン2	outer	9	6	1	1	1
	center	4	0	0	4	0
	innter	2	2	0	0	0
外側半月板							
ゾーン1	outer	4	4	0	0	0
	center	13	10	0	2	1
	innter	5	5	0	0	0
ゾーン2	outer	0	0	0	0	0
	center	3	3	0	0	0
	innter	2	2	0	0	0
ゾーン3	innter	3	0	0	0	3

C：完全治癒，I：不完全治癒，U：未治癒，E：損傷拡大。

図12-6 ACL再建患者における半月板自然治癒（文献68より作図）
内側半月板を6つ，外側半月板を9つの部位に分け，治癒率を比較した。一定の傾向はみられず，W/Wにあたる部分も完全に治癒したものもあった。

によると，術後2年において12例中11例で完全治癒が得られた。図12-2の通り，横断裂の治癒率は高いとはいえないことから，半月板治癒促進を目的とした新たな治療法の報告が待たれるところである。

D. まとめ

1. すでに真実として承認されていること

- **縫合 vs. 切除**
- 術後膝機能スコアはroot tearに対する切除以外は良好な成績である。
- 再手術率は縫合のほうが高い。
- OA変化率は切除のほうが高い

2. 議論の余地はあるが，今後の重要なテーマとなること

- **縫合 vs. 切除（アスリートのみ）**
- 術後成績・再手術率は一般とほぼ同様の傾向であるが，一般と異なり，切除例でも中期的には再手術例がみられる。
- 切除術においてOA変化率が一般より高く，若年者において顕著となる。
- スポーツ復帰に要する期間は，縫合に比べ切除で早い。
- 年齢により術式選択が変化する可能性がある。20歳未満では半月板の治癒率高く，縫合が選択される。30歳以上ではOA変化のリスク低く，早期復帰が可能な切除が選択される。
- 早期ROM獲得・早期荷重は半月板治癒を高め，再手術率を低下させる。

3. 真実と思われていたが実は疑わしいこと

- 半月板治癒率はスポーツ活動レベルに影響すると考えられていたが，それを否定する論文が存在する。
- 術後早期の膝深屈曲運動は半月板術部に悪影響であると考えられてきたが，それを否定する論文が存在する。

E. 今後の展望

近年の報告では，損傷部位や形態を分けて術後成績を報告したものが多く，半月板治療に対するより詳細な検討がなされている。一方で保存療法については，その選択，根拠，効果についてのエビデンスは乏しく，新たな治療法に対する臨床研究も不足しており，今後の報告が待たれる。

12. 治 療

文 献

1. Ahn JH, Kim KI, Wang JH, Kyung BS, Seo MC, Lee SH: Arthroscopic repair of bucket-handle tears of the lateral meniscus. *Knee Surg Sports Traumatol Arthrosc*. 2015; 23: 205-10.
2. Ahn JH, Lee SH, Yoo JC, Lee YS, Ha HC: Arthroscopic partial meniscectomy with repair of the peripheral tear for symptomatic discoid lateral meniscus in children: results of minimum 2 years of follow-up. *Arthroscopy*. 2008; 24: 888-98.
3. Ahn JH, Lee YS, Chang JY, Chang MJ, Eun SS, Kim SM: Arthroscopic all inside repair of the lateral meniscus root tear. *Knee*. 2009; 16: 77-80.
4. Ahn JH, Lee YS, Yoo JC, Chang MJ, Koh KH, Kim MH: Clinical and second-look arthroscopic evaluation of repaired medial meniscus in anterior cruciate ligament-reconstructed knees. *Am J Sports Med*. 2010; 38: 472-7.
5. Ahn JH, Lee YS, Yoo JC, Chang MJ, Park SJ, Pae YR: Results of arthroscopic all-inside repair for lateral meniscus root tear in patients undergoing concomitant anterior cruciate ligament reconstruction. *Arthroscopy*. 2010; 26: 67-75.
6. Ahn JH, Wang JH, Yoo JC: Arthroscopic all-inside suture repair of medial meniscus lesion in anterior cruciate ligament--deficient knees: results of second-look arthroscopies in 39 cases. *Arthroscopy*. 2004; 20: 936-45.
7. Ahn JY, Kim TH, Jung BS, Ha SH, Lee BS, Chung JW, Kim JM, Bin SI: Clinical results and prognostic factors of arthroscopic surgeries for discoid lateral menisci tear: analysis of 179 cases with minimum 2 years follow-up. *Knee Surg Relat Res*. 2012; 24: 108-12.
8. Anderson L, Watts M, Shapter O, Logan M, Risebury M, Duffy D, Myers P: Repair of radial tears and posterior horn detachments of the lateral meniscus: minimum 2-year follow-up. *Arthroscopy*. 2010; 26: 1625-32.
9. Andersson-Molina H, Karlsson H, Rockborn P: Arthroscopic partial and total meniscectomy: a long-term follow-up study with matched controls. *Arthroscopy*. 2002; 18: 183-9.
10. Asahina S, Muneta T, Yamamoto H: Arthroscopic meniscal repair in conjunction with anterior cruciate ligament reconstruction: factors affecting the healing rate. *Arthroscopy*. 1996; 12: 541-5.
11. Biedert RM: Treatment of intrasubstance meniscal lesions: a randomized prospective study of four different methods. *Knee Surg Sports Traumatol Arthrosc*. 2000; 8: 104-8.
12. Billante MJ, Diduch DR, Lunardini DJ, Treme GP, Miller MD, Hart JM: Meniscal repair using an all-inside, rapidly absorbing, tensionable device. *Arthroscopy*. 2008; 24: 779-85.
13. Bin SI, Jeong SI, Kim JM, Shon HC: Arthroscopic partial meniscectomy for horizontal tear of discoid lateral meniscus. *Knee Surg Sports Traumatol Arthrosc*. 2002; 10: 20-4.
14. Bin SI, Kim JM, Shin SJ: Radial tears of the posterior horn of the medial meniscus. *Arthroscopy*. 2004; 20: 373-8.
15. Bohnsack M, Borner C, Schmolke S, Moller H, Wirth CJ, Ruhmann O: Clinical results of arthroscopic meniscal repair using biodegradable screws. *Knee Surg Sports Traumatol Arthrosc*. 2003; 11: 379-83.
16. Cao H, Zhang Y, Qian W, Cheng XH, Ke Y, Guo XP: Short-term clinical outcomes of 42 cases of arthroscopic meniscectomy for discoid lateral meniscus tears. *Exp Ther Med*. 2012; 4: 807-10.
17. Chen LX, Ao YF, Yu JK, Miao Y, Leung KK, Wang HJ, Lin L: Clinical features and prognosis of discoid medial meniscus. *Knee Surg Sports Traumatol Arthrosc*. 2013; 21: 398-402.
18. Choi NH, Kim TH, Son KM, Victoroff BN: Meniscal repair for radial tears of the midbody of the lateral meniscus. *Am J Sports Med*. 2010; 38: 2472-6.
19. Choi NH, Kim TH, Victoroff BN: Comparison of arthroscopic medial meniscal suture repair techniques: inside-out versus all-inside repair. *Am J Sports Med*. 2009; 37: 2144-50.
20. Dai Z, Chen J, Chen S, Chen Z, Fan W, Liao Y, Jiang J: Meniscal plasty and suture repair for torn discoid lateral meniscus involving popliteal hiatus. *Zhongguo Xiu Fu Chong Jian Wai Ke Za Zhi*. 2011; 25: 13-6.
21. Dasic Z, Radoicic D: Arthroscopic partial medial meniscectomy. *Vojnosanit Pregl*. 2011; 68: 774-8.
22. Dowdy PA, Miniaci A, Arnoczky SP, Fowler PJ, Boughner DR: The effect of cast immobilization on meniscal healing. An experimental study in the dog. *Am J Sports Med*. 1995; 23: 721-8.
23. Ford KR, Minning SJ, Myer GD, Mangine RE, Colosimo AJ, Hewett TE: Landing adaptations following isolated lateral meniscectomy in athletes. *Knee Surg Sports Traumatol Arthrosc*. 2011; 19: 1716-21.
24. Haklar U, Kocaoglu B, Nalbantoglu U, Tuzuner T, Guven O: Arthroscopic repair of radial lateral meniscus [corrected] tear by double horizontal sutures with inside-outside technique. *Knee*. 2008; 15: 355-9.
25. Henning CE, Clark JR, Lynch MA, Stallbaumer R, Yearout KM, Vequist SW: Arthroscopic meniscus repair with a posterior incision. *Instr Course Lect*. 1988; 37: 209-21.
26. Higuchi H, Kimura M, Shirakura K, Terauchi M, Takagishi K: Factors affecting long-term results after arthroscopic partial meniscectomy. *Clin Orthop Relat Res*. 2000; (377): 161-8.
27. Hoser C, Fink C, Brown C, Reichkendler M, Hackl W, Bartlett J: Long-term results of arthroscopic partial lateral meniscectomy in knees without associated damage. *J Bone Joint Surg Br*. 2001; 83: 513-6.
28. Hu K, Feng D, Wang L, Sun Z, Rui Y: Effectiveness of arthroscopic treatment for lateral discoid meniscus injuries. *Zhongguo Xiu Fu Chong Jian Wai Ke Za Zhi*. 2012; 26: 1457-61.
29. Huber J, Lisinski P, Kloskowska P, Gronek A, Lisiewicz E, Trzeciak T: Meniscus suture provides better clinical and biomechanical results at 1-year follow-up than meniscectomy. *Arch Orthop Trauma Surg*. 2013; 133: 541-9.
30. Jung YH, Choi NH, Oh JS, Victoroff BN: All-inside repair for a root tear of the medial meniscus using a

133

31. Karahan M, Kocaoglu B, Cabukoglu C, Akgun U, Nuran R: Effect of partial medial meniscectomy on the proprioceptive function of the knee. *Arch Orthop Trauma Surg*. 2010; 130: 427-31.
32. Kim JH, Chung JH, Lee DH, Lee YS, Kim JR, Ryu KJ: Arthroscopic suture anchor repair versus pullout suture repair in posterior root tear of the medial meniscus: a prospective comparison study. *Arthroscopy*. 2011; 27: 1644-53.
33. Kim SB, Ha JK, Lee SW, Kim DW, Shim JC, Kim JG, Lee MY: Medial meniscus root tear refixation: comparison of clinical, radiologic, and arthroscopic findings with medial meniscectomy. *Arthroscopy*. 2010; 27: 346-54.
34. Kotsovolos ES, Hantes ME, Mastrokalos DS, Lorbach O, Paessler HH: Results of all-inside meniscal repair with the FasT-Fix meniscal repair system. *Arthroscopy*. 2006; 22: 3-9.
35. Koukoulias N, Papastergiou S, Kazakos K, Poulios G, Parisis K: Clinical results of meniscus repair with the meniscus arrow: a 4- to 8-year follow-up study. *Knee Surg Sports Traumatol Arthrosc*. 2007; 15: 133-7.
36. Kraus T, Heidari N, Svehlik M, Schneider F, Sperl M, Linhart W: Outcome of repaired unstable meniscal tears in children and adolescents. *Acta Orthop*. 2012; 83: 261-6.
37. Lee CH, Song IS, Jang SW, Cha HE: Results of arthroscopic partial meniscectomy for lateral discoid meniscus tears associated with new technique. *Knee Surg Relat Res*. 2013; 25: 30-5.
38. Lee JH, Lim YJ, Kim KB, Kim KH, Song JH: Arthroscopic pullout suture repair of posterior root tear of the medial meniscus: radiographic and clinical results with a 2-year follow-up. *Arthroscopy*. 2009; 25: 951-8.
39. Lin DL, Ruh SS, Jones HL, Karim A, Noble PC, McCulloch PC: Does high knee flexion cause separation of meniscal repairs? *Am J Sports Med*. 2013; 41: 2143-50.
40. Lind M, Nielsen T, Fauno P, Lund B, Christiansen SE: Free rehabilitation is safe after isolated meniscus repair: a prospective randomized trial comparing free with restricted rehabilitation regimens. *Am J Sports Med*. 2013; 41: 2753-8.
41. Logan M, Watts M, Owen J, Myers P: Meniscal repair in the elite athlete: results of 45 repairs with a minimum 5-year follow-up. *Am J Sports Med*. 2009; 37: 1131-4.
42. Lyman S, Hidaka C, Valdez AS, Hetsroni I, Pan TJ, Do H, Dunn WR, Marx RG: Risk factors for meniscectomy after meniscal repair. *Am J Sports Med*. 2013; 41: 2772-8.
43. Lysholm J, Gillquist J: Evaluation of knee ligament surgery results with special emphasis on use of a scoring scale. *Am J Sports Med*. 1982; 10: 150-4.
44. Magyar MO, Knoll Z, Kiss RM: Effect of medial meniscus tear and partial meniscectomy on balancing capacity in response to sudden unidirectional perturbation. *J Electromyogr Kinesiol*. 2012; 22: 440-5.
45. Magyar MO, Knoll Z, Kiss RM: The influence of medial meniscus injury and meniscectomy on the variability of gait parameters. *Knee Surg Sports Traumatol Arthrosc*. 2012; 20: 290-7.
46. Majewski M, Stoll R, Widmer H, Muller W, Friederich NF: Midterm and long-term results after arthroscopic suture repair of isolated, longitudinal, vertical meniscal tears in stable knees. *Am J Sports Med*. 2006; 34: 1072-6.
47. Noyes FR, Barber-Westin SD: Arthroscopic repair of meniscal tears extending into the avascular zone in patients younger than twenty years of age. *Am J Sports Med*. 2002; 30: 589-600.
48. Noyes FR, Chen RC, Barber-Westin SD, Potter HG: Greater than 10-year results of red-white longitudinal meniscal repairs in patients 20 years of age or younger. *Am J Sports Med*. 2011; 39: 1008-17.
49. O'Shea JJ, Shelbourne KD: Repair of locked bucket-handle meniscal tears in knees with chronic anterior cruciate ligament deficiency. *Am J Sports Med*. 2003; 31: 216-20.
50. Ozkoc G, Circi E, Gonc U, Irgit K, Pourbagher A, Tandogan RN: Radial tears in the root of the posterior horn of the medial meniscus. *Knee Surg Sports Traumatol Arthrosc*. 2008; 16: 849-54.
51. Papachristou G, Efstathopoulos N, Plessas S, Levidiotis C, Chronopoulos E, Sourlas J: Isolated meniscal repair in the avascular area. *Acta Orthop Belg*. 2003; 69: 341-5.
52. Paxton ES, Stock MV, Brophy RH: Meniscal repair versus partial meniscectomy: a systematic review comparing reoperation rates and clinical outcomes. *Arthroscopy*. 2011; 27: 1275-88.
53. Pujol N, Barbier O, Boisrenoult P, Beaufils P: Amount of meniscal resection after failed meniscal repair. *Am J Sports Med*. 2011; 39: 1648-52.
54. Pujol N, Panarella L, Selmi TA, Neyret P, Fithian D, Beaufils P: Meniscal healing after meniscal repair: a CT arthrography assessment. *Am J Sports Med*. 2008; 36: 1489-95.
55. Pujol N, Tardy N, Boisrenoult P, Beaufils P: Long-term outcomes of all-inside meniscal repair. *Knee Surg Sports Traumatol Arthrosc*. 2015; 23: 219-24.
56. Quinby JS, Golish SR, Hart JA, Diduch DR: All-inside meniscal repair using a new flexible, tensionable device. *Am J Sports Med*. 2006; 34: 1281-6.
57. Ra HJ, Ha JK, Jang SH, Lee DW, Kim JG: Arthroscopic inside-out repair of complete radial tears of the meniscus with a fibrin clot. *Knee Surg Sports Traumatol Arthrosc*. 2013; 21: 2126-30.
58. Rodkey WG, DeHaven KE, Montgomery WH 3rd, Baker CL Jr, Beck CL Jr, Hormel SE, Steadman JR, Cole BJ, Briggs KK: Comparison of the collagen meniscus implant with partial meniscectomy. A prospective randomized trial. *J Bone Joint Surg Am*. 2008; 90: 1413-26.
59. Rubman MH, Noyes FR, Barber-Westin SD: Arthroscopic repair of meniscal tears that extend into the avascular zone. A review of 198 single and complex tears. *Am J Sports Med*. 1998; 26: 87-95.
60. Saygi B, Yildirim Y, Berker N, Ofluoglu D, Karadag-Saygi E, Karahan M: Evaluation of the neurosensory function of the medial meniscus in humans. *Arthroscopy*. 2005; 21: 1468-72.
61. Seo HS, Lee SC, Jung KA: Second-look arthroscopic

findings after repairs of posterior root tears of the medial meniscus. *Am J Sports Med*. 2011; 39: 99-107.
62. Shelbourne KD, Roberson TA, Gray T: Long-term evaluation of posterior lateral meniscus root tears left in situ at the time of anterior cruciate ligament reconstruction. *Am J Sports Med*. 2011; 39: 1439-43.
63. Spindler KP, McCarty EC, Warren TA, Devin C, Connor JT: Prospective comparison of arthroscopic medial meniscal repair technique: inside-out suture versus entirely arthroscopic arrows. *Am J Sports Med*. 2003; 31: 929-34.
64. Stein T, Mehling AP, Welsch F, von Eisenhart-Rothe R, Jager A: Long-term outcome after arthroscopic meniscal repair versus arthroscopic partial meniscectomy for traumatic meniscal tears. *Am J Sports Med*. 2010; 38: 1542-8.
65. Tachibana Y, Sakaguchi K, Goto T, Oda H, Yamazaki K, Iida S: Repair integrity evaluated by second-look arthroscopy after arthroscopic meniscal repair with the FasT-Fix during anterior cruciate ligament reconstruction. *Am J Sports Med*. 2010; 38: 965-71.
66. Vanderhave KL, Moravek JE, Sekiya JK, Wojtys EM: Meniscus tears in the young athlete: results of arthroscopic repair. *J Pediatr Orthop*. 2011; 31: 496-500.
67. Wyatt RW, Inacio MC, Liddle KD, Maletis GB: Factors associated with meniscus repair in patients undergoing anterior cruciate ligament reconstruction. *Am J Sports Med*. 2013; 41: 2766-71.
68. Yagishita K, Muneta T, Ogiuchi T, Sekiya I, Shinomiya K: Healing potential of meniscal tears without repair in knees with anterior cruciate ligament reconstruction. *Am J Sports Med*. 2004; 32: 1953-61.

〔坂田　淳〕

第4章
骨軟骨病変（脛骨大腿関節）

　脛骨大腿関節（tibiofemoral joint）の骨軟骨病変は，退行性変化が生じる変形性膝関節症が代表的である。しかしながら，第4章では変形性膝関節症については除外し，スポーツによって生じる骨軟骨病変（脛骨大腿関節）の科学的基礎について，①基礎，②疫学・病態，③診断・評価，④治療の4カテゴリーに分類し国際的な文献報告を整理した。

　関節軟骨は血管・リンパ管・神経を有しないため，その修復能や代謝能に乏しい。また，細胞外基質と水分が力学的支持体として機能し，関節の潤滑性と荷重緩衝性に寄与している。固相では，ゆっくりとした比較的長時間の荷重状況において荷重支持が行われる。一方，液相では速く大きな荷重状況において，流体圧の増大を伴って軟骨を硬化させる。荷重時の関節軟骨接触圧と流体圧は内側が外側に比べて大きいが，時間経過や半月板の有無によっても動態が異なる。

　離断性骨軟骨炎は，関節軟骨下骨に生じた亀裂が関節軟骨まで進行し，母床から脱落することで関節内遊離体を形成する。発生部位は内側顆の顆間内側面に多いとされている。限局性の骨軟骨損傷は，衝撃速度が速くエネルギーが大きい場合に損傷が軟骨表面から軟骨下骨にまでいたると考えられ，その病態は離断性骨軟骨炎とは異なる。退行性変性のない限局性骨軟骨損傷の発生率は20%程度で，発生部位は内側顆に多い。

　離断性骨軟骨炎や骨軟骨損傷の診断は主にMRIが利用され，その信頼性はおおむね良好である。一方，徒手検査に関して，離断性骨軟骨炎に用いられるWilson徴候は，諸家の報告ではいずれも陽性率が低く，有用な理学所見および徒手検査は現時点では見当たらない。今後，理学療法士が骨軟骨病変にかかわるにあたり，特異的な理学検査の発展が必要であろう。

　離断性骨軟骨炎に対する治療は，保存療法で57〜97%が治癒すると報告されている。手術療法は，不安定型および遊離型に対して骨片固定，ドリリング，マイクロフラクチャーが適応となっている。術後の理学療法に関しては，大腿四頭筋の等尺性収縮やアイシングに関する報告が散見されるものの，科学的根拠に基づいたプロトコルは見当たらない。今後は，関節軟骨のバイオメカニクスを考慮した理学療法の検討が必要である。

第4章編集担当：加賀谷善教

13. 基礎科学

はじめに

関節軟骨は関節の潤滑性と荷重緩衝性に寄与している。豊富なコラーゲン線維構造をもつ細胞外基質と水分が力学的支持体として機能し、軟骨下骨への荷重伝達を最小限にしている。関節軟骨には血管、リンパ管、神経は存在せず、少ない軟骨細胞が成分の恒常性を維持している。しかし、その修復能を超える損傷が起こると、軟骨構造を修復することが困難となる。本項では、脛骨大腿関節軟骨の解剖学的、形態学的、組織学的な特性とその修復反応について最新の知見を整理した。また、軟骨の潤滑性と荷重緩衝性に関する機能的、機械的、生理学的な特性と、半月板損傷や膝前十字靱帯損傷が脛骨大腿関節軟骨に及ぼす影響について整理した。

A. 文献検索方法

文献検索には PubMed を使用し、本項に関連するキーワード「knee」「tibiofemoral」「(articular) cartilage」と「basic study」「biomechanics」「biochemical」のいずれかを組み合わせて検索した。またレビュー文献などからハンドサーチによって、本テーマに関連する基礎研究、バイオメカニクスの英語論文を収集した。これらの英語論文から最終的に 27 文献を採用した。

B. 関節軟骨の解剖・形態

1. 関節軟骨厚

膝関節内の軟骨厚と加齢および性別には関連性がある。関節軟骨を計測した研究によると、軟骨厚は平均約 2〜4 mm であり[26]、左右差よりも個人差が大きい傾向にあった[7]。年代別に膝関節の軟骨厚を MRI にて計測した研究[14]では、若年者群（20〜30 歳、男性 49 名、女性 46 名）と高齢者群（50〜78 歳、男性 11 名、女性 12 名）における平均軟骨厚と最大軟骨厚が比較された

表 13-1　膝関節の軟骨厚（文献 14 より作成）

	男性				女性			
	若年者群(49 名)	高齢者群(11 名)	差(%)	p 値	若年者群(46 名)	高齢者群(12 名)	差(%)	p 値
平均軟骨厚								
大腿骨（全体）	1.87 ± 0.27	1.63 ± 0.08	−13	<0.01	1.67 ± 0.21	1.32 ± 0.28	−21	<0.001
脛骨内側顆	1.59 ± 0.32	1.58 ± 0.27	−1	NS	1.43 ± 0.27	1.30 ± 0.27	−10	NS
脛骨外側顆	2.05 ± 0.42	1.91 ± 0.29	−7	NS	1.87 ± 0.28	1.70 ± 0.24	−10	NS
最大軟骨厚								
大腿骨（全体）	4.75 ± 0.59	3.98 ± 0.43	−16	<0.001	4.06 ± 0.69	3.47 ± 0.68	−15	<0.01
脛骨内側顆	3.99 ± 1.28	3.40 ± 0.78	−15	NS	3.59 ± 1.20	3.12 ± 0.76	−13	NS
脛骨外側顆	4.85 ± 0.87	3.74 ± 0.59	−23	<0.001	4.57 ± 0.71	3.56 ± 0.81	−12	<0.01

若年者群：20〜30 歳，高齢者群：50〜78 歳，平均 ± SD，p 値は Mann-Whitney U テスト，NS：有意差なし。

第4章 骨軟骨病変（脛骨大腿関節）

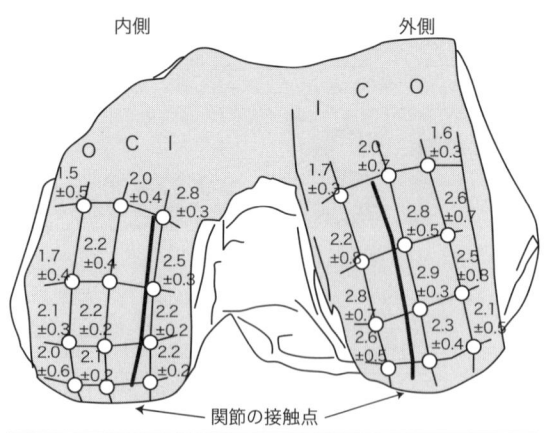

図13-1　大腿骨の軟骨厚分布（文献19より引用）
膝0～90°における接触部周辺が厚い。O：外縁，C：中列，I：内縁。

（**表13-1**）。高齢者群は若年者群に比べ，男女ともに大腿骨の軟骨厚が有意に低く，特に女性は男性よりも低下率が大きかった[14]。一方脛骨では，外側顆の最大軟骨厚のみ有意な低下を示した[14]。成長期である12歳前後における軟骨厚は，脛骨内側顆で3.20～3.88 mm，脛骨外側顆で5.64～6.11 mmであった[16]。性差に関しては，Jonesら[16]は男性のほうが女性よりも16～31％程度厚かったと報告したのに対し，Ecksteinら[8]は体重と身長を補正すれば軟骨厚に性差は認められないと報告しており，一致した見解は得られていない。身体活動性に関しては，軟骨厚と有意な関係は認めなかった[2,26]。これらの結果より，加齢により軟骨厚は減少する傾向にあるといえる。

　大腿骨側の軟骨厚分布では，脛骨大腿関節面よりも膝蓋大腿関節面のほうが厚い[7]。一方，脛骨大腿関節面において，大腿骨内顆ではその内縁から前方の領域が厚く，大腿骨外顆ではその内縁中央部が厚い[7]。Liら[19]によると，大腿骨側の軟骨厚は内外顆ともに中央から内縁にかけて厚く分布しており，その領域は脛骨大腿関節の伸展位から屈曲90°における接触部位におおよそ一致していた（**図13-1**）。一方，脛骨側の軟骨厚分布に関しても，脛骨平原の内側顆，外側顆ともに中列内縁（顆間隆起に近い部位）で最も厚かった[19]。したがって，脛骨の軟骨厚は大腿骨側と同様，脛骨大腿関節の接触部位に沿って厚く分布していることが示された（**図13-2**）[19]。

2. 関節軟骨の硬さ

　膝関節内の関節軟骨の硬さが生体内[20]およびヒト膝標本[1]において計測されたが，一致した見解は得られていない。生体内での研究として，Lyyraら[20]は，鏡視下で300 μm潰すために必要な力（N）から軟骨硬度を計測した。半月板微小損傷（内側4名，外側5名）を含む若年生体膝（平均26 ± 7歳，男性7名，女性13名）において，大腿骨外顆が最も硬く（平均 ± SD：5.6 ± 1.2 N），脛骨内側顆が最も柔らかかった

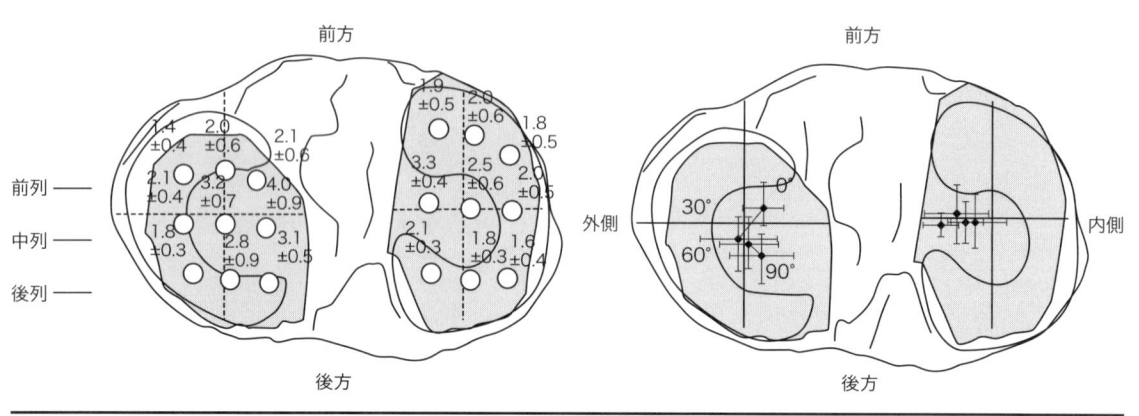

図13-2　脛骨の軟骨厚分布（文献19より引用）
中列–内縁（膝0～90°接触部）が最も厚い。

表 13-2 膝関節軟骨の硬さ（単位：MPa）（文献1より作成）

	部位	荷重面	表層	表層下層	中間層	深層
正常膝	膝蓋大腿外側溝	高荷重面	6.2 ± 1.6	3.4 ± 2.0	3.1 ± 1.2	0.9 ± 0.4
		低荷重面	20.7 ± 3.0	8.8 ± 3.0	4.1 ± 1.7	1.0 ± 0.7
	脛骨大腿内側顆	高荷重面	5.0 ± 1.7	3.8 ± 1.0	3.1 ± 0.7	
		低荷重面	10.1 ± 1.8	5.9 ± 1.8	4.5 ± 1.3	
線維化膝	膝蓋大腿外側溝	高荷重面	3.9 ± 1.2	3.7 ± 1.5	1.9 ± 0.3	1.0 ± 0.4
		低荷重面	3.1 ± 0.4	6.5 ± 0.6	5.8 ± 2.0	0.7 ± 1.1
	脛骨大腿内側顆	高荷重面	5.1 ± 0.3	6.1 ± 0.4	5.8 ± 0.5	
		低荷重面	8.5 ± 3.0	8.4 ± 0.8	4.0 ± 1.6	
変形性膝関節症	膝蓋大腿外側溝	高荷重面	1.8 ± 2.4	2.6 ± 1.2	1.4 ± 1.0	
	脛骨大腿内側顆	低荷重面	1.4 ± 0.9	0.9 ± 0.8	2.1 ± 0.3	

対象者：正常膝 4 例（24～42 歳），線維化膝 2 例（51～60 歳），変形性膝関節症 3 例（65～74 歳）。平均 ± SD。

(2.4 ± 0.8 N)。一方，ヒト膝標本での研究として，Akizuki ら[1]は 250μm の軟骨スライスを独自の引張機を用いて 15％伸張するために必要な力（MPa）を計測した。全 9 標本（男性 6 例，女性 3 例，24～74 歳）で正常膝 4 例（24～42 歳），一部線維化膝 2 例（51～60 歳），人工関節症例から得た変形性膝関節症 3 例（65～74 歳）であった。正常膝では膝蓋大腿関節面の外側溝の低荷重面で最も硬く，脛骨大腿関節面の内側顆の高荷重面で最も柔らかかった（表 13-2）[1]。両関節面ともに低荷重面のほうが高荷重面よりも硬かった[1]。一方，線維化膝では正常膝と比べて，膝蓋大腿関節面の外側溝の低荷重面の硬さが著明に低下し，変形性膝関節症では両関節面とも硬さが著明に低下していた[1]。また，正常膝では加齢による影響はなかったが，線維化膝と変形性膝関節症では加齢により硬さが低下する傾向を認めた[1]。これらの結果より，高荷重部位や加齢によって関節軟骨の硬さは低下する傾向にあるといえる。ただし，これらの研究は，対象や計測方法が異なり，直接比較することは難しいため，さらに詳細な生体での研究が必要である。

3. 関節軟骨の血管

Haywood ら[13]は，レビュー論文において，変形性関節症における脈管構造の変化と軟骨の骨化について詳述した。関節軟骨が本来の機械的性能を維持するには無血管でなければならない。正常な関節軟骨では，軟骨細胞が特異的な血管新生抑制物質を放出することにより，軟骨への新生血管の侵入と軟骨の骨化を抑制している[23]。しかし変形性関節症では，血管新生因子と抗血管新生因子のバランスの崩れに応じて軟骨下骨から新生血管が侵入する[3]。また軟骨下骨の骨構造にも骨硬化像や小骨片，「ホットスポット」などが増加する[18]。変形性関節症の患者の血漿には血管新生の活性が増加しており，血管新生が新骨形成に寄与している可能性がある[4]。すなわち変形性関節症では関節軟骨よりも先に軟骨下骨の骨化が生じ，軟骨下骨の脈管構造に沿って関節軟骨の深層の骨化が生じると考えられている[13]。しかし脈管の適応性についてはいまだ明らかになっていない[13]。

C. 関節軟骨の組織学

1. 関節軟骨の構成

脛骨大腿関節軟骨は硝子軟骨からなり，血管，神経，リンパ管は存在せず，滑液によって栄養される代謝能に乏しい組織である[2,26]。軟骨の主成

第4章 骨軟骨病変（脛骨大腿関節）

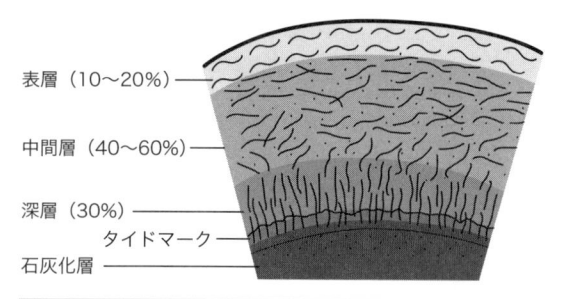

表層（10〜20％）
中間層（40〜60％）
深層（30％）
タイドマーク
石灰化層

図13-3 関節軟骨の層構造（文献2より引用）
関節軟骨は表層，中間層，深層，石灰化層の4層構造をなし，それぞれ異なる組織的特徴と機械的特徴を有する。

分は，軟骨細胞（湿重量の約5％），細胞外基質（約20〜40％），水分（約65〜80％）で構成されている[2,26]。

1）軟骨細胞

軟骨細胞は傍細胞基質とともに傍細胞嚢内に包含される[5]。軟骨細胞は周囲の細胞外基質（コラーゲン組織）の合成と分解に働く。この働きにより損傷されたコラーゲン組織が修復され，軟骨組織の恒常性が維持されている。軟骨細胞そのものがダメージを受ければ，軟骨における代謝能は低下し，軟骨損傷の修復は不完全となる。

2）細胞外基質

細胞外基質は細胞外の空間を充填する物質である[22]。その構成比は，タイプⅡコラーゲンが約6割，プロテオグリカンが約3割，その他の非コラーゲンタンパクや糖タンパクが約1割である。タイプⅡコラーゲンは硝子軟骨の主成分であり，基質間の強い連結で実質的な荷重支持に寄与している。プロテオグリカンはマイナス電荷をもつ糖タンパクの一種で，水分をコラーゲン線維の隙間にとどめる重要な役割を担っている。これにより軟骨に急激な外力が加わるときに流体圧が増大して荷重支持を可能にしている。

2. 関節軟骨の層構造（表層，中間層，深層，石灰化層）

軟骨は表層，中間層，深層，石灰化層の4層構造をなし（**図13-3**），それぞれ異質な組織的特徴と機械的特徴を有する[2,26]。

1）表層

表層は軟骨表面から10〜20％の厚みに相当する。コラーゲン線維は密で，関節面に対して平行に配列されている。この平行な配列によって剪断力に抗することに有利な機械的特性を実現している。表層の豊富な潤滑性タンパクが円滑な関節運動を可能としている。また表層は水分含有量に富み，高い水分の流動性をつくり出している。そのため，軟骨は荷重状況に応じて自身の形状や剛性を変化させることができる。

2）中間層

中間層は表層下から40〜60％の厚みに相当する。コラーゲン線維の密度は表層より小さい。コラーゲン線維は斜走配列を呈しており，剪断力と圧迫力の両方に抗することに有利な機械的特性を実現している。中間層における水分の含有量と流動性は表層より小さい。荷重支持にはコラーゲン基質連結と流体圧が寄与している。

3）深層

深層は中間層下から30％の厚みに相当する。コラーゲン線維は太くて少なく，垂直に配列されている。この垂直な配列によって圧迫力に抗することに有利な機械的特性を実現する。深層における水分の含有量と流動性はきわめて小さい。荷重支持にはコラーゲン基質連結と流体圧が寄与している。

4）石灰化層

石灰化層はタイドマークという境界線によって

13. 基礎科学

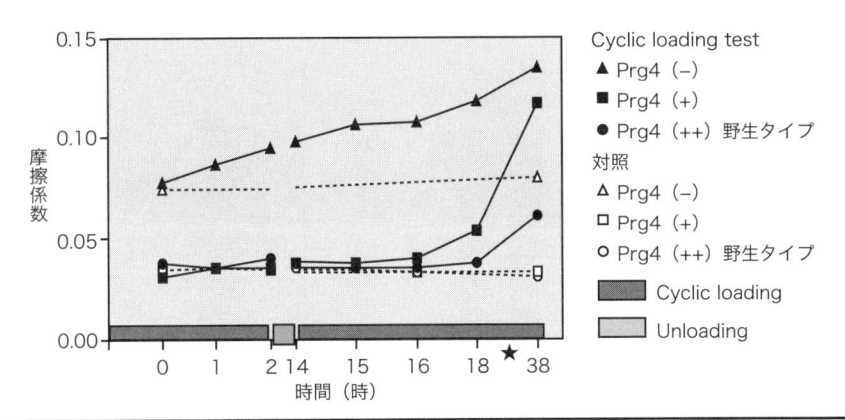

図13-4 プロテオグリカン4（Prg4）と潤滑性（文献6より引用）
プロテオグリカンを多くもつマウス軟骨のほうが，反復負荷試験で摩擦係数が小さく維持されていた。★：20時間。

硝子軟骨と軟骨下骨が識別される領域である。この領域で病的な層間剥離が起こる可能性が指摘されている。

3. 関節軟骨損傷に対する反応

関節軟骨は無血管組織であり，損傷直後に出血やフィブリン塊といった炎症反応が起こらない[2,26]。したがって，損傷部周囲では，修復のために軟骨細胞は急速に増殖するが，軟骨表層を修復することはできない[2]。関節軟骨の修復反応は損傷の重度と深度で異なる[2]。

低エネルギーで生じる軟骨表層の損傷は，視覚的な損傷を認めない程度であっても，軟骨細胞の損傷やその修復能の低下を招く。そして，プロテオグリカン濃度の減少，組織水和性の増大，コラーゲン線維の変化をもたらす[2,21]。さらに，これらの変化は軟骨下骨への荷重伝達力の増大をもたらす[2]。

軟骨下骨を貫通する全層損傷では，多能性骨髄成分の流入が起こり内因性に修復される可能性が増大するといわれている[11,26]。この局所的な血流が血腫形成，幹細胞移行，タイプIコラーゲン合成を開始し，線維軟骨性に修復された組織となる[10,26]。しかしながら，この線維軟骨性の組織は，硝子軟骨に比べて機械的（硬度と弾性）に劣る組織である[2,24]。

D. 軟骨の潤滑性

1. 軟骨の摩擦係数

摩擦係数とは接触面に働く摩擦力と接触面を垂直に押す力との比である。関節軟骨どうしの接触面に働く摩擦係数はきわめて0に近い（静的摩擦係数：〜0.01，動的摩擦係数：〜0.001）[22]。関節液によって関節軟骨の摩擦係数はさらに小さくなる[15]。

2. 潤滑性タンパク

関節軟骨の潤滑性は軟骨表層の豊富な潤滑性タンパクによるところが大きい。潤滑性タンパクはsuperficial zone protein（SZP）とルブリシン（ムチン糖タンパク質）が代表的である[9]。Drewniakら[6]の研究では，ルブリシンタンパクを合成する遺伝子のプロテオグリカン4（Prg4）を操作して異なる遺伝子情報をもつマウスを用い，関節軟骨の摩擦係数が比較された（**図13-4**）。Prg4（−）のマウスは，野生タイプPrg4（++）やPrg4（+）に比べて摩擦係数が大きく，摩擦試験の時間が延びるにつれて関節の摩擦係数が増大した。またPrg4（++）とPrg4（+）のマ

第4章　骨軟骨病変（脛骨大腿関節）

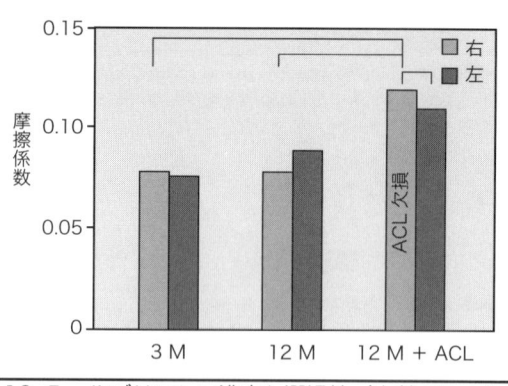

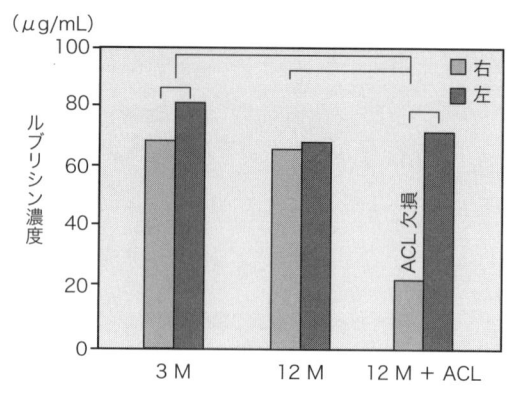

図 13-5　ルブリシン濃度と潤滑性（文献 25 より引用）
3 M：生後 3 ヵ月の正常群，12 M：生後 12 ヵ月の軽度関節変形群，12 M + ACL：生後 3 ヵ月時点で膝前十字靱帯（ACL）を切除した生後 12 ヵ月の中等度関節変形群。前十字靱帯切除ブタ（12 M + ACL）のルブリシン濃度が低値で，かつ摩擦係数が高い状態にあった。

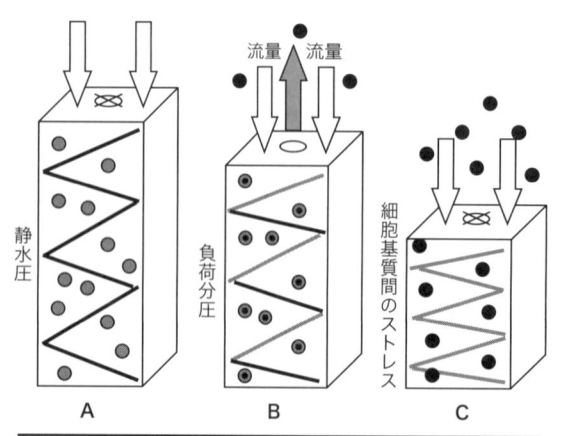

図 13-6　関節軟骨の固液二相性の模式図（文献 8 より引用）
A：液相。水分を多く含む状態，B：水分の流入と流出が均衡した状態，C：固相。水分が少ない状態，細胞外基質で荷重支持を行う。

ウスでは，摩擦試験が 20 時間を超えると関節の摩擦係数が急増したが，Prg4（++）は Prg4（+）のマウスよりも摩擦係数が低値に抑えられていた。

ブタの関節軟骨を用いた研究[25]では，滑液中ルブリシン濃度と摩擦係数との関係が報告された（**図 13-5**）。ブタ後肢 24 肢を①生後 3 ヵ月の正常群，②12 ヵ月の軽度関節変形群，③生後 3 ヵ月時点で膝前十字靱帯（ACL）を切除した生後 12 ヵ月の中等度関節変形群の 3 群に分類し，反復振り子装置を用いて摩擦試験が施行された。その結果，軟骨の摩擦係数は ACL 欠損肢が他の群よりも有意に大きく，また滑液中ルブリシン濃度も ACL 欠損肢が有意に低値を示した。これらの結果より，潤滑性タンパクの滑液中ルブリシン濃度は軟骨の摩擦係数と密接な関係にあるといえる。

E. 軟骨の荷重緩衝性

1. 軟骨の固液二相性による荷重支持

関節軟骨は固体（コラーゲン線維）と液体（水分）の固液二相性で荷重支持されると考えられている（**図 13-6**）[8]。液相では，速く大きな荷重状況（反復的な荷重）において，流体圧の増大を伴って軟骨を硬化させ，関節全体に荷重が分散される（**図 13-6A**）。一方，固相ではゆっくりとした比較的長時間の荷重状況（立位）において，次第に水分が流出してコラーゲン線維の基質的連結による荷重支持が行われる（**図 13-6C**）。

2. 軟骨の応力集中と流体圧変化（正常モデル）

Kazemi ら[17]は，有限要素モデルを用いて軟骨への応力集中と流体圧変化を推定した。健常男

13. 基礎科学

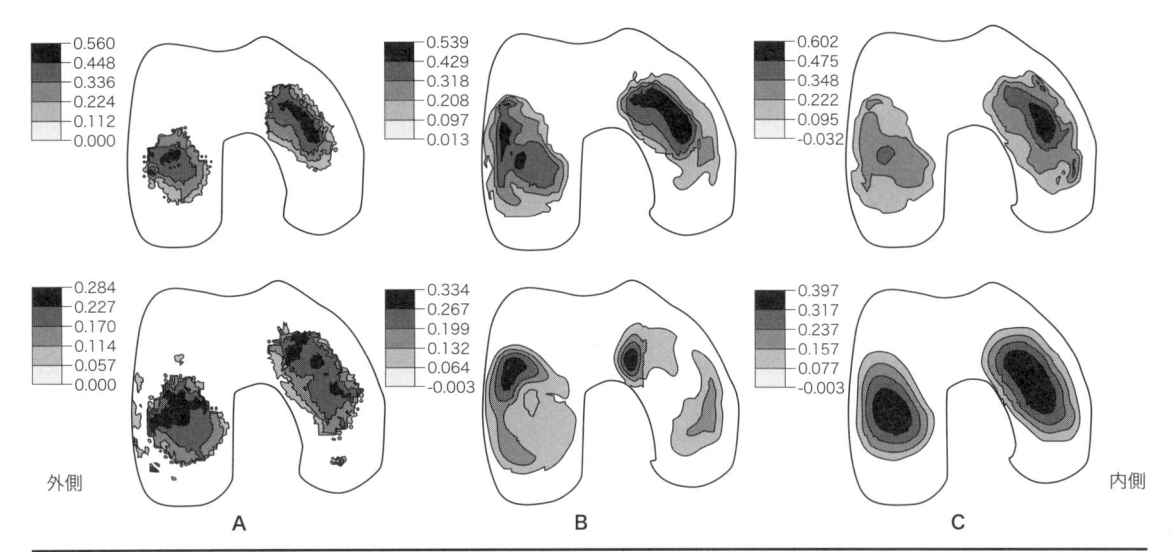

図13-7 正常ヒト膝モデルの大腿骨への接触圧（A）と流体圧（B），半月板切除モデルの流体圧（C）（文献17より引用）
荷重時間が10秒（上段）と2,000秒（下段）。接触圧は10秒荷重時で内側が外側より大きく，2,000秒荷重時で内側の減少と外側の増大を示した。また，流体圧は10秒荷重時で内側が大きく，2,000秒荷重時で内外側ともに減少した。

性1名の膝MRIから有限要素モデルを作成し，静止立位（体重の1/2相当）における膝伸展位荷重時の大腿骨軟骨に加わる接触圧と流体圧を推定した（**図13-7**）。接触圧は10秒荷重時で内側が外側より大きく，2,000秒荷重時で内側の減少と外側の増大を示した。また，流体圧は10秒荷重時で内側が大きく，2,000秒荷重時で内外側ともに減少した。これらの接触圧と流体圧の変化は，半月板の荷重緩衝作用によって影響を受けたものと推察された。

3. 軟骨の応力集中と流体圧変化（半月板切除モデル）

Kazemiら[17]は，半月板を切除した膝においても軟骨への応力を算出した。その結果，半月板切除モデルでは，10秒荷重時の接触圧と流体圧変化は正常モデルと同様であった。一方，2,000秒荷重時の流体圧は正常モデルに比べて著明に増大していた（**図13-7**）。半月板の荷重緩衝作用が得られないために，軟骨を流体圧の増加で硬化さ

せることによって荷重伝達を行ったと考察された。また，この代償的な生理的反応はコラーゲン網にとって過負荷な状況で，組織にダメージをもたらす可能性があることも推察された。

4. 脛骨軟骨の接触圧，流体圧，歪み

Haemerら[12]は，ヒツジ脛骨軟骨の接触圧，流体圧，歪みについて，有限要素モデルを用いて正常モデルと半月板切除モデルで比較した（**図13-8**）。荷重条件は体重の2倍相当で25分間の荷重であった。この条件での接触圧は，正常モデルに比べて半月板切除モデルでは接触面積が半分となり，特に中央1/3の接触圧が70%増大した。また，流体圧は正常モデルに比べて半月板切除モデルでは辺縁部の流体圧が減少し，中央1/3の流体圧が70%増大した。これらの結果より，半月板切除の脛骨軟骨では，接触面減少に伴う接触圧増大と流体圧増大が生じることが示された。さらに興味深いことに，脛骨軟骨の歪みは関節面側で13～50%増大したのに対し，軟骨下骨側で

第4章 骨軟骨病変（脛骨大腿関節）

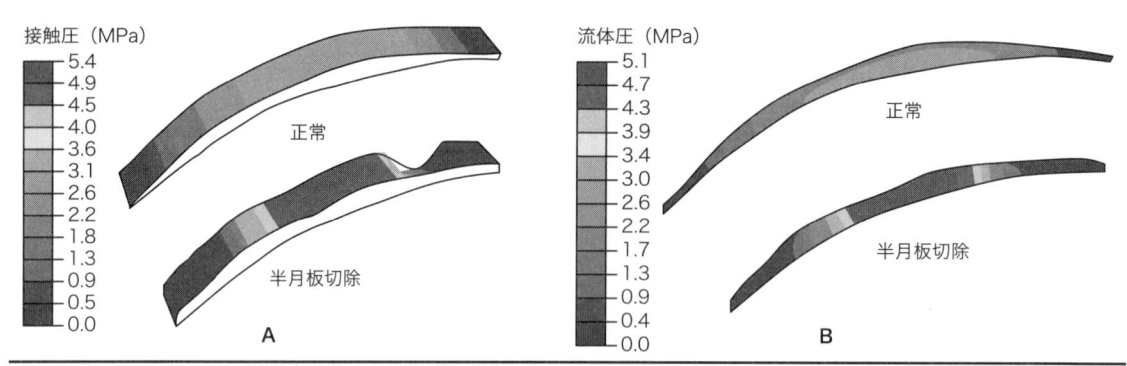

図13-8 正常ヒツジ膝モデルの脛骨への接触圧（A），流体圧（B），および半月板切除モデル（下段）（文献12より引用）
25分の荷重時間における変化。接触圧は，正常モデルに比べて半月板切除モデルでは接触面積が半分となり，特に中央1/3の接触圧が70%増大した。また，流体圧は正常モデルに比べて半月板切除モデルでは辺縁部の流体圧が減少し，中央1/3の流体圧が70%増大した。

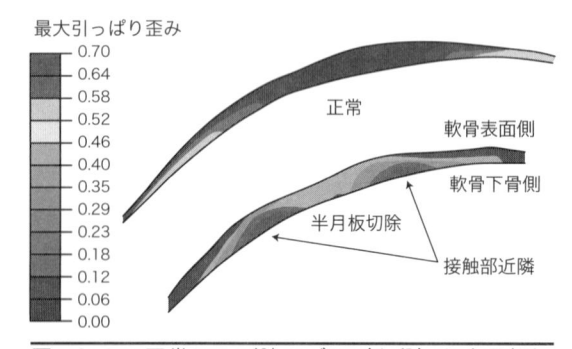

図13-9 正常ヒツジ膝モデル（上段）と半月板切除モデル（下段）の脛骨側軟骨の歪み（文献12より引用）
25分の荷重時間における変化。脛骨軟骨の歪みは関節面側で13〜50%増大したのに対し，軟骨下骨側で40〜70%増大した。

40〜70%増大した（**図13-9**）。そして最大歪み部位は大腿骨接触部から近隣する部位であった。これらの結果は，軟骨が軟骨下骨から離断する外力の発生メカニズムを説明する根拠になるかもしれない。

5. 軟骨損傷の誘発実験

Yeowら[27]はヒト正常屍体膝5膝に反復的軸圧試験を行い，前十字靱帯断裂を誘発させたときの軟骨損傷を組織学的に観察した。その結果，軟骨表層の剥離や擦れ，中間層の間隙増大，石灰化線の分離という多様な損傷タイプが確認された。前十字靱帯が断裂にいたるほどの大きな外力が加わったときには，当然のことながら軟骨組織も重篤な損傷を受けている可能性が高いことが示された。

F. まとめ

1. すでに**真実**として**承認**されていること

- 関節軟骨は軟骨細胞，コラーゲン線維，水分を主成分として4層構造をなしている。
- 軟骨細胞が軟骨組織の恒常性維持に貢献している。
- 軟骨内に血管，神経，リンパ管は存在せず，修復能や代謝能に乏しい。
- 関節軟骨は関節面の潤滑と荷重緩衝に寄与する。

2. 議論の余地はあるが，今後の重要な研究テーマとなること

- 関節軟骨の流体圧変化を人工的に再現できるのか。
- 関節軟骨が半月板の影響をどの程度受けるのか。

G. 今後の課題

- 損傷メカニズムの特定に関するさらなる研究。
- 関節軟骨の硬さを含むバイオメカニクス特性についての生体研究。
- 関節軟骨への新生血管の侵入や軟骨下骨の脈管構造の変化に関する研究。
- 軟骨の機能の維持に有効な運動療法の基礎研究。

文献

1. Akizuki S, Mow VC, Muller F, Pita JC, Howell DS, Manicourt DH: Tensile properties of human knee joint cartilage: I. influence of ionic conditions, weight bearing, and fibrillation on the tensile modulus. *J Orthop Res*. 1986; 4: 379-92.
2. Alford JW, Cole BJ: Cartilage restoration, part 1: basic science, historical perspective, patient evaluation, and treatment options. *Am J Sports Med*. 2005; 33: 295-306.
3. Bromley M, Bertfield H, Evanson JM, Woolley DE: Bidirectional erosion of cartilage in the rheumatoid knee joint. *Ann Rheum Dis*. 1985; 44: 676-81.
4. Brown RA, Weiss JB: Neovascularisation and its role in the osteoarthritic process. *Ann Rheum Dis*. 1988; 47: 881-5.
5. Chen T, Hilton MJ, Brown EB, Zuscik MJ, Awad HA: Engineering superficial zone features in tissue engineered cartilage. *Biotechnol Bioeng*. 2013; 110: 1476-86.
6. Drewniak EI, Jay GD, Fleming BC, Zhang L, Warman ML, Crisco JJ: Cyclic loading increases friction and changes cartilage surface integrity in lubricin-mutant mouse knees. *Arthritis Rheum*. 2012; 64: 465-73.
7. Eckstein F, Hudelmaier M, Putz R: The effects of exercise on human articular cartilage. *J Anat*. 2006; 208: 491-512.
8. Eckstein F, Reiser M, Englmeier KH, Putz R: In vivo morphometry and functional analysis of human articular cartilage with quantitative magnetic resonance imaging -from image to data, from data to theory. *Anat Embryol (Berl)*. 2001; 203: 147-73.
9. Flannery CR, Hughes CE, Schumacher BL, Tudor D, Aydelotte MB, Kuettner KE, Caterson B: Articular cartilage superficial zone protein (SZP) is homologous to megakaryocyte stimulating factor precursor and is a multifunctional proteoglycan with potential growth-promoting, cytoprotective, and lubricating properties in cartilage metabolism. *Biochem Biophys Res Commun*. 1999; 254: 535-41.
10. Furukawa T, Eyre DR, Koide S, Glimcher MJ: Biochemical studies on repair cartilage resurfacing experimental defects in the rabbit knee. *J Bone Joint Surg Am*. 1980; 62: 79-89.
11. Goldberg VM, Caplan AI: Biologic restoration of articular surfaces. *Instr Course Lect*. 1999; 48: 623-7.
12. Haemer JM, Song Y, Carter DR, Giori NJ: Changes in articular cartilage mechanics with meniscectomy: a novel image-based modeling approach and comparison to patterns of OA. *J Biomech*. 2011; 44: 2307-12.
13. Haywood L, Walsh DA: Vasculature of the normal and arthritic synovial joint. *Histol Histopathol*. 2001; 16: 277-84.
14. Hudelmaier M, Glaser C, Hohe J, Englmeier KH, Reiser M, Putz R, Eckstein F: Age-related changes in the morphology and deformational behavior of knee joint cartilage. *Arthritis Rheum*. 2001; 44: 2556-61.
15. Jay GD, Britt DE, Cha CJ: Lubricin is a product of megakaryocyte stimulating factor gene expression by human synovial fibroblasts. *J Rheumatol*. 2000; 27: 594-600.
16. Jones G, Glisson M, Hynes K, Cicuttini F: Sex and site differences in cartilage development: a possible explanation for variations in knee osteoarthritis in later life. *Arthritis Rheum*. 2000; 43: 2543-9.
17. Kazemi M, Li LP, Savard P, Buschmann MD: Creep behavior of the intact and meniscectomy knee joints. *J Mech Behav Biomed Mater*. 2011; 4: 1351-8.
18. Layton MW, Goldstein SA, Goulet RW, Feldkamp LA, Kubinski DJ, Bole GG: Examination of subchondral bone architecture in experimental osteoarthritis by microscopic computed axial tomography. *Arthritis Rheum*. 1988; 31: 1400-5.
19. Li G, DeFrate LE, Park SE, Gill TJ, Rubash HE: In vivo articular cartilage contact kinematics of the knee: an investigation using dual-orthogonal fluoroscopy and magnetic resonance image-based computer models. *Am J Sports Med*. 2005; 33: 102-7.
20. Lyyra T, Kiviranta I, Vaatainen U, Helminen HJ, Jurvelin JS: In vivo characterization of indentation stiffness of articular cartilage in the normal human knee. *J Biomed Mater Res*. 1999; 48: 482-7.
21. Mankin HJ: The response of articular cartilage to mechanical injury. *J Bone Joint Surg Am*. 1982; 64: 460-6.
22. Mohammadi H, Mequanint K, Herzog W: Computational aspects in mechanical modeling of the articular cartilage tissue. *Proc Inst Mech Eng H*. 2013; 227: 402-20.
23. Moses MA, Sudhalter J, Langer R: Identification of an inhibitor of neovascularization from cartilage. *Science*. 1990; 248(4961): 1408-10.
24. Simon TM, Jackson DW: Articular cartilage: injury pathways and treatment options. *Sports Med Arthrosc*. 2006; 14: 146-54.
25. Teeple E, Elsaid KA, Fleming BC, Jay GD, Aslani K, Crisco JJ, Mechrefe AP: Coefficients of friction, lubricin, and cartilage damage in the anterior cruciate ligament-deficient guinea pig knee. *J Orthop Res*. 2008; 26: 231-7.
26. Tetteh ES, Bajaj S, Ghodadra NS: Basic science and surgical treatment options for articular cartilage injuries of the knee. *J Orthop Sports Phys Ther*. 2012; 42: 243-53.
27. Yeow CH, Ng KS, Cheong CH, Lee PV, Goh JC: Repeated application of incremental landing impact loads to intact knee joints induces anterior cruciate ligament failure and tibiofemoral cartilage deformation and damage: a preliminary cadaveric investigation. *J Biomech*. 2009; 42: 972-81.

〔河端　将司〕

14. 疫学・病態

はじめに

脛骨大腿関節の骨軟骨病変に該当する外傷・障害は多く，その病態は多彩である．臨床上，多く経験するのは変形性膝関節症としての骨軟骨病変であるが，退行性変化は本シリーズの趣旨により除外する．このため本項では，スポーツによって生じる離断性骨軟骨炎（osteochondritis dissecans：OCD）と限局性の骨軟骨病変の疫学・病態についてレビューを実施した．

A. 文献検索方法

文献検索は PubMed を使用し，本項に関連するキーワード「knee」「tibiofemoral joint」「osteochondral」「chondral」「cartilage」「lesion」「defect」「injury」「loss」「osteochondritis dissecans」のいずれかの単語を組み合わせて検索した．なお，「degenerative change」「osteoarthritis」は除外した．その結果，脛骨大腿関節の骨軟骨病変に関連する文献を抽出し，さらに文献中の引用を加えて 33 文献をこのレビューの対象とした．

B. 離断性骨軟骨炎

離断性骨軟骨炎（osteochondritis dissecans）という診断名を用いたのは 1987 年の Konig のドイツ語の論文であった[4]．その後，Fairbank[11]が osteochondritis dissecans というタイトルの論文を英語で発表した．

1. 疫　学

離断性骨軟骨炎の発生率は低く，厳密な疫学調査は行いにくい．スウェーデンのマルメ市内唯一の放射線科のある病院において，1965～1974 年の 10 年間に行われた疫学研究がある[19]．これによると，人口約 250,000 人中 156 人（発生率 0.0000624 件/年）が離断性骨軟骨炎と診断された．そのうち男性が約 104 名，女性が約 52 件（男女比は 2：1）であり（図 14-1），その好発年齢は 10～29 歳であった（表 14-1）．

以下の研究は院内のカルテ情報に基づくケースシリーズである．1989～2004 年の 15 年間に，ポーランドの 2 施設において関節鏡視下手術を行った 25,124 膝に関して後方視研究が行われた[31]．その結果，全体の 60％に何らかの骨軟骨病変が認められ，そのうち 2％が離断性骨軟骨炎であった．全米の膝関節鏡視下術のデータベース上の調査において，鏡視下術を施行した 31,516 膝のうち離断性骨軟骨炎は 0.7％であった[9]．ノルウエーの 3 施設において鏡視下手術を受けた連続軟骨損傷患者 993 名のうち，局所的な骨軟骨病変は 203 膝（20％）であり，そのうち離断性骨軟骨炎は 10 件であった[3]．発生部位を大腿骨顆に限定したものではないため，大腿骨顆の離断性骨軟骨炎の発生率はさらに低いと考えられる[9]．

離断性骨軟骨炎の疫学研究を検索したところ，1976 年に公表された Linden ら[19] の研究以外に大規模な疫学調査はみられなかった．この研究はスウェーデンのマルメ市を対象とし，市内には放

射線科のある総合病院は1つしかないという特殊な環境で実施された。その診断根拠は単純X線であったため，見逃された症例も多いと推測される。また，人種や地域，文化による発生率の違いについて検討することはできなかった。以上を考慮しても，疫学調査，関節鏡視所見による調査ともに離断性骨軟骨炎の発生率は低いといえる。

2. 病 態

1887年のKonigの論文では，その結論において膝関節内に遊離体が発生する原因として，明らかな外傷と潜行的な発症がありうることが示唆された[4]。Fairbank[11]も同様に外傷と原因不明とに分類されることを指摘した。

1) 進行過程

硝子軟骨である関節軟骨は，神経・血管がなく細胞成分は少ないが，細胞外基質は豊富に存在する。関節軟骨は無痛，低摩擦性，弾性，耐久性などの特徴をもち，弾性と剛性の異なる4層（表層，中間層，深層，石灰化層）からなる。離断性骨軟骨炎がどのように起こるのかは十分にわかっていないが，まず，関節軟骨下骨に平行な亀裂が入り，次第に損傷は拡大し，関節軟骨まで亀裂が進行する。最終的に軟骨が母床より脱落し，関節内遊離体を形成すると推測された[1]。

離断性骨軟骨炎は主にメカニカルストレスによって引き起こされると推測されてきた。Tomatsuら[29]は幼豚の屍体膝を用いて，大腿骨遠位部に剪断ストレスを加える実験を行い，大腿骨の骨軟骨に生じる損傷を詳細に観察した。その結果，関節面から損傷が確認できるopen型と損傷がみえないclose型に分類され，また損傷が発生した部位については関節軟骨（非石灰化層），石灰化層，軟骨下皮質骨，成長軟骨の4領域に分類された。損傷のメカニズムについて，軟骨および軟骨下骨の構造から関節への衝撃負荷の速度やエネルギー

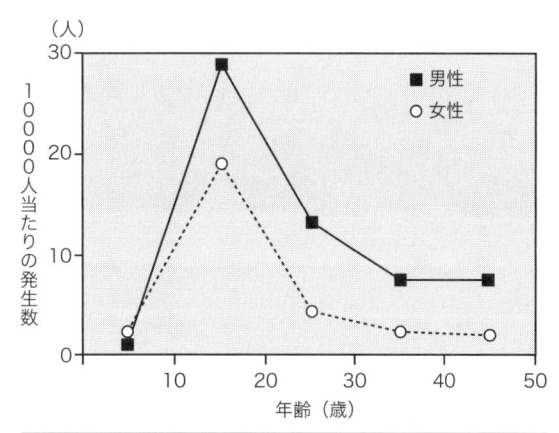

図14-1 離断性骨軟骨炎の年齢別の10,000人あたりの発生数（文献19より引用）

表14-1 離断性骨軟骨炎の年齢別・性別の発生人数（文献19より引用）

年齢	男性	女性	合計
0～9	3	4	7
10～19	48	31	79
20～29	28	9	37
30～39	12	4	16
40～49	13	4	17
合計	104	52	156

の大きさにより損傷形態が異なることが説明された。すなわち，軟骨に低速度で剪断力が加わり，衝撃エネルギーが大きい場合，非石灰化軟骨層や石灰化軟骨層といった表層部位は変形する。しかし，損傷にはいたらず，深部の軟骨下骨で大きな歪みが生じる損傷形態となると推測した。離断性骨軟骨炎を含む軟骨損傷の病態は関節面の軟骨下組織が線維性結合組織や線維軟骨から離開された状態と考えられた。

2) 病 因

離断性骨軟骨炎の病因については，外傷やアライメント異常，半月板損傷などさまざまな報告がある（**表14-2**）[17,22,29]。半月板損傷との関連では，大腿骨外側上顆に発生する離断性骨軟骨炎は円板状半月が半数以上に認められたことや，円板

第4章 骨軟骨病変（脛骨大腿関節）

表 14-2 離断性骨軟骨炎の病因（文献 26 より引用）

病因	報告者
外傷	Fairbanks, 1933
アライメント異常	Jacobi, 2010
骨化異常[※1]	Milgram, 1978, Ribbing, 1955
血行障害	Chiroff, 1975, Koch, 1997, Reddy, 1998, Rogers, 1950
遺伝[※2]	Mubarak, 1979, Mackie, 2010
内分泌異常・代謝障害	Green, 1966, Paatsama, 1975, Scott, 1971
幼少期のスポーツ活動	Cahill, 1995
半月板損傷	Mizuta, 2001

※1：外傷や成長期の軟骨損傷によって生じる．※2：否定的な結果を示した報告もある．

状半月切除後に発生した症例が報告された[13]．わが国では外側顆の発生が多く，円板状半月との関連が指摘されている[21]．しかし，それぞれの病因を強く根拠づける研究はなく，コンセンサスが得られるにはいたっていない．

3) 発生部位

Aichroth ら[2] は，膝関節の離断性骨軟骨炎のうち大腿骨顆に発生した 100 例を対象に，骨片の局在を分析した．その結果，骨片は内側顆に 85%，外側顆に 15% 認められた．内側顆と外側顆をさらに分類すると，大腿骨内側顆では，classical タイプ（顆間内側面）69%，extended classical タイプ（広範囲の classical タイプ）6%，infero-central（下方中央）10%，大腿骨外側顆では infero-central（下方中央）13%，anterior（前方）2% であった（図 14-2）．

Linden ら[19] は，大腿骨顆に発生した離断性骨軟骨炎 156 例において，骨片の局在は内側 79 例，内側中央 35 例，外側 45 例，前方 6 例であったと報告した．このうち，骨端線閉鎖前では内側 25 例，内側中央 15 例，外側 22 例，前方 3 例であった（図 14-3）．

全年齢を対象とすると離断性骨軟骨炎は大腿骨内側顆に多く発生する．一方，骨端線閉鎖前の若年者では内側顆と外側顆の発生数の差は小さかった．大腿骨内側顆の classical タイプ（顆間外側面）は顆間部であり，これは関節面の最荷重部をはずれていた[13]．以上より，単純な荷重ストレスによる発生メカニズムは考えにくい．

4) 分類

離断性骨軟骨炎の分類は，損傷部位・サイズ，症状，X 線所見，MRI 所見，関節鏡所見などさまざまな報告がある（表 14-3）．X 線所見，MRI 所見，関節鏡所見による分類は，それぞれが同様の病期の進行を示す．

(1) Cahill and Berg の分類[7,8]

大腿骨顆を前額面より縦に5つの区画に分け，

内側 85%　　　　　　　　　　　　　　　外側 15%

classical タイプ 69%　　extended classical タイプ 6%　　infero-central タイプ 10%　　infero-central タイプ 13%　　anterior タイプ 2%

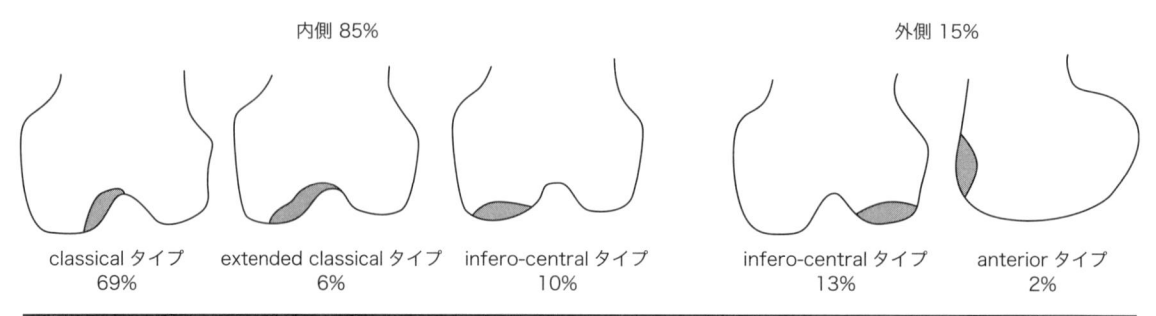

図 14-2　離断性骨軟骨炎の発生部位（文献 2 より引用）
大腿骨顆に生じた離断性骨軟骨炎 100 例を対象とした．Classical タイプ：大腿骨内側顆間外側面，extended classical タイプ：広範囲の classical タイプ，infero-central タイプ：下方中央，anterior type：前方．

14. 疫学・病態

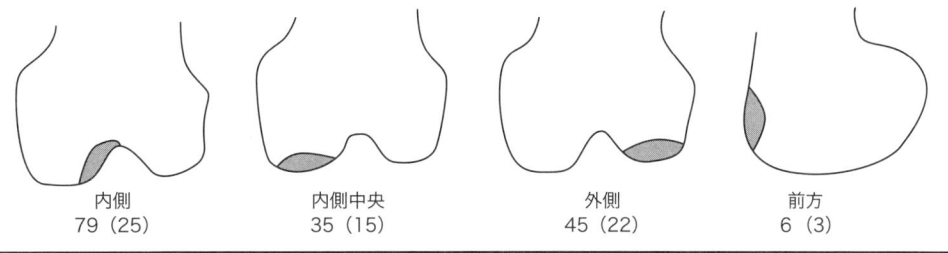

図14-3 離断性骨軟骨炎の発生部位（文献19より引用）
大腿骨顆に生じた離断性骨軟骨炎156例を対象とした。（ ）内は骨端線閉鎖前を対象とした内訳を示す。

内側 79 (25)　内側中央 35 (15)　外側 45 (22)　前方 6 (3)

表14-3　離断性骨軟骨炎の分類

分類	分類法	参考
Cahill and Berg の分類[7,8]	損傷部位・サイズによる分類（前額面）	図14-4
Harding の分類[14]	損傷部位・サイズによる分類（矢状面）	図14-5
Litchman の分類[20]	症状による分類	表14-4
Cahill and Berg の分類[7]	X線・骨シンチグラフィ所見による分類	表14-5
Nelson の分類[23]	MRI所見による分類	表14-6
Hefti の分類[15]	MRI所見による分類	表14-7
Berndt and Harty 分類[5]	関節鏡視所見による分類	図14-6
ICRS OCD 分類[6]	関節鏡視所見による分類	表14-8

損傷部位およびサイズを分類した（**図14-4**）。Cahill の 1983 年の論文[7]では骨シンチグラフィを用いているが，1995 年の論文[8]では単純X線が用いられている。

(2) Harding の分類[14]

単純X線を用い大腿骨顆を外側の矢状面より関節面に応じて3つの区画に分け，損傷部位およびサイズをを分類した（**図14-5**）。

(3) Litchman の分類[20]

病期の進行を症状により5段階に分類した（**表14-4**）。症状がなく偶発的に発見されたものをステージ0，活動時に間欠的な疼痛・腫脹を認めるものをステージ1，持続的な疼痛・腫脹が認められるものをステージ2，ロッキング以外の特異的症状が認められるものをステージ3，明らかなロッキングが認められるものをステージ4とした。

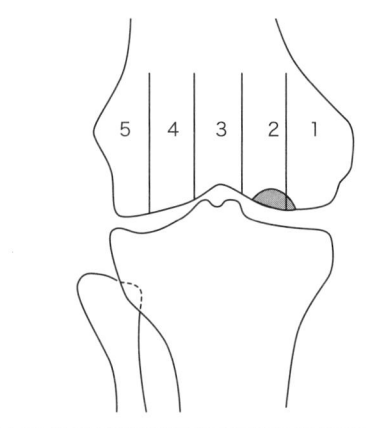

図14-4　Cahill and Berg の分類（文献7より引用）
大腿骨顆を前額面より5つの区画に分け，損傷部位・サイズにより分類した。

(4) Cahill and Berg の分類[7]

病期の進行を単純X線および骨シンチグラフィ所見により5段階に分類した（**表14-5**）。単純X線・骨シンチグラフィともに異常がないものをステージ0，骨シンチグラフィに異常がな

第4章 骨軟骨病変（脛骨大腿関節）

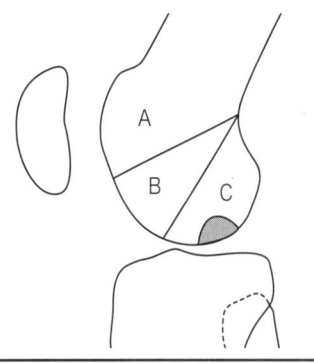

図 14-5 Harding の分類（文献 14 より引用）
大腿骨顆を矢状面より 3 つの区画に分け，損傷部位・サイズにより分類した。

表 14-4 Litchman の分類（文献 20 より引用）

ステージ	症状
ステージ 0	症状なし（偶発的発見）
ステージ 1	活動時に間欠的な疼痛・腫脹
ステージ 2	持続的な疼痛・腫脹
ステージ 3	ロッキング以外の特異的症状
ステージ 4	明らかなロッキング

表 14-5 Cahill and Berg の分類（文献 7 より引用）

ステージ	所見
ステージ 0	骨シンチ・X 線正常
ステージ 1	骨シンチ正常・X 線異常
ステージ 2	OCD 病変部の局所的な骨反応活動増加
ステージ 3	大腿骨顆部を越える範囲の活動増加
ステージ 4	大腿骨顆部，脛骨高原に及ぶ活動増加

表 14-6 Nelson の分類（文献 23 より引用）

ステージ	MRI 所見
ステージ 0	正常
ステージ 1	分離や軟骨下骨の変化を認めない軟骨表面の変化
ステージ 2	軟骨に高信号を認めるが軟骨下骨は安定している
ステージ 3	軟骨下骨に関節液流入による薄い高信号を認める
ステージ 4	遊離体像を認める

く，単純 X 線に異常がみられるものをステージ 1，骨シンチグラフィに離断性骨軟骨炎病変部の局所的な骨反応活動の増加がみられるものをステージ 2，骨シンチグラフィに大腿骨顆部を越える範囲の活動増加がみられるものをステージ 3，骨シンチグラフィに大腿骨顆部，脛骨高原に及ぶ活動増加がみられるものをステージ 4 とした。

(5) Nelson の分類 [23]

病期の進行を MRI 所見により 5 段階に分類した（表 14-6）。正常なものをステージ 0，分離や軟骨下骨の変化を認めない軟骨表面の変化をステージ 1，軟骨に高信号を認めるが軟骨下骨は安定しているものをステージ 2，軟骨下骨に関節液流入による薄い高信号を認めるものをステージ 3，遊離体像を認めるものをステージ 4 とした。

(6) Hefti の分類 [15]

病期の進行を MRI 所見により 6 段階に分類した（表 14-7）。正常なものをステージ 0，明らかな病変や骨片を認めない小さな信号変化をステージ 1，骨片と母床間に関節液の流入を認めない骨片像をステージ 2，骨片と母床間に部分的な関節液の流入を認める骨片像をステージ 3，骨片と母床間に完全な関節液の流入を認める骨片像をステージ 4，骨片が完全に分離した遊離体像をステージ 5 とした。

(7) Berndt and Harty 分類 [5]

病期の進行を関節鏡視所見により 4 段階に分類した（図 14-7）。表面の不整や軟化はあるが亀裂はないものをステージ 1，分離はあるが可動性はない病変をステージ 2，骨片の可動性を認めるが連続性が残っている病変をステージ 3，完全な遊離骨片・遊離体をステージ 4 とした。

14. 疫学・病態

表 14-7　Hefti の分類（文献 15 より引用）

ステージ	MRI 所見
ステージ 0	正常
ステージ 1	明らかな病変や骨片を認めない小さな信号変化
ステージ 2	骨片と母床間に関節液の流入を認めない骨片
ステージ 3	骨片と母床間に部分的な関節液の流入を認める骨片
ステージ 4	骨片と母床間に完全な関節液の流入を認める骨片
ステージ 5	骨片が完全に分離した遊離体

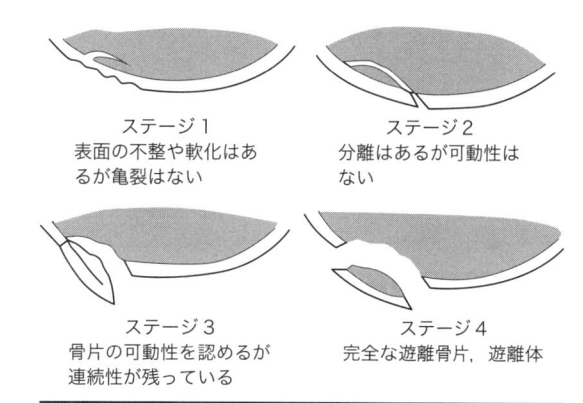

図 14-6　Berndt and Harty 分類（文献 5 より引用）
関節鏡視所見により 4 段階に病期の進行を分類した。

表 14-8　ICRS OCD 分類（文献 6 より引用）

分類	関節鏡所見
ICRS OCD I	病変は安定していて連続性があり，軟化領域は正常な軟骨で覆われている状態
ICRS OCD II	病変は部分的に連続性がないが，鏡視下でプロービングしたときに安定している状態
ICRS OCD III	病変は完全に連続性をなくしているが，剥離していない状態
ICRS OCD IV	欠損と同時に，母床から剥離しているか遊離している骨片がある状態
ICRS OCD IVb	軟骨欠損が 10 mm 以上の深さで損傷されている状態

(8) ICRS OCD 分類[6]

病期の進行を関節鏡視所見により 5 段階に分類した（表 14-8）。病変は安定していて連続性があり，軟化領域は正常な軟骨で覆われている状態を ICRS OCD I，病変は部分的に連続性がないが，鏡視下でプロービングしたときに安定している状態を ICRS OCD II，病変は完全に連続性をなくしているが，剥離していない状態を ICRS OCD III，欠損と同時に，母床から剥離しているか遊離している骨片がある状態を ICRS OCD IV，軟骨欠損が 10 mm 以上の深さで損傷している状態を ICRS OCD IVb とした（図 7-1 参照）。

C. 骨軟骨病変

1. 疫学

限局性の骨軟骨損傷の疫学調査を，特定の地域を対象として実施した研究は存在しない。大半は病院受診時の関節鏡視や MRI による調査である。軟骨下骨にいたる損傷でも無症候性であることも報告されており，骨軟骨損傷の発生時の年齢，性差，損傷程度や受傷機転については今後も研究を進める必要がある。931 人のアスリートを対象としたシステマティックレビューでは，軟骨下骨にいたる大腿骨顆の骨軟骨損傷の発生率は 36％であり，14％は無症候性であった[12]。Curl ら[9]は 31,516 膝の関節鏡視所見を調査し，63％（19,827 膝）に骨軟骨病変が認められたと報告した。40 歳以下では軟骨下骨にいたる骨軟骨病変は全体の 5％（1,729 膝）であった。しかし，この研究では骨軟骨病変の発生部位は大腿骨顆に限定されたものではなかった。Hejelle ら[16]は 1,000 膝のうち 61％（606 膝）に何らかの骨軟骨病変が認められ，そのうち 28％が限局性の骨軟骨病変であったと報告した。関節鏡視下手術を行った 25,124 膝のうち，60％（15,074 膝）に

第4章 骨軟骨病変（脛骨大腿関節）

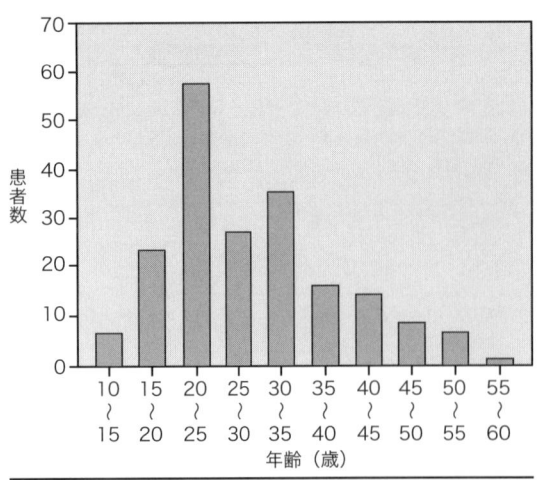

図14-7 骨軟骨病変の年代別発生数（文献3より引用）
骨軟骨病変の多くが30歳以下に発生していた。

骨軟骨病変がみつかり，そのうち67%（10,130膝）に限局性の骨軟骨病変が認められた[31]。関節鏡視時における1,005膝の調査によると，66%に退行性変性が認められ，退行性変性のない限局性の骨軟骨病変は20%（203膝）であった。年齢分布としては，骨軟骨病変患者の多くが30歳以下であった（図14-7）[3]。

2. 病態

Tomatsuら[29]は幼豚の屍体膝を用いた実験で，骨軟骨病変の発生についても報告した。離断性骨軟骨炎の発生とは異なり，関節面への衝撃負荷のうち，衝撃速度が速くエネルギーが大きい場合，軟骨の剛性が上昇し，損傷が軟骨表面から軟骨下骨にまでいたる可能性が高まる。

3. 骨軟骨病変の発生部位

骨軟骨病変の発生部位については，アスリートを対象としたシスマティックレビューで詳述された（表14-9）[12]。大腿骨顆では内側顆に最も多く，外側顆と大腿骨滑車については論文によりばらつきがある。Hjelleら[16]は限局性の骨軟骨病変の発生部位は内側顆が58%，外側顆が9%，大腿骨滑車が6%であったと報告した。Arøenら[3]は退行性変性のない限局性の骨軟骨病変203膝の発生部位を調査した。その結果，内側顆43%，外側顆8%，大腿骨滑車8%，脛骨内側高原9%，脛骨外側高原6%，膝蓋骨23%であった。

4. 骨軟骨病変の損傷程度

ICRS分類を用いて関節鏡所見による骨軟骨病変の損傷程度を分類した研究がある[3,16]。ICRS分類とは離断性骨軟骨炎のICRS OCD分類[6]とは別の分類である（後述）。限局性の骨軟骨損傷が認められた192膝のうち，14%がICRS I，26%がICRS II，55%がICRS III，5%がICRS IVであった。退行性変性のない限局性の骨軟骨病変203膝のうち44%がICRS I・II，47%がICRS III・VCの損傷程度であった[3]。しかし，関節鏡視時の損傷程度が骨軟骨病変発生時のものと一致するかは定かではないため，解釈には注意

表14-9 骨軟骨病変の部位別発生率（%）（文献12より引用）

報告者	内側顆	外側顆	大腿骨滑車	膝蓋骨	脛骨高原
Bachmann, 1999	23	12	13	23	29
Kaplran, 2005	13	3.2	32	45	6.5
Marans, 1998	85	15	0	0	0
Schueller-Weidekamm, 2006	57	0	0	43	0
Stahl, 2008	29	0	14	43	14
Walczak, 2008	15	11	26	44	3.7
Widuchowski, 2007	34	9	8	36	13

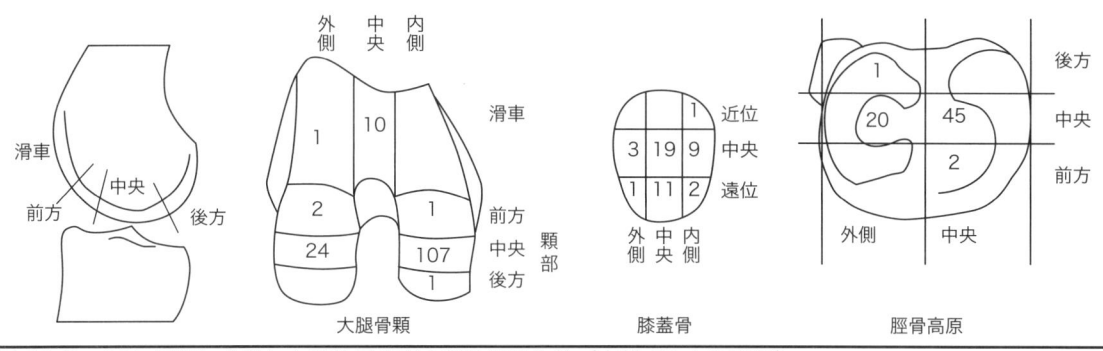

図14-8 ACL損傷に合併した骨軟骨病変の部位別発生数(文献28より引用)
骨軟骨病変のみられた146人を対象としたところ,単独軟骨病変の発生部位と同様に,大腿骨内側顆,脛骨高原内側に多かった。

表14-10 半月板損傷に合併した脛骨大腿関節の骨軟骨病変の発生部位(文献33より引用)

	大腿骨骨軟骨病変				脛骨骨軟骨病変		
	大腿骨内側顆	大腿骨外側顆	大腿骨滑車	合計	脛骨高原内側	脛骨高原外側	合計
内側半月板損傷	37	5	2	44	11	1	12
外側半月板損傷	4	10	0	14	2	5	7
内側半月板+外側半月板損傷	11	4	2	17	6	1	7

が必要である。

5. 合併損傷

骨軟骨病変は,膝前十字靱帯(ACL)損傷[33],半月板損傷[18,33]に合併する可能性が高い。限局性の骨軟骨損傷が認められた192膝のうち26%(50膝)にACL損傷,42%(81膝)に半月板損傷,12%(23膝)にACL損傷と半月板損傷両方を合併していた[16]。スポーツによりACLを損傷した764人を対象として関節鏡視所見を調査した研究では,19.2%(146人)に骨軟骨病変が認められた。

これらの骨軟骨損傷の発生部位は,単独軟骨病変の発生部位と同様に,大腿骨内側顆,脛骨高原内側に多かった(図14-8)。関節鏡視下手術を施行した200膝のうち55%(110膝)に半月板損傷が認められた[33]。また,半月板損傷の部位と脛骨大腿関節の骨軟骨病変の発生部位との関連性が検討され,骨軟骨病変は,内側半月板損傷膝では脛骨大腿関節内側顆,外側半月板損傷膝では脛骨大腿関節外側顆に多く合併していた(表14-10)。限局性の骨軟骨損傷の合併損傷の割合について,他の合併損傷と比較してもACL損傷と半月板損傷の合併が多かった(表14-11)[31]。

表14-11 限局性の骨軟骨損傷の合併損傷の割合(文献31より引用)

部位	合併率
内側半月板	37%
外側半月板	17%
前十字靱帯	36%
後十字靱帯	4%
内側側副靱帯	13%
外側側副靱帯	7%
滑膜	3%
Baker嚢	1%
嚢胞	1%
伸展機構	2%
その他	0.5%

第4章 骨軟骨病変（脛骨大腿関節）

表 14-12 Outerbridge 分類（文献 25 より引用）

グレード	関節鏡所見
グレード 0	正常軟骨
グレード I	軟骨の軟化および腫脹を観察
グレード II	損傷部位（断片や亀裂）の範囲の直径が 1.5 cm 以下のもの
グレード III	損傷部位（断片や亀裂）の範囲の直径が 1.5 cm より大きいもの
グレード IV	軟骨下骨まで及んだ損傷

表 14-13 Noyes 分類（文献 24 より引用）

グレード	関節鏡所見
グレード 1	A：軟骨表面は正常（反発力が持続している） B：軟骨表面は正常（変形がある，軟化）
グレード 2	A：軟骨表面の損傷（cracks, fibrillation, fragmentation）で軟骨の厚さの50％未満の深さの損傷 B：軟骨の厚さの50％以上の深さで軟骨下骨までは到達しない損傷
グレード 3	A：軟骨下骨の露出（軟骨下骨正常） B：軟骨下骨の露出（軟骨下骨空洞化）

表 14-14 改定 Noyes 分類（文献 30 より引用）

グレード	MRI 所見
グレード 0	正常軟骨
グレード I	軟骨表層の不整はなく正常で，低信号または高信号のみ観察
グレード II	わずかな軟骨表層の不整，かつ/または50％未満の深さの限局性軟骨欠損像
グレード III	著明な軟骨表層の不整，50％以上の深さの限局性軟骨欠損像
グレード IV	軟骨下骨まで到達する全層の限局性軟骨欠損像，骨の反応を伴う場合も伴わない場合もある

6. 分 類

1）関節鏡視所見による分類

損傷部位の深さ，サイズ，位置，損傷部位の数などの判定基準によりさまざまな分類がある。多くの研究で用いられているのは Outerbridge 分類[25]，Noyes 分類[24]，ICRS 分類[6]である。

(1) Outerbridge 分類[25]

病期の進行を5段階に分類した（**表 14-12**）。正常軟骨をグレード 0，軟骨の軟化および腫脹の観察をグレード I，損傷部位（断片や亀裂）の範囲の直径が 1.5 cm 以下のものをグレード II，損傷部位（断片や亀裂）の範囲の直径が 1.5 cm 以上のものをグレード III，軟骨下骨まで及んだ損傷をグレード IV とした。

(2) Noyes 分類[24]

病期の進行を6段階に分類した（**表 14-13**）。軟骨表面は正常であり，反発力が持続しているものをグレード 1A，軟骨表面は正常であるが，変形があり，軟化がみられるものをグレード 2B，軟骨表面の損傷（cracks, fibrillation, fragmentation）で軟骨の厚さの 50％未満の深さの損傷をグレード 2A，軟骨の厚さの 50％以上の深さの損傷で軟骨下骨までは到達しない深さの損傷をグレード 2B，軟骨下骨の露出があるが，軟骨下骨正常なものをグレード 3A，軟骨下骨の露出があり軟骨下骨空洞化があるものをグレード 3B とした。

(3) ICRS 分類[6]

病期の進行を大きく4段階に分類し，各段階における程度を 10 段階に分類した（**図 7-2 参照**）。損傷なしをグレード 0，軟骨表層の損傷，軽度の表面の不整をグレード 1a，グレード 1a かつ（または）表層の亀裂をグレード 1b，軟骨の深さの 50％以下の損傷をグレード 2，軟骨の深さの 50％以上に及ぶ損傷をグレード 3a，石灰化層に及ぶものをグレード 3b，軟骨下骨まで及ぶが貫通していないものをグレード 3c，損傷による表層の膨隆をグレード 3d，軟骨下骨を貫通するものをグレード 4a，その程度が大きいものをグレード 4b とした。

2) MRI による分類

骨軟骨病変の分類として，関節鏡視時所見によるNoyes分類やOuterbridge分類がある．MRIを用いた骨軟骨病変の分類として，これらに対応した改定Noyes分類[30]と改定Outerbridge分類がしばしば用いられる．さらに，上記の2つの分類に独自の解釈を加えた分類もある[10,27,32]．

(1) 改定 Noyes 分類[30]

MRI所見により病期の進行を5段階に分類した（表14-14）．正常をグレード0，軟骨表層の不整はなく正常であり，低信号または高信号のみ観察されるものをグレードI，わずかな軟骨表層の不整，または（同時に）50％未満の深さの限局性軟骨欠損像をグレードII，著明な軟骨表層の不整と50％以上の深さの限局性軟骨欠損像をグレードIII，軟骨下骨まで到達する全層の限局性軟骨欠損像をグレードIVとした．

(2) 改定 Outerbridge 分類[10]

MRI所見により病期の進行を5段階に分類した．正常をグレード0，軟骨表層の不整はなく正常であり，異常信号がみられるものをグレードI，50％以下の深さの軟骨欠損がみられるものをグレードII，50％より大きい軟骨欠損がみられるものをグレードIII，全層の軟骨欠損と軟骨下骨に異常信号がみられるものをグレードIVとした．

D. まとめ

1. すでに真実として承認されていること

1) 離断性骨軟骨炎
- 骨軟骨病変のなかでも発生率が低い外傷である．
- 発生部位は大腿骨内側顆に多い．

2) 骨軟骨病変
- 発生部位は大腿骨内側顆に多い．
- ACL損傷，半月板損傷に合併して受傷することがある．

2. 議論の余地はあるが，今後の重要な研究テーマとなること

1) 離断性骨軟骨炎
- 疫学に関する報告が少ないため，大規模な疫学研究が期待される．
- 病態については，発生メカニズムや病因についてはさまざまな報告があるが，それらの根拠となる基礎研究，実験研究が期待される．

2) 骨軟骨病変
- 病院受診時の調査による報告しかないため，大規模な疫学研究による報告が期待される．

3. 真実と思われていたが実は疑わしいこと
- 離断性骨軟骨炎は，実験研究では関節面への衝撃負荷が発生要因として捉えられているが，発生部位では顆間部といった非荷重面での発生も多く，関節面への直接のストレスのみが病因ではない可能性が考えられる．

E. 今後の課題

- 離断性骨軟骨炎や骨軟骨病変は単純X線では見逃される可能性が大きい疾患であり，発生率も低いため，大規模かつ診断能力に優れたMRI検査などによる検診事業を長期間にわたり実施していく疫学研究が必要がある．
- 軟骨損傷の発生メカニズムについての実験的研究は報告が少ない．今後多くの研究が実施され，スポーツ動作による損傷との関連が明らかになることが期待される．

第4章 骨軟骨病変（脛骨大腿関節）

文 献

1. Aichroth P: Osteochondral fractures and their relationship to osteochondritis dissecans of the knee. An experimental study in animals. *J Bone Joint Surg Br*. 1971; 53: 448-54.
2. Aichroth P: Osteochondritis dissecans of the knee. A clinical survey. *J Bone Joint Surg Br*. 1971; 53: 440-7.
3. Arøen A, Løken S, Heir S, Alvik E, Ekeland A, Granlund OG, Engebretsen L: Articular cartilage lesions in 993 consecutive knee arthroscopies. *Am J Sports Med*. 2004; 32: 211-5.
4. Barrie HJ: Osteochondritis dissecans 1887-1987. A centennial look at Konig's memorable phrase. *J Bone Joint Surg Br*. 1987; 69: 693-5.
5. Berndt AL, Harty M: Transchondral fractures (osteochondritis dissecans) of the talus. *J Bone Joint Surg Am*. 1959; 41-A: 988-1020.
6. Brittberg M, Winalski CS: Evaluation of cartilage injuries and repair. *J Bone Joint Surg Am*. 2003; 85-A Suppl 2: 58-69.
7. Cahill BR, Berg BC. 99m-Technetium phosphate compound joint scintigraphy in the management of juvenile osteochondritis dissecans of the femoral condyles. *Am J Sports Med*. 1983; 11: 329-35.
8. Cahill BR: Osteochondritis dissecans of the knee: treatment of juvenile and adult forms. *J Am Acad Orthop Surg*. 1995; 3: 237-47.
9. Curl WW, Krome J, Gordon ES, Rushing J, Smith BP, Poehling GG: Cartilage injuries: a review of 31,516 knee arthroscopies. *Arthroscopy*. 1997; 13: 456-60.
10. Disler DG, McCauley TR, Wirth CR, Fuchs MD: Detection of knee hyaline cartilage defects using fat-suppressed three-dimensional spoiled gradient-echo MR imaging: comparison with standard MR imaging and correlation with arthroscopy. *AJR Am J Roentgenol*. 1995; 165: 377-82.
11. Fairbank HAT: Osteochondritis dissecans. *Br J Surg*. 1933; 21: 67-82.
12. Flanigan DC, Harris JD, Trinh TQ, Siston RA, Brophy RH: Prevalence of chondral defects in athletes' knees: a systematic review. *Med Sci Sports Exerc*. 2010; 42: 1795-801.
13. Green JP: Osteochondritis dissecans of the knee. *J Bone Joint Surg Br*. 1966; 48: 82-91.
14. Harding WG 3rd: Diagnosis of ostechondritis dissecans of the femoral condyles: the value of the lateral x-ray view. *Clin Orthop Relat Res*. 1977; (123): 25-6.
15. Hefti F, Beguiristain J, Krauspe R, Möller-Madsen B, Riccio V, Tschauner C, Wetzel R, Zeller R: Osteochondritis dissecans: a multicenter study of the European Pediatric Orthopedic Society. *J Pediatr Orthop B*. 1999; 8: 231-45.
16. Hjelle K, Solheim E, Strand T, Muri R, Brittberg M: Articular cartilage defects in 1,000 knee arthroscopies. *Arthroscopy*. 2002; 18: 730-4.
17. Jacobi M, Wahl P, Bouaicha S, Jakob RP, Gautier E: Association between mechanical axis of the leg and osteochondritis dissecans of the knee: radiographic study on 103 knees. *Am J Sports Med*. 2010; 38: 1425-8.
18. Lewandrowski KU, Muller J, Schollmeier G: Concomitant meniscal and articular cartilage lesions in the femorotibial joint. *Am J Sports Med*. 1997; 25: 486-94.
19. Linden B: The incidence of osteochondritis dissecans in the condyles of the femur. *Acta Orthop Scand*. 1976; 47: 664-7.
20. Litchman HM, McCullough RW, Gandsman EJ, Schatz SL: Computerized blood flow analysis for decision making in the treatment of osteochondritis dissecans. *J Pediatr Orthop*. 1988; 8: 208-12.
21. Mitsuoka T, Shino K, Hamada M, Horibe S: Osteochondritis dissecans of the lateral femoral condyle of the knee joint. *Arthroscopy*. 1999; 15: 20-6.
22. Mizuta H, Nakamura E, Otsuka Y, Kudo S, Takagi K: Osteochondritis dissecans of the lateral femoral condyle following total resection of the discoid lateral meniscus. *Arthroscopy*. 2001; 17: 608-12.
23. Nelson DW, DiPaola J, Colville M, Schmidgall J: Osteochondritis dissecans of the talus and knee: prospective comparison of MR and arthroscopic classifications. *J Comput Assist Tomogr*. 1990; 14: 804-8.
24. Noyes FR, Stabler CL: A system for grading articular cartilage lesions at arthroscopy. *Am J Sports Med*. 1989; 17: 505-13.
25. Outerbridge RE: The etiology of chondromalacia patellae. *J Bone Joint Surg Br*. 1961; 43-B: 752-7.
26. Petrie PW: Aetiology of osteochondritis dissecans. Failure to establish a familial background. *J Bone Joint Surg Br*. 1977; 59: 366-7.
27. Recht MP, Kramer J, Marcelis S, Pathria MN, Trudell D, Haghighi P, Sartoris DJ, Resnick D: Abnormalities of articular cartilage in the knee: analysis of available MR techniques. *Radiology*. 1993; 187: 473-8.
28. Tandogan RN, Taşer O, Kayaalp A, Taşkiran E, Pinar H, Alparslan B, Alturfan A: Analysis of meniscal and chondral lesions accompanying anterior cruciate ligament tears: relationship with age, time from injury, and level of sport. *Knee Surg Sports Traumatol Arthrosc*. 2004; 12: 262-70.
29. Tomatsu T, Imai N, Takeuchi N, Takahashi K, Kimura N: Experimentally produced fractures of articular cartilage and bone. The effects of shear forces on the pig knee. *J Bone Joint Surg Br*. 1992; 74: 457-62.
30. Vallotton JA, Meuli RA, Leyvraz PF, Landry M: Comparison between magnetic resonance imaging and arthroscopy in the diagnosis of patellar cartilage lesions: a prospective study. *Knee Surg Sports Traumatol Arthrosc*. 1995; 3: 157-62.
31. Widuchowski W, Widuchowski J, Trzaska T: Articular cartilage defects: study of 25,124 knee arthroscopies. *Knee*. 2007; 14: 177-82.
32. Yulish BS, Montanez J, Goodfellow DB, Bryan PJ, Mulopulos GP, Modic MT: Chondromalacia patellae: assessment with MR imaging. *Radiology*. 1987; 164: 763-6.
33. Zamber RW, Teitz CC, McGuire DA, Frost JD, Hermanson BK: Articular cartilage lesions of the knee. *Arthroscopy*. 1989; 5: 258-68.

〔伊藤　渉〕

15. 診断・評価

はじめに

中高年者にみられる膝関節の関節軟骨の退行性変性は変形性膝関節症（膝 OA）と診断される。一方アスリートでは，若年層に限局性の関節軟骨の損傷が起こり[53]，スポーツ活動に支障が出ることも多い。メカニズムによる分類として，スポーツに関連する骨軟骨病変は，外傷（1 回の過大な外力）により生じるものと，繰り返しの外力（オーバーユース）により生じるものがある。病態による分類として，軟骨以外の病変を認めない関節軟骨単独損傷，合併症（靱帯損傷，半月板損傷，膝蓋大腿関節脱臼，骨軟骨骨折など）を伴うもの，離断性骨軟骨炎（osteochondritis dissecans：OCD）に分けられる。本項では，膝関節の骨軟骨病変を外傷性と OCD に分け，その診断・評価法について先行研究のレビューを行った。

A. 文献検索方法

文献検索には PubMed を使用し，本項に関連するキーワード「knee」「tibiofemoral joint」「osteochondral」「chondral」「cartilage」「osteochondritis dissecans」「lesion (s)」「defect (s)」「injury」「diagnosis」「evaluation」「assessment」「examination」を組み合わせて検索した。本項のテーマに合致した論文を抽出し，引用文献からのハンドサーチを加えて最終的に 59 論文を本レビューに採用した。

B. 骨軟骨病変および OCD のグレード分類

骨軟骨病変グレード分類は直視下ならびに鏡視下で行われる。これまで，軟骨損傷の範囲や深さによる Outerbridge 分類[42]や Noyes 分類[40]など，さまざまな分類が提唱されてきた。1997 年に International Cartilage Repair Society (ICRS) (http://www.cartilage.org/) が設立され，軟骨損傷および修復の評価の統一化が図られ，近年では ICRS 分類（図 7-2 参照）が一般的となっている[8]。OCD においてもさまざまな分類が提唱されたが，ICRS では Guhl 分類[21]が採用され，ICRS OCD 分類（図 7-1 参照）として普及している[8]。本項では，特に記載がない場合，骨軟骨病変および OCD のグレード分類は ICRS 分類もしくは ICRS OCD 分類を用いた。

C. 骨軟骨病変

1. 骨軟骨病変の身体所見
1）臨床症状および徒手検査

骨軟骨損傷は多くの場合進行性である。Guettler ら[20]は，屍体膝を用いた研究で，直径 10 mm 以上の骨軟骨病変では荷重応力が欠損部周縁に集中することを示し，軟骨欠損の拡大のメカニズムを示唆した。一方，Buckwalter ら[9]は，レビュー論文において，骨軟骨病変の臨床症状について，関節軟骨の解剖および基礎研究の結果から関節軟骨を構成する硝子軟骨には神経や血

第4章 骨軟骨病変（脛骨大腿関節）

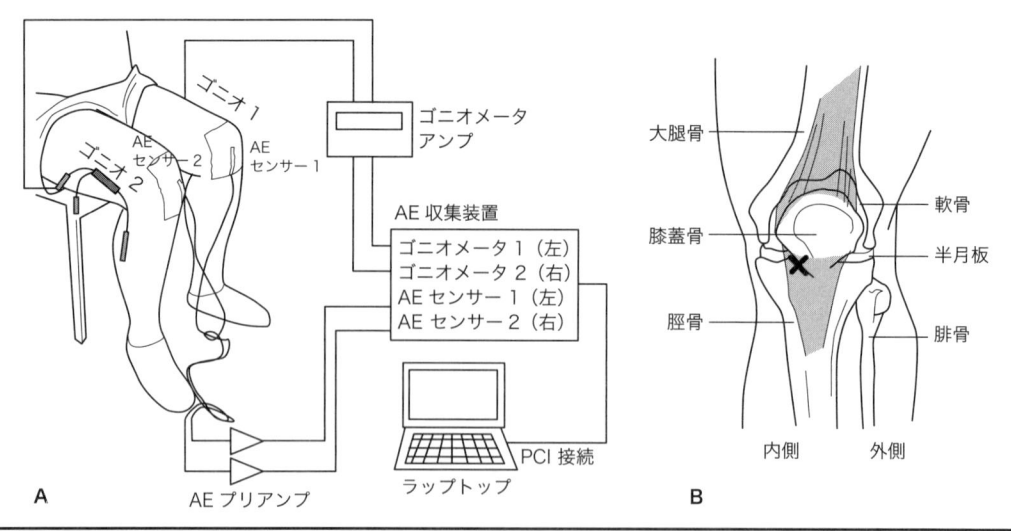

図15-1 関節音図の測定装置（JAAS）(A) と測定部位（Bの×印）（文献49より引用）

管の分布がないことを指摘した。関節軟骨の欠損は，関節軟骨の破片が滑膜の炎症の増悪を招き，滑膜の二次性の変化を導く可能性がある[39]。したがって，膝OAの痛みの主体は関節軟骨そのものではない可能性が高い。また，小さな面積の軟骨損傷も徐々に広範囲の骨軟骨欠損や膝OAへと進行する可能性があり，その軟骨欠損の深さや範囲に応じて症状およびその原因が変化することに留意すべきである。

アスリートの骨軟骨病変の臨床症状を詳細に記述した報告は非常に少ない。Levyら[31]は，骨軟骨病変を有するトップレベルのサッカー選手15名23膝の臨床症状を調査した。その結果，48％に関節水腫，40％に大腿骨内側顆または外側顆の圧痛，33％に内側または外側の関節裂隙の圧痛，19％に膝関節可動時の捻髪音，9％に膝関節内の引っかかりと膝くずれを認めた。Steadmanら[51]は，NFL選手25名28膝の術前および術後の臨床評価を調査した。その結果，術前の評価では82％に中等度から重度の運動時痛が認められ，93％にスクワット，ランニング，カッティング動作の制限が認められた。しかし，臨床症状から，骨軟骨病変を推定する診断基準は存在しない。

徒手検査のみが診断根拠となるか否かを検証した論文は存在しない。Birkら[5]は，レビュー論文において，軟骨損傷にかかわる身体所見は非特異的であることを指摘したうえで，特徴的な所見として下腿外旋位からの伸展で疼痛が消失するWilson徴候，疼痛性跛行，骨軟骨病変部位付近の圧痛，腫脹，大腿四頭筋萎縮，可動域制限，触診による軟骨欠損の触知，膝蓋大腿関節面の軋轢音などをあげた。複数のレビュー文献において，骨軟骨病変の臨床症状は半月板損傷所見と類似しており，臨床症状および機能障害のみでは疾患の鑑別は困難であるとの見解で一致している[3,18,33]。以上より，骨軟骨病変の診断に特異的な臨床症状，徒手検査は存在しない。

2）関節音図

関節音図（vibroarthrography：VAG）は，関節の運動時に発生する機械的摩擦による振動信号を計測する技術であり，関節軟骨表面の状態を評価する非侵襲的な手法として1990年代から用いられている。古くは，関節から発生する音を聴診器やマイクロフォンにて記録し，その異常を検出

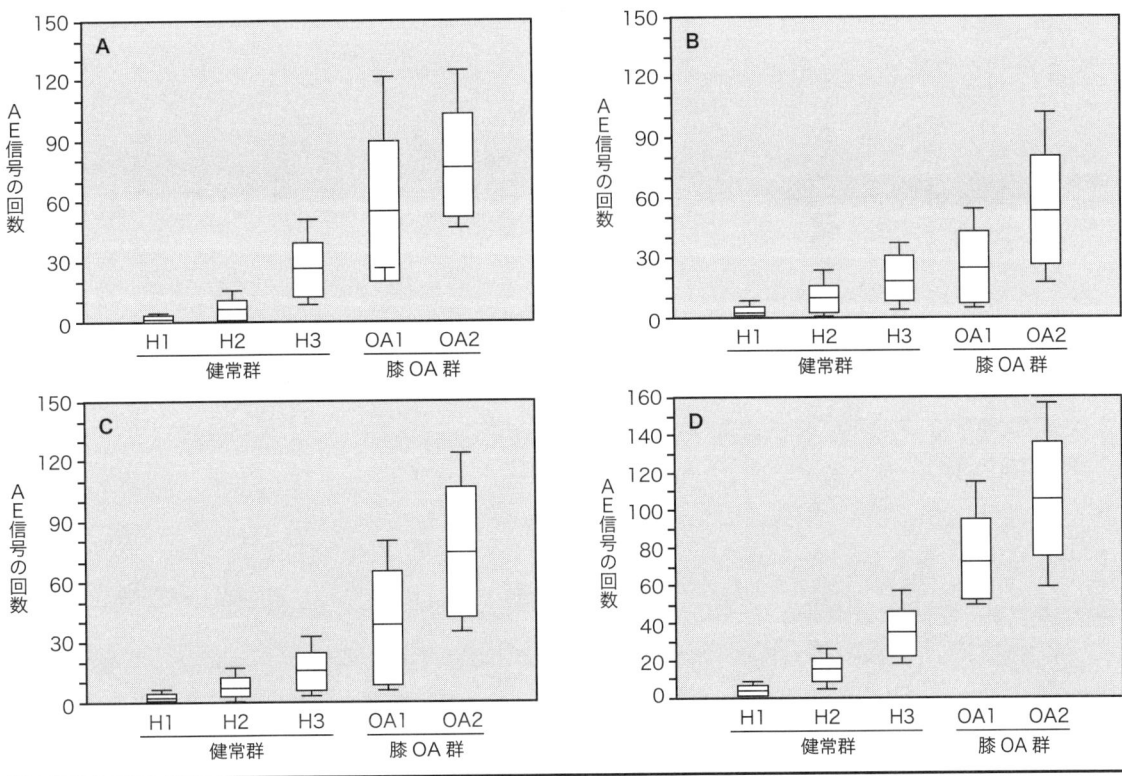

図 15-2 　健常群および膝 OA 群の起立着席動作時の AE 信号の回数（文献 49 より引用）
A：座位−起立加速期，B：座位−起立減速期，C：立位−着席加速期，D：立位−着席減速期。H1：10 膝（8 名），29.00 ± 5.45 歳，H2：11 膝（8 名），50.00 ± 5.07 歳，H3：13 膝（11 名），71.27 ± 6.99 歳，OA1：7 膝（6 名），55.00 ± 1.90 歳，OA2：12 膝（8 名），69.50 ± 6.39 歳。健常群と比較して膝 OA 群では有意に AE 信号の回数が多く，また健常群と膝 OA 群とも年齢が高いほど AE 信号の回数は多くなった。

していた。近年では，加速度計により関節の機械的振動を周波数に変換して分析されたアコースティック・エモーション（acoustic emotion：AE）を利用して，膝関節表面の軟骨の摩擦音の位置情報を波形情報や時間情報を用いて算出することが可能となった[1,58]。

近年，ランカシャー大学の研究グループにより関節音響信号分析システム（joint acoustic analysis system：JAAS）が開発され（図 15-1），膝 OA の評価における新しいアプローチとして報告された[36,49]。Shark ら[49]は，健常者（年齢に応じて 3 群）と膝 OA 患者（年齢に応じて 2 群）の 5 群を対象とし，起立着座動作時の AE を計測した。その結果，健常群と比較して膝 OA 群では有意に AE 信号の回数が多く，健常群，膝 OA 群とも年齢が高いほど AE 信号の回数は多くなった（図 15-2）。また，健常群と比較して膝 OA 群の AE の振幅は大きかった（図 15-3）。関節音図は半月板損傷膝や靱帯損傷膝においても研究されるなど今後の発展に期待がもたれるが，現時点ではアスリートの限局性の骨軟骨病変に対する診断法としての妥当性は検証されていない。

2. 画像所見

1）MRI

（1）妥当性

膝関節の骨軟骨病変の画像診断として，MRI の妥当性に関する研究数は多い。Zhang ら[59]は，2012 年 2 月までに発表された MRI による

第4章 骨軟骨病変（脛骨大腿関節）

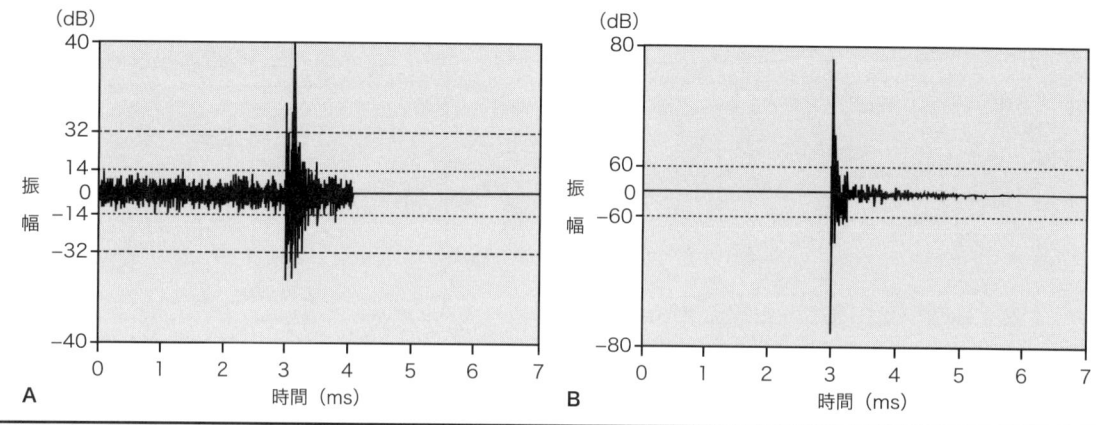

図15-3 健常群および膝OA群の起立着席動作時のAE信号の周波振幅（文献49より引用）
A：健常群の1例，B：膝OA群の1例．縦軸の値幅が異なることに注意．

表15-1 MRIによる骨軟骨病変の診断の信頼性のメタ分析結果（文献59より引用）

報告者	LOE	感度	特異度
Bredella ら [7]	I	89.7%	99.0%
Sonin ら [50]	I	65.4%	89.2%
Mohr ら [38]	I	44.4%	95.1%
von Engelbardt ら [55]	I	91.2%	85.2%
Duc ら [17]	II	57.3%	89.1%
Mathieu ら [37]	I	70.0%	98.1%
Galea ら [19]	II	83.0%	94.3%
Li ら [32]	I	72.0%	87.8%
メタ分析結果（全体）[59]	II	75%	94%
		陽性尤度 12.5　陰性尤度 0.27　診断オッズ比 47		

LOE：level of evidence．

表15-2 解像度1.5Tと3.0TのMRIの妥当性の比較（文献25より作成）

解像度	感度	特異度	的中精度
1.5 T	69.3%	78%	74.5%
3.0 T	70.5%	85.9%	80.1%
有意差	なし	$p<0.05$	$p<0.05$

骨軟骨病変診断の妥当性に関する論文のメタ分析を行った．文献の包含基準は，MRIの解像度が1.5T（テスラ）または3.0Tで，骨軟骨病変の診断に感度の高いパルスシークエンスを使用し，ゴールドスタンダードとして関節鏡視下でICRSグレードによる診断が行われたものであり，8文献が採用された [7, 17, 19, 32, 37, 38, 50, 55]（**表15-1**）．その結果，感度は平均75%（範囲44.4～91.2%），特異度は平均94%（範囲85.2～99.0%），陽性尤度比12.5，陰性尤度比0.27，オッズ比47であった（**表15-2**）．この結果より，MRIによる

骨軟骨病変の診断は有用であるが，感度が低い場合があるため偽陰性となる可能性があると結論づけた．

MRIの解像度に関して，ICRSは1.0T以上のMRI撮像を推奨している [8]．Kijowskiら [25] は，解像度1.5Tと3.0TのMRIの診断の妥当性を比較した．その結果，感度では有意差を認めなかったが，特異度と的中精度では3.0Tのほうが有意に高かった（**表15-2**）．以上より，今後は3.0Tでの研究が増加する可能性が高い反面，クリニックなどで用いられている低磁場のMRIの有用性についての研究は進みにくい状況にあるといえる．

(2) MRIによる損傷グレードの妥当性

MRIと関節鏡との損傷グレードの整合性についての研究がいくつかある．MRI所見と関節鏡所見との損傷グレードの完全一致度は28.1～

表 15-3　骨軟骨病変の MRI 評価と関節鏡評価との損傷グレードの一致度

報告者	解像度	分類	感度特異度	損傷グレード I/1	II/2A	III/2B	IV/3	全グレード完全一致度
Kawahara ら [24]	0.5 T	Outerbridge	感度 特異度	31.8% —	72.4% —	93.5% —	100% —	46.9%
Potter ら [46]	1.5 T	Outerbridge	—	—	—	—	—	72%
von Engelbardt ら [55]	1.5 T	Bachmann	感度 特異度	29% 95%	62% 90%	63% 90%	74% 95%	—
Kijowski ら [25]	1.5 T	Noyes	感度 特異度	40.5% 59.0%	50.2% 60.6%	82.4% 69.5%	94.7% 60.8%	28.1%
	3.0 T	Noyes	感度 特異度	41.7% 64.8%	48.6% 66.8%	85.0% 75.9%	98.3% 66.8%	35.1%

表 15-4　ルーチン MRI と T2 マッピング追加撮像との比較（文献 26 より引用）

MRI	感度特異度	全体	損傷グレード（Noyes 分類）1A	1B	2A	2B	3
ルーチン MRI	感度 特異度	74.6% 97.8%	4.2% —	20% —	77% —	93% —	100% —
T2 マッピング	感度 特異度	88.9% 93.1%	62% —	66% —	88% —	97.5% —	100% —

全体の感度，および 1A・1B・2A・2B の感度で，ルーチン MRI と T2 マッピングとに有意差あり（$p<0.05$）。

72％であり，研究によるばらつきが大きい（**表 15-3**）[24, 25, 46]。また，損傷グレードが低い早期の骨軟骨病変では MRI 診断の感度は低い（**表 15-3**）[24, 25, 55]。Surowiec ら [52] によると，一般的な MRI は，関節軟骨の形態異常の検出に関して鋭敏であったが，信号強度の異常の定量性に関して必ずしも鋭敏ではなかった。したがって，早期の軟骨変性の検出が課題となっていた。

近年，T2 マッピングや T1ρ（ロー）マッピング，遅延相軟骨造影 MRI（delayed gadolinium enhanced magnetic resonance imaging of cartilage：dGEMRIC）など，さまざまな定量的 MRI の方法が開発され，今後は手術適応の判断，保存療法や手術療法の軟骨修復などの効果判定，および軟骨変性を生じる疾患の病態解明などへの応用が期待されている [4, 52]。Kijowski ら [26] は，ルーチン MRI に加えて，定量的 MRI である T2 マッピングを追加撮像した場合の骨軟骨病変の検出率を比較した。その結果，損傷グレードの低い骨軟骨病変（Noyes 分類 1A，1B，2A，2B）の検出率は，一般的な MRI のみと比較して T2 マッピングを追加撮像したほうが大幅に改善した（**表 15-4**）。以上より，早期の軟骨変性の診断は一般的な MRI では難しく，定量的 MRI のほうが早期の骨軟骨病変の検出率が高いといえる。

(3) MRI による損傷サイズの妥当性

軟骨損傷のサイズは治療法選択に大きな影響を及ぼし，その非侵襲的な診断として MRI の重要性は高い。Campbell ら [11] は，MRI と関節鏡による損傷サイズの整合性を検証した。その結果，MRI 所見と関節鏡所見との損傷サイズに正の相関関係（$r=0.705 \sim 0.866$，$p<0.001$）を認めた。しかし，損傷面積の誤差は MRI 所見と比較して関節鏡所見のほうが平均 69.6％大きかった（**表 15-5**）。また，誤差範囲が 10％以内であったのは 11％，10％以上の過大評価が 15％，10％以上の過小評価が 74％であった。この研究では，

第4章 骨軟骨病変（脛骨大腿関節）

表 15-5 骨軟骨病変の MRI と関節鏡での損傷面積評価（文献 11 より引用）

部位	対象	方法	損傷面積 (cm²)	誤差 (%)
大腿骨内顆	34	MRI 関節鏡	1.99 ± 1.98 3.44 ± 3.33	92.0 ± 127.7
大腿骨外顆	20	MRI 関節鏡	1.99 ± 1.33 2.73 ± 2.07	42.9 ± 78.0
膝蓋骨	9	MRI 関節鏡	2.07 ± 0.92 2.21 ± 1.22	6.5 ± 31.8
大腿骨滑車	29	MRI 関節鏡	1.81 ± 1.21 2.89 ± 2.39	82.8 ± 125.7
全体	92	MRI 関節鏡	1.94 ± 1.52 2.99 ± 2.63	69.6 ± 113.6

MRI 撮像から関節鏡手術施行までの期間（平均 2.5 ヵ月）の影響について検討されていなかったものの，MRI では実際の損傷サイズを過小評価しやすいと結論づけられた。

(4) 包括的 MRI 評価法

包括的 MRI 評価法（MR observation of cartilage repair tissue：MOCART）は，軟骨修復術後の関節軟骨の評価の標準化と，治療成績の他施設間比較ができる評価法の確立を目指すため，2004 年に ICRS により推奨された多面的評価尺度である[35]。2009 年には，さらに解像度および感度の高いパルスシークエンス（3D isotropic MRI など）を用いて，3D MOCART が提唱された[56]。3D MOCART は 11 項目の評価（①欠損の修復，②修復軟骨と近接軟骨の境界，③軟骨下骨と移植部の境界，④軟骨表面，⑤修復組織，⑥MRI 信号強度，⑦軟骨下骨の剥片，⑧軟骨の骨棘，⑨骨髄浮腫，⑩軟骨下骨，⑪関節水腫）から

なり[56]，臨床において特に軟骨修復術後の再生軟骨の評価として使用されている[6]。

2) 超音波画像

超音波画像による軟骨評価法の妥当性を検証した研究は 1 件であった。Saarakkala ら[48]は，膝痛患者 40 名に対して関節鏡視下手術の 1 時間前に超音波検査を実施し，関節鏡所見との比較を行った。軟骨損傷グレードとして Noyes 分類変法が使用され，大腿骨内側顆，大腿骨外側顆，大腿骨滑車の 3 関節面について測定された。グレード II 以上を病変所見とした場合，超音波検査の感度は 51.9〜83.3%（3 つの関節面における結果の範囲），特異度は 50.0〜100%，陽性適中率は 87.5〜100% であった（表 15-6）。一方，陰性適中率は 23.8〜45.8% と低く，陰性所見では病変を除外できないと考察した。原因として，超音波画像が脛骨平原中心部まで届かないことや膝蓋骨があるために大腿骨滑車では評価できない部分があることがあげられた。以上より，超音波画像により，グレード II 以上の骨軟骨病変の診断ができる可能性があるが，まだ妥当性に関しての研究が少ない。

D. 離断性骨軟骨炎（osteochondritis dissecans：OCD）

OCD の原因は，スポーツ活動などによる繰り返しの外力であるという説が有力である[2,29,45,54]。加えて，軟骨下骨への血行異常，内分泌異常，ホルモン異常，骨化異常，遺伝，あるいはこれらが

表 15-6 超音波による骨軟骨病変の診断の妥当性（文献 48 より引用）

部位	感度	特異度	PPV	NPV	陽性尤度	陰性尤度	診断オッズ比
大腿骨滑車	54.3%	100%	100%	23.8%	6.4	0.5	13.0
大腿骨内顆	83.3%	50.0%	93.8%	25.0%	1.7	0.3	5.0
大腿骨外顆	51.9%	84.5%	87.5%	45.8%	3.4	0.6	5.9

PPV：陽性適中率，NPV：陰性的中率。

複合して起こる多要因説もある[22, 23, 29, 45]。OCDの治療方針立案の際には，発生時期による分類と病変の安定性による分類が重視される[2, 14, 22, 29, 45]。発生時期による分類は，成長骨端線がまだ開いている若年者のOCD（juvenile OCD：JOCD）と成長骨端線が閉じた成人のOCD（adult OCD：AOCD）に分類され，安定性による分類は，安定型と不安定型に分けられる。JOCDでは安定型病変であることが多い[29]。安定型病変はICRS OCD ⅠとⅡ，不安定型病変はICRS OCD ⅢとⅣに相当する。安定型病変は保存療法で治癒することが多い[22, 29, 44, 45]。OCD病変の早期発見や不安定型かどうかの鑑別が可能な診断技術が必要である。

1. OCDの身体所見
1) 臨床症状

初期のOCDの臨床症状として，運動後の漠然とした部位の特定しにくい膝痛と関節水腫，JOCDに特徴的な運動後の脚の引きずり，膝関節最大屈曲位での病変上（特に大腿骨内側顆前方）の特徴的な圧痛があげられた[22, 23, 29, 45]。一方，不安定型病変や軟骨関節面の不整が著しいOCDの臨床症状として，著明な腫脹や関節可動域制限，膝関節内のロッキングや引っかかり，関節裂隙での捻髪音，膝くずれなど，関節遊離体の存在を示唆する症状があげられた[15, 23, 29, 45]。Heftiら[22]は，OCDと診断され，1年以上の経過観察が可能であった452名509膝を対象に，診察時の膝痛と関節水腫について調査した。膝痛は，なし・わずかが163膝（32.0％），中等度（運動により増悪）が108膝（21.2％），重度（軽い活動や安静時にもあり）が238膝（46.7％）であった。圧痛（複数箇所の膝を含む）は，なしが184膝（36.1％），大腿骨内側顆が209膝（41.1％），大腿骨外側顆が65膝（12.8％），膝蓋骨が63膝（12.4％）であった。一方，関節水腫は121膝（23.8％）で認められた。以上より，X線でOCDを認める症例のうち，長期の関節水腫を伴い，かつ中等度以上の痛みを有する場合は不安定型病変である可能性が高いと考察した。

2) 身体所見

OCDに特異的な身体所見としてWilson徴候があげられる。Wilson徴候は，Aichroth分類2におけるclassicalタイプ，あるいはextended classicalタイプのOCDの疼痛誘発検査および特徴的な下腿外旋歩行を特徴とする[57]。その疼痛誘発検査は，膝を90°屈曲位で最大に下腿内旋を強制しながら膝を自動伸展させた際に膝関節屈曲30°付近で疼痛が生じ，そこで下腿外旋位で伸展した際に疼痛が消失すれば陽性と判定される。Wilsonは[57]，5例のOCD患者のケースシリーズにおいて，全例がWilson徴候陽性かつ下腿外旋位歩行を呈しており，保存治療あるいは手術治療後の経過観察で疼痛誘発テストが陰性となった時点で歩容の改善を認めたと記述した。

Wilson徴候の妥当性を後ろ向きに調査した研究において，いずれも陽性率は低かった[12, 22]。Heftiら[22]は，OCDと診断された452名509膝においてWilson徴候を検査し，その陽性率は83名（16.3％）であったと報告した。Conradら[12]は，片側性OCD症例32名（JOCD群17名・AOCD群15名，うち大腿骨外側顆病変6名）を対象にWilson徴候の妥当性を検証した。その結果，陽性は32名中8名（25％）で，そのうちJOCD群4名（23.5％）とAOCD群4名（29.4％）で有意差はなかった。また大腿骨外側顆病変の6名では下腿の内旋や外旋で4名が疼痛を訴えたが，いずれも外旋位歩行は認めなかった。以上より，現状では，OCDの診断に特異的な身体所見は不明である。

第4章 骨軟骨病変（脛骨大腿関節）

表15-7 MRIによるOCDの診断の妥当性

報告者	ゴールドスタンダード	解像度	感度	特異度	PPV	NPV
Dipaolaら[16]	Berndt and Harty分	0.35 T	83.3%	—	—	—
Kocherら[28]	OCDあり/なし	1.5 T	90.9%	97.9%	69.5%	99.5%
O'Connorら[41]	Dipaola/Guhl分類	0.5 T	85%	—	—	—
Luhmannら[34]	詳細なし	1.5 T	77.8%	94.9%	77.8%	94.8%

PPV：陽性適中率，NPV：陰性的中率。

表15-8 MRIによるOCD病変の不安定型鑑別の4指標と補助診断のための3指標

OCD病変の不安定型鑑別の4指標 [13, 14]
①OCD病変の直下にT2高信号ライン（関節液の流入）を認める
②関節軟骨の局所の欠損像を認める
③関節軟骨の骨折像を認める
④OCD病変の深層に直径5mm以上の囊胞を認める

補助診断のための3指標 [27]
①軟骨下骨板に複数の亀裂を認める
②OCD病変の縁の2層目にT2低信号像を認める
③病変の周囲に関節液の流入を認める

2. 画像所見

1) X線

Kocherら[28]は，16歳以下の膝内障患者139名（うちOCD患者22名，男性7名，女性15名，平均年齢12.8歳）を対象に，問診と身体所見およびX線に基づく診察室診断と，MRI診断の妥当性を比較した．術中所見をゴールドスタンダードとした場合，OCD患者22名における診断の精度（診察室診断/MRI診断）は，感度が77.3%/90.9%，特異度が97.6%/97.9%，陽性適中率66.0%/69.5%，陰性適中率98.8%/99.5%で，いずれも有意差を認めなかった．以上より，OCDの診断は，問診と身体所見および単純X線撮像による診察室診断により，MRIに匹敵する精度で診断が可能であると結論づけられた．しかし，問診や身体所見のどの所見が重要であるかについての考察がなく，今後の課題と思われる．

2) MRI

OCDの画像診断について，MRIの妥当性に関する研究は多い．Quatmanら[47]は，2010年12月までに発表されたOCDの診断に関する論文のシステマティックレビューを実施した．レビューには7論文が採用されたが，OCD診断の妥当性に関する論文は4件のみであった[16, 28, 34, 41]．Kocherら[28]とLuhmannら[34]の2論文より，感度の範囲は77.8〜90.9%，特異度は94.9〜97.9%で，概ね良好であった（表15-7）．一方，Quatmanら[47]は，いずれの報告も方法論の問題によりエビデンスレベルが低いため，メタ分析ができないと考察した．以上より，MRIによるOCDの診断の妥当性は良好であるが，さらに高質な研究が必要である．

OCD病変が不安定型かどうかの鑑別診断の妥当性は，Quatmanら[47]のレビューのうち1論文のみで検証された[27]．De Smetら[13, 14]は，MRIによる不安定型鑑別の4指標を定め（表15-8），このうち1つ以上が当てはまる場合に100%の感度で不安定型病変であったと報告した．Kijowskiら[27]は，この4指標を用いてJOCDとAOCDを対象に不安定型鑑別診断の妥当性を追試した．その結果，AOCDでは感度，特異度ともに100%であったが，JOCDでは感度が100%，特異度が11%であり，補助的に3指標（表15-8）を追加したところ，JOCDにおいても感度・特異度ともに100%となった．以上より，MRIによるOCD病変の不安定型鑑別の妥当性，AOCDでは良好であるが，JOCDで

はAOCDと同様の指標を用いる場合に注意が必要であると結論づけられた。

3) その他の画像所見

X線とMRI以外のOCD画像診断として，CT，MRA，テクネチウム骨シンチグラフィがあげられる。CTは手術時の分離骨片のサイズや形状把握のために有用とされたが[45]，診断の妥当性について検証されていない。MRAは造影により骨片の離断部が明確となる利点があげられたが，侵襲的である欠点がある[29,30]。また，診断学的妥当性についてMRIとMRAとの比較はされていない。骨シンチグラフィは，JOCDにおいて予後を反映する利点があげられたが，AOCDでは反映されない欠点がある。また，診断の妥当性では50％の見逃しがあると報告された[10,43]。多くのレビュー文献では，いずれの画像所見もMRI以上の有用性は認められないという見解で一致している[29,45]。

E. まとめ

1. すでに真実として承認されていること

- 骨軟骨病変，OCDの診断に特異的で有用な身体所見・徒手検査はない。
- 骨軟骨病変，OCDの診断は主にMRIが使用され，妥当性は概ね良好である。

2. 議論の余地はあるが，今後の重要な研究テーマとなること

- 早期の軟骨変性の診断には一般的なMRIでは感度が低い場合があるため，より感度の高いパルスシークエンスの開発や定量的MRIの臨床研究が必要。
- 変形性膝関節症の理学検査として報告されている関節音図を，アスリートの限局性の骨軟骨病変に応用できるかどうか。
- OCDの診断に，特異的な身体所見がないにもかかわらず，診察室診断（問診，身体所見，X線）の妥当性が高いことから，OCDの診断に特異的な問診・身体所見についての調査が望まれる。

F. 今後の展望

今回のレビューにより，骨軟骨病変およびOCDの診断・評価において，特異的な身体所見が見当たらないことがわかった。以上より，理学療法士が骨軟骨病変にかかわるにあたり，今後は以下の点に注目して研究を進める必要があると思われる。

- 骨軟骨病変の検出や重症度に特異的な理学検査の発展が必要であること。
- 臨床場面やスポーツ現場で使用可能な超音波検査や関節音図の今後の可能性に期待がもたれること。

文　献

1. Abbott SC, Cole MD: Vibration arthrometry: a critical review. *Crit Rev Biomed Eng*. 2013; 41: 223-42.
2. Aichroth P: Osteochondritis dissecans of the knee. A clinical survey. *J Bone Joint Surg Br*. 1971; 53: 440-7.
3. Alford JW, Cole BJ: Cartilage restoration, part 2: techniques, outcomes, and future directions. *Am J Sports Med*. 2005; 33: 443-60.
4. Bekkers JEJ, Bartels LW, Benink RJ, Tsuchida AI, Vincken KL, Dhert WJA, Creemers LB, Saris DBF: Delayed gadolinium enhanced MRI of cartilage (dGEMRIC) can be effectively applied for longitudinal cohort evaluation of articular cartilage regeneration. *Osteoarthritis Cartilage*. 2013; 21: 943-9.
5. Birk GT, DeLee JC: Osteochondral injuries. Clinical findings. *Clin Sports Med*. 2001; 20: 279-86.
6. Blackman AJ, Smith MV, Flanigan DC, Matava MJ, Wright RW, Brophy RH: Correlation between magnetic resonance imaging and clinical outcomes after cartilage repair surgery in the knee: a systematic review and meta-analysis. *Am J Sports Med*. 2013; 41: 1426-34.
7. Bredella MA, Tirman PF, Peterfy CG, Zarlingo M, Feller JF, Bost FW, Belzer JP, Wischer TK, Genant HK: Accuracy of T2-weighted fast spin-echo MR imaging with fat saturation in detecting cartilage defects in the knee: comparison with arthroscopy in 130 patients. *AJR Am J Roentgenol*. 1999; 172: 1073-80.

8. Brittberg M, Winalski CS: Evaluation of cartilage injuries and repair. *J Bone Joint Surg Am*. 2003; 85-A Suppl 2: 58-69.
9. Buckwalter JA, Mankin HJ, Grodzinsky AJ: Articular cartilage and osteoarthritis. *Instr Course Lect*. 2005; 54: 465-80.
10. Cahill BR, Berg BC: 99m-Technetium phosphate compound joint scintigraphy in the management of juvenile osteochondritis dissecans of the femoral condyles. *Am J Sports Med*. 1983; 11: 329-35.
11. Campbell AB, Knopp MV, Kolovich GP, Wei W, Jia G, Siston RA, Flanigan DC: Preoperative MRI underestimates articular cartilage defect size compared with findings at arthroscopic knee surgery. *Am J Sports Med*. 2013; 41: 590-5.
12. Conrad JM, Stanitski CL: Osteochondritis dissecans: Wilson's sign revisited. *Am J Sports Med*. 2003; 31: 777-8.
13. De Smet AA, Ilahi OA, Graf BK: Reassessment of the MR criteria for stability of osteochondritis dissecans in the knee and ankle. *Skeletal Radiol*. 1996; 25: 159-63.
14. De Smet AA, Ilahi OA, Graf BK: Untreated osteochondritis dissecans of the femoral condyles: prediction of patient outcome using radiographic and MR findings. *Skeletal Radiol*. 1997; 26: 463-7.
15. Detterline AJ, Goldstein JL, Rue JP, Bach BR Jr: Evaluation and treatment of osteochondritis dissecans lesions of the knee. *J Knee Surg*. 2008; 21: 106-15.
16. Dipaola JD, Nelson DW, Colville MR: Characterizing osteochondral lesions by magnetic resonance imaging. *Arthroscopy*. 1991; 7: 101-4.
17. Duc SR, Pfirrmann CW, Koch PP, Zanetti M, Hodler J: Internal knee derangement assessed with 3-minute three-dimensional isovoxel true FISP MR sequence: preliminary study. *Radiology*. 2008; 246: 526-35.
18. Fritz J, Janssen P, Gaissmaier C, Schewe B, Weise K: Articular cartilage defects in the knee -basics, therapies and results. *Injury*. 2008; 39 Suppl 1: S50-7.
19. Galea A, Giuffre B, Dimmick S, Coolican MR, Parker DA: The accuracy of magnetic resonance imaging scanning and its influence on management decisions in knee surgery. *Arthroscopy*. 2009; 25: 473-80.
20. Guettler JH, Demetropoulos CK, Yang KH, Jurist KA: Osteochondral defects in the human knee: influence of defect size on cartilage rim stress and load redistribution to surrounding cartilage. *Am J Sports Med*. 2004; 32: 1451-8.
21. Guhl JF: Arthroscopic treatment of osteochondritis dissecans: preliminary report. *Orthop Clin North Am*. 1979; 10: 671-83.
22. Hefti F, Beguiristain J, Krauspe R, Moller-Madsen B, Riccio V, Tschauner C, Wetzel R, Zeller R: Osteochondritis dissecans: a multicenter study of the European Pediatric Orthopedic Society. *J Pediatr Orthop B*. 1999; 8: 231-45.
23. Kao YJ, Ho J, Allen CR: Evaluation and management of osteochondral lesions of the knee. *Phys Sportsmed*. 2011; 39: 60-9.
24. Kawahara Y, Uetani M, Nakahara N, Doiguchi Y, Nishiguchi M, Futagawa S, Kinoshita Y, Hayashi K: Fast spin-echo MR of the articular cartilage in the osteoarthrotic knee. Correlation of MR and arthroscopic findings. *Acta Radiol*. 1998; 39: 120-5.
25. Kijowski R, Blankenbaker DG, Davis KW, Shinki K, Kaplan LD, De Smet AA: Comparison of 1.5- and 3.0-T MR imaging for evaluating the articular cartilage of the knee joint. *Radiology*. 2009; 250: 839-48.
26. Kijowski R, Blankenbaker DG, Munoz Del Rio A, Baer GS, Graf BK: Evaluation of the articular cartilage of the knee joint: value of adding a T2 mapping sequence to a routine MR imaging protocol. *Radiology*. 2013; 267: 503-13.
27. Kijowski R, Blankenbaker DG, Shinki K, Fine JP, Graf BK, De Smet AA: Juvenile versus adult osteochondritis dissecans of the knee: appropriate MR imaging criteria for instability. *Radiology*. 2008; 248: 571-8.
28. Kocher MS, DiCanzio J, Zurakowski D, Micheli LJ: Diagnostic performance of clinical examination and selective magnetic resonance imaging in the evaluation of intraarticular knee disorders in children and adolescents. *Am J Sports Med*. 2001; 29: 292-6.
29. Kocher MS, Tucker R, Ganley TJ, Flynn JM: Management of osteochondritis dissecans of the knee: current concepts review. *Am J Sports Med*. 2006; 34: 1181-91.
30. Kramer J, Stiglbauer R, Engel A, Prayer L, Imhof H: MR contrast arthrography (MRA) in osteochondrosis dissecans. *J Comput Assist Tomogr*. 1992; 16: 254-60.
31. Levy AS, Lohnes J, Sculley S, LeCroy M, Garrett W: Chondral delamination of the knee in soccer players. *Am J Sports Med*. 1996; 24: 634-9.
32. Li X, Yu C, Wu H, Daniel K, Hu D, Xia L, Pan C, Xu A, Hu J, Wang L, Peng W: Prospective comparison of 3D FIESTA versus fat-suppressed 3D SPGR MRI in evaluating knee cartilage lesions. *Clin Radiol*. 2009; 64: 1000-8.
33. Logerstedt DS, Snyder-Mackler L, Ritter RC, Axe MJ: Knee pain and mobility impairments: meniscal and articular cartilage lesions. *J Orthop Sports Phys Ther*. 2010; 40: A1-35.
34. Luhmann SJ, Schootman M, Gordon JE, Wright RW: Magnetic resonance imaging of the knee in children and adolescents. Its role in clinical decision-making. *J Bone Joint Surg Am*. 2005; 87: 497-502.
35. Marlovits S, Striessnig G, Resinger CT, Aldrian SM, Vecsei V, Imhof H, Trattnig S: Definition of pertinent parameters for the evaluation of articular cartilage repair tissue with high-resolution magnetic resonance imaging. *Eur J Radiol*. 2004; 52: 310-9.
36. Mascaro B, Prior J, Shark LK, Selfe J, Cole P, Goodacre J: Exploratory study of a non-invasive method based on acoustic emission for assessing the dynamic integrity of knee joints. *Med Eng Phys*. 2009; 31: 1013-22.
37. Mathieu L, Bouchard A, Marchaland JP, Potet J, Fraboulet B, Danguy-des-Deserts M, Versier G: Knee MR-arthrography in assessment of meniscal and chondral lesions. *Orthop Traumatol Surg Res*. 2009; 95: 40-7.
38. Mohr A: The value of water-excitation 3D FLASH and

fat-saturated PDw TSE MR imaging for detecting and grading articular cartilage lesions of the knee. *Skeletal Radiol*. 2003; 32: 396-402.
39. Myers SL, Flusser D, Brandt KD, Heck DA: Prevalence of cartilage shards in synovium and their association with synovitis in patients with early and endstage osteoarthritis. *J Rheumatol*. 1992; 19: 1247-51.
40. Noyes FR, Stabler CL: A system for grading articular cartilage lesions at arthroscopy. *Am J Sports Med*. 1989; 17: 505-13.
41. O'Connor MA, Palaniappan M, Khan N, Bruce CE: Osteochondritis dissecans of the knee in children. A comparison of MRI and arthroscopic findings. *J Bone Joint Surg Br*. 2002; 84: 258-62.
42. Outerbridge RE: The etiology of chondromalacia patellae. *J Bone Joint Surg Br*. 1961; 43-B: 752-7.
43. Paletta GA Jr, Bednarz PA, Stanitski CL, Sandman GA, Stanitski DF, Kottamasu S: The prognostic value of quantitative bone scan in knee osteochondritis dissecans. A preliminary experience. *Am J Sports Med*. 1998; 26: 7-14.
44. Pascual-Garrido C, Moran CJ, Green DW, Cole BJ: Osteochondritis dissecans of the knee in children and adolescents. *Curr Opin Pediatr*. 2013; 25: 46-51.
45. Polousky JD: Juvenile osteochondritis dissecans. *Sports Med Arthrosc*. 2011; 19: 56-63.
46. Potter HG, Linklater JM, Allen AA, Hannafin JA, Haas SB: Magnetic resonance imaging of articular cartilage in the knee. An evaluation with use of fast-spin-echo imaging. *J Bone Joint Surg Am*. 1998; 80: 1276-84.
47. Quatman CE, Quatman-Yates CC, Schmitt LC, Paterno MV: The clinical utility and diagnostic performance of MRI for identification and classification of knee osteochondritis dissecans. *J Bone Joint Surg Am*. 2012; 94: 1036-44.
48. Saarakkala S, Waris P, Waris V, Tarkiainen I, Karvanen E, Aarnio J, Koski JM: Diagnostic performance of knee ultrasonography for detecting degenerative changes of articular cartilage. *Osteoarthritis Cartilage*. 2012; 20: 376-81.
49. Shark LK, Chen H, Goodacre J: Knee acoustic emission: a potential biomarker for quantitative assessment of joint ageing and degeneration. *Med Eng Phys*. 2011; 33: 534-45.

50. Sonin AH, Pensy RA, Mulligan ME, Hatem S: Grading articular cartilage of the knee using fast spin-echo proton density-weighted MR imaging without fat suppression. *AJR Am J Roentgenol*. 2002; 179: 1159-66.
51. Steadman JR, Miller BS, Karas SG, Schlegel TF, Briggs KK, Hawkins RJ: The microfracture technique in the treatment of full-thickness chondral lesions of the knee in National Football League players. *J Knee Surg*. 2003; 16: 83-6.
52. Surowiec RK, Lucas EP, Ho CP: Quantitative MRI in the evaluation of articular cartilage health: reproducibility and variability with a focus on T2 mapping. *Knee Surgery, Sports Traumatology, Arthroscopy*. 2013; 22: 1385-95.
53. Takeda H, Nakagawa T, Nakamura K, Engebretsen L: Prevention and management of knee osteoarthritis and knee cartilage injury in sports. *Br J Sports Med*. 2011; 45: 304-9.
54. Tomatsu T, Imai N, Takeuchi N, Takahashi K, Kimura N: Experimentally produced fractures of articular cartilage and bone. The effects of shear forces on the pig knee. *J Bone Joint Surg Br*. 1992; 74: 457-62.
55. von Engelhardt LV, Kraft CN, Pennekamp PH, Schild HH, Schmitz A, von Falkenhausen M: The evaluation of articular cartilage lesions of the knee with a 3-Tesla magnet. *Arthroscopy*. 2007; 23: 496-502.
56. Welsch GH, Zak L, Mamisch TC, Resinger C, Marlovits S, Trattnig S: Three-dimensional magnetic resonance observation of cartilage repair tissue (MOCART) score assessed with an isotropic three-dimensional true fast imaging with steady-state precession sequence at 3.0 Tesla. *Invest Radiol*. 2009; 44: 603-12.
57. Wilson JN: A diagnostic sign in osteochondritis dissecans of the knee. *J Bone Joint Surg Am*. 1967; 49: 477-80.
58. Wu Y, Krishnan S, Rangayyan RM: Computer-aided diagnosis of knee-joint disorders via vibroarthrographic signal analysis: a review. *Crit Rev Biomed Eng*. 2010; 38: 201-24.
59. Zhang M, Min Z, Rana N, Liu H: Accuracy of magnetic resonance imaging in grading knee chondral defects. *Arthroscopy*. 2013; 29: 349-56.

（佐藤　正裕）

16. 治 療

はじめに

脛骨大腿関節の骨軟骨病変にはさまざまな病態が含まれている。修復能力に乏しい軟骨の修復や再生を促す治療法についての研究が多方面から進められているが，現時点で長期成績がまとめられた治療法は多くはない。本項では，離断性骨軟骨炎と関節軟骨損傷に対する治療成績について述べる。手術療法として，マイクロフラクチャー，自家骨軟骨柱移植術，自家軟骨細胞移植術を取り上げた。

A. 文献検索方法

文献検索には PubMed を使用した。脛骨大腿関節の骨軟骨病変に対する保存療法や手術療法に関連するキーワードとして「tibiofemoral joint」「osteochondral lesion」「osteochondral defect」「osteochondritis dissecans」「conservative treatment」「rehabilitation」「physical therapy」「physiotherapy」「drilling」「fixation」「microfracture」「osteochondral autograft transplantation」「autologous chondrocytes implantation」を組み合わせて検索した。なお，病変部位が膝蓋大腿関節のみ，または明らかな変形性膝関節症についての論文は除外した。検索結果から，脛骨大腿関節の骨軟骨病変に対する治療成績に関する研究を抽出し，参考文献からのハンドサーチを行い，73論文を本レビューの対象とした。

B. 関節軟骨損傷

1. 保存療法

変形性膝関節症を対象とした注射や内服に関する論文は散見された。しかし，スポーツ選手の関節軟骨損傷に対する保存療法の成績は見当たらなかった。

2. マイクロフラクチャー

マイクロフラクチャー（microfracture：MFX）は，Richard Steadman が考案した術式で，アイスピックのような鋭利な器具で軟骨欠損部に小さな穴を開けて骨髄からの出血を促し，軟骨欠損部に線維性軟骨組織を形成することを目的とした手術法である[60, 68]。60歳以上は相対禁忌で，若年患者が適応となる。

1）後療法

MFX の考案者である Steadman ら[67]が，その後療法を紹介した（**表 16-1**）。大腿骨顆部または脛骨高原上の軟骨欠損の場合，原則としてブレースは使用しない。術後リカバリールームにおいて 30～70°の範囲内で持続的他動運動（continuous passive motion：CPM）を開始し，その後 10°程度ずつ拡大して完全可動域の獲得を目指す。可能であれば夜間も CPM を継続し，1日 6～8時間の CPM 使用を推奨する。荷重については，術後 6～8週までは部分荷重，8週での全荷重開始とする。損傷サイズが直径 1 cm 未満の場合は 2～3週早める設定となっている。筋力強化は術

直後より開始する．部分荷重による筋活動誘発のほか，術後1～2週から無負荷の固定式自転車や水中運動を開始する．8週ころからゴムバンドを用いたトレーニング，16週からマシンまたはフリーウエイトでのトレーニングを開始する．ジャンプやカッティングなどのスポーツ動作は術後4～6ヵ月で許可される．

2）治療成績

鏡視下での肉眼的評価（second look）による論文が3件あった[7,25,57]（**表16-2**）．Blevinsら[7]は，ハイレベルアスリートの8％，レクリエーショナルアスリートの35％にグレードの改善を認めなかった．Gobbiら[25]はMFXを施行したアスリート10名のsecond look時に正常軟骨と再生軟骨の境界部分を生検し組織病理学的評価を行ったところ，軟骨組織と初期の硝子軟骨様組織に分化した線維粘液性組織が観察された（**表16-2**）．Ramappaら[57]の報告では，ハイレベルまたはレクリエーショナルレベルのアスリート19名22ヵ所の損傷のうち，21ヵ所（95％）に修復組織を認め，そのうち17ヵ所は良質な組織を含んでいた．

MRIを指標とした術後評価の結果は，概ね良好であった[39,41,47,57]（**表16-2**）．Kreuzら[39,41]は，欠損部位を大腿骨顆部，大腿骨滑車，脛骨高原，膝蓋骨後面に分類して術後のMRI所見を比較した結果，40歳未満では大腿骨顆部が最も良好な所見であった．Ramappaら[57]は，19名22ヵ所の軟骨欠損の治療成績を報告した．MRI評価の結果，22ヵ所のうち21ヵ所は良好な欠損の修復（filling）が得られ，鏡視下所見と一致していた．鏡視下で良質な組織と判定された17ヵ所中14ヵ所はMRIでも良質，鏡視下で低質な組織と判定された5ヵ所のうち4ヵ所がMRIでも低質な組織であると判定された．Mithoeferら[47]の報告では，MFXを施行した48名のうちMRI評価を行った24名について，13名（54％）に良好な欠損の修復が得られ，MRI所見と機能スコアの改善と関連があった．

機能スコアを用いた治療成績について2件の論文があった（**表16-2**）．Steadmanら[65]によると，術後1～2年でLysholm score，SF-36，WOMACに有意な改善がみられたが，なかでもLysholm scoreは35～45歳より35歳未満のほうが有意に改善していた．Kreuzら[39]によると，術後6，18，36ヵ月時点で修正Cincinnati Knee scoreとICRS scoreは有意に改善しており，40歳未満は40歳以上より有意な改善が認められた．40歳以上で大腿骨顆部と脛骨上に軟骨欠損を有する場合は，術後18～36ヵ月の間でICRS scoreの有意な低下を認めた．

スポーツ復帰率は58～79％であった（**表16-2**）．しかし，復帰後のパフォーマンスは低下したとの論文が散見された[7,13,51,66]．Blevinsら[7]によると，ハイレベルアスリート77％が平均9.3ヵ月でスポーツに復帰し，そのうち71％が受傷

表16-1 マイクロフラクチャーの後療法（文献67より引用）

項　目	内　容
ブレース	大腿骨顆部または脛骨高原上の軟骨欠損の場合，原則としてブレースは使用しない
CPM	30～70°の範囲で開始 10°ずつ拡大して完全可動域の獲得を目指す 夜間もCPMを継続，1日6～8時間の使用を推奨
荷重	術後6～8週までは部分荷重 8週での全荷重開始 損傷サイズが直径1cm未満の場合は2～3週早める
筋力強化	術直後から開始 部分荷重による筋活動誘発 1～2週：無負荷の固定式自転車や水中運動を開始 8週：ゴムバンドを用いたトレーニング開始 16週：マシンまたはフリーウエイトでのトレーニング開始 4～6ヵ月：ジャンプやカッティングなどのスポーツ動作開始

第4章 骨軟骨病変（脛骨大腿関節）

表 16-2 マイクロフラクチャーの臨床成績

	報告者	対象	経過観察期間	結果
second look	Blevins ら [7]	アスリート 26 名 レクリエーショナル 54 名	3〜4 年	アスリート 8%，レクリエーショナル 35%にグレードの改善を認めず
	Gobbi ら [25]	10 名	6 年 (3〜10 年)	全例，正常に近い硬度の線維軟骨で被覆
	Ramappa ら [57]	19 名 (22 ヵ所) アスリート，レクリエーショナル	23 ヵ月 (4〜117 ヵ月)	Outerbridge 　グレード I, II：17 名 　グレード III, IV：5 名
組織病理学的評価	Gobbi ら [25]	10 名	72 ヵ月 (36〜120 ヵ月)	軟骨組織と初期の硝子軟骨様組織に分化した線維粘液性組織が観察された
MRI	Kreuz ら [39, 41]	85 名 (PF 含む)	36 ヵ月 (34〜38 ヵ月)	大腿骨顆は脛骨顆，大腿骨滑車，膝蓋骨より改善 40 歳未満では大腿骨顆部が最も良好
	Mithoefer ら [47]	24 名	12 ヵ月 (3〜38 ヵ月)	欠損の修復：良好 13 名，中等度 7 名，不良 4 名 MRI は機能スコアと関連あり
	Ramappa ら [57]	19 名 (22 ヵ所)	23 ヵ月 (4〜117 ヵ月)	21 ヵ所は欠損部が被覆
機能スコア	Steadman ら [65]	膝軟骨損傷のみ 71 膝 (PF 含む)	11.3 年 (7〜17 年)	Lysholm, SF-36, WOMAC が 1〜2 年で有意に改善 35 歳未満は 35〜45 歳より Lysholm が有意に改善
	Kreuz ら [39, 41]	85 名	36 ヵ月	修正 Cincinnati knee score が有意に改善
スポーツ復帰	Blevins ら [7]	アスリート 31 名	4.1 年	24 名 (77%) が平均 9.3 ヵ月で復帰うち 71%が同レベルもしくは受傷前以上のレベルに復帰
	Steadman ら [66]	NFL 選手 25 名	4.5 年 (2〜14 年)	19 名 (76%) が平均 10 ヵ月で復帰
	Namdari ら [51]	NBA 選手 24 名	—	58%は復帰 パフォーマンス低下
	Cerynik ら [13]	NBA 選手 24 名 対照 24 名	—	79%は復帰 パフォーマンス低下

PF：膝蓋大腿関節面に対するマイクロフラクチャー症例。WOMAC：Western Ontario and McMaster University osteoarthritis index。

前と同レベルもしくはそれ以上のレベルに復帰できたと感じていた。Steadman ら[66]の研究では，NFL 選手 25 名のうち 19 名 (76%) が平均 10 ヵ月で競技復帰した。一方，Namdari ら[51]は NBA 選手の復帰率と復帰後のパフォーマンスを分析した。復帰後 1 シーズン以上プレーしたのは 24 名のうち 14 名 (58%) で，年齢 (30 歳以上) と手術までのシーズン数に関連性を認めた。復帰後は術前に比べて試合出場時間が短くなり，得点，リバウンド，アシスト数が減少していた。Cerynik ら[13]によると，NBA 選手 24 名のうち 5 名 (21%) は復帰することができず，復帰した選手のパフォーマンス評定値は対照群より低かった。

3. 自家骨軟骨柱移植術

自家骨軟骨柱移植術 (osteochondral autologous transplantation：OAT) は Matsusue ら[44]が提唱した手術方法である。自家骨軟骨柱による硝子軟骨での修復が可能であること，鏡視下に行えることが利点としてあげられた。

1）後療法

Reinold ら[58]は，レビュー論文において，術後のリハビリテーションを術後経過期間に基づき，増殖期（～術後6週），移行期（術後6～12週），リモデリング期（術後12～26週），成熟期（術後26～52週）に分類した（**表16-3**）。術後早期は移植部の保護のため免荷とし，部分荷重は移植部の大きさや移植した骨軟骨柱の数によって術後2～4週から，全荷重は8週から開始する。関節可動域訓練は癒着が生じないように術後早期から他動伸展を獲得し，屈曲可動域は段階的に改善させる。筋力トレーニングは免荷期間から大腿四頭筋セッティングや多方向へのレッグレイズを実施し，術後8～10週で全荷重，全可動域を獲得した時点で荷重位トレーニングやマシントレーニングに進む。リモデリング期，成熟期にかけて，症状の悪化がなければ筋力トレーニングに進み，固有受容機能および神経筋協調トレーニングを開始する。スケート，ローラーブレード，サイクリングのように衝撃が小さい運動は術後6～8ヵ月，ジョギング，ランニング，エアロビクスは8～10ヵ月，テニス，バスケットボール，野球は12～18ヵ月から許可する。

2）治療成績

OATの術後成績は多くの報告において良好な成績であった。Jakobら[32]によると，鏡視下肉眼的評価（second look）で，ICRSグレードが術後2年で86％，最終的には92％に改善した。

表16-3 自家骨軟骨柱移植術の術後リハビリテーションプロトコル（文献58より引用）

時期	内容
第1相 増殖期 （術後0～6週）	修復組織の保護，腫脹・疼痛の軽減 他動で伸展ROM獲得，段階的に屈曲，大腿四頭筋の収縮
第2相 移行期 （術後6～12週）	徐々に完全ROM，全荷重へ 徐々に大腿四頭筋の強化，歩行やエアロバイク
第3相 リモデリング期 （術後12～26週）	筋力・筋持久力の強化，機能的活動（歩行）の増加
第4相 成熟期 （術後26～52週）	徐々に制限のない活動へ 6～8ヵ月：スケート，ローラーブレード，サイクリング 8～10ヵ月：ジョギング，ランニング，エアロビクス 12～18ヵ月：テニス，バスケットボール，野球

組織学的評価においても，同様に良好な治療成績であった[3]。機能スコアとしてLysholm，Cincinnati rating scale，ICRS score，Hughston scoreなどが用いられ，おおむね良好な治療成績であった[5,14,27,30,43,54]（**表16-4**）。MRIを用いた治療成績では，術後32.4ヵ月[55]，術後7年[59]で関節軟骨に亀裂を認めた。このことから機能スコアは良好であってもMRIでは異常所見が存在する可能性が示唆された。術後のスポーツ復帰は概ね良好であるが，高い競技レベルへの復帰は報告によって異なっていた[43,54]。治療成績に影響する因子についての報告がみられ，年齢と損傷が共通して予後因子となっていた[22,64]。

表16-4 自家骨軟骨柱移植術の臨床成績（機能スコア）のまとめ

報告者	対象	経過観察期間	結果
Hangodyら[27]	789名	1～10年	Cincinnati rating scale, Lysholm, ICRSで92％が良好
Horasら[30]	20名	24ヵ月	Lysholmで85％が良好
Bentleyら[5]	42名	19ヵ月	Cincinnati rating scaleで69％が良好
Chowら[14]	33名	45.1ヵ月（24～63ヵ月）	Lysholmで83.3％が良好
Marcacciら[43]	37名	24ヵ月	ICRS scoreで78.3％が良好
Ollatら[54]	142名	96ヵ月（53～158ヵ月）	ICRS, IKDC, Hughstone scoreで81.8％が良好

第4章 骨軟骨病変（脛骨大腿関節）

表 16-5　自家骨軟骨柱移植術（OAT）とマイクロフラクチャー（MFX）の臨床成績の比較

報告者	経過観察期間	結果
Gudas ら [26]	37.1 ヵ月	modified HSS，ICRS score とも OAT が有意に改善 術後 6.5 ヵ月で OAT は 93%，MFX は 52%がスポーツ復帰 second look の改善度 OAT＞MFX
Krych ら [42]	OAT：3.1 年 MFX：4.4 年	SF-36，Knee Outcome Survey score，IKDC は有意差なし Marx Activity Rating Scale は OAT が有意に改善
Ulstein ら [70]	9.8 年	Lysholm，KOOS score とも有意差なし 筋力，X 線所見とも有意差なし OA 変化認めず

表 16-6　自家軟骨細胞移植術（ACI）の術後リハビリテーションプロトコル

時期	内容 Reinold ら [58]	内容 Hirschmuller ら [29]
第 1 相 増殖期 （術後 0～6 週）	修復組織の保護，腫脹・疼痛の軽減 他動で伸展 ROM 獲得，段階的に屈曲，大腿四頭筋の収縮	関節内・外の炎症症状の改善 全可動域の獲得，膝蓋骨可動性の維持 移植組織の保護
第 2 相 移行期 （術後 6～12 週）	徐々に ROM 拡大 荷重：大腿骨側 術後 6 週：1/2 部分荷重 術後 8～9 週：全荷重 徐々に大腿四頭筋の強化，歩行やエアロバイク	関節への負荷増加 正常歩行の獲得 CKC を含む筋力増強，神経筋協調訓練の開始
第 3 相 リモデリング期 （術後 12～26 週）	筋力・筋持久力の強化，機能的活動（歩行）の増加	筋力強化の負荷および時間の増大 術後 6 ヵ月からジョギング，アジリティトレーニングの開始
第 4 相 成熟期 （術後 26～52 週）	制限なしでのスポーツ活動再開	競技復帰基準（術後 26 週以降） ・疼痛，理学的所見の消失 ・神経筋協調性の改善 ・対側 80%以上の筋力獲得 ・スポーツ動作の獲得

3）他の術式との比較

OAT とマイクロフラクチャー（MFX）を比較した無作為化対照試験が 3 件存在した [26,42,70]（表 16-5）。Gudas ら [26] によると，機能スコア，スポーツ復帰率，肉眼的評価（second look）とも OAT のほうが有意に改善した。一方，近年の論文において，活動レベルは OAT のほうが有意に改善するが，機能スコアに有意差はないと記載された [42]。以上より，2 種類の術式の優劣について一定の見解は得られていない。

4．自家軟骨細胞移植術

自家軟骨細胞移植術（autologous chondrocyte implantation：ACI）は，1994 年にBrittberg ら [8] が報告した手術方法である。自家軟骨片を軟骨欠損部に近接する正常軟骨や他の部位の正常軟骨から採取し，軟骨細胞を培養して増殖させ，適当な基質とともに軟骨欠損部に移植する方法である。ACI は大きな損傷にも対応でき，再生される軟骨は正常軟骨のような硝子軟骨であるという利点を有する。しかし，体外で細胞培養を行うため，自己軟骨組織採取のための手術と軟骨細胞移植手術という 2 回の手術が必要となるという問題がある。現在もさまざまな手術方法が研究されている。

1）後療法

ACI の後療法は概ね保守的で，ゆっくりとし

16. 治療

表 16-7 自家軟骨細胞移植術（ACI）の術後リハビリテーションプロトコル（文献 46 より引用）

時期	目標	内容
第 1 相 **移植組織の統合と刺激**	患部保護と関節の活性化	他動 ROM の改善 疼痛軽減（VAS＜3/10），腫脹の消失 筋収縮の改善 正常歩行の獲得
↓第 2 相へ		
第 2 相 **基質の生成と器質化**	荷重の増加と関節機能の回復	ROM 制限，疼痛，腫脹なし 等速性筋力患健側差＜20％ 垂直跳び患健側差＜10％ 自覚的改善度＞90％ 8 km/時で 10 分以上ランニング MRI での軟骨評価
↓第 3 相へ		
第 3 相 **修復軟骨の成熟化と適応化**	活動性の回復	

表 16-8 自家軟骨細胞移植術（ACI）の臨床成績（荷重時期）

報告者	全荷重開始時期	結果
Wondrasch ら [72]	4 週（16 名） 8 週（15 名）	術後 6 ヵ月で 4 週開始群は骨髄浮腫が出現 104 週では画像所見の差はなし
Ebert ら [18]	8 週（31 名） 11 週（32 名）	8 週開始群のほうが術後 5 年時の疼痛は減少
Edwards ら [21]	6 週（13 名） 8 週（13 名）	歩行能力は 6 週開始群のほうが有意に改善（移植部位の問題なし）

たプログラムが提唱されてきた。Reinold ら[58]は，前述した OAT のリハビリテーションプロトコルをもとに，大腿骨側の ACI 術後は 6 週から 1/2 部分荷重，8～9 週から全荷重を開始するプロトコルを提唱した（表 16-6）。Hirshumuller ら[29]の報告では，全荷重および正常歩行は術後 6～12 週の移行期に設定されていた（表 16-6）。術後 26 週以降で①疼痛，理学的所見の消失，②神経筋協調性の改善，③対側 80％以上の筋力，④スポーツ動作の獲得の 4 点をスポーツへの復帰基準とした。術前の筋力強化の必要性についても言及していたが，具体的な目標値は提示されていなかった。Mithoefer ら[46]のレビュー論文には，荷重開始時期について具体的な記載はなかった。このプロトコルでは他動 ROM の改善，炎症症状の軽減，筋収縮の改善，正常歩行が達成できれば第 2 相に進み，筋力，垂直跳び，ランニング，MRI での軟骨評価が目標に達していれば第 3 相へ進むというように，各相で獲得する機能がより詳細に設定されていた（表 16-7）。

2）治療成績

術後の荷重時期に関する無作為化対照試験が 3 件あった[18,21,72]（表 16-8）。Wondrasch ら[72]は大腿骨顆部に matrix-assosiated ACI を施行した 31 例を対象に全荷重開始 4 週群，8 週群に分け，無作為化対照試験を実施した。疼痛，歩行能力は 6 週群が有意な改善を認めた。8 週群は骨髄浮腫が徐々に減少したが，4 週群は術後 24 週まで骨髄浮腫は増加し，その後両群とも消失した。Ebert ら[18]は大腿骨顆部に matrix-induced ACI を施行した 63 例について全荷重開始を 8 週で開始した群と 11 週で開始した群で無作為化対照試験を実施した結果，術後 5 年時の疼痛は 8 週群

第4章 骨軟骨病変（脛骨大腿関節）

表 16-9 自家軟骨細胞移植術（ACI）の臨床成績（スポーツ復帰）

報告者	対象	経過観察期間	結果
Mithofer ら [48]	成人スポーツ選手 20 名	47 ヵ月（23〜91 ヵ月）	96%がスポーツ復帰，うち 60%は術前と同じもしくは高いレベルに復帰 有症状期間 12 ヵ月未満のほうが受傷前の競技レベルに復帰
Mithofer ら [49]	サッカー選手 45 名	41 ヵ月	損傷が 1 ヵ所のみ，特に大腿骨内側顆のみでは 93%が成績良好 年齢（25 歳未満），有症状期間が復帰率に関連 損傷サイズは復帰率に影響なし
Kreuz ら [40]	113 名	36 ヵ月	スポーツ活動の頻度が高いほど 6 ヵ月以降の機能スコアがより改善
Kon ら [37]	80 名	5 年	ACL 損傷の有無による IKDC，Tegner scor に有意差なし
Kon ら [36]	サッカー選手 41 名	7 年	術後 12.5 ヵ月で 80%が復帰 スポーツ継続期間　ACI＞MFX

表 16-10 自家軟骨細胞移植術（ACI）と他の術式との臨床成績の比較

報告者	対象	経過観察期間	結果
Bentley ら [5]	ACI vs. OAT	12, 19 ヵ月	鏡視所見，機能スコアとも ACI のほうが有意に改善
Bentley ら [6]	ACI vs. OAT	10 年	修正 Cincinnati score は ACI のほうが良好 OAT のほうが症状悪化例が多い
Saris ら [63]	ACI vs. MFX	6, 12, 18 ヵ月	KOOS score は有意差なし 12 ヵ月での組織学的評価は ACI のほうが良好
Saris ら [62]	ACI vs. MFX	36 ヵ月	KOOS score は ACI のほうが良好 有症状期間 2 年未満のほうが有意に改善
Knutsen ら [35]	ACI vs. MFX	2 年	SF-36 身体的側面のスコアは MFX のほうが良好 組織学的評価は有意差なし
Knutsen ら [34]	ACI vs. MFX	5 年	機能スコアは有意差なし 両群とも 1/3 に OA 変化あり

のほうが減少したと報告した。Edwards ら [21] は大腿骨顆部に matrix-induced ACI を施行した 26 例で無作為化対照試験を実施した結果，歩行能力は 6 週群のほうが有意に改善したと報告した。

　膝機能およびスポーツ復帰に関しては比較的良好な結果であった [36, 37, 40, 48, 49]（**表 16-9**）。有症状期間が復帰率，復帰時の競技レベルに関連しているという報告 [48, 49] や，活動レベルが高いほうが機能スコアが改善したとの報告 [40] があった。Behery ら [4] は，治療成績に影響する特定の因子はないとした。しかし，Ebert ら [20] は，術前の SF-36，有症状期間，損傷サイズ，術後 8 週での全荷重歩行能力が影響するとした。なお，Ebert ら [19] によると，術後 5 年で等速性膝伸展筋力の低下は残存していた。

3) 他の術式との比較

　ACI と他の術式を比較した無作為化対照試験がいくつかあった（**表 16-10**）。自家骨軟骨柱移植術との比較では短期成績 [5] で ACI が有意に改善し，10 年間の経過観察でも ACI のほうが良好で，OAT のほうが症状悪化例が多く発生した [6]。ACI と MFX との比較において，機能スコアは ACI のほうが有意に改善していた [62, 63]。Knutsen らは 2 つの論文において，術後 2 年 [35] および術後 5 年 [34] の臨床成績を発表した。Lysholm score と VAS は術後 2 年，5 年とも術前に比べ改善していたが，術式間に有意差を認めなかった。SF-36 の身体的側面のスコアは術後 2 年時

16. 治療

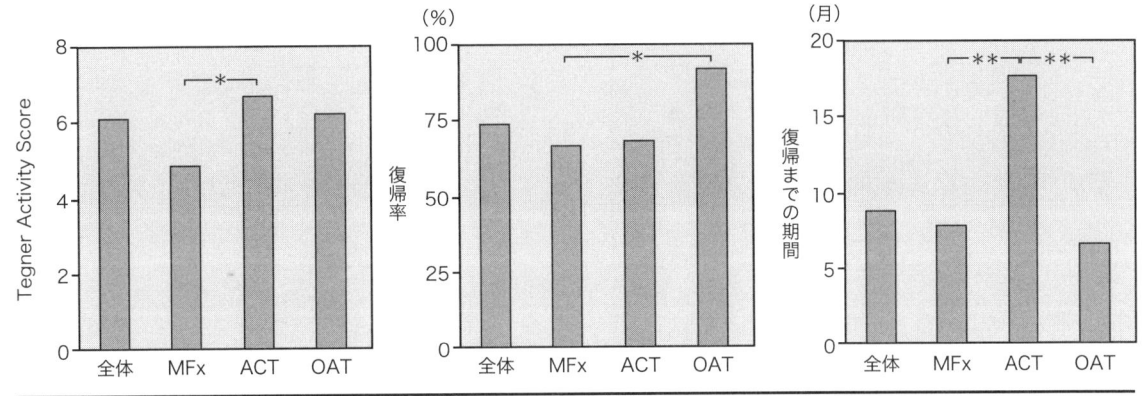

図16-1 軟骨損傷治療後のスポーツ復帰（文献45より引用）
MFX：マイクロフラクチャー，ACT (autologous chondrocyte transplantation)：自家軟骨細胞移植術，OAT：自家骨軟骨柱移植術。術後のTegner Activity Scoreは全術式において術前より改善していた。ACTが最も高値を示し，MFXとの間に有意差を認めた。スポーツ復帰率は全体で73±5%で，OAT（91±2%）とMFX（66±6%）の間に有意差を認めた。スポーツ復帰までの期間は，MFX（8±1ヵ月），OAT（7±2ヵ月）に比べてACT（18±4ヵ月）が最も時間を要した。＊p＜0.05，＊＊p＜0.001。

にMFXのほうが有意に改善していたが，5年時の成績では術式による差を認めなかった。また，Tegner scoreが4点以上という活動性の高さが術後2年時の機能スコアに影響していたが，5年時では差はなかった。術式にかかわらず，手術時年齢30歳未満の症例において，術後2年，5年時とも臨床成績に有意な改善を認めた。

MFX，OAT，ACT (autologous chondrocyte transplamtation) の3術式の比較が行われてきた。Mithoeferら[45]のMFX，OAT，ACT術後のスポーツ復帰に関するレビュー論文によると，術後のTegner activity scoreは全術式において術前より改善していた。3つの術式のうちACTが最も高値を示し，MFXとの間に有意差を認めた。スポーツ復帰率は全体で73±5%で，OAT（91±2%）とMFX（66±6%）の間に有意差を認め，復帰までの期間は，MFX（8±1ヵ月），OAT（7±2ヵ月）に比べてACT（18±4ヵ月）が最も時間を要した（図16-1）。受傷前の競技レベルへの復帰率は術式による差は認めなかったが，受傷前の競技レベルでのスポーツ継続率はMFXとOATよりACTが有意に高かった。競技復帰に影響する因子として，手術時年齢25歳未満，有症状期間12ヵ月未満をあげ，競技レベルが高いアスリートのほうがレクリエーショナルレベルの選手よりも復帰率が高く，復帰時期が早かった（図16-2）。以上より，ACTは復帰までに長期間を要するが，高い競技継続率が得られることが明らかになった。

5. 持続的他動運動の有効性

1980年代に家兎を用いた基礎研究でcontinuous passive motion (CPM) の使用によって硝子軟骨が形成されると報告された[53,61]。しかし，近年の軟骨損傷術後のCPMに関するレビュー論文[24,31]によると，CPMは術後の拘縮の予防に一定の効果はあるものの，関節可動域訓練と差はなく，軟骨形成に対する明らかな効果は不明であった。今後はその効果の検証が期待される。

C. 離断性骨軟骨炎

1. 保存療法

離断性骨軟骨炎（osteochondritis dissecans：

第4章 骨軟骨病変（脛骨大腿関節）

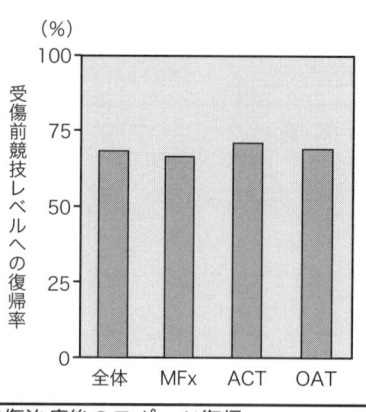

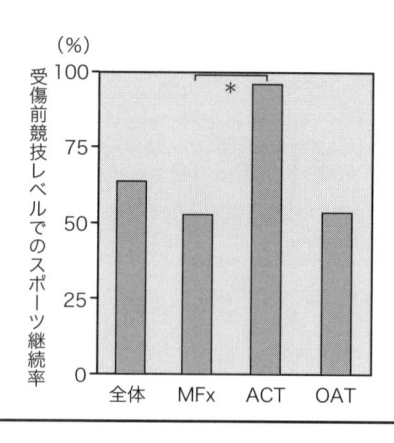

図 16-2 軟骨損傷治療後のスポーツ復帰
受傷前の競技レベルへの復帰率は全体で 68 ± 4%（MFX：68 ± 5%，ACT：71 ± 12%，OAT：70 ± 3%）で術式による差は認めなかった。受傷前の競技レベルでのスポーツ継続率は ACT（96 ± 4%）は MFX（52 ± 6%），OAT（52 ± 21%）に比べて有意に高値を示した。競技復帰に関与する因子は，手術時年齢（25歳未満 71%，25歳以上 29%），有症状期間（12ヵ月未満 67%，12ヵ月以上 15%）があげられ，競技選手のほうがレクリエーショナルレベルの選手より復帰率が高く，復帰時期（14ヵ月 vs. 22ヵ月）も早かった。*p<0.01.

表 16-11 離断性骨軟骨炎に対する手術療法の臨床成績（機能スコア）

報告者	対象	経過観察期間	結果
Kivisto ら [33]	若年型 OCD・成人型 OCD 26 例 28 膝 平均年齢 20 歳 Guhl stage：I 2，II 6，III 16，IV 4	4 年 （1～7 年）	Lysholm・Gillquist 完治 68% 活動後の痛み 21%
Kouzelis ら [38]	若年型 OCD・成人型 OCD 10 例 平均年齢 21 歳 ICRS：III・IV	2.3 年 （1.3～3.2 年）	Lysholm 88 点
Yonetani ら [73]	若年型 OCD・成人型 OCD 9 例 平均年齢 22 歳 ICRS：IV	2.2 年 （2～3 年）	Lysholm 術前 44.9 点，術後 97.8 点 術後 6 ヵ月で MRI，second look

OCD）患者の 57～97% は保存療法によって治癒する [9, 12, 28, 56, 71]。一方，成人型 OCD や不安定型 OCD では，保存療法による治癒は難しい [15]。保存療法の具体的な内容について，関節可動域訓練，荷重および活動制限 [2, 69] 以外の明確なプロトコルを記載した報告はみられなかった。

2. 手術方法

OCD に対する手術療法は，OCD の安定度に応じて選択される。Erickson ら [23] は OCD の治療手順について，不安定型，遊離型 OCD に対して骨片固定，ドリリング，MFX が適応となると示した。Abouassaly ら [1] によると 18 歳以下の OCD に対する手術方法について，安定型では順行性ドリリング，逆行性ドリリングが多く，不安定型では吸収ピンが多く使用されていた。

3. 後療法

術後翌日から大腿四頭筋等尺性収縮 [11, 16, 38, 50, 52]，アイシング [52] を行った研究がみられたが，それ以外に具体的なプロトコルを記載した報告はなかった。

4. 治療成績

機能スコアを用いた治療成績に関して，スポーツ活動後に疼痛を訴える例もあったが，比較的良

16. 治療

表 16-12　離断性骨軟骨炎（OCD）に対する手術療法の臨床成績（スポーツ復帰）

報告者	対象	結果
若年型 OCD 安定型		
Camathias ら[10]	Smart screw 13 例	Hughston score：術前 1.44 点，術後 3.44 点 3〜4 ヵ月でスポーツ復帰
Din ら[16]	ドリリング＋PLLA 生体吸収ピン 12 例	ノンコンタクトスポーツは 3 ヵ月，コンタクトスポーツは 8 ヵ月で復帰
成人型 OCD 不安定型		
Nakagawa ら[50]	PLLA 生体吸収ピン 9 例（1 例若年型 OCD）	術後 6 ヵ月　5 例がスポーツ復帰
Yonetani ら[73]	PLLA 生体吸収ピン 9 例	術後 6 ヵ月　全例がスポーツ復帰

好な成績であった[33,38,73]（表 16-11）。スポーツ復帰に関する治療成績では，概ね良好な成績が報告されていた[10,16,50,73]（表 16-12）。全体的に不安定型 OCD は安定型 OCD よりもスポーツ復帰に時間を要する傾向にあり，若年性 OCD の安定型はコンタクトスポーツへの復帰に 8 ヵ月を要していた[16]。身長，体重，性別，損傷サイズ，有症状期間など治療成績に影響する因子は特定されなかった[17]。

D. まとめ

1. すでに真実として承認されていること

- 術式にかかわらず，術後成績は概ね良好である。
- 科学的根拠に基づいたリハビリテーションプロトコルが存在しない。

2. 議論の余地はあるが，今後の重要な研究テーマとなること

- 保存療法の検討。
- 後療法の効果。
- 術後の長期成績。

3. 真実と思われていたが実は疑わしいこと

- 年齢，損傷サイズ，活動レベル，有症状期間が治療成績に影響を及ぼす可能性。

E. 今後の課題

- スポーツ選手に特化した関節軟骨損傷に対する保存療法の治療成績。
- 脛骨大腿関節骨軟骨病変に対する有効なリハビリテーションの確立。
- 各疾患，術式における長期成績の追跡調査。

文献

1. Abouassaly M, Peterson D, Salci L, Farrokhyar F, D'Souza J, Bhandari M, Ayeni OR: Surgical management of osteochondritis dissecans of the knee in the paediatric population: a systematic review addressing surgical techniques. *Knee Surg Sports Traumatol Arthrosc*. 2014; 22: 1216-24.
2. Aglietti P, Buzzi R, Bassi PB, Fioriti M: Arthroscopic drilling in juvenile osteochondritis dissecans of the medial femoral condyle. *Arthroscopy*. 1994; 10: 286-91.
3. Barber FA, Chow JC: Arthroscopic osteochondral transplantation: histologic results. *Arthroscopy*. 2001; 17: 832-5.
4. Behery OA, Harris JD, Karnes JM, Siston RA, Flanigan DC: Factors influencing the outcome of autologous chondrocyte implantation: a systematic review. *J Knee Surg*. 2013; 26: 203-11.
5. Bentley G, Biant LC, Carrington RW, Akmal M, Goldberg A, Williams AM, Skinner JA, Pringle J: A prospective, randomised comparison of autologous chondrocyte implantation versus mosaicplasty for osteochondral defects in the knee. *J Bone Joint Surg Br*. 2003; 85: 223-30.
6. Bentley G, Biant LC, Vijayan S, Macmull S, Skinner JA, Carrington RW: Minimum ten-year results of a prospective randomised study of autologous chondrocyte implantation versus mosaicplasty for symptomatic articular cartilage lesions of the knee. *J Bone Joint Surg Br*. 2012; 94: 504-9.
7. Blevins FT, Steadman JR, Rodrigo JJ, Silliman J: Treatment of articular cartilage defects in athletes: an

analysis of functional outcome and lesion appearance. *Orthopedics*. 1998; 21: 761-7; discussion 767-8.
8. Brittberg M, Lindahl A, Nilsson A, Ohlsson C, Isaksson O, Peterson L: Treatment of deep cartilage defects in the knee with autologous chondrocyte transplantation. *N Engl J Med*. 1994; 331: 889-95.
9. Cahill BR, Phillips MR, Navarro R: The results of conservative management of juvenile osteochondritis dissecans using joint scintigraphy. A prospective study. *Am J Sports Med*. 1989; 17: 601-5; discussion 605-6.
10. Camathias C, Festring JD, Gaston MS: Bioabsorbable lag screw fixation of knee osteochondritis dissecans in the skeletally immature. *J Pediatr Orthop B*. 2011; 20: 74-80.
11. Camp C, Krych A, Stuart M: Arthroscopic preparation and internal fixation of an unstable osteochondritis dissecans lesion of the knee. *Arthrosc Tech*. 2013; 2: e461-5.
12. Cepero S, Ullot R, Sastre S: Osteochondritis of the femoral condyles in children and adolescents: our experience over the last 28 years. *J Pediatr Orthop B*. 2005; 14: 24-9.
13. Cerynik DL, Lewullis GE, Joves BC, Palmer MP, Tom JA: Outcomes of microfracture in professional basketball players. *Knee Surg Sports Traumatol Arthrosc*. 2009; 17: 1135-9.
14. Chow JC, Hantes ME, Houle JB, Zalavras CG: Arthroscopic autogenous osteochondral transplantation for treating knee cartilage defects: a 2- to 5-year follow-up study. *Arthroscopy*. 2004; 20: 681-90.
15. De Smet AA, Ilahi OA, Graf BK: Untreated osteochondritis dissecans of the femoral condyles: prediction of patient outcome using radiographic and MR findings. *Skeletal Radiol*. 1997; 26: 463-7.
16. Din R, Annear P, Scaddan J: Internal fixation of undisplaced lesions of osteochondritis dissecans in the knee. *J Bone Joint Surg Br*. 2006; 88: 900-4.
17. Donaldson LD, Wojtys EM: Extraarticular drilling for stable osteochondritis dissecans in the skeletally immature knee. *J Pediatr Orthop*. 2008; 28: 831-5.
18. Ebert JR, Fallon M, Zheng MH, Wood DJ, Ackland TR: A randomized trial comparing accelerated and traditional approaches to postoperative weightbearing rehabilitation after matrix-induced autologous chondrocyte implantation: findings at 5 years. *Am J Sports Med*. 2012; 40: 1527-37.
19. Ebert JR, Lloyd DG, Wood DJ, Ackland TR: Isokinetic knee extensor strength deficit following matrix-induced autologous chondrocyte implantation. *Clin Biomech (Bristol, Avon)*. 2012; 27: 588-94.
20. Ebert JR, Smith A, Edwards PK, Hambly K, Wood DJ, Ackland TR: Factors predictive of outcome 5 years after matrix-induced autologous chondrocyte implantation in the tibiofemoral joint. *Am J Sports Med*. 2013; 41: 1245-54.
21. Edwards PK, Ackland TR, Ebert JR: Accelerated weight-bearing rehabilitation after matrix-induced autologous chondrocyte implantation in the tibiofemoral joint: early clinical and radiological outcomes. *Am J Sports Med*. 2013; 41: 2314-24.

22. Emre TY, Ege T, Kose O, Tekdos Demircioglu D, Seyhan B, Uzun M: Factors affecting the outcome of osteochondral autografting (mosaicplasty) in articular cartilage defects of the knee joint: retrospective analysis of 152 cases. *Arch Orthop Trauma Surg*. 2013; 133: 531-6.
23. Erickson BJ, Chalmers PN, Yanke AB, Cole BJ: Surgical management of osteochondritis dissecans of the knee. *Curr Rev Musculoskelet Med*. 2013; 6: 102-14.
24. Fazalare JA, Griesser MJ, Siston RA, Flanigan DC: The use of continuous passive motion following knee cartilage defect surgery: a systematic review. *Orthopedics*. 2010; 33: 878.
25. Gobbi A, Nunag P, Malinowski K: Treatment of full thickness chondral lesions of the knee with microfracture in a group of athletes. *Knee Surg Sports Traumatol Arthrosc*. 2005; 13: 213-21.
26. Gudas R, Kalesinskas RJ, Kimtys V, Stankevicius E, Toliusis V, Bernotavicius G, Smailys A: A prospective randomized clinical study of mosaic osteochondral autologous transplantation versus microfracture for the treatment of osteochondral defects in the knee joint in young athletes. *Arthroscopy*. 2005; 21: 1066-75.
27. Hangody L, Fules P: Autologous osteochondral mosaicplasty for the treatment of full-thickness defects of weight-bearing joints: ten years of experimental and clinical experience. *J Bone Joint Surg Am*. 2003; 85-A Suppl 2: 25-32.
28. Hefti F, Beguiristain J, Krauspe R, Moller-Madsen B, Riccio V, Tschauner C, Wetzel R, Zeller R: Osteochondritis dissecans: a multicenter study of the European Pediatric Orthopedic Society. *J Pediatr Orthop B*. 1999; 8: 231-45.
29. Hirschmuller A, Baur H, Braun S, Kreuz PC, Sudkamp NP, Niemeyer P: Rehabilitation after autologous chondrocyte implantation for isolated cartilage defects of the knee. *Am J Sports Med*. 2011; 39: 2686-96.
30. Horas U, Pelinkovic D, Herr G, Aigner T, Schnettler R: Autologous chondrocyte implantation and osteochondral cylinder transplantation in cartilage repair of the knee joint. A prospective, comparative trial. *J Bone Joint Surg Am*. 2003; 85-A: 185-92.
31. Howard JS, Mattacola CG, Romine SE, Lattermann C: Continuous passive motion, early weight bearing, and active motion following knee articular cartilage repair evidence for clinical practice. *Cartilage*. 2010; 1: 276-86.
32. Jakob RP, Franz T, Gautier E, Mainil-Varlet P: Autologous osteochondral grafting in the knee: indication, results, and reflections. *Clin Orthop Relat Res*. 2002; 401: 170-84.
33. Kivisto R, Pasanen L, Leppilahti J, Jalovaara P: Arthroscopic repair of osteochondritis dissecans of the femoral condyles with metal staple fixation: a report of 28 cases. *Knee Surg Sports Traumatol Arthrosc*. 2002; 10: 305-9.
34. Knutsen G, Drogset JO, Engebretsen L, Grontvedt T, Isaksen V, Ludvigsen TC, Roberts S, Solheim E, Strand T, Johansen O: A randomized trial comparing autologous chondrocyte implantation with microfracture. Findings at

16. 治　療

five years. *J Bone Joint Surg Am*. 2007; 89: 2105-12.
35. Knutsen G, Engebretsen L, Ludvigsen TC, Drogset JO, Grontvedt T, Solheim E, Strand T, Roberts S, Isaksen V, Johansen O: Autologous chondrocyte implantation compared with microfracture in the knee. A randomized trial. *J Bone Joint Surg Am*. 2004; 86-A: 455-64.
36. Kon E, Filardo G, Berruto M, Benazzo F, Zanon G, Della Villa S, Marcacci M: Articular cartilage treatment in high-level male soccer players: a prospective comparative study of arthroscopic second-generation autologous chondrocyte implantation versus microfracture. *Am J Sports Med*. 2011; 39: 2549-57.
37. Kon E, Gobbi A, Filardo G, Delcogliano M, Zaffagnini S, Marcacci M: Arthroscopic second-generation autologous chondrocyte implantation compared with microfracture for chondral lesions of the knee: prospective nonrandomized study at 5 years. *Am J Sports Med*. 2009; 37: 33-41.
38. Kouzelis A, Plessas S, Papadopoulos AX, Gliatis I, Lambiris E: Herbert screw fixation and reverse guided drillings, for treatment of types III and IV osteochondritis dissecans. *Knee Surg Sports Traumatol Arthrosc*. 2006; 14: 70-5.
39. Kreuz PC, Erggelet C, Steinwachs MR, Krause SJ, Lahm A, Niemeyer P, Ghanem N, Uhl M, Sudkamp N: Is microfracture of chondral defects in the knee associated with different results in patients aged 40 years or younger? *Arthroscopy*. 2006; 22: 1180-6.
40. Kreuz PC, Steinwachs M, Erggelet C, Lahm A, Krause S, Ossendorf C, Meier D, Ghanem N, Uhl M: Importance of sports in cartilage regeneration after autologous chondrocyte implantation: a prospective study with a 3-year follow-up. *Am J Sports Med*. 2007; 35: 1261-8.
41. Kreuz PC, Steinwachs MR, Erggelet C, Krause SJ, Konrad G, Uhl M, Sudkamp N: Results after microfracture of full-thickness chondral defects in different compartments in the knee. *Osteoarthritis Cartilage*. 2006; 14: 1119-25.
42. Krych AJ, Harnly HW, Rodeo SA, Williams RJ 3rd: Activity levels are higher after osteochondral autograft transfer mosaicplasty than after microfracture for articular cartilage defects of the knee: a retrospective comparative study. *J Bone Joint Surg Am*. 2012; 94: 971-8.
43. Marcacci M, Kon E, Zaffagnini S, Iacono F, Neri MP, Vascellari A, Visani A, Russo A: Multiple osteochondral arthroscopic grafting (mosaicplasty) for cartilage defects of the knee: prospective study results at 2-year follow-up. *Arthroscopy*. 2005; 21: 462-70.
44. Matsusue Y, Yamamuro T, Hama H: Arthroscopic multiple osteochondral transplantation to the chondral defect in the knee associated with anterior cruciate ligament disruption. *Arthroscopy*. 1993; 9: 318-21.
45. Mithoefer K, Hambly K, Della Villa S, Silvers H, Mandelbaum BR: Return to sports participation after articular cartilage repair in the knee: scientific evidence. *Am J Sports Med*. 2009; 37 Suppl 1: 167S-76S.
46. Mithoefer K, Hambly K, Logerstedt D, Ricci M, Silvers H, Della Villa S: Current concepts for rehabilitation and return to sport after knee articular cartilage repair in the athlete. *J Orthop Sports Phys Ther*. 2012; 42: 254-73.
47. Mithoefer K, Williams RJ 3rd, Warren RF, Potter HG, Spock CR, Jones EC, Wickiewicz TL, Marx RG: The microfracture technique for the treatment of articular cartilage lesions in the knee. A prospective cohort study. *J Bone Joint Surg Am*. 2005; 87: 1911-20.
48. Mithofer K, Minas T, Peterson L, Yeon H, Micheli LJ: Functional outcome of knee articular cartilage repair in adolescent athletes. *Am J Sports Med*. 2005; 33: 1147-53.
49. Mithofer K, Peterson L, Mandelbaum BR, Minas T: Articular cartilage repair in soccer players with autologous chondrocyte transplantation: functional outcome and return to competition. *Am J Sports Med*. 2005; 33: 1639-46.
50. Nakagawa T, Kurosawa H, Ikeda H, Nozawa M, Kawakami A: Internal fixation for osteochondritis dissecans of the knee. *Knee Surg Sports Traumatol Arthrosc*. 2005; 13: 317-22.
51. Namdari S, Baldwin K, Anakwenze O, Park MJ, Huffman GR, Sennett BJ: Results and performance after microfracture in National Basketball Association athletes. *Am J Sports Med*. 2009; 37: 943-8.
52. Navarro R, Cohen M, Filho MC, da Silva RT: The arthroscopic treatment of osteochondritis dissecans of the knee with autologous bone sticks. *Arthroscopy*. 2002; 18: 840-4.
53. O'Driscoll SW, Salter RB: The repair of major osteochondral defects in joint surfaces by neochondrogenesis with autogenous osteoperiosteal grafts stimulated by continuous passive motion. An experimental investigation in the rabbit. *Clin Orthop Relat Res*. 1986; 208: 131-40.
54. Ollat D, Lebel B, Thaunat M, Jones D, Mainard L, Dubrana F, Versier G, French Arthroscopy Society: Mosaic osteochondral transplantations in the knee joint, midterm results of the SFA multicenter study. *Orthop Traumatol Surg Res*. 2011; 97 Suppl: S160-6.
55. Ozturk A, Ozdemir MR, Ozkan Y: Osteochondral autografting (mosaicplasty) in grade IV cartilage defects in the knee joint: 2- to 7-year results. *Int Orthop*. 2006; 30: 200-4.
56. Pill SG, Ganley TJ, Milam RA, Lou JE, Meyer JS, Flynn JM: Role of magnetic resonance imaging and clinical criteria in predicting successful nonoperative treatment of osteochondritis dissecans in children. *J Pediatr Orthop*. 2003; 23: 102-8.
57. Ramappa AJ, Gill TJ, Bradford CH, Ho CP, Steadman JR: Magnetic resonance imaging to assess knee cartilage repair tissue after microfracture of chondral defects. *J Knee Surg*. 2007; 20: 228-34.
58. Reinold MM, Wilk KE, Macrina LC, Dugas JR, Cain EL: Current concepts in the rehabilitation following articular cartilage repair procedures in the knee. *J Orthop Sports Phys Ther*. 2006; 36: 774-94.
59. Reverte-Vinaixa MM, Joshi N, Diaz-Ferreiro EW, Teixidor-Serra J, Dominguez-Oronoz R: Medium-term outcome of mosaicplasty for grade III-IV cartilage defects of the knee. *J Orthop Surg (Hong Kong)*. 2013; 21: 4-9.
60. Rodrigo JJ, Steadman JR, Silliman JF, Fulstone HA:

Improvement of full-thickness chondral defect healing in the human knee after debridement and microfracture using continuous passive motion. *Am J Knee Surg*. 1994; 7: 109-16.

61. Salter RB, Simmonds DF, Malcolm BW, Rumble EJ, MacMichael D, Clements ND: The biological effect of continuous passive motion on the healing of full-thickness defects in articular cartilage. An experimental investigation in the rabbit. *J Bone Joint Surg Am*. 1980; 62: 1232-51.

62. Saris DB, Vanlauwe J, Victor J, Almqvist KF, Verdonk R, Bellemans J, Luyten FP: Treatment of symptomatic cartilage defects of the knee: characterized chondrocyte implantation results in better clinical outcome at 36 months in a randomized trial compared to microfracture. *Am J Sports Med*. 2009; 37 Suppl 1: 10S-9S.

63. Saris DB, Vanlauwe J, Victor J, Haspl M, Bohnsack M, Fortems Y, Vandekerckhove B, Almqvist KF, Claes T, Handelberg F, Lagae K, van der Bauwhede J, Vandenneucker H, Yang KG, Jelic M, Verdonk R, Veulemans N, Bellemans J, Luyten FP: Characterized chondrocyte implantation results in better structural repair when treating symptomatic cartilage defects of the knee in a randomized controlled trial versus microfracture. *Am J Sports Med*. 2008; 36: 235-46.

64. Solheim E, Hegna J, Oyen J, Harlem T, Strand T: Results at 10 to 14 years after osteochondral autografting (mosaicplasty) in articular cartilage defects in the knee. *Knee*. 2013; 20: 287-90.

65. Steadman JR, Briggs KK, Rodrigo JJ, Kocher MS, Gill TJ, Rodkey WG: Outcomes of microfracture for traumatic chondral defects of the knee: average 11-year follow-up. *Arthroscopy*. 2003; 19: 477-84.

66. Steadman JR, Miller BS, Karas SG, Schlegel TF, Briggs KK, Hawkins RJ: The microfracture technique in the treatment of full-thickness chondral lesions of the knee in National Football League players. *J Knee Surg*. 2003; 16: 83-6.

67. Steadman JR, Rodkey WG, Rodrigo JJ: Microfracture: surgical technique and rehabilitation to treat chondral defects. *Clin Orthop Relat Res*. 2001; 391 Suppl: S362-9.

68. Steadman JR, Rodkey WG, Singleton SB, Briggs KK: Microfracture technique for full-thickness chondral defects: technique and clinical results. *Oper Tech Orthop*. 1997; 7: 300-4.

69. Twyman RS, Desai K, Aichroth PM: Osteochondritis dissecans of the knee. A long-term study. *J Bone Joint Surg Br*. 1991; 73: 461-4.

70. Ulstein S, Årøen A, Røtterud JH, Løken S, Engebretsen L, Heir S: Microfracture technique versus osteochondral autologous transplantation mosaicplasty in patients with articular chondral lesions of the knee: a prospective randomized trial with long-term follow-up. *Knee Surg Sports Traumatol Arthrosc*. 2014; 22: 1207-15.

71. Wall E, Von Stein D: Juvenile osteochondritis dissecans. *Orthop Clin North Am*. 2003; 34: 341-53.

72. Wondrasch B, Zak L, Welsch GH, Marlovits S: Effect of accelerated weightbearing after matrix-associated autologous chondrocyte implantation on the femoral condyle on radiographic and clinical outcome after 2 years: a prospective, randomized controlled pilot study. *Am J Sports Med*. 2009; 37 Suppl 1: 88S-96S.

73. Yonetani Y, Matsuo T, Nakamura N, Natsuume T, Tanaka Y, Shiozaki Y, Wakitani S, Horibe S: Fixation of detached osteochondritis dissecans lesions with bioabsorbable pins: clinical and histologic evaluation. *Arthroscopy*. 2010; 26: 782-9.

（神鳥　亮太）

第5章
後十字靱帯・膝後外側構成体損傷

　後十字靱帯（PCL）損傷および後外側構成体（PLC）損傷の発生率は，膝前十字靱帯損傷，膝内側側副靱帯損傷，半月板損傷などの膝関節スポーツ外傷と比較して低く，症状も比較的軽いことが知られている。スポーツ中に発生するPCLおよびPLC損傷は少ないため，疫学や競技復帰に向けたリハビリテーションについては先行研究のデータも十分とは言い難く，学術的に明らかになっていない部分が多い。本章では，PCL損傷およびPLC損傷について，機能解剖学およびバイオメカニクスなどを含めた基礎科学，疫学・病態，診断・評価，治療の4項目について文献的検討を行い，現時点までのエビデンスを整理した。

　基礎科学の項では，PCLの組織構造，血液供給などの解剖学的および生理学的情報に加え，関節角度変化に伴う張力の変化や運動時の動態についての知見をまとめた。PCLは膝関節屈曲角度の増加に伴い張力が高まるだけでなく，屈曲位では内外反，内外旋の動きを制動する役割を有することが報告されている。また，PCL損傷膝においては，運動時に膝蓋大腿関節の動きにも影響を及ぼしているデータも散見され，リハビリテーションを実施する際に考慮すべき貴重な情報が報告されていることは興味深い。

　疫学・病態の項では，アスリートを対象とした調査研究を整理したものの，研究数が少なく，年代別や競技別の発生率，性差などについては共通した見解が得られていない。また，現時点までの先行研究によると，PCL損傷は過屈曲および脛骨前面への外力により生じると考えられているが，PLCは過伸展や回旋ストレスが損傷の起因となっている可能性が示唆されている。いずれの発生メカニズムについても情報が不足している点は否めないが，アスリートを対象とした今後の調査結果により，さらに詳細な知見が報告されることが期待される。

　診断・評価の項では，PLC損傷の評価として用いられている徒手検査が，膝窩筋腱，膝窩腓骨靱帯，外側側副靱帯などの損傷が反映されていない可能性について述べている。今後の研究により，一定の精度を有したPLC損傷に対する徒手検査の確立が待たれるところである。

　治療の項では，PCL損傷の保存療法および手術療法の成績，スポーツ復帰について最新の知見をまとめた。PCL損傷の多くは保存療法の適応となるが，PCL損傷を伴うケースでは，後方不安定性に加え後外方にも不安定性が生じ，PCLの治癒にも影響を及ぼすことが明らかとなっている。これらの詳細なデータについても提示する。

第5章編集担当：吉田　昌弘

17. 基礎科学

はじめに

後十字靱帯（posterior cruciate ligament : PCL）は前外側線維束および後内側線維束から構成され，主に大腿骨に対する脛骨の後方並進を制動する機能をもつ．近年の研究報告では，生体における膝関節角度変化に伴う PCL の動態，荷重動作における PCL の発生張力，PCL 損傷症例の異常キネマティクスに関する知見が報告された．また，膝関節内反・外旋の制動にかかわると考えられる膝後外側構成体（posterolateral ligamentous complex : PLC）の詳細な解剖学的知見が報告された．特に PLC の組織のうち外側側副靱帯，膝窩筋腱複合体は膝関節の安定性に影響を及ぼすと考えられており，これらに関する研究は近年の重要なトピックスである．本項では，PCL，PLC 損傷症例に対する保存療法および術後の運動療法を進めるうえで重要となる，各組織の解剖学的知見および生体力学的知見を提示し，今後の研究課題を抽出した．

A. 文献検索方法

文献検索には PubMed を使用した．検索キーワードには「posterior cruciate ligament」「PCL」「posterolateral corner」「posterolateral complex」「PLC」「anatomy」「histology」「biomechanics」「kinematics」を用いた．ヒットした文献から，本項のテーマに関連した文献を採用した．また，選択した文献に引用された文献も適宜追加し，合計 56 論文を本レビューに採用した．

B. 膝後十字靱帯（PCL）の解剖と機能

1. 組織構造

PCL はコラーゲン線維束で構成される密性結合組織である[37]．PCL のコラーゲン線維束は主にタイプ I コラーゲンにより構成される．このコラーゲン I 線維束間を分ける疎性結合組織内にはタイプ III コラーゲンが含まれる[38]．PCL 内において線維芽細胞はコラーゲン線維間に存在し，軟骨細胞である線維軟骨は靱帯中間部に存在する．PCL の大腿骨・脛骨付着部は，軟骨−靱帯付着構造の典型的構造であり，コラーゲン線維束は，線維軟骨領域を介し大腿骨・脛骨へ付着する[37]．

2. 血液供給

PCL は主に中膝動脈の分岐枝より血液供給を受ける[37,41]．中膝動脈は，膝窩動脈前壁から分岐した後，大腿骨外側顆付近において斜膝窩靱帯・後方関節包を貫通し，関節内に侵入する[41]．中膝動脈は，関節内において軟部組織（十字靱帯，後方関節包，半月板後節，滑膜）および大腿骨・脛骨の骨端へと分岐する．PCL は，中膝動脈の分岐枝から構成される水かき様の血管網を豊富に含む滑膜層により覆われる[37]．この滑膜層に分布する血管網は，水平方向に靱帯内へと貫通した後，靱帯内を線維長軸方向へ走行する[37]．靱帯内における血管分布は均一ではなく，近位・遠位部には血管が豊富に分布する一方，靱帯中間部は血管を欠く構造的特徴をもつ[37]．この血管を欠く靱帯中間部は，線維軟骨により構成される[37]．

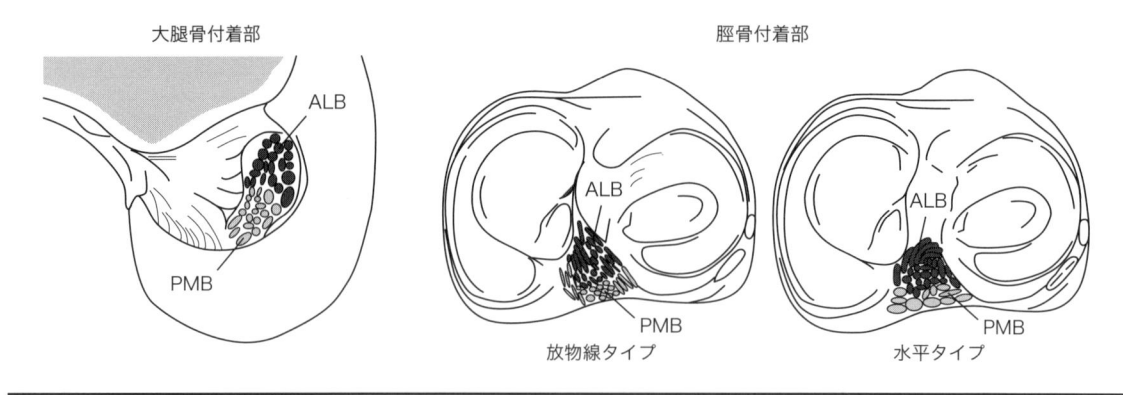

図 17-1　後十字靱帯の付着部形態（文献 15 より引用）
前外側線維束（ALB），後内側線維束（PMB）の大腿骨付着部は，大腿骨顆間窩内側面において，垂直方向に配置する。一方，PCL の脛骨付着部の形態は放物線タイプと水平タイプに分類される。

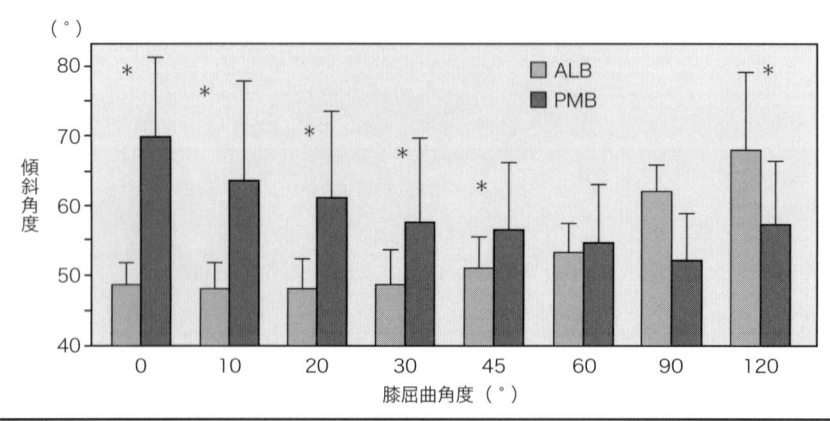

図 17-2　膝関節屈曲に伴う前外側線維束（ALB），後内側線維束（PMB）の傾斜角度の変化（文献 1 より引用）
膝屈曲 0〜45°において ALB の傾斜角度は PMB と比較し有意に小さく，膝屈曲 120°では PMB と比較し有意に大きかった。$*p<0.05$。

3. 線維束の解剖

　PCL は大腿骨顆間窩内側および脛骨高原後方に付着する関節内靱帯である。PCL は線維の配列により，前外側線維束（ALB）および後内側線維束（PMB）に分離される[15]。ALB と PMB の形態的特徴として，膝伸展位では平行に配列し，膝屈曲位では各線維束間の捻れが生じることがあげられる[15]。

　ALB，PMB の大腿骨付着部は，大腿骨顆間窩内側面において，垂直方向に配置する。一方，PCL の脛骨付着部の形態に関しては，解剖学的個体差が存在し，放物線タイプと水平タイプに分類される（図 17-1）[15]。

4. 正常膝の後十字靱帯バイオメカニクス

1）膝関節屈曲角度変化に伴う後十字靱帯線維束の傾斜角度・付着部間距離の変化

　PCL は主に脛骨の後方制動性の機能を有する関節内靱帯である。Nakagawa ら[32]は健常者 20 名を対象に，膝関節屈曲 0〜120°における PCL の脛骨高原に対する矢状面上の傾斜角度を MRI で二次元的に計測した。その結果，膝屈曲角度の増大に伴い PCL の傾斜角度は増大した。Ahmad ら[1]は屍体 6 膝を対象に，膝関節屈曲 0〜120°における ALB・PMB 各線維束の傾斜角度を計測した。その結果，膝屈曲 0〜45°における ALB の傾斜角度は PMB と比較し有意に小さく，膝屈曲

120°では有意に大きかった（図17-2）。以上より，PMB は膝屈曲角度の増加に伴い脛骨後方負荷に対する抵抗性を増すことが示された。

PCL 付着部間距離の膝関節運動に伴う変化は，PCL 全体あるいは ALB や PMB の張力を推定するうえで有用な情報である。King ら[20] は健常者7名を対象に，関節屈曲 0〜120°における PCL 付着部間距離を MRI 上で計測した。その結果，膝屈曲角度の増加に伴い，PCL の付着部間距離は増加し，膝屈曲 90〜100°で最大を示した（図17-3）。この結果は他の研究の結果[32] と一致していた。Ahmad ら[1] は屍体6膝を対象に，ALB・PMB 各線維束の付着部間距離を膝関節屈曲 0〜120°において計測した。その結果，膝屈曲に伴い ALB の付着部間距離は増加し，膝屈曲 0〜45°では PMB の付着部間距離は減少，膝屈曲 60〜120°では増加した（図17-4）。この結果は他の研究の結果[54] と一致していた。

2）膝関節屈曲運動に伴う PCL 張力の変化

膝運動中の PCL の張力を屍体膝において実測するには，歪み計を直接 PCL に設置する必要がある。Miyasaka ら[29] は屍体6膝を対象に，膝関節屈曲 0〜90°における PCL の張力を，PCL

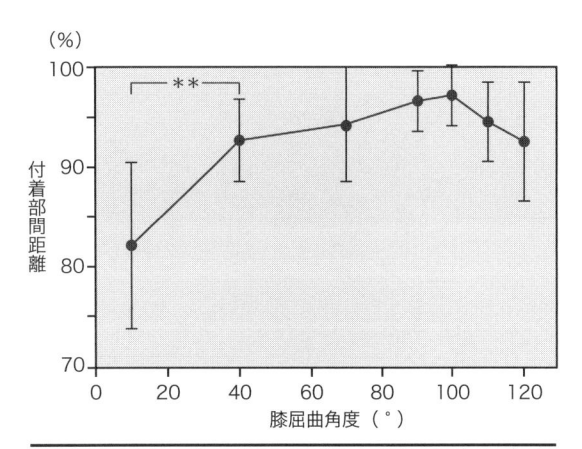

図 17-3　膝関節屈曲に伴う後十字靱帯（PCL）付着部間距離の変化（文献 20 より引用）
PCL の付着部間距離は膝屈曲角度の増加に伴い増加し，膝屈曲 90〜100°において最大を示した。＊p＜0.001。

大腿骨付着部側に接続した12個の歪みセンサーにより計測した。その結果，膝屈曲 60°付近から PCL の張力は増加しはじめ，90°で最大となった。このように膝関節屈曲角度の増加に伴い，PCL の張力は増加することが明らかにされた。

3）膝関節負荷に伴う PCL 張力変化

PCL が担う脛骨後方制動力の推定法として，ロボットアームに6自由度の力・モーメントセンサーを取り付けて in situ force を計測する方

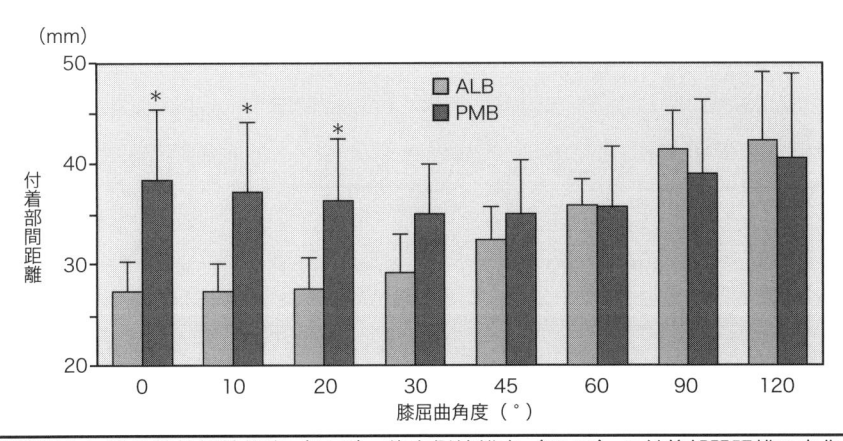

図 17-4　膝関節屈曲に伴う前外側線維束（ALB），後内側線維束（PMB）の付着部間距離の変化（文献 1 より引用）
ALB の付着部間距離は膝屈曲に伴い増加した。一方，膝屈曲 0〜45°では PMB の付着部間距離は減少し，膝屈曲 60〜120°では増加した。＊p＜0.05。

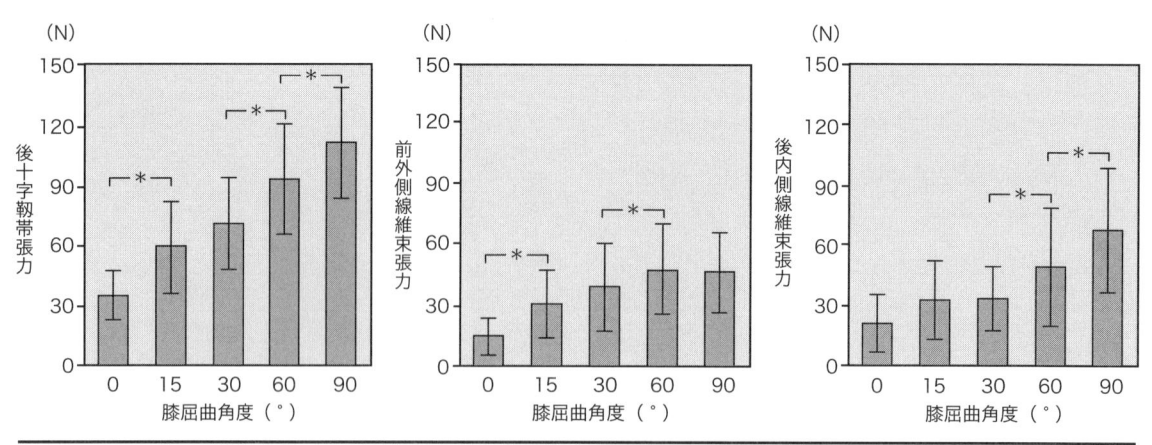

図17-5 ロボット技術を用いた脛骨後方負荷に伴う後十字靱帯（PCL）の in situ force の変化（文献10より引用）
膝屈曲角度の増加に伴い脛骨後方負荷に対する PCL・ALB・PMB の発生張力は増加した。＊p＜0.05。

法がピッツバーグ大学にて確立された。Fox ら[10]は屍体9膝を対象に，脛骨に対する後方負荷を加えた際に生じる PCL 全体および ALB・PMB の張力の推定値としての in situ force を算出した。その結果，膝屈曲角度の増加に伴い脛骨後方負荷に対する PCL・ALB・PMB の発生張力は増加した（**図17-5**）。また，Carlin ら[3]はこれと同じシステムを用いて，屍体14膝を対象に，膝関節屈曲30°および90°で，脛骨後方負荷を加えた際の PCL の in situ force を算出した。その結果，脛骨後方負荷に対する PCL の in situ force は，膝屈曲30°の場合と比較し膝屈曲90°で有意に高い値を示した。以上より，膝関節屈曲角度の増加に伴い PCL の脛骨後方負荷に対する張力は増加するものと推測される。

膝関節への負荷に対する PCL 張力を実測した実験がある。Miyasaka ら[29]は屍体6膝を対象に，脛骨に対し内反・外反トルク（2 N・m），内旋・外旋トルク（0.6 N・m）を加えた際に生じる PCL の張力を PCL 大腿骨付着部側に接続した12個の歪みセンサーを用いて計測した。その結果，脛骨内反および外反トルクに対し，PCL の張力は膝屈曲 0〜60°ではわずかに増加し，膝屈曲 75〜90°では内反トルクに対し最大 5.1 N 増加，外反トルクに対しては最大 4.0 N 増加した。また，脛骨内旋および外旋トルクに対し，PCL の張力は膝屈曲 0〜60°ではわずかに増加し，膝屈曲 75〜90°では内旋トルクで最大 4.6 N，外旋トルクで最大 3.1〜5.0 N 増加した。他の研究報告[52]も，ACL と PCL にロードセルを直接連結させる方法でその張力を計測した。その結果，PCL の張力は膝関節内反・外反・内旋・外旋トルクに対し膝関節60°以上の屈曲域において増大した。すなわち，これら2つの研究は異なる研究室で行われたものであるが，ともに PCL は屈曲60°以上において，外反，内反，内旋，外旋のいずれに対しても抵抗する役割を有することが実証された。

4）運動時の PCL 動態

等速性運動，スクワット動作，ランジ動作中の PCL の張力変化について，筋骨格モデルを用いた研究がある。Toutoungi ら[45]は，健常者8名を対象に，等尺性・等速性の膝関節屈曲運動および両脚スクワット中に生じる PCL 張力を1自由度の筋骨格モデルを用い算出した。その結果，PCL の張力は，等尺性屈曲時では最大 3,330 N・体重比 4.6 BW，等速性屈曲時では最大

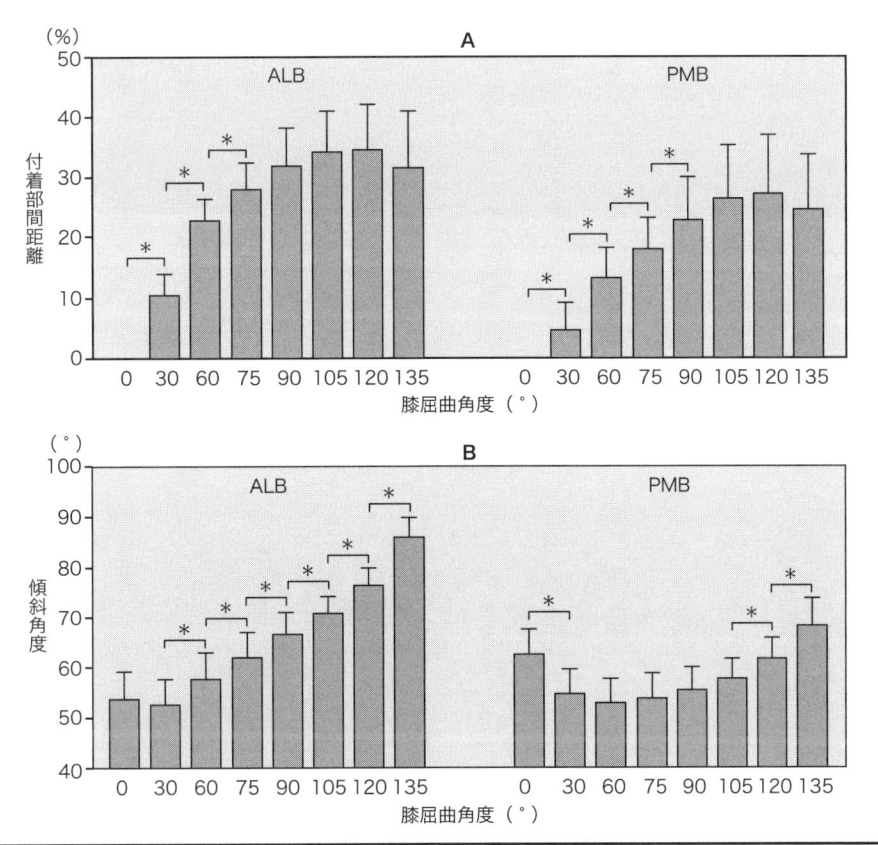

図 17-6 ランジ動作における後十字靱帯（PCL）動態（文献 34 より引用）
A：付着部間距離は，膝屈曲 0°における付着部間距離を 0％として記載。ランジ動作中における前外側線維束（ALB），後内側線維束（PMB）の付着部間距離は，膝屈曲角度の増加に伴い増加し，膝屈曲 90〜120°で最大値を示した。B：傾斜角度：矢状面上の脛骨前後軸と PCL のなす角度。ALB の傾斜角度は膝屈曲 45°以上の屈曲域において増加したのに対し，PMB の傾斜角度は膝屈曲 0〜30°および 120°以上の深屈曲域で高い値を示した。
＊p＜0.05。

2,701 N・体重比 3.8 BW，両脚スクワットでは 2,704 N・体重比 3.5 BW であった。各運動様式において PCL の張力は膝屈曲角度の増加に伴い大きい値を示した。

2000 年代に入り，2 方向の X 線像と三次元骨モデルを組み合わせることにより，精密に生体内の靱帯の付着部間の距離を計測できるようになった。Papannagari ら[34]は，健常者 7 名を対象に，MRI から作成した骨モデルと直行 2 方向フルオロスコピー画像を用いた 2D–3D レジストレーション法を用い，ランジ動作における ALB・PMB の付着部間距離，傾斜角度，回旋角度，捻転角度を計測した（図 17-6）。ランジ動作中における ALB・PMB の付着部間距離は，膝屈曲角度の増加に伴い増加し，膝屈曲 90〜120°で最大となった（図 17-6A）。この結果は，膝他動屈曲における研究報告[32]の結果と一致した。矢状面において，ALB の傾斜角度は膝屈曲 45°以上の屈曲域において急激に増加したのに対し，PMB の傾斜角度は膝屈曲 0〜30°および 120°以上の深屈曲域で高い値を示した（図 17-6B）。この結果から，膝深屈曲域で ALB は大腿骨・脛骨の間隙を減少させ，PMB は脛骨後方並進に抵抗する機能をもつことが考察された。水平面において，ALB が PMB と比較して内側方向への回旋角度が大きい（図 17-6C）ことから，脛骨外側並進に抵抗する

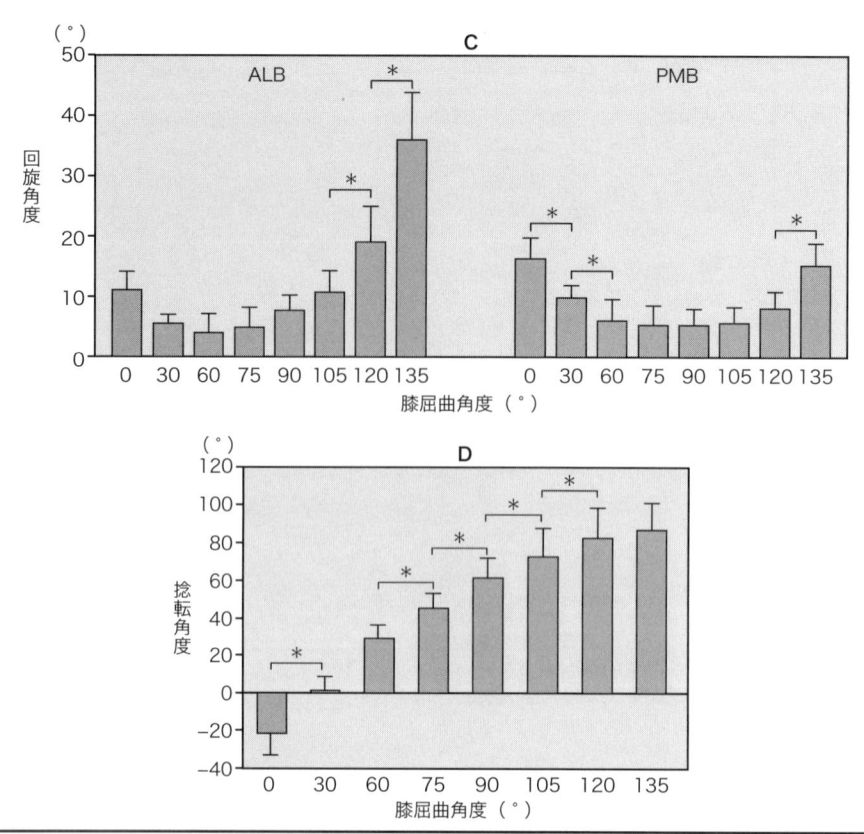

第5章　後十字靭帯・膝後外側構成体損傷

図17-6 つづき
C：回旋角度（水平面上での脛骨前後軸とPCLのなす角度）。ALBはPMBと比較し内側方向への回旋角度が大きい。D：捻転角度（大腿骨・脛骨付着部間の捻転角度）。ランジ動作においてPCLの大腿骨付着部は，膝屈曲角度の増加に伴い脛骨付着部に対し外旋方向へ捻転した。＊p＜0.05。

　機能をもつことが示唆された。また，ランジ動作においてPCLの大腿骨付着部は，脛骨付着部に対し，膝屈曲角度の増加に伴い外旋方向へ捻転した（**図17-6D**）。この結果は，他の研究[4]とも一致していた。

　近年，スクワットおよびランジ動作におけるPCLの張力変化について，動作中の関節角度や床反力データなどからその推定値を報告した研究がある。Escamillaら[7]は健常者18名を対象に，ランジ動作における関節角度，床反力，筋電図データからPCLの張力を算出した。その結果，PCLの張力は膝関節屈曲角度の増加に伴い上昇した。また，大きなステップ幅のロングランジでは，ショートランジと比較しPCL張力は膝屈曲0～80°で有意に高い値を示した。Escamillaら[6]は健常者18名を対象にした別の研究報告においてウォールスクワット（ショート・ロング）・片脚スクワット動作における関節角度，床反力，筋電図データからPCL張力を算出した。その結果，ロングスクワットは，ショートスクワット・片脚スクワットと比較し，膝屈曲0～80°におけるPCL張力が有意に高い結果となった。以上より，PCLの張力はスクワット動作，ランジ動作時には，非荷重での膝関節運動時と同様に，膝関節屈曲角度の増大に伴って増加することが明らかにされた。

5．PCL損傷膝のバイオメカニクス

1）PCL切断に伴う膝関節不安定性

　PCLの役割を理解するため，屍体膝において

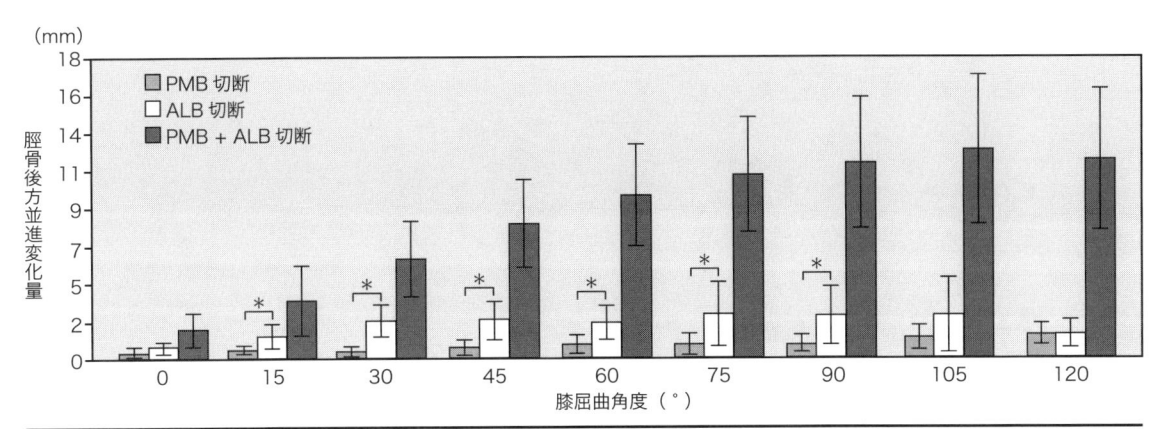

図 17-7 後十字靱帯（PCL）切断に伴う脛骨後方並進変化量（文献 18 より引用）
縦軸は前外側線維束（ALB），後内側線維束（PMB），ALB + PMB の切断により生じる 134 N の脛骨後方負荷に対する脛骨後方並進量の変化量を示す。$*p<0.05$。

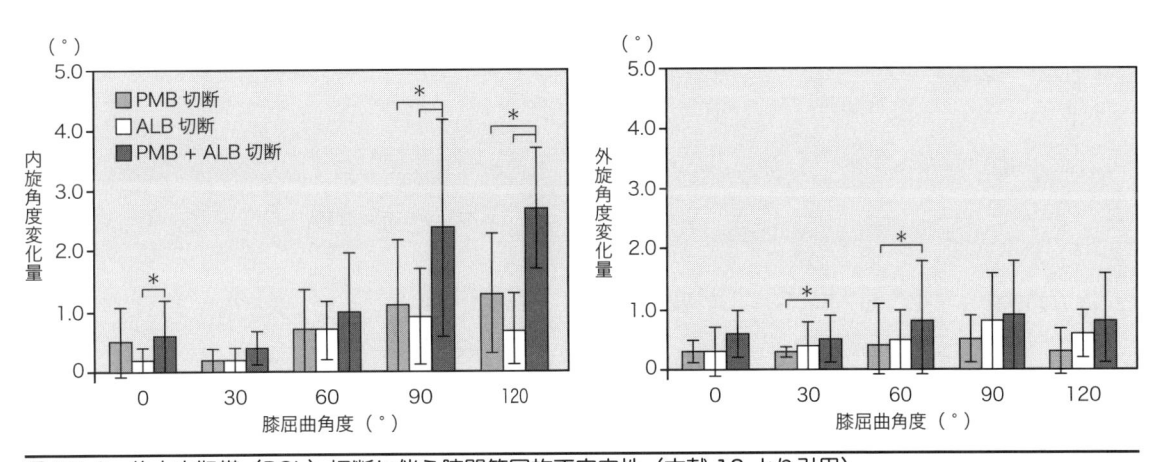

図 17-8 後十字靱帯（PCL）切断に伴う膝関節回旋不安定性（文献 18 より引用）
縦軸は前外側線維束（ALB），後内側線維束（PMB），ALB + PMB の切断により生じる 5 N・m の膝関節内旋・外旋トルクに対する膝回旋角度の変化量を示す。正常膝と比較し 3 条件すべて全可動域において有意差あり。$*p<0.05$。

PCL 切断による可動域の変化が調べられてきた。Kennedy ら[18]は屍体 20 膝を対象に，ロボットシステムを用いて脛骨後方負荷または膝関節内反，外反，内旋，外旋トルクを加えた際に生じる脛骨並進量および膝関節角度を計測した。20 膝を正常膝，ALB 切断，PMB 切断，ALB + PMB 切断の 4 条件間で比較した。その結果，ALB 切断，PMB 切断，ALB + PMB 切断の 3 条件における脛骨後方負荷に対する脛骨後方並進量は，正常膝と比較し有意に高い値を示した（図 17-7）。また，PCL 切断に伴う膝関節内反・外反トルクに対する膝関節の最大角度変化量は，ALB 切断膝で内反 0.6°，ALB + PMB 切断膝で外反 1.0°と小さい値を示した。加えて，ALB + PMB 切断では，膝関節内旋トルクに対し，膝屈曲 120°では 2.8°の最大内旋角度変化量を示し，膝屈曲 90°では 0.9°の最大外旋角度変化量を示した（図 17-8）。以上より，PCL のうち ALB と PMB はともに後方制動に重要な役割を果たすこと，そして膝屈曲 90°以上で膝内旋の制動に寄与していると結論づけた。Li ら[27]も同様のロボットシステムを用い，屍体膝を対象とした PCL の切断研究

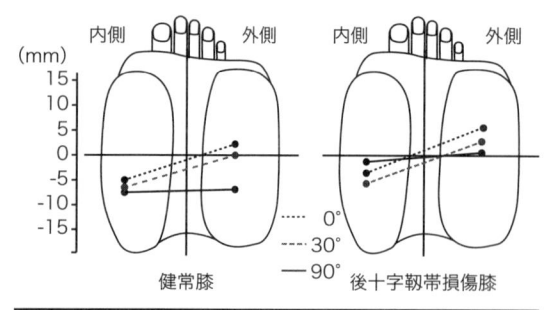

図17-9 後十字靱帯(PCL)損傷膝における脛骨に対する大腿骨顆位置(文献50より引用)
3本の直線は大腿骨内側顆・外側顆中心の位置を結ぶ直線を示す。

を実施した。その結果，PCL切断により脛骨後方負荷に対する脛骨後方並進量が有意に増加し，膝屈曲90°で最大となった。以上の研究は，PCL切断により，膝屈曲0～120°では脛骨後方並進量が増加し，膝屈曲90～105°では最大となることで一致した。

2) PCL損傷膝の非荷重条件下における膝関節運動

生体においてPCL損傷の結果生じる膝関節運動について，MRIを用いて計測が行われた。von Eisenhart-Rotheら[50]は，PCL損傷症例12名および健常者20名を対象に，側臥位で膝屈曲0～90°で撮影したopen-MRI画像から構築した三次元モデルを用い，脛骨高原に対する大腿骨内外側顆の位置，大腿骨・脛骨に対する膝蓋骨の位置を計測した。その結果，PCL損傷膝の膝屈曲90°における脛骨に対する大腿骨内・外側顆の位置は，健常膝と比較し有意に前方に位置していた(図17-9)。加えて，膝屈曲90°におけるPCL損傷膝の大腿骨に対する膝蓋骨の外旋角度，膝蓋骨外側変位量は，健常膝と比較して有意に高値であった。

3) PCL損傷膝における関節内接触位置

生体においてPCL損傷の結果生じる膝関節運動について，荷重における直行2方向フルオロ

スコピーとMRIによる三次元骨モデルによる2D-3Dレジストレーション法により分析された。Van de Veldeら[47]はPCL損傷症例14名を対象に，直行2方向フルオロスコピーを用い，ランジ動作における大腿脛骨関節の軟骨最大変形量および軟骨最大変形位置を計測した。その結果，PCL損傷膝の内側脛骨高原の軟骨最大変形位置は，膝屈曲75～120°で健側と比較して有意に前方・内側へ変位した(図17-10A，B)。また，PCL損傷膝の内側脛骨高原の軟骨最大変形量は，健側と比較し膝屈曲75～120°で有意に高い値を示した(図17-10C)。一方，外側脛骨高原の軟骨変形量・最大変形位置は，PCL損傷膝と健側との間に有意差は認められなかった。以上のように，PCL損傷膝では，ランジ動作における内側脛骨高原の軟骨最大変形量が増加し，軟骨最大変形位置は前内側へ変位していた。

4) PCL損傷膝における荷重条件下における膝関節運動

PCL損傷膝を対象に，ランニングおよびランジ動作における膝関節の動態が計測されてきた。特に2000年以降，2方向X線装置を用いることにより，1方向X線を用いた2D-3Dレジストレーション法よりもout-of-planeの精度に優れたキネマティクスの分析が可能となってきた。

Goyalら[13]は，PCL損傷症例9名を対象に，2方向ハイスピードX線装置とトレッドミルを用いて，ランニング動作における膝関節角度，脛骨並進量，脛骨並進速度を計測した。その結果，PCL損傷膝の脛骨後方並進量は，踵接地前0.08～0.1秒で健側と比較し有意に高い値を示した。また，PCL損傷膝の脛骨前方並進速度は，踵接地前0.04秒で健側と比較し有意に高い値を示した。一方，立脚相において膝関節角度，脛骨並進量，脛骨並進速度に健患差は認められなかった。

Gillら[12]はPCL損傷症例7名を対象に，直行

2方向フルオロスコピーを用い，大腿脛骨関節の動態を計測した．その結果，PCL 損傷膝の脛骨後方並進量は，膝屈曲 60～120°で健側と比較し有意に大きい値を示した．一方，脛骨内側並進量は，膝屈曲 75～120°で健側と比較し有意に小さい値であった．同じ研究室の Li ら[28]はランジ動作において PCL 損傷膝は健常膝と比較し，脛骨後方並進量が有意に大きく，脛骨内側並進量が有意に低い値を示すことを報告した．さらに，Van de Velde ら[48]は，PCL 損傷症例を対象に，ランジ動作における膝蓋大腿関節角度，膝蓋大腿関節接触位置を計測した．その結果，PCL 損傷膝は健側と比較し，大腿骨に対する膝蓋骨の前傾角度が膝屈曲 90～120°で有意に大きく，膝蓋骨の外側変位量，外旋角度，外反角度は有意に低い値を示した．膝蓋大腿関節の接触位置に関しては，PCL 損傷膝で健側と比較し，膝屈曲 90～120°において有意に遠位・内側方向へ変位した．以上より，PCL 損傷膝は，ランジ動作において膝関節屈曲域での脛骨後方・外側変位量が大きい．膝蓋大腿関節では，膝蓋骨の前傾角度が有意に高い値を示し，膝蓋骨外側変位量，外旋角度，外反角度は有意に低い値を示すことで一致した．

C. 後外側構成体（PLC）の解剖と機能

膝関節の後外側構成体（PLC）は外側側副靱帯（LCL），膝窩筋腱複合体（PTC），弓状靱帯複合体から構成される．ここでは，PLC 各構成体の形態および付着位置を中心に解剖学的知見を整理した．なお，LCL は別項と内容が重複するため，本項では PLC のうち LCL 以外の構成体に関する知見を提示した．

1. 膝窩筋腱複合体

膝窩筋腱複合体は，膝窩筋腱，膝窩腓骨靱帯，膝窩半月線維束により構成される[46]．

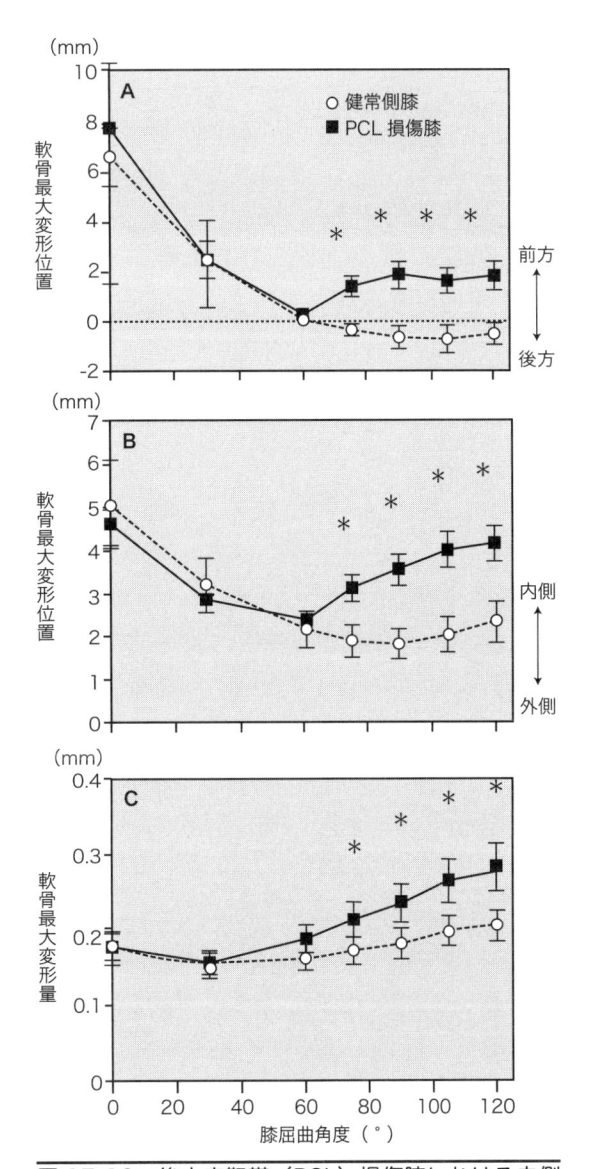

図 17-10　後十字靱帯（PCL）損傷膝における内側脛骨軟骨最大変形位置・量（文献 47 より引用）
ランジ動作における内側脛骨高原の軟骨最大変形部位の前後位置（A），内外側位置（B），軟骨最大変形量（C）．＊p＜0.05．

1）膝窩筋腱

膝窩筋腱（PT）は，膝窩筋筋腱移行部から大腿骨外側顆後面を前外側へ通過した後，外側半月連結部から関節内へ入り，大腿骨膝窩溝の前方 1/4 へ停止する腱組織である[31,33,55]．また，PT は後方関節包，腓骨，外側半月板などの他組織へ連結する（**表 17-1**）[8,40]．PT の解剖学的特徴を

表17-1 膝窩筋腱の連結組織

連結組織	連結率 Feipelら[8]	連結率 Reisら[40]
大腿骨外側顆	—	100
後方関節包	57	100
弓状靱帯	90	—
斜膝窩靱帯	79	—
腓骨	98	100
外側半月板	90 (後上部) / 17 (後下部) / 83 (側部)	95
後半月大腿靱帯	33	—
後十字靱帯	5	—

表17-2に示した[9,16,17,22,33,51,55]。

近年、PTの大腿骨付着位置には解剖学的個体差があることがわかってきた。Zengら[55]はPTの大腿骨付着位置をLCL付着部に対する位置関係により分類した。その特徴と存在率について、PT付着部中心がLCL付着部前縁よりも前方へ位置するタイプIが24.7%（20/81）、PT付着部中心がLCL付着部の直下に覆われるタイプIIが49.4%（40/81）、PT付着部中心がLCL付着部後縁よりも後方に位置するタイプIIIが25.9%（21/81）であった。加えて、各タイプにおけるLCLとPFLの付着部間距離、LCLとPTのなす角度、PTとPFLとのなす角度を計測したところ、タイプ間において有意差がなかった。一方、Jungら[17]はPT付着部中心がLCLの後下方に位置する後下方型が72.2%（13/18）、PT付着部中心がLCLの下方に位置する下方型が11.1%（2/18）、PTが分岐し付着する分岐付着型が16.7%（3/18）を占めると報告した。さらに、Brinkmanら[2]は屍体34膝の観察から、PT付着部の55.9%（19/34）がLCL付着部よりも前方に位置し、PT付着部の44.1%（15/34）がLCL付着部よりも後方に位置したと報告した。膝窩筋腱の大腿骨付着位置は前後方向の解剖学的個体差が存在することから、膝窩筋腱再建の際には各症例の解剖学的付着位置へ膝窩筋腱を再建すべきという意見もあった[55]。

2) 膝窩腓骨靱帯

膝窩腓骨靱帯（PFL）は、膝窩筋筋腱接合部から腓骨茎状突起内側部へ停止する薄い扇形の靱帯である。PFLの存在率および解剖学的特徴を表17-3に示した[16,19,33,43,46,51,55]。PFLは膝窩筋腱側付着部位置と靱帯の形態に解剖学的個体差が存在することを報告した研究がある。Zengら[55]は屍体71膝を対象にPFLの22.5%（16/71）が膝窩筋筋腱移行部に付着し、77.5%（55/71）が膝窩筋筋腱移行部から近位へ付着すると報告した。また、Ostiら[33]はPFLの形態の解剖学的個体差について、単一線維束（60.0%）、二重線維束（26.7%）、Y型線維束（13.3%）の3タイプに分類されると報告した。また、Ishigookaら[16]は屍体78膝を対象に、PFLを単一線維束のタイプIと二重線維束のタイプIIに分類した。さら

表17-2 膝窩筋腱の解剖学的特徴

報告者	対象数	長さ (mm)	幅 (mm)	厚さ (mm)
Ostiら[33]	30	36.36 ± 4.53	—	—
Zengら[55]	81	38.15 ± 5.15	6.32 ± 1.09	2.38 ± 0.41
Jungら[17]	18	36 ± 4	8 ± 2	—
Finebergら[9]	5	42.0 ± 5.8	—	—
Ishigookaら[16]	78	40.4 ± 5.9	—	3.6 ± 0.9
LaPradeら[22]	10	54.5 (50.5〜61.2)	—	—
Wadiaら[51]	25	—	10.05	—

表 17-3 膝窩腓骨靱帯の存在率および解剖学的特徴

報告者	対象数	存在率 (%)	長さ (mm)	幅 (mm)	厚さ (mm)
Osti ら [33]	30	100	前縁：14.06 ± 3.2 後縁：12.45 ± 2.21	停止部：6.59 ± 1.69 中間部：7.04 ± 2.31	—
Zeng ら [55]	81	100	10.23 ± 2.36	8.80 ± 2.85	1.25 ± 0.46
Kim ら [19]	7	37.5	前縁：14.3 ± 1.3 後縁：11.7 ± 0.7	停止部：8.8 ± 1.7 中間部：6.8 ± 2.3	—
Ishigooka ら [16]	78	100	12.7 ± 3.6	10.4 ± 3.5	2.1 ± 1.0
Wadia ら [51]	25	100	—	11.06 (6〜16)	2.1 ± 1.0
Ullrich ら [46]	13	100	14 (12〜16)	8 (6〜9)	—
Sudasna ら [43]	50	98	—	—	—

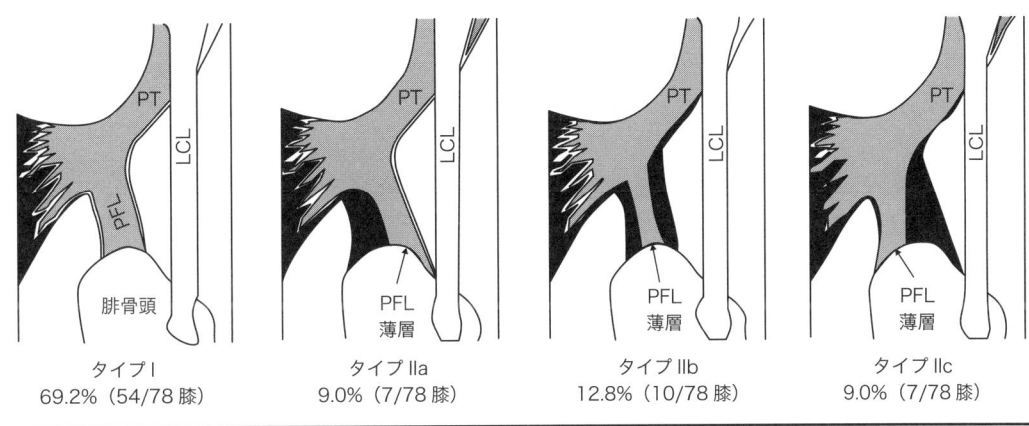

図 17-11 膝窩腓骨靱帯の解剖学的個体差（文献 16 より引用）
右膝を外側から観察した図。膝窩腓骨靱帯の線維束は，単一線維束のタイプ I，二重線維束のタイプ II に分類し，さらに浅線維束が深線維束より前方に位置するタイプ IIa，浅線維束と深線維束が平行さらになタイプ IIb，浅線維束が深線維束より後方に位置するタイプ IIc に分類された。

に，タイプ II を浅線維束が深線維束より前方に位置するタイプ IIa，浅線維束と深線維束が平行であるタイプ IIb，浅線維束が深線維束より後方に位置するタイプ IIc に分類した。その結果，タイプ I は 69.2％（54/78），タイプ II は 30.8％（24/78）であり，タイプ II のうち IIa は 9.0％（7/78），IIb は 12.8％（10/78），IIc は 9.0％（7/78）に存在した（**図 17-11**）。以上より，PFL は線維束の数および走行の方向をもとにその形態が分類され，単一線維束，二重線維束，Y 型の順にその存在率が高い。

3）膝窩半月線維束

膝窩半月線維束は膝窩筋腱と外側半月板を連結する線維束であり，前下線維束および後上線維束により構成される（**図 17-12**）[36]。前下線維束は外側半月外側面から膝窩裂孔の床部を形成し後下方へ走行し，膝窩筋筋腱移行部に付着する[36]。さらに，前下線維束外側部は後下方へ走行し，膝窩腓骨靱帯と融合し腓骨茎状突起に付着する[36]。また，後上線維束は外側半月後上縁から膝窩裂孔の天井を形成し，後方関節包および膝窩筋筋腱移行部へ付着する[36]。このような解剖学的特徴から，膝窩半月線維束が膝窩裂孔を形成することで，膝窩筋腱が関節との適合性を保つことができる。そのため，膝蓋腱は関節内から関節外へ走行することが可能になっている。

第5章 後十字靭帯・膝後外側構成体損傷

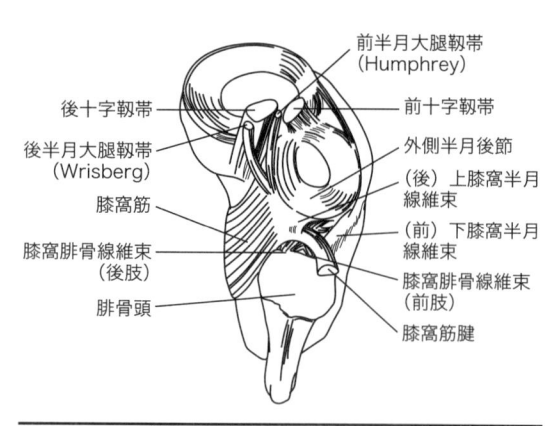

図 17-12 膝窩半月線維束（文献 42 より引用）
膝窩半月線維束は膝窩筋腱と外側半月板を連結する線維束であり，前下線維束および後上線維束により構成される。

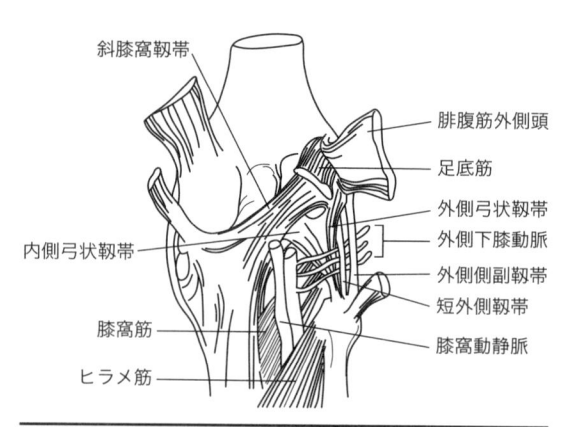

図 17-13 弓状靭帯複合体（文献 42 より引用）
弓状靭帯複合体は弓状靭帯，短外側靭帯（ファベラ腓骨靭帯）から構成される。

表 17-4 外側側副靭帯・膝窩筋腱・膝窩腓骨靭帯の力学的性質（文献 21 より引用）

組織	最大抗張力 (N)	剛性 (N/mm)	最大応力 (Pa)	ストレイン (%)	ヤング率 (mPa)	横断面積 (mm²)
外側側副靭帯	295 ± 96	33.5 ± 13.4	26.9 ± 11.7	0.16 ± 0.05	183.5 ± 110.7	11.9 ± 2.9
膝窩腓骨靭帯	298.5 ± 144.1	28.6 ± 13.6	12.8 ± 6.0	0.64 ± 0.40*	24.8 ± 14.5	17.9 ± 1.9
膝窩筋腱	700.3 ± 231.7*	83.7 ± 24.3*	32.0 ± 13.1	0.27 ± 0.18	130.9 ± 37.0	21.9 ± 3.9

＊：他の2組織と比較して有意差あり。

2. 弓状靭帯複合体

弓状靭帯複合体は弓状靭帯，短外側靭帯（ファベラ腓骨靭帯）から構成される（図 17-13）[39]。

1) 弓状靭帯

弓状靭帯は腓骨茎状突起から上方へ走行する薄い三角形の帯状線維であり[53]，その存在率は24～100%[5, 19, 33, 39, 43, 53]と諸家の報告により異なる。弓状靭帯は腓骨茎状突起から外側弓状靭帯および内側弓状靭帯に分岐する。外側弓状靭帯は後方関節包および大腿骨外側顆へ付着し，内側弓状靭帯は膝窩筋腱を覆い斜膝窩靭帯へ付着すると報告された[5, 30, 33, 44]。

2) 短外側靭帯（ファベラ腓骨靭帯）

ファベラ腓骨靭帯はファベラ外側縁または大腿骨外側上顆後面の腓腹筋外側頭深部から腓骨茎状突起外側部に付着する靭帯である[5, 19, 30, 33, 44]。存在率は10～72%とばらつきがある[5, 19, 33, 39, 43, 53]。

3. 膝後外側構成体（PLC）のバイオメカニクス

PLCの各構成体のうち，主に外側側副靭帯（LCL）・膝窩筋腱（PT）・膝窩腓骨靭帯（PFL）が膝関節安定性に関与すると考えられている。以下に，LCL・PT・PFLの膝関節安定化作用に関する知見を示した。

1) 膝窩筋腱の力学的性質

LaPradeら[21]は屍体8膝を対象に，LCL，PT，PFLに急速な伸張ストレスを加え破断させる実験を行い，各組織の力学的性質を計測した（表 17-4）。その結果，PTはLCL・PFLと比較しその最大抗張力および剛性が有意に高かった。

PFL は LCL・PT と比較し破断時におけるストレインが有意に高い値を示した。また，各組織の破断部位について，LCL はすべての対象膝において靱帯中間部の破断があり，PFL は靱帯中間部の破断が4膝，腱接合部破断が3膝，腓骨剝離を伴う破断が1膝であった。PT では腱中間部の破断が5膝，大腿骨剝離破断が1膝，筋腱接合部破断が2膝であった。

2）膝関節負荷に伴う膝窩筋腱および膝窩腓骨靱帯の負荷応力

LaPrade ら[24]は屍体6膝を対象に，脛骨に対する前方・後方負荷，膝関節内反・外反・内旋・外旋トルクを加えた場合に生じる PT および PFL の張力から，各組織の負荷応答（N/N・m）を算出した。その結果，PT および PFL は膝関節外旋トルクに対してのみ 1.0 N/N・m 以上の負荷応答を示した。また，膝関節外旋トルクに対する PT と PFL の負荷応答は，膝屈曲角度の増加に伴い増加した（図 17-14）。加えて，膝関節外旋トルクに対する LCL の負荷応答は，膝屈曲 0°，30°では PT・PFL と比較し有意に高い値を示す一方，膝屈曲 90°では PT・PFL と比較し有意に低い値を示した。以上より，PT および PFL は膝関節外旋トルクに抵抗する機能をもつとともに膝屈曲 0〜30°では LCL が，膝屈曲 90°では PT と PFL が補完的に膝関節外旋制動に貢献することが示唆された。

3）膝窩筋腱切断に伴う膝関節不安定性

膝窩筋腱切断の影響を調べた研究が2件あった。LaPrade ら[25]は屍体11膝を対象に，脛骨に対する前方・後方負荷，膝関節内反・内旋・外旋トルクを加えた場合の脛骨並進量・膝関節角度変化量を計測し，正常膝および PT 切断膝において比較した。その結果，PT 切断により膝関節外旋角度が有意に増加し，小さな角度変化量ではあ

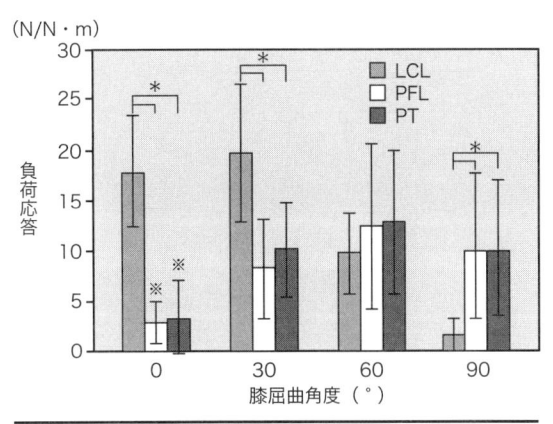

図 17-14 膝関節外旋負荷に伴う外側側副靱帯（LCL），膝窩腓骨靱帯（PFL），膝窩筋腱（PT）の負荷応答（文献 24 より引用）
膝関節外旋トルクに対する PT と PFL の負荷応答は，膝屈曲角度の増加に伴い増加した。＊ $p<0.05$，※ 30°，60°，90°と比較し有意に小さい。

るが，脛骨前方並進・後方並進量，膝関節内反・内旋角度も有意に増加した。Zhang ら[56]は屍体6膝を対象に，正常膝と PT 切断膝に対し膝関節外旋トルクを加えた際の膝関節外旋角度を計測し，PT 切断により膝関節外旋角度は変化しないことを報告した。以上より，PT 単独切断が膝関節外旋方向の不安定性に与える影響に関しては，一致した見解が得られていない。

4）膝窩腓骨靱帯（PFL）切断に伴う膝関節不安定性

PFL 切断の影響を調べた研究が2件あった。Zhang ら[56]は正常膝と PFL 切断膝に対し，膝関節外旋トルクを加えた際の膝関節外旋角度を計測し，PFL 切断により膝外旋角度は変化しないことを報告した。また，Pasque ら[35]は屍体の正常膝と PFL 切断膝に対し脛骨後方負荷，膝関節内反・外旋トルクを加えた際の脛骨並進量・膝関節角度変化量を計測した。その結果，PFL 切断により脛骨後方並進量，膝関節内反・外旋角度は変化しなかった。以上より，PFL の単独切断では膝関節の静的不安定性は生じないと考えられる。

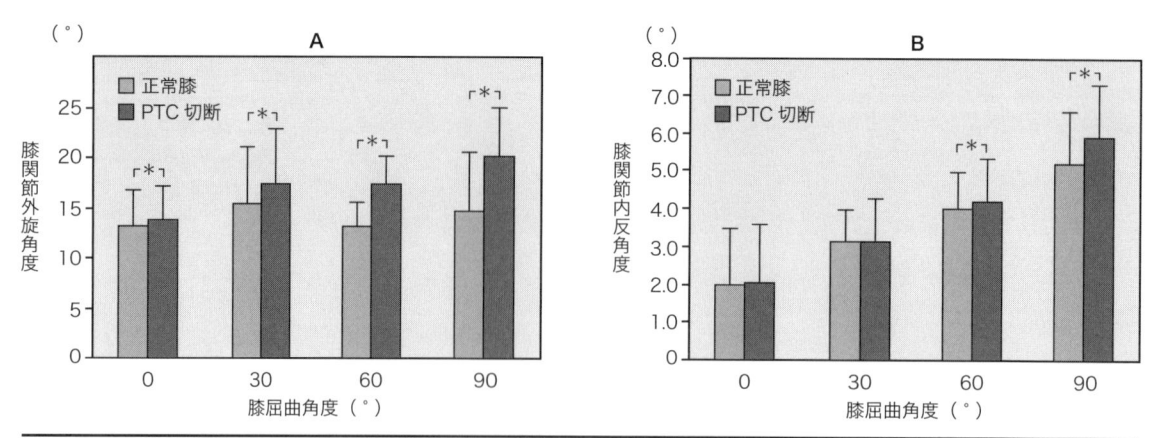

図 17-15 膝窩筋腱（PT），膝窩腓骨靱帯（PFL）〔膝窩筋腱複合体（PTC）〕切断による膝関節不安定性（文献 11 より引用）
PTC 切断により，膝関節屈曲 60〜90°における膝関節内反角度，膝関節屈曲 0〜90°における膝関節外旋角度が有意に増加した。＊p＜0.05。

5）膝窩筋腱複合体（膝窩筋腱と膝窩腓骨靱帯）の切断に伴う膝関節不安定性

PT と PFL の切断の影響を調べた研究が 3 件あった。Gadikota ら[11]は屍体膝を対象に，膝関節内反・外旋トルクを加えた際に生じる膝関節角度変化量を計測し，正常膝と PT と PFL（PTC）切断膝において比較した。その結果，PTC 切断により，膝関節屈曲 60〜90°における膝関節内反角度，膝関節屈曲 0〜90°における膝関節外旋角度が有意に増加した（図 17-15）。Pasque ら[35]は PTC 切断に伴い膝関節屈曲 120°における膝関節内反角度，膝関節屈曲 30〜120°における膝関節外旋角度が有意に増加したことを報告した。また，Zhang ら[56]も PTC 切断により膝関節屈曲 30〜120°における膝関節外旋角度が有意に増加したことを報告した。以上より，膝窩筋腱・膝窩腓骨靱帯の複合切断により，膝関節内反・外旋方向の不安定性が生じることが明らかにされた。

6）外側側副靱帯と膝窩筋腱複合体の複合切断に伴う膝関節不安定性

Lasmar ら[26]は屍体膝を対象に，LCL，PTC，後外側関節包の順に組織切断を行った場合の膝関節内反・外旋角度を計測した（図 17-16）。その結果，膝関節内反方向の制動性において，LCL 切断により膝屈曲 0〜60°における膝内反角度は有意に増加し，LCL に加え PTC を切断した場合には，膝屈曲 30〜60°における膝内反角度が有意に増加した。また，膝関節外旋制動性において，LCL 切断により 0〜30°における膝外旋角度が有意に増加し，LCL に加え PTC を切断した場合に膝屈曲 0〜60°における膝外旋角度が有意に増加した。以上より，LCL に加え PTC を切断した場合，膝関節内反・外旋方向の不安定性が増加することが示唆された。

D. PLC 切断が PCL 張力へ与える影響

PLC 切断が PCL への負荷を増大させる可能性がある。LaPrade ら[23]は屍体 8 膝を対象に PFL，PT，LCL の順に組織切断した各条件において，脛骨後方負荷，膝関節内反・外反・内旋・外旋トルク，複合負荷（脛骨後方負荷 + 外旋トルク）を加えた場合に生じる PCL 再建グラフトの張力を計測した。その結果，PFL・PT・LCL の複合切断により，内反トルクまたは複合負荷

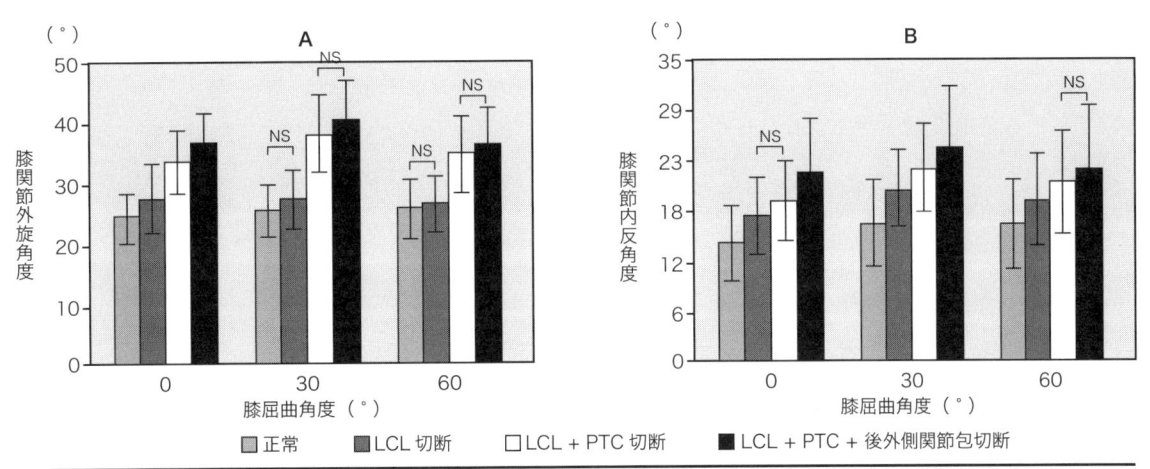

図 17-16 外側側副靭帯（LCL），膝窩筋腱複合体（PTC），後外側関節包切断による膝関節不安定性（文献 26 より引用）
LCL，PTC，後外側関節包の順に組織を切断した場合の膝関節内反・外旋角度を示した。NS 以外の項目において有意差あり。

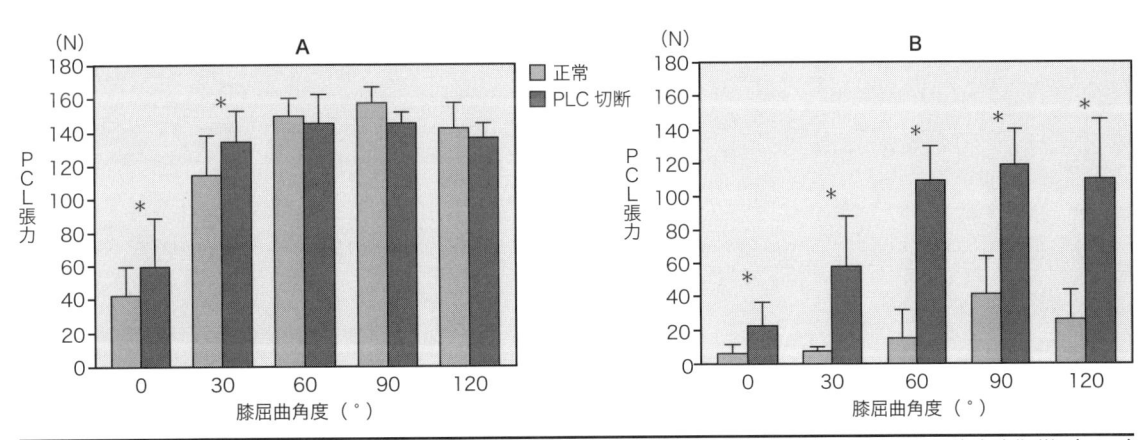

図 17-17 外側側副靭帯（LCL），膝窩腓骨靭帯（PFL）（膝窩筋腱複合体（PTC））切断による後十字靭帯（PCL）張力変化（文献 49 より引用）
PLC 切断により脛骨後方負荷に対する脛骨後方並進量と PCL 張力が有意に増加し（A），膝外旋トルクに対する膝関節外旋角度と PCL 張力が有意に増加した（B）。$*p<0.05$。

（脛骨後方負荷 + 外旋トルク）に対する PCL 張力が有意に増加した。Vogrin ら[49]は屍体 10 膝を対象に，正常膝および PLC 切断膝（LCL + PTC 切断）に対し，脛骨後方負荷，膝関節外旋トルクを加えた際に生じる PCL 張力を計測した。その結果，PLC 切断膝では脛骨後方負荷に対する脛骨後方並進量と PCL 張力が有意に増加し，膝外旋トルクに対する膝関節外旋角度と PCL 張力が有意に増加した（図 17-17）。Harner ら[14]は正常膝および PLC 切断膝（LCL + PTC の切断）へ脛骨後方負荷，膝関節内反トルク，膝関節外旋トルク，複合負荷（脛骨後方負荷 + 外旋トルク）を加えた際に生じる PCL 再建グラフトの張力を計測した。その結果，PLC 切断膝では正常膝と比較して脛骨後方負荷，膝関節内反トルク，膝関節外旋トルク，複合負荷（脛骨後方負荷 + 外旋トルク）により生じる PCL グラフト張力が有意に増加した。以上より，LCL・PTC の切

断により，脛骨後方負荷，膝関節内反トルク，膝関節外旋トルク，脛骨後方負荷と外旋トルクに対するPCLの発生張力が増加することが明らかにされた．

E．まとめ

1．すでに真実として承認されていること

- PCLは中膝動脈の分岐枝から血液供給を受ける関節内靱帯であり，その靱帯周囲は血管網に富む滑膜層で覆われるが，靱帯内中間部は血管を欠く構造となる．
- PCLの付着部間距離は膝関節屈曲角度の増加に伴い増加し，膝関節屈曲90〜100°で最大となる．
- PCLのALB，PMBともに脛骨後方制動性をもち，膝関節屈曲90〜105°でその脛骨後方制動の貢献度は最大となる．
- PCL損傷症例はランジ動作において脛骨高原内側関節面の最大軟骨変形量が増加し，その接触位置は前内側へ変位する．
- PCL損傷症例はランジ動作において脛骨後方・外側並進量が増加する．
- PCL損傷症例はランジ動作において大腿骨に対する膝蓋骨の前傾角度が増加し，膝蓋骨外側並進量，外旋・外反角度が低下する．
- 外側側副靱帯は膝屈曲0〜30°で，膝窩筋腱および膝窩腓骨靱帯は膝屈曲90°で，脛骨外旋制動に貢献する．
- 膝窩筋腱および膝窩腓骨靱帯の複合切断により膝屈曲60〜120°における膝内反角度，膝屈曲0〜120°における膝外旋角度が増加する．
- 外側側副靱帯に加え膝窩筋腱複合体を切断した場合，膝関節内反・外旋方向の不安定性が増す．

2．議論の余地はあるが，今後の重要な研究テーマとなること

- 膝窩筋腱単独切断に伴う膝関節外旋方向の不安定性について．

F．今後の課題

- 膝関節回旋要素を含むスポーツ動作におけるPCLのキネマティクスについて．
- 膝窩半月線維束，ファベラ腓骨靱帯，弓状靱帯による関節安定化作用について．
- 生体における荷重条件下でのPLC損傷症例の異常キネマティクスについて．

文献

1. Ahmad CS, Cohen ZA, Levine WN, Gardner TR, Ateshian GA, Mow VC: Codominance of the individual posterior cruciate ligament bundles. An analysis of bundle lengths and orientation. *Am J Sports Med*. 2003; 31: 221-5.
2. Brinkman JM, Schwering PJ, Blankevoort L, Kooloos JG, Luites J, Wymenga AB: The insertion geometry of the posterolateral corner of the knee. *J Bone Joint Surg Br*. 2005; 87: 1364-8.
3. Carlin GJ, Livesay GA, Harner CD, Ishibashi Y, Kim HS, Woo SL: In-situ forces in the human posterior cruciate ligament in response to posterior tibial loading. *Ann Biomed Eng*. 1996; 24: 193-7.
4. DeFrate LE, Gill TJ, Li G: *In vivo* function of the posterior cruciate ligament during weightbearing knee flexion. *Am J Sports Med*. 2004; 32: 1923-8.
5. Diamantopoulos A, Tokis A, Tzurbakis M, Patsopoulos I, Georgoulis A: The posterolateral corner of the knee: evaluation under microsurgical dissection. *Arthroscopy*. 2005; 21: 826-33.
6. Escamilla RF, Zheng N, Imamura R, Macleod TD, Edwards WB, Hreljac A, Fleisig GS, Wilk KE, Moorman CT 3rd, Andrews JR: Cruciate ligament force during the wall squat and the one-leg squat. *Med Sci Sports Exerc*. 2009; 41: 408-17.
7. Escamilla RF, Zheng N, Macleod TD, Imamura R, Edwards WB, Hreljac A, Fleisig GS, Wilk KE, Moorman CT 3rd, Paulos L, Andrews JR: Cruciate ligament forces between short-step and long-step forward lunge. *Med Sci Sports Exerc*. 2010; 42: 1932-42.
8. Feipel V, Simonnet ML, Rooze M: The proximal attachments of the popliteus muscle: a quantitative study and clinical significance. *Surg Radiol Anat*. 2003; 25: 58-63.
9. Fineberg MS, Duquin TR, Axelrod JR: Arthroscopic visualization of the popliteus tendon. *Arthroscopy*. 2008;

24: 174-7.
10. Fox RJ, Harner CD, Sakane M, Carlin GJ, Woo SL: Determination of the in situ forces in the human posterior cruciate ligament using robotic technology. A cadaveric study. *Am J Sports Med*. 1998; 26: 395-401.
11. Gadikota HR, Seon JK, Wu JL, Gill TJ, Li G: The effect of isolated popliteus tendon complex injury on graft force in anterior cruciate ligament reconstructed knees. *Int Orthop*. 2011; 35: 1403-8.
12. Gill TJ, Van de Velde SK, Wing DW, Oh LS, Hosseini A, Li G: Tibiofemoral and patellofemoral kinematics after reconstruction of an isolated posterior cruciate ligament injury: *in vivo* analysis during lunge. *Am J Sports Med*. 2009; 37: 2377-85.
13. Goyal K, Tashman S, Wang JH, Li K, Zhang X, Harner C: *In vivo* analysis of the isolated posterior cruciate ligament-deficient knee during functional activities. *Am J Sports Med*. 2012; 40: 777-85.
14. Harner CD, Vogrin TM, Hoher J, Ma CB, Woo SL: Biomechanical analysis of a posterior cruciate ligament reconstruction. Deficiency of the posterolateral structures as a cause of graft failure. *Am J Sports Med*. 2000; 28: 32-9.
15. Hatsushika D, Nimura A, Mochizuki T, Yamaguchi K, Muneta T, Akita K: Attachments of separate small bundles of human posterior cruciate ligament: an anatomic study. *Knee Surg Sports Traumatol Arthrosc*. 2013; 21: 998-1004.
16. Ishigooka H, Sugihara T, Shimizu K, Aoki H, Hirata K: Anatomical study of the popliteofibular ligament and surrounding structures. *J Orthop Sci*. 2004; 9: 51-8.
17. Jung GH, Kim JD, Kim H: Location and classification of popliteus tendon's origin: cadaveric study. *Arch Orthop Trauma Surg*. 2010; 130: 1027-32.
18. Kennedy NI, Wijdicks CA, Goldsmith MT, Michalski MP, Devitt BM, Aroen A, Engebretsen L, Laprade RF: Kinematic analysis of the posterior cruciate ligament, part 1: the individual and collective function of the anterolateral and posteromedial bundles. *Am J Sports Med*. 2013; 41: 2828-38.
19. Kim JG, Ha JG, Lee YS, Yang SJ, Jung JE, Oh SJ: Posterolateral corner anatomy and its anatomical reconstruction with single fibula and double femoral sling method: anatomical study and surgical technique. *Arch Orthop Trauma Surg*. 2009; 129: 381-5.
20. King AJ, Deng Q, Tyson R, Sharp JC, Matwiy J, Tomanek B, Dunn JF: *In vivo* open-bore MRI reveals region- and sub-arc-specific lengthening of the unloaded human posterior cruciate ligament. *PLoS One*. 2012; 7: e48714.
21. LaPrade RF, Bollom TS, Wentorf FA, Wills NJ, Meister K: Mechanical properties of the posterolateral structures of the knee. *Am J Sports Med*. 2005; 33: 1386-91.
22. LaPrade RF, Ly TV, Wentorf FA, Engebretsen L: The posterolateral attachments of the knee: a qualitative and quantitative morphologic analysis of the fibular collateral ligament, popliteus tendon, popliteofibular ligament, and lateral gastrocnemius tendon. *Am J Sports Med*. 2003; 31: 854-60.
23. LaPrade RF, Muench C, Wentorf F, Lewis JL: The effect of injury to the posterolateral structures of the knee on force in a posterior cruciate ligament graft: a biomechanical study. *Am J Sports Med*. 2002; 30: 233-8.
24. LaPrade RF, Tso A, Wentorf FA: Force measurements on the fibular collateral ligament, popliteofibular ligament, and popliteus tendon to applied loads. *Am J Sports Med*. 2004; 32: 1695-701.
25. LaPrade RF, Wozniczka JK, Stellmaker MP, Wijdicks CA: Analysis of the static function of the popliteus tendon and evaluation of an anatomic reconstruction: the "fifth ligament" of the knee. *Am J Sports Med*. 2010; 38: 543-9.
26. Lasmar RC, Marques de Almeida A, Serbino JW Jr, Mota Albuquerque RF, Hernandez AJ: Importance of the different posterolateral knee static stabilizers: biomechanical study. *Clinics (Sao Paulo)*. 2010; 65: 433-40.
27. Li G, Most E, DeFrate LE, Suggs JF, Gill TJ, Rubash HE: Effect of the posterior cruciate ligament on posterior stability of the knee in high flexion. *J Biomech*. 2004; 37: 779-83.
28. Li G, Papannagari R, Li M, Bingham J, Nha KW, Allred D, Gill T: Effect of posterior cruciate ligament deficiency on *in vivo* translation and rotation of the knee during weightbearing flexion. *Am J Sports Med*. 2008; 36: 474-9.
29. Miyasaka T, Matsumoto H, Suda Y, Otani T, Toyama Y: Coordination of the anterior and posterior cruciate ligaments in constraining the varus-valgus and internal-external rotatory instability of the knee. *J Orthop Sci*. 2002; 7: 348-53.
30. Munshi M, Pretterklieber ML, Kwak S, Antonio GE, Trudell DJ, Resnick D: MR imaging, MR arthrography, and specimen correlation of the posterolateral corner of the knee: an anatomic study. *AJR Am J Roentgenol*. 2003; 180: 1095-101.
31. Murthy CK: Origin of popliteus muscle in man. *J Indian Med Assoc*. 1976; 67: 97-9.
32. Nakagawa S, Johal P, Pinskerova V, Komatsu T, Sosna A, Williams A, Freeman MA: The posterior cruciate ligament during flexion of the normal knee. *J Bone Joint Surg Br*. 2004; 86: 450-6.
33. Osti M, Tschann P, Kunzel KH, Benedetto KP: Posterolateral corner of the knee: microsurgical analysis of anatomy and morphometry. *Orthopedics*. 2013; 36: e1114-20.
34. Papannagari R, DeFrate LE, Nha KW, Moses JM, Moussa M, Gill TJ, Li G: Function of posterior cruciate ligament bundles during *in vivo* knee flexion. *Am J Sports Med*. 2007; 35: 1507-12.
35. Pasque C, Noyes FR, Gibbons M, Levy M, Grood E: The role of the popliteofibular ligament and the tendon of popliteus in providing stability in the human knee. *J Bone Joint Surg Br*. 2003; 85: 292-8.
36. Peduto AJ, Nguyen A, Trudell DJ, Resnick DL: Popliteomeniscal fascicles: anatomic considerations using MR arthrography in cadavers. *AJR Am J Roentgenol*. 2008; 190: 442-8.
37. Petersen W, Tillmann B: Blood and lymph supply of the

posterior cruciate ligament: a cadaver study. *Knee Surg Sports Traumatol Arthrosc*. 1999; 7: 42-50.
38. Petersen W, Tillmann B: Structure and vascularization of the cruciate ligaments of the human knee joint. *Anat Embryol (Berl)*. 1999; 200: 325-34.
39. Raheem O, Philpott J, Ryan W, O'Brien M: Anatomical variations in the anatomy of the posterolateral corner of the knee. *Knee Surg Sports Traumatol Arthrosc*. 2007; 15: 895-900.
40. Reis FP, de Carvalho CA: Anatomical study on the proximal attachments of the human popliteus muscle. *Rev Bras Pesqui Med Biol*. 1975; 8: 373-80.
41. Scapinelli R: Vascular anatomy of the human cruciate ligaments and surrounding structures. *Clin Anat*. 1997; 10: 151-62.
42. Staubli HU, Birrer S: The popliteus tendon and its fascicles at the popliteal hiatus: gross anatomy and functinal arthroscopic evaluation with and without anterior cruciate ligament deficiency. *Arthroscopy*. 1990; 6: 209-20.
43. Sudasna S, Harnsiriwattanagit K: The ligamentous structures of the posterolateral aspect of the knee. *Bull Hosp Jt Dis Orthop Inst*. 1990; 50: 35-40.
44. Terry GC, LaPrade RF: The posterolateral aspect of the knee. Anatomy and surgical approach. *Am J Sports Med*. 1996; 24: 732-9.
45. Toutoungi DE, Lu TW, Leardini A, Catani F, O'Connor JJ: Cruciate ligament forces in the human knee during rehabilitation exercises. *Clin Biomech (Bristol, Avon)*. 2000; 15: 176-87.
46. Ullrich K, Krudwig WK, Witzel U: Posterolateral aspect and stability of the knee joint. I. Anatomy and function of the popliteus muscle-tendon unit: an anatomical and biomechanical study. *Knee Surg Sports Traumatol Arthrosc*. 2002; 10: 86-90.
47. Van de Velde SK, Bingham JT, Gill TJ, Li G: Analysis of tibiofemoral cartilage deformation in the posterior cruciate ligament-deficient knee. *J Bone Joint Surg Am*. 2009; 91: 167-75.
48. Van de Velde SK, Gill TJ, Li G: Dual fluoroscopic analysis of the posterior cruciate ligament-deficient patellofemoral joint during lunge. *Med Sci Sports Exerc*. 2009; 41: 1198-205.
49. Vogrin TM, Hoher J, Aroen A, Woo SL, Harner CD: Effects of sectioning the posterolateral structures on knee kinematics and in situ forces in the posterior cruciate ligament. *Knee Surg Sports Traumatol Arthrosc*. 2000; 8: 93-8.
50. von Eisenhart-Rothe R, Lenze U, Hinterwimmer S, Pohlig F, Graichen H, Stein T, Welsch F, Burgkart R: Tibiofemoral and patellofemoral joint 3D-kinematics in patients with posterior cruciate ligament deficiency compared to healthy volunteers. *BMC Musculoskelet Disord*. 2012; 13: 231.
51. Wadia FD, Pimple M, Gajjar SM, Narvekar AD: An anatomic study of the popliteofibular ligament. *Int Orthop*. 2003; 27: 172-4.
52. Wascher DC, Markolf KL, Shapiro MS, Finerman GA: Direct *in vitro* measurement of forces in the cruciate ligaments. Part I: the effect of multiplane loading in the intact knee. *J Bone Joint Surg Am*. 1993; 75: 377-86.
53. Watanabe Y, Moriya H, Takahashi K, Yamagata M, Sonoda M, Shimada Y, Tamaki T: Functional anatomy of the posterolateral structures of the knee. *Arthroscopy*. 1993; 9: 57-62.
54. Zaffagnini S, Martelli S, Garcia L, Visani A: Computer analysis of PCL fibres during range of motion. *Knee Surg Sports Traumatol Arthrosc*. 2004; 12: 420-8.
55. Zeng SX, Wu GS, Dang RS, Dong XL, Li HH, Wang JF, Liu J, Wang D, Huang HL, Guo XD: Anatomic study of popliteus complex of the knee in a Chinese population. *Anat Sci Int*. 2011; 86: 213-8.
56. Zhang H, Zhang J, Liu X, Shen JW, Hong L, Wang XS, Feng H: *In vitro* comparison of popliteus tendon and popliteofibular ligament reconstruction in an external rotation injury model of the knee: a cadaveric study evaluated by a navigation system. *Am J Sports Med*. 2013; 41: 2136-42.

(野崎　修平)

18. 疫学・病態

はじめに

後十字靱帯（PCL）損傷は，スポーツ外傷や交通外傷，転落時に発生する外力により，単独損傷もしくは複合靱帯損傷の一部として発生する．近年では，PCL損傷の疫学・病態に関する新しい知見が，少数ではあるものの報告されている．一方で，後外側構成体（PLC）損傷は前十字靱帯（ACL）損傷やPCL損傷の合併症としてみられることが多く，比較的まれではあるが単独損傷も生じることが報告されている．しかし，PLC損傷の疫学や病態に関する情報は，PCL損傷と比較して少ない．PLCの組織別における受傷メカニズムやその症状については明らかにされていない．本項では，PCL・PLC損傷の疫学，病態および受傷メカニズムについて最新の知見を整理した．疫学については，膝関節損傷におけるPCL・PLC損傷の発生率，競技別や年代別におけるPCL損傷の発生率，性差に関する報告を取り上げた．病態については，PCL・PLC損傷の受傷機転・症状・合併症について現在明らかにされている情報を整理した．

A. 文献検索方法

文献検索にはPubMedを用いた．キーワード「posterior cruciate ligament」と「epidemiology」を組み合わせてヒットした107件，「posterior cruciate ligament」と「mechanism」による134件，「posterolateral corner/complex」と「epidemiology」による21件，「posterolateral corner/complex」と「mechanism」による33件の論文から，本項のテーマであるPCL・PLC損傷の疫学・病態に関する20論文を抽出した．

B. PCL・PLC損傷の疫学

1. PCL損傷の受診者割合・発生率

PCL損傷の存在率や発生率についての研究は，他の靱帯損傷を含む疫学的調査の一部として行われてきた．Majewwskiら[16]は過去10年の間にスポーツで受傷し，医療機関を受診した患者17,397人，19,530件の膝疾患を対象に，膝靱帯損傷と半月板損傷の受診者割合を調査した．その結果，PCL損傷1.5%，ACL損傷45.4%，内側半月板損傷24.0%，MCL損傷17.6%，外側半月板損傷8.2%，LCL損傷2.5%であった．Swensonら[20]はNational High School Sports-Related Injury Surveillance Systemに登録されていた高校生を対象に過去5年間の膝靱帯損傷と半月板損傷の発生率を調査した．その結果，PCL損傷0.1/10,000 Athlete-Exposures（AE）（10,000名のアスリートが1回の練習もしくは試合を実施した際の発生率），MCL損傷0.8/10,000 AE，ACL損傷0.6/10,000 AE，半月板損傷0.5/10,000 AE，LCL損傷0.2/10,000 AEであった．これらの報告によると，膝関節におけるスポーツ損傷のうちPCL損傷の発生率は低い（図18-1）．

第5章 後十字靱帯・膝後外側構成体損傷

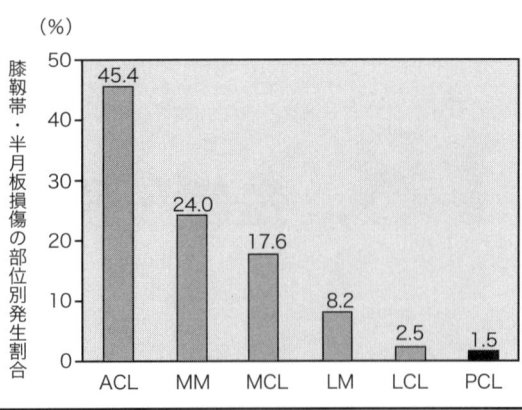

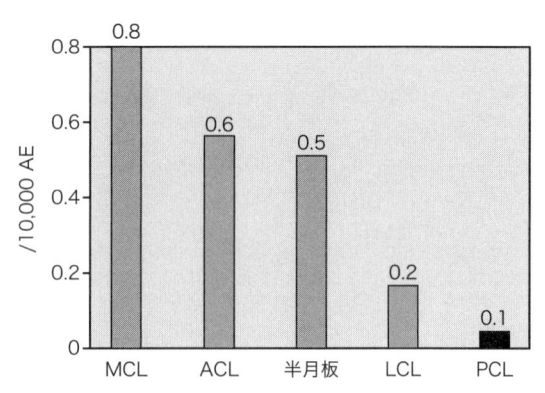

図18-1 膝関節損傷における膝靱帯・半月板損傷の部位別発生割合（文献16, 20より作図）
膝関節におけるスポーツ損傷に占めるPCL損傷の割合は低い。ACL：前十字靱帯，MM：内側半月板，LM：外側半月板，MCL：内側側副靱帯，LCL：外側側副靱帯。

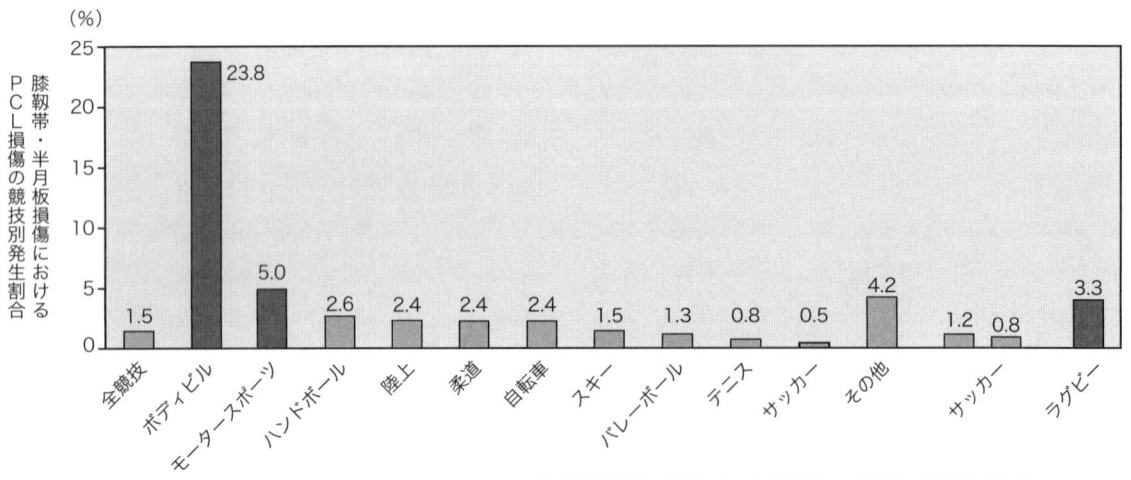

図18-2 後十字靱帯（PCL）損傷の競技別発生割合（文献7, 16, 17より作図）
他競技と比較して，ボディビル・モータースポーツ・ラグビーでの発生率が高い。

2. PCL損傷の競技別発生率

膝靱帯損傷および半月板損傷の発生率を競技別に調査した報告によると，PCL損傷の発生率はボディビルにおいて23.8％と最も高かった[16]。Quisquaterら[17]はベルギーのサッカーリーグにおけるサッカー選手を対象に，1999～2000年シーズンと2009～2010年シーズンにおける膝関節損傷の発生率を調査した。その結果，膝靱帯損傷および半月板損傷におけるPCL損傷の発生率は1999～2000年シーズンと2009～2010年シーズンでそれぞれ1.2％，0.8％であった。Dallalanaら[7]はイギリスのプロラグビー選手を対象に膝関節損傷の発生率を調査した。その結果，膝靱帯損傷および半月板損傷におけるPCL損傷の発生率は3.3％であった。これらの研究により，他競技と比較してボディビルにおけるPCL損傷の発生率が高いことが示された（図18-2）。しかし，そもそもPCL損傷の発生率が低いためコンセンサスを得るに十分なデータが得られていない。

18. 疫学・病態

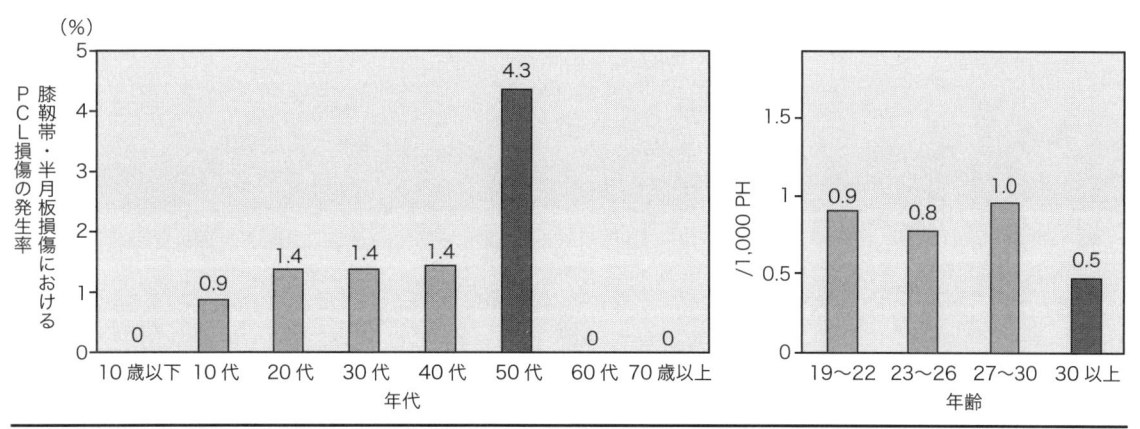

図 18-3 後十字靱帯（PCL）損傷の年代別発生率（文献 7, 16 より作図）
すべてのスポーツ損傷における PCL 損傷の発生率は 50 代で高く，プロラグビー選手における発生率は 30 代より 20 代で高い。

3．PCL 損傷の年代別発生率

前述した Majewwski ら[16]の調査における年齢別の PCL 損傷の受診者割合は，9 歳以下 0%，10 代 0.9%，20 代 1.4%，30 代 1.4%，40 代 1.4%，50 代 4.3%，60 代 0%，70 歳以上 0% であった（**図 18-3**）。Dallalana ら[7]の調査による PCL 損傷の年代別発生率は，19〜22 歳 0.9/1,000 player-hours（PH）（1,000 名のアスリートが 1 時間の練習もしくは試合を実施した際の発生率），23〜26 歳で 0.8/1,000 PH，27〜30 歳 1.0/1,000 PH，30 歳以上 0.5/1,000 PH であった。これらの研究より，すべてのスポーツ損傷では 50 代で PCL 損傷の発生率が高く，プロレベルのラグビー選手では 30 代より 20 代で PCL 損傷の発生率が高かった。しかし，その原因については明らかにされていない。また，研究によって競技レベルや種目が異なるため，データの解釈には留意する必要がある。

4．PCL 損傷の男女別発生率

膝関節損傷の発生率の性差について調査した報告では，膝靱帯損傷と半月板損傷における PCL 損傷の発生率が男性 1.5%，女性 1.5% であった。Arendt ら[2]は National Collegiate Athletic Association Database に登録されていた大学生を対象に過去 10 年間の PCL 損傷の発生率を調査した。その結果，サッカー選手では男女ともに 0.04/10,000 AE，バスケットボール選手では男女ともに 0.01/10,000 AE であった。これらの研究により，サッカーとバスケットボールにおける PCL 損傷の発生率には性差は認められないことが示された（**図 18-4**）。

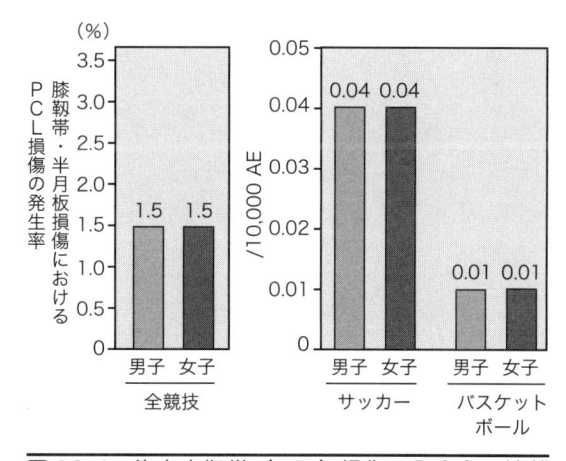

図 18-4 後十字靱帯（PCL）損傷の発生率の性差（文献 2, 16 より作図）
サッカーとバスケットボールにおいて，PCL 損傷の発生率に性差は認められなかった。

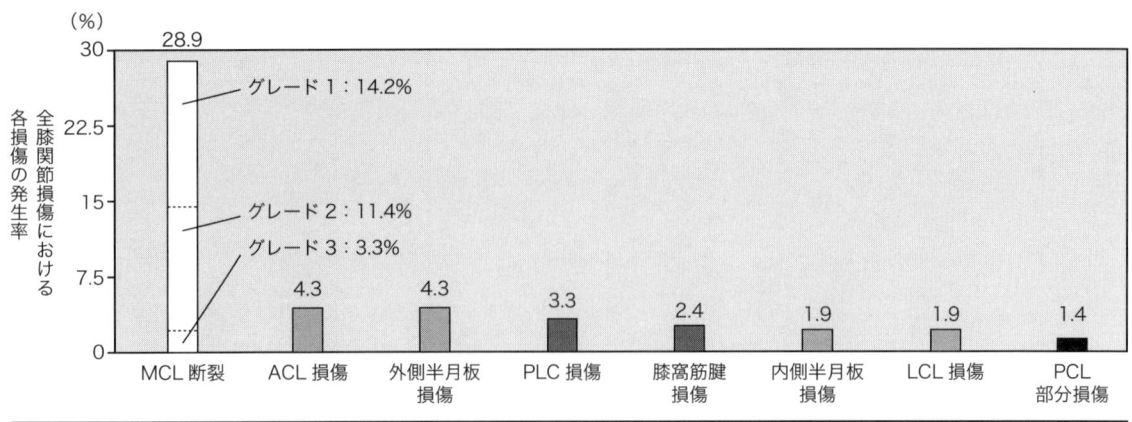

第5章 後十字靱帯・膝後外側構成体損傷

図18-5 プロラグビー選手の膝関節損傷に占める各損傷の発生率（文献7より引用）
プロラグビー選手ではPCL損傷よりもPLC損傷の発生率が高い。

5. ラグビー選手におけるPLC損傷の発生率

　スポーツのPCL・PLC損傷発生率調査として，ラグビーにおける発生率調査が存在した。Dallalanaら[7]はイギリスのプロラグビー選手546名を対象に，2シーズンにわたって膝関節損傷の発生率を調査した。その結果，合計211件の膝関節損傷（ACL損傷，PCL損傷，MCL損傷，LCL損傷，内側半月板損傷，外側半月板損傷，PLC損傷，膝窩筋腱損傷，軟骨損傷，変形性関節炎，離断性骨軟骨症，動揺膝，膝蓋大腿関節痛，膝蓋下脂肪体血腫・炎症，膝蓋骨脱臼・骨折，膝蓋腱断裂）が発生した。そのうち，PCL部分損傷の発生率は3件（1.4％）であった。他の発生率は，PLC損傷3.3％，MCL損傷28.9％（グレード1損傷14.2％，グレード2損傷11.4％，グレード3損傷3.3％），ACL損傷4.3％，外側半月板損傷4.3％，膝窩筋腱損傷2.4％，内側半月板損傷1.9％，LCL損傷1.9％などであった。以上より，ラグビー選手ではPCL損傷よりもPLC損傷の発生率が高い可能性が示された（図18-5）。しかし，他の競技におけるPCLおよびPLC損傷の発生率が報告されていないため，今後，ラグビー選手以外を対象とした疫学調査により新たな知見が得られることが期待される。

C. PCL損傷の病態と受傷メカニズム

1. PCL損傷の受傷機転

　PCL損傷の受傷機転は下腿前面への外力が関与している場合が多い。Fowlerら[10]は，PCL単独損傷が生じたアスリート13人を対象に受傷機転を調査した。その結果，膝関節過屈曲が46％と最も多く，次に膝深屈曲位における脛骨前面への外力（ダッシュボード損傷）が15％であった。Schulzら[18]は，PCL単独損傷と複合膝靱帯損傷患者494人（スポーツ外傷40％，交通外傷45％）を対象にPCL損傷の受傷機転について調査した。全体の24.7％がサッカーでの受傷であった。交通事故を含めたPCL損傷の受傷機転として，脛骨前面への外力（ダッシュボード損傷）が38.5％，膝関節屈曲位での落下が24.6％と多く，次いで外反12.7％，過伸展が11.9％であった。この研究では，対象がアスリートに限定されていないため，今後，アスリートに限定した大規模な調査が必要である。また，競技特性を考慮した受傷機転については明らかになっていない。

2. PCL損傷の症状

　Boyntonら[4]は質問紙を用い，PCL損傷患者

18. 疫学・病態

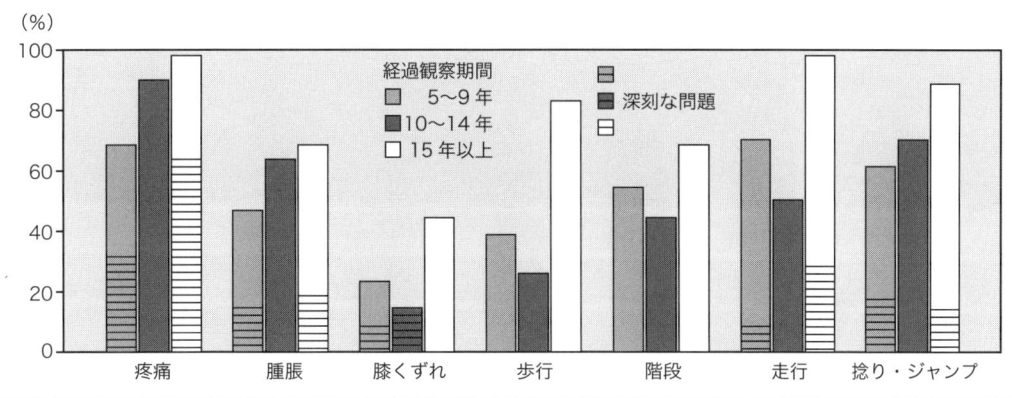

図18-6 平均13.4年間経過観察した後十字靱帯（PCL）不全膝の症状と機能（文献4より作図）
PCL不全膝患者の多くは症状を訴えており，特に疼痛，腫脹，膝くずれ，走行，捻り・ジャンプにおいて深刻な問題と捉えている患者が多かった。しかし，歩行時や階段動作時において深刻な問題として捉えている患者はいなかった。

を平均13.4年の経過観察期間にわたり，PCL不全膝の症状（疼痛，腫脹，膝くずれ）と機能（歩行，階段，走行，捻り・ジャンプ）を調査した。その結果，PCL不全膝の対象者の大多数は症状を訴えており，特に疼痛，腫脹，膝くずれ，走行，捻り・ジャンプにおいて深刻な問題と捉えている患者が多いことが示された。しかし，歩行時や階段動作時において深刻な問題として捉えている患者はいなかったことが報告された。（**図18-6**）。Adachiら[1]は，posterior laxity（大腿骨に対する脛骨の後方移動量）の経時的変化を知ることを目的に，ストレスX線撮影を用いて後方移動量の患健差を計測した。その結果から，対象者を①初診時の後方移動量が8 mm未満の群，②初診時の後方移動量が8 mm以上かつ6ヵ月後に後方移動量が4 mm以上改善した群，③初診時の後方移動量が8 mm以上かつ6ヵ月後に後方移動量の改善がなかった群，に分類した。各群のMRIを確認したところ，後方移動量が改善した群にはPCLの膨化（全体に高信号化した膨化像を認めるもの）が存在したが，改善しなかった群には不整（一部に断端か不整を認めるもの）と途絶（靱帯に完全な途絶を認めるもの）が含まれていた。この研究結果から，受診後早期のMRI

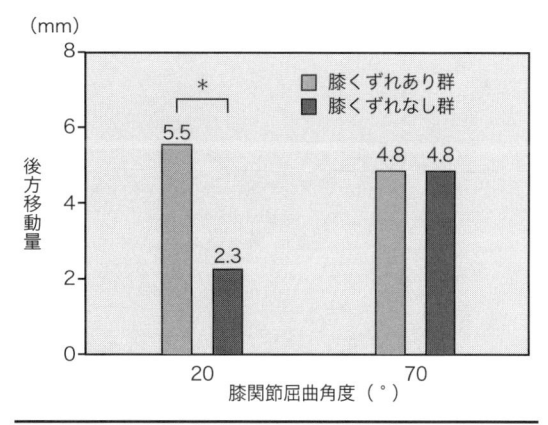

図18-7 階段降段時に膝くずれの有無による脛骨後方移動量（文献14より引用）
PCL損傷の6ヵ月後以降は，浅屈曲位における後方移動量が階段降段時の膝くずれを引き起こす可能性が示された。＊有意差あり。

にてPCLが全体に高輝度を呈し膨化している症例では，後方移動量が改善される可能性が示された。しかし，PCL損傷後のMRI評価を実施した研究はAdachiら[1]の研究以外に見あたらない。今後は，PCL損傷後のMRI評価における膨化・不整・途絶の割合に関する研究や，画像評価の検者内・検者間信頼性に関する研究が必要である。

PCL不全膝の症状の1つに膝くずれがある。Iwataら[14]は受傷後6ヵ月以上経過したPCL損傷患者を対象に，階段降段時に膝くずれが生じる

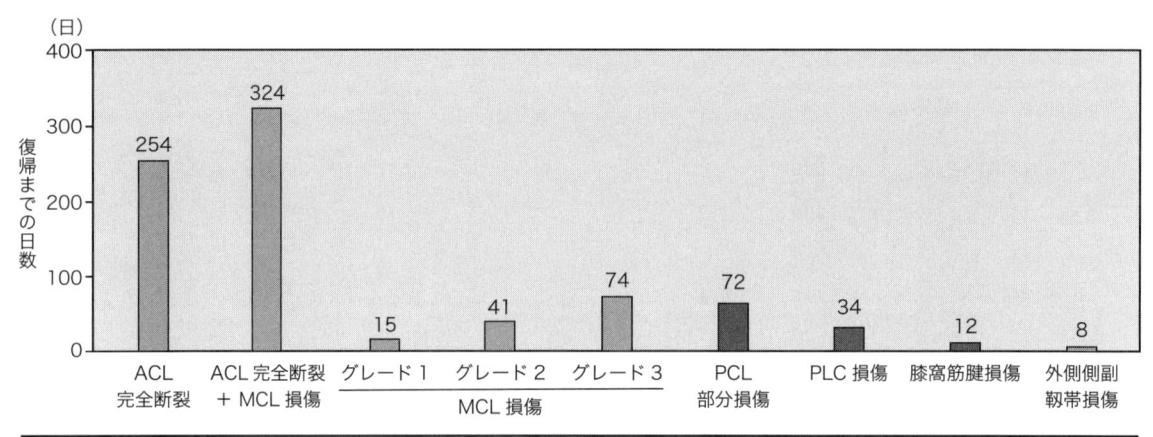

第5章 後十字靱帯・膝後外側構成体損傷

図18-8 プロラグビー選手における膝関節損傷受傷から復帰までの日数（文献7より引用）
復帰までにPCL部分損傷では平均72日，PLC損傷では34日を要した。

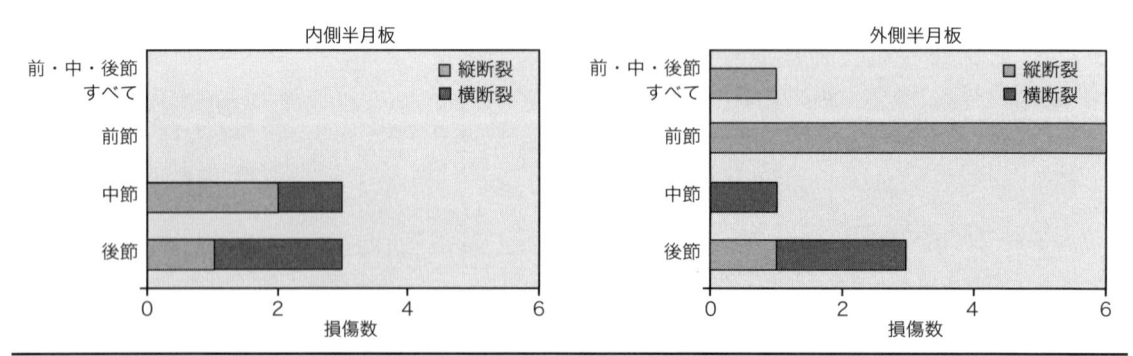

図18-9 後十字靱帯（PCL）損傷受傷後3ヵ月以内に鏡視下にて確認された半月板損傷（文献11より引用）
外側半月板の前節の縦断裂や内側半月板・外側半月板の中節・後節の横断裂が多く生じた。

群と生じない群に分け，脛骨後方移動量（mm）と膝くずれ発生との関係について調査した。その結果，膝屈曲20°において，膝くずれあり群では5.5 mm，膝くずれなし群では2.3 mmと有意差が認められた。これにより，PCL損傷6ヵ月後以降は，浅屈曲位における後方移動量が階段降段時の膝くずれを引き起こす可能性が示された（図18-7）。

PCL損傷は保存療法でスポーツへ復帰することが可能である。Dallalanaら[7]はプロラグビー選手の膝関節損傷における復帰までの日数を調査した。その結果，PCL部分断裂では復帰までに平均72日，PLC損傷では復帰までに34日を要した（図18-8）。なお，ノンコンタクトスポーツにおける競技復帰までの期間についての研究は見あたらない。

3．PCL損傷の合併症

PCL損傷の合併症についての研究がいくつかみられた。Hamadaら[11]は受傷して3ヵ月以内のPCL損傷膝における半月板損傷を鏡視下にて調査した。その結果，外側半月板の前節の縦断裂や内側・外側半月板の中節・後節の横断裂が多く生じていた（図18-9）。また，PCL単独損傷の31％に内側大腿顆の関節軟骨損傷が合併していた。Strobelら[19]はPCL単独損傷と複合靱帯損傷における軟骨損傷の合併率を調査した。その結果，内側大腿顆の関節軟骨損傷は，PCL単独損

表 18-1 後十字靭帯（PCL）損傷膝における関節軟骨損傷を鏡視下にて検討した研究（文献 11，12，19 より作成）

	損傷形態	PCL 損傷重症度	受傷から評価までの期間	結果
Hamada ら [11]	単独損傷	後方引き出しサイングレード 2+，3+	1 ヵ月（4 日〜3 ヵ月）	内側大腿顆 31%
Strobel ら [19]	単独損傷複合損傷	ストレス撮影 5 mm 以上	48 ヵ月（2 週〜12.5 年）	内側大腿顆 PCL 単独 36.6%，複合損傷 60.6%
Hermans ら [12]	単独損傷	後方引き出しサイングレード 2〜4	1.5 年（3 週〜10 年）	内側大腿顆 36.6%

PCL 単独損傷・複合靭帯損傷，PCL 損傷の重症度，受傷してから確認するまでの期間が異なっていても，PCL 損傷に合併して内側大腿顆の関節軟骨損傷が生じた。

傷で 31%，複合靭帯損傷で 60.6% にみられた。さらに，Hermans ら [12] は PCL 単独損傷の 36.6% に内側大腿顆の関節軟骨損傷を認めた。以上より，PCL 単独損傷・複合靭帯損傷，PCL 損傷の重症度，受傷してから確認するまでの期間が異なっていても，PCL 損傷に合併して内側大腿顆の関節軟骨損傷が生じる可能性が示された（表 18-1）。今後，受傷機転の違いによる半月板の損傷部位や損傷形態に関する研究が期待される。

D. PLC 損傷の病態

1. PLC 損傷の受傷メカニズム

PLC 損傷の受傷メカニズムについていくつかの研究が存在した。Baker ら [3] は PLC 再建術を行った 17 人の患者の受傷機転を調査した。その結果，17 人のうち 6 人は脛骨近位部の内側面が後外側方向に打ちつけられるような衝撃による過伸展，他の 6 人は過伸展と外旋方向，2 人は純粋な過伸展による損傷だった。Delee ら [8] は PLC 再建術を行った 12 人の患者の受傷機転を調査した。その結果，5 人は脛骨近位部の内側面が打ちつけられて損傷していた。屍体膝を用いた Csintalan ら [6] の実験では，大腿に対して下腿外旋方向のストレスをかけると，PLC（膝窩筋腱・膝窩腓骨靭帯）や MCL，LCL，ACL が損傷した。屍体膝を用いた Fornalski ら [9] の実験では，大腿骨に対して脛骨近位に後方ストレスをかけると，過伸展の増加に伴って PLC（膝窩筋腱・膝窩腓骨靭帯）と ACL が損傷した。これらの報告により，PLC は膝関節過伸展方向のストレスや下腿外旋方向のストレスによって損傷されることが明らかとなった。しかし，PLC を構成する組織別における発生メカニズムについての情報はまだ不足している。

2. PLC 損傷の受傷機転

ラグビーにおける PLC 損傷の受傷機転が存在した。Dallalana ら [7] はプロラグビー選手における PLC・PCL 損傷の受傷機転について調査した。その結果，コンタクト条件ではタックル 27%，衝突 13% であり，ノンコンタクト条件ではツイスト 20% であった（図 18-10）。ただし，PLC 損傷と PCL 損傷が合わさっているため，それぞれの詳細な受傷機転は不明であった。今後，ラグビー以外の競技における受傷機転についての研究が期待される。

3. PLC 損傷の症状

PLC 損傷後の症状は比較的軽い。Delee ら [8] は PLC 単独損傷後の症状として膝関節後外側に

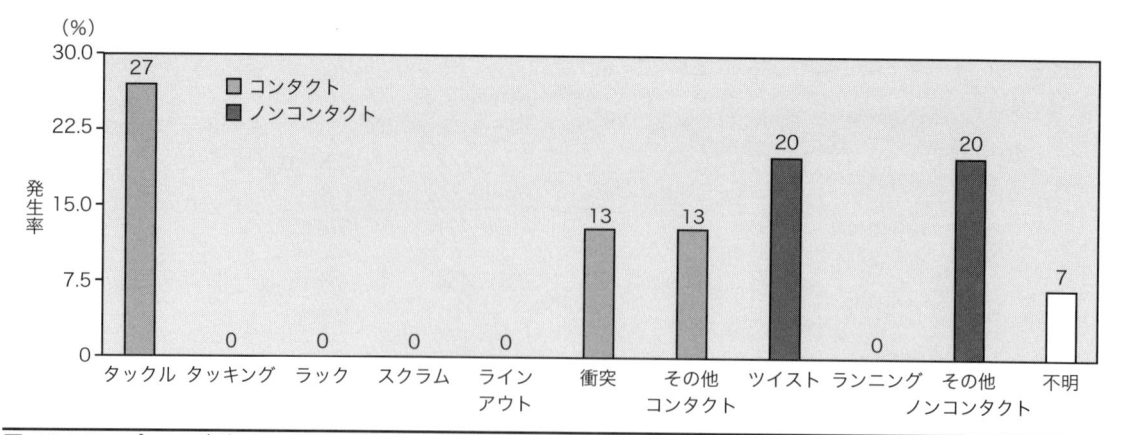

図18-10 プロラグビー選手の後外側構成体（PLC），後十字靱帯（PCL）損傷の受傷機転別発生率（文献7より引用）
PLC, PCL損傷の受傷機転としては，コンタクト条件でタックル27％，衝突13％であり，ノンコンタクト条件でツイスト20％であった。

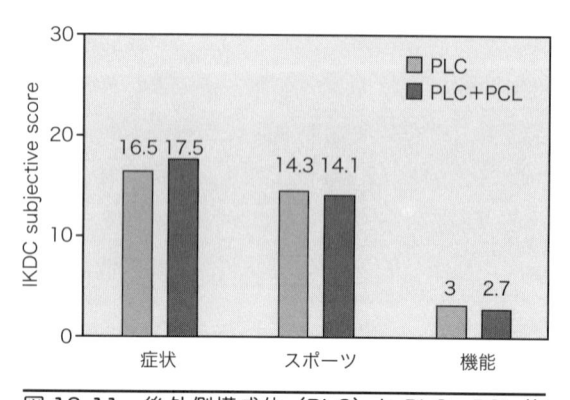

図18-11 後外側構成体（PLC）とPLC・PCL複合損傷におけるIKDC subjective score（文献15より引用）
PLC単独損傷とPLC・PCL合併損傷後のIKDC subjective scoreに差はなかった。

圧痛と腫脹が広く生じることを報告した。Hughstonら[13]は過伸展方向に膝くずれが生じるため，歩行中は膝関節軽度屈曲位となり，階段や坂道の移動，回旋運動（ツイスト・ピボット・カッティング）に障害が生じると報告した。PLC損傷の症状に関する情報は不足しており，PLCの組織別症状や程度については明らかとなっていない。臨床スコアに関して，Kimら[15]がPLC単独損傷とPLC・PCL合併損傷後のIKDC subjective scoreを比較したところ差はなかった

（図18-11）。したがって，症状や機能だけでは複合損傷を判別できず，PLC損傷における評価・診断が重要となる可能性がある。

PLC損傷は保存療法でスポーツに復帰することが可能である。Dallalanaら[7]はプロラグビー選手の膝関節損傷における復帰までの日数を調査した。その結果，PLC損傷で平均34日，膝窩筋腱損傷で平均12日であった（図18-8）。PLC損傷は復帰までに約2～5週の期間を要したが，PLCの組織別の復帰までの期間は分析されていない。

4．PLC損傷の合併症

PLC単独損傷は少ないようである。Cortenら[5]はPLC・ACL・PCL複合損傷膝における半月板損傷・関節軟骨損傷を鏡視下にて調査した。その結果，内側大腿顆47.6％，内側脛骨プラトー42.9％，内側半月板後節33.3％，外側半月板後節19.0％であった（図18-12）。PLC単独損傷における半月板損傷や関節軟骨損傷については明らかとなっていないが，PLCとACL・PCL複合損傷において，内側・外側半月板の後節，内側大腿顆・内側脛骨プラトーの損傷が多く生じること

18. 疫学・病態

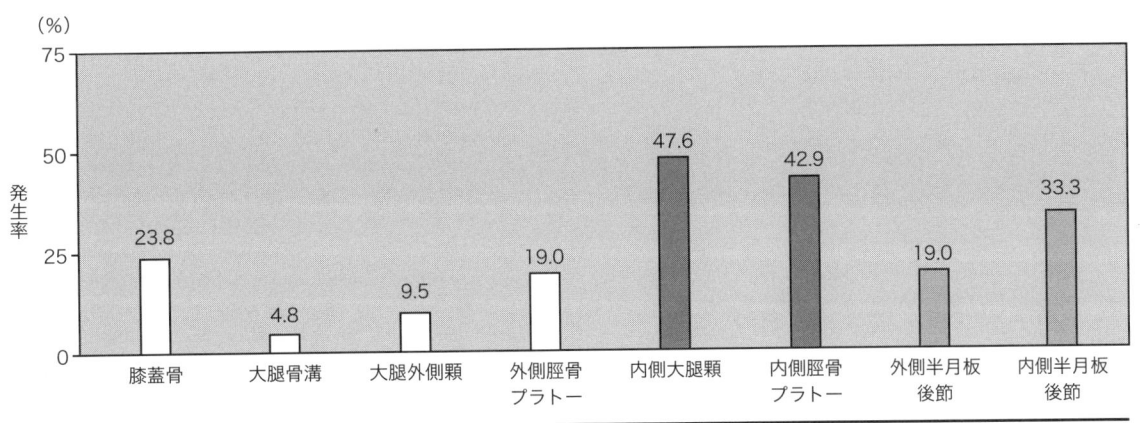

図18-12 PLC・ACL・PCL複合損傷膝における鏡視下での半月板損傷・関節軟骨損傷の合併率（文献5より引用）
PLCとACL・PCL複合損傷において，内側半月板・外側半月板の後節，内側大腿顆・内側脛骨プラトーの損傷が多く発生した。

棒グラフデータ：
- 膝蓋骨：23.8
- 大腿骨溝：4.8
- 大腿外側顆：9.5
- 外側脛骨プラトー：19.0
- 内側大腿顆：47.6
- 内側脛骨プラトー：42.9
- 外側半月板後節：19.0
- 内側半月板後節：33.3

が示された。

E. まとめ

1. すでに真実として承認されていること
- アスリートにおいてPCL損傷は膝関節損傷のなかで最も発生率が低い。
- アスリートにおけるPCL損傷の発生率に性差は認められない。
- PCL不全膝の患者の多くは症状をもっており，特に疼痛，腫脹，膝くずれ，走行，捻り・ジャンプを深刻な問題として捉えている患者もいる。

2. 議論の余地はあるが，今後の重要な研究テーマとなること
- 受診後早期のMRIにてPCLが全体に高輝度を呈し膨化している症例では，後方移動量が改善する可能性。

3. 真実と思われていたが実は疑わしいこと
- 膝関節屈曲位で転倒し，膝から着地した際にPCL損傷を発症するアスリートが多いこと。

F. 今後の課題

- 競技レベルや年代の条件を除外したPCL・PLC損傷発生率の競技別特性の検討。
- 競技種目や競技レベルの影響を除外したPCL・PLC損傷発生率の年代別特性の検討。
- 競技別のPCL・PLC受傷機転に関する検討。
- PCL損傷後のMRI評価における膨化・不整・途絶の割合に関する検討や，画像評価の検者内・検者間信頼性に関する検討。
- 受傷機転の違いによる半月板の損傷部位や損傷形態に関する検討。

文献

1. Adachi N, Ochi M, Sumen Y, Deie M, Murakami Y, Uchio Y: Temporal changes in posterior laxity after isolated posterior cruciate ligament injury 35 patients examined by stress radiography and MRI. *Acta Orthopaedica*. 2003; 74: 683-8.
2. Arendt EA, Agel J, Dick R: Anterior cruciate ligament injury patterns among collegiate men and women. *J Athl Train*. 1999; 34: 86.
3. Baker Jr C, Norwood L, Hughston J: Acute posterolateral rotatory instability of the knee. *J Bone Joint Surg Am*. 1983; 65: 614.
4. Boynton MD, Tietjens BR: Long-term followup of the untreated isolated posterior cruciate ligament-deficient knee. *Am J Sports Med*. 1996; 24: 306-10.

5. Corten K, Bellemans J: Cartilage damage determines intermediate outcome in the late multiple ligament and posterolateral corner-reconstructed knee: a 5- to 10-year follow-up study. *Am J Sports Med*. 2008; 36: 267-75.
6. Csintalan RP, Ehsan A, McGarry MH, Fithian DF, Lee TQ: Biomechanical and anatomical effects of an external rotational torque applied to the knee: a cadaveric study. *Am J Sports Med*. 2006; 34: 1623-9.
7. Dallalana RJ, Brooks JH, Kemp SP, Williams AM: The epidemiology of knee injuries in English professional rugby union. *Am J Sports Med*. 2007; 35: 818-30.
8. Delee JC, Riley MB, Rockwood CA: Acute posterolateral rotatory instability of the knee. *Am J Sports Med*. 1983; 11: 199-207.
9. Fornalski S, McGarry MH, Csintalan RP, Fithian DC, Lee TQ: Biomechanical and anatomical assessment after knee hyperextension injury. *Am J Sports Med*. 2008; 36: 80-4.
10. Fowler P, Messieh S: Isolated posterior cruciate ligament injuries in athletes. *Am J Sports Med*. 1987; 15: 553-7.
11. Hamada M, Shino K, Mitsuoka T, Toritsuka Y, Natsuume T, Horibe S: Chondral injury associated with acute isolated posterior cruciate ligament injury. *Arthroscopy*. 2000; 16: 59-63.
12. Hermans S, Corten K, Bellemans J: Long-term results of isolated anterolateral bundle reconstructions of the posterior cruciate ligament a 6-to 12-year follow-up study. *Am J Sports Med*. 2009; 37: 1499-507.
13. Hughston JC, Jacobson K: Chronic posterolateral rotatory instability of the knee. *J Bone Joint Surg Am*. 1985; 67: 351-9.
14. Iwata S, Suda Y, Nagura T, Matsumoto H, Otani T, Toyama Y: Posterior instability near extension is related to clinical disability in isolated posterior cruciate ligament deficient patients. *Knee Surg Sports Traumatol Arthrosc*. 2007; 15: 343-9.
15. Kim SJ, Lee SK, Kim SH, Kim SH, Jung M: Clinical outcomes for reconstruction of the posterolateral corner and posterior cruciate ligament in injuries with mild grade 2 or less posterior translation: comparison with isolated posterolateral corner reconstruction. *Am J Sports Med*. 2013; 41: 1613-20.
16. Majewski M, Susanne H, Klaus S: Epidemiology of athletic knee injuries: a 10-year study. *Knee*. 2006; 13: 184-8.
17. Quisquater L, Bollars P, Vanlommel L, Claes S, Corten K, Bellemans J: The incidence of knee and anterior cruciate ligament injuries over one decade in the Belgian soccer league. *Acta Orthopaedica Belgica*. 2013; 79: 541-6.
18. Schulz MS, Russe K, Weiler A, Eichhorn HJ, Strobel MJ: Epidemiology of posterior cruciate ligament injuries. *Arch Orthop Trauma Surg*. 2003; 123: 186-91.
19. Strobel MJ, Weiler A, Schulz MS, Russe K, Eichhorn HJ: Arthroscopic evaluation of articular cartilage lesions in posterior-cruciate-ligament-deficient knees. *Arthroscopy*. 2003; 19: 262-8.
20. Swenson DM, Collins CL, Best TM, Flanigan DC, Fields SK, Comstock RD: Epidemiology of knee injuries among US high school athletes, 2005/2006-2010/2011. *Med Sci Sports Exerc*. 2013; 45: 462-9.

(野村　勇輝)

19. 診断・評価

はじめに

　後十字靱帯（PCL）・後外側構成体（PLC）損傷において，臨床症状とともに組織損傷の状態に応じて保存療法や手術療法の治療法が選択される．そのため，PCL・PLC損傷の評価・診断において，損傷組織の特定と重症度を正確に把握することが重要となる．組織損傷の有無および鑑別には，徒手的な特殊検査やMRIをはじめとする画像診断が活用される．本項では，これらの評価方法とその感度・特異度について文献的に調査し，各種検査が有するPCL・PLC損傷の検出率，長所および限界について整理した．

A. 文献検索方法

　文献検索にはPubMedを利用した．検索ワードとして「posterior cruciate ligament/PCL」「posterolateral corner/complex/structure」「diagnosis」「assessment」「evaluation」を用い，ヒットしたPCLに関する368件，PLCに関する72件から関連する文献を選択した．加えてハンドサーチを用い，今回のテーマに関連する文献を適宜加え，合計41論文をレビューした．

B. 後十字靱帯（PCL）損傷

1. 徒手検査

1）後方引き出しテスト

　後方引き出しテストは，PCL損傷に対する徒手検査として最も多くの論文において妥当性の検証が行われてきた[3, 7, 27, 28, 31]．後方引き出しテストは，背臥位，股関節および膝関節屈曲位，下腿回旋中間位にて脛骨近位を把持して後方剪断力を加え，大腿骨に対する脛骨の後方変位の有無を判断する方法である（図19-1）．関節切開・鏡視下手術時の所見を確定診断とした場合，後方引き出しテストの感度は51%[27]，67%[28]，86%[3]，100%[7]などばらつきが大きかった．Rubinsteinら[31]は，MRI・鏡視下手術時の所見を確定診断とし，二重盲検下で後方引き出しテストの感度・特異度を求めた．その結果，感度90%，特異度99%であった．これらの研究では患者選択・検査結果の解釈・感度・特異度の算出方法にバイアス混入の危険性がある[20]．そのため，後方引き出しテストの感度・特異度についてのコンセンサスは得られていない．

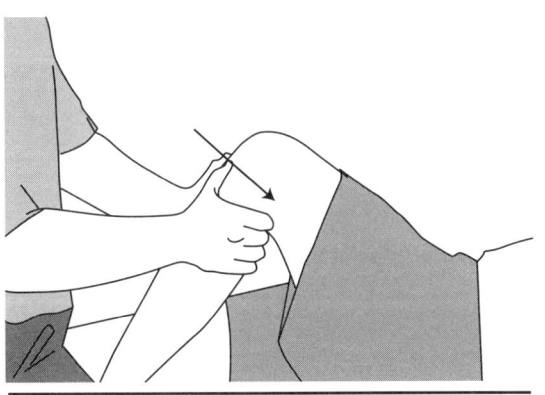

図19-1　後方引き出しテスト（posterior drawer test）（文献31より作図）
背臥位，股関節および膝関節屈曲位，下腿回旋中間位にて脛骨近位を把持して後方剪断力を加え，大腿骨に対する脛骨の後方変位の有無を判断する．

第 5 章　後十字靱帯・膝後外側構成体損傷

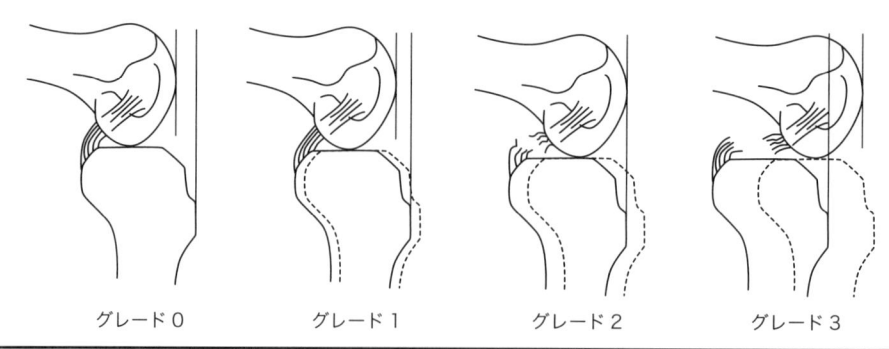

図 19-2　後方引き出しテストにおけるグレード分類（文献 28 より引用）
グレード 0：0〜2 mm の後方変位，グレード 1：3〜5 mm の後方変位，グレード 2：6〜10 mm の後方変位，内側上顆と脛骨高原の前方端が一直線，グレード 3：10 mm 以上後方変位，脛骨高原の前方端が内側上顆よりも後方。グレード 1 では PCL の部分損傷，グレード 2 では完全断裂，グレード 3 では PLC との複合靱帯損傷を示すと報告した。

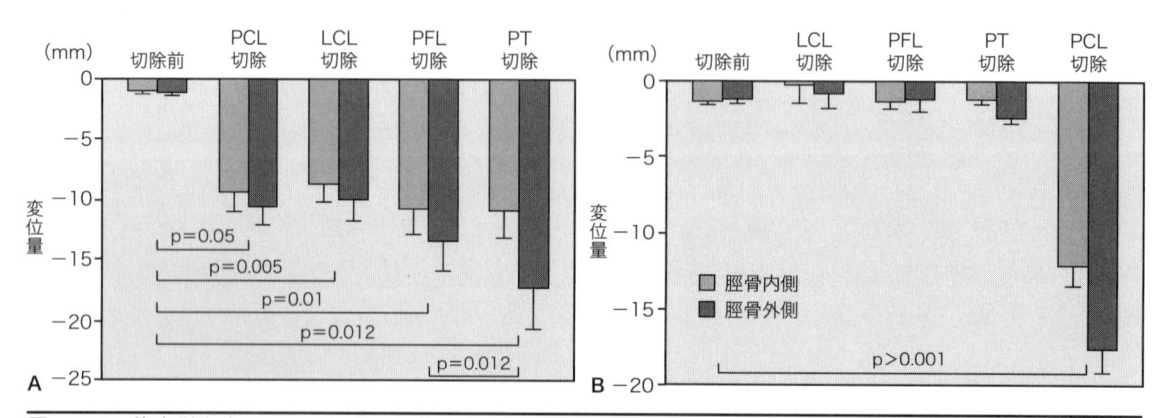

図 19-3　後方引き出しテストにおける後方変位量（文献 30 より引用）
PCL を先に切除した屍体膝では，PCL 切除後に後方への変位量が有意に増加したのに対し（A），PLC を先に切除した屍体膝では PCL 切除にいたるまで有意な後方変位量は得られなかった（B）。LCL：外側側副靱帯，PFL：膝窩腓骨靱帯，PT：膝窩筋腱。

　後方引き出しテストを用いて PCL 損傷の重症度を分類する方法についての研究が複数存在した。Moore ら[28]は，PCL 損傷をグレード 0 から 3 までの 4 段階，すなわちグレード 1 を PCL の部分損傷，グレード 2 を完全断裂，グレード 3 を PLC との複合靱帯損傷と分類した（**図 19-2**）。Sekiya ら[33]は屍体膝の PCL 切除後の後方引き出しテストよるグレードを判定した。切除前では全例グレード 0 であったが，PCL 切除後はグレード 2，PCL＋PLC 切除後はグレード 3 に変化した。以上より，後方引き出しテストでの 10 mm 以上の脛骨後方変位は，PCL・PLC 合併損傷を示唆すると結論づけた。さらに，Petrigliano ら[30]は屍体膝の PCL，外側側副靱帯（LCL），膝窩腓骨靱帯（PFL），膝窩筋腱（PT）の順に切除した A 群と，LCL，PFL，PT，PCL の順に切除した B 群に対して順次後方引き出しテストを実施し，その変位量を計測した。その結果，A 群において PCL 切断後に後方変位量が有意に増加したのに対し，B 群では最後の PCL 切除にいたるまで有意な後方変位は生じなかった（**図 19-3**）。以上より，後方引き出しテストは PCL の損傷により有意に脛骨後方変位が発生した場合に陽性になることが示された。

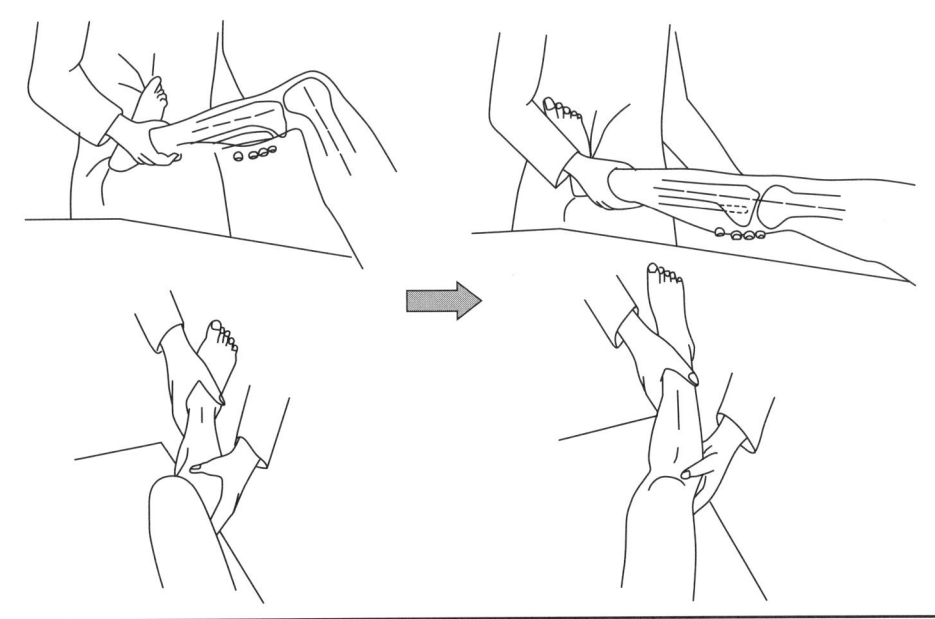

図 19-4　リバースピボットシフトサイン（reversed pivot shift sign）（文献 14 より引用）
患者を背臥位とし，膝屈曲 70〜80°にて脛骨遠位と近位を把持し，外反＋外旋ストレスを加えながら他動的に膝関節を伸展させる。脛骨外側顆の後方への亜脱臼状態から整復する際の関節のスナッピングが誘発されれば陽性である。

2）リバースピボットシフトサイン

　PLC 損傷がもたらす不安定性は脛骨外側顆の後方への亜脱臼を特徴とする。この亜脱臼状態から整復する際の関節のスナッピングを誘発する検査法として，Jacob ら[14]が提唱したリバースピボットシフトサイン（reversed pivot shift sign）がある。患者を背臥位とし，膝屈曲 70〜80°にて脛骨遠位と近位を把持し，外反＋外旋ストレスを加えながら他動的に膝関節を伸展させるテストである（**図 19-4**）。このテストは後にリバースピボットシフトテストと呼ばれるようになった[4,25,26]。このテストを ACL 損傷に伴う脛骨外側顆の前方への亜脱臼状態を整復する検査と誤解している場合もあるため注意が必要である。

　リバースピボットシフトサインの信頼性に関する論文は少ない。Rubinstein ら[31]はこのサインと MRI・鏡視下手術時の所見とを比較した結果，感度 26％，特異度 95％であったと報告した。この結果より，リバースピボットシフトサインは低い感度，高い特異度を有する可能性が示唆されるが，報告数が少なくコンセンサスは得られていない。

　屍体膝を用いて PCL・PLC を順に切除し，変位量を計測した研究[30]では，PCL 切除のみでは有意な後方への変位はみられなかった（**図 19-5**）。しかし，LCL 切除以降は脛骨外側の有意な後方変位，すなわち後外側への回旋不安定性を示した。一方，PLC を先に切除した場合，PCL 切除にいたるまで脛骨外側の有意な後方変位は生じなかった。このことから，リバースピボットシフトサインは PCL・PLC の複合損傷の診断に有用である可能性が示された。

3）動的後方シフトテスト

　動的後方シフトテスト（dynamic posterior shift test）は，Shelbourne ら[35]が提唱した後外方不安定性に対する徒手検査である。背臥位で股関節屈曲 90°，膝屈曲 90°から，脛骨外旋位を保

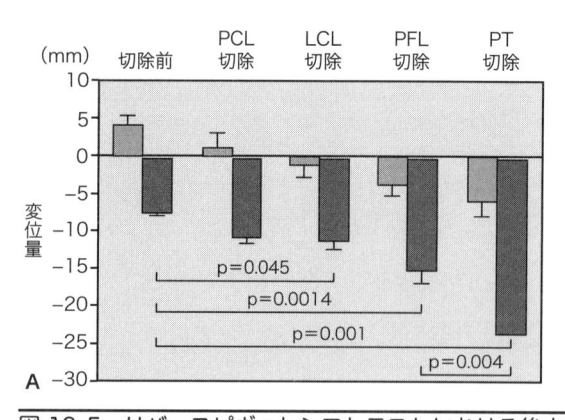

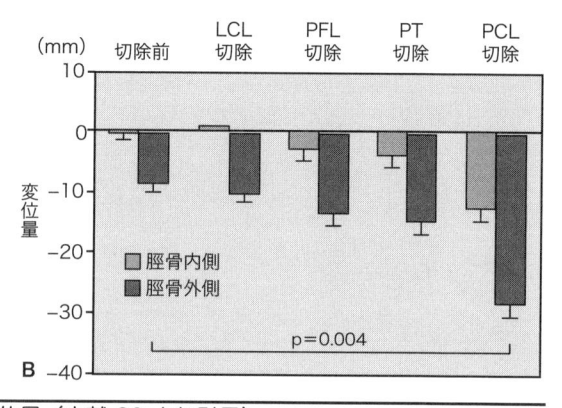

図19-5 リバースピボットシフトテストにおける後方変位量（文献30より引用）
PCL切除のみでは有意な後方への変位はみられなかったが，LCL切除以降は脛骨外側の有意な後方変位（後外側回旋不安定性）を示した（A）。一方，PLCを先に切除した場合，PCL切除にいたるまで脛骨外側の有意な後方変位が生じなかった（B）。

持しつつ膝を他動的に伸展させると，膝関節屈曲20～30°にて外側脛骨高原が後方亜脱臼位から弾発的に整復されることにより陽性と判定される。リバースピボットシフトサインと同じ現象を誘発しているが，弾発現象が明快であるため，より患者の訴えを再現した検査といえる。また，股関節屈曲位をとることで大腿骨の回旋を制御することができる，体格の小さな検者が体格の大きな対象者に実施しやすい，ハムストリングスが伸張されることでより後方亜脱臼を誘発しやすいという利点もある。Rubinsteinら[31]は，動的後方シフトテストの信頼性をMRI・鏡視下手術時の所見により検証し，感度と特異度はそれぞれ58％と94％と報告した。ただし，この報告は提唱者のグループが実施した研究であり，第三者による妥当性の検証は行われていない。

4）その他の徒手検査

PCL損傷に対する徒手検査として，上記以外に後方落ち込み徴候（posterior sag sign）や大腿四頭筋自動テスト（quadriceps active test）などが報告された。しかしながら，これらの徒手検査の感度・特異度を含むKopkowら[20]のシステマティックレビューでは，採用された11論文中9論文において方法論の脆弱性があった。そのため，患者選択・検査結果の解釈・感度・特異度の算出方法にバイアスの危険性があるとした。ゆえに，PCL損傷の徒手検査における感度・特異度の解釈には注意が必要であるといえる。表19-1にバイアスの危険性が中等度以下であった2論文[31, 37]の感度・特異度についてまとめたが，PCL損傷に対する徒手検査は全体として感度が低く，特異度が高いことがわかる。

2．画像診断

1）X線画像

X線画像によるPCL損傷の診断には，gravity sag viewが用いられる。Shinoら[36]は，膝屈曲90°での矢状面X線画像における脛骨後方変位量を計測した。急性期PCL損傷例では5.6 mm，陳旧性では10.6 mmの後方変位を認め，PCL損傷者の28人中27人が3 mm以上の後方変位を示したと報告した。またLoosら[27]は，X線画像がPCL脛骨付着部剥離骨折の診断に有用であると報告した。しかしながら，X線画像におけるPCL損傷診断の感度・特異度を記載した論文はみつけられなかった。

表 19-1 バイアスリスクが中等度であった2論文における感度・特異度（文献20より作成）

報告者	徒手検査	感度 (%)	特異度 (%)
Rubinastein ら [31]	後方引き出しテスト（posterior drawer test）	89	98
	大腿四頭筋自動テスト（quadriceps active test）	53	96
	外旋反張テスト（external rotatiom recurvatum test）	32	98
	後方落ち込みテスト（posterior sag sign）	79	100
	逆 Lachman テスト（reverse Lachman test）	63	89
	動的後方シフト（dynamic posterior shift）	58	95
	逆ピボットシフト（reverse pivot shift）	26	95
	逆 Lachman エンドポイント（reverse Lachman end point）	63	89
Saubi ら [37]	大腿四頭筋自動テスト（quadriceps active test）	75	—
	後方落ち込みテスト（posterior sag sign）	83	—

2）ストレス X 線

　PCL 損傷の診断に用いるストレス X 線では，Telos stress 法（**図 19-6**）と Kneeling 法（**図 19-9**）について報告された。Schulz ら[32]は Telos stress 法によるストレス X 線での検者内・検者間信頼性を級内相関係数にて検討を用いて分析した。その結果，検者内・検者間信頼性それぞれ 95％，91％であった。Jackman ら[13]は Kneeling 法での信頼性を同様に検討した。その結果，検者内信頼性 97％，検者間信頼性 95％であった。Garofalo ら[9]はこの2つの方法における後方変位量を比較した。Telos stress 法では平均 11.9 ± 1.8 mm であったのに対し，Kneeling 法では平均 15.3 ± 1.4 mm を示し，Kneeling 法における後方変位量が有意に大きかった。以上より，報告は少ないものの，どちらの方法も高い信頼性を有し，Kneeling 法では Telos stress 法よりも大きな後方変位量を示した。

　ストレス X 線における重症度分類を行った報告がある。Hewett ら[12]は，PCL 部分損傷・完全断裂症例に対して 89 N の後方剪断力を加え，後方変位量を計測した。その結果，部分損傷群では変位量が平均 5.6 ± 2.1 mm であったのに対し，完全断裂群では 12.2 ± 3.7 mm であった。完全断裂群の変位量における 95％信頼区間の下限値より，後方変位量 8 mm が部分損傷・完全

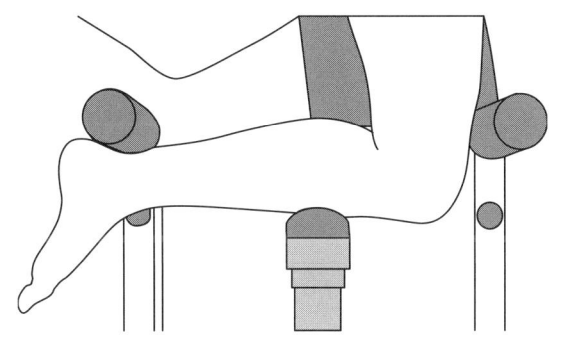

図 19-6　Telos stress 法（文献 32 より引用）
患者は側臥位となり被検側下肢をテーブルにのせ，膝関節屈曲 90°，下腿回旋中間位にて Telos 装置で脛骨近位前方部へ後方剪断力が加えられる。

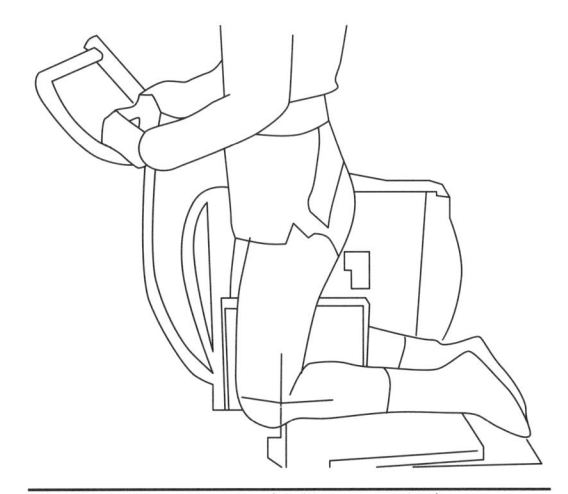

図 19-7　Kneeling 法（文献 9 より引用）
患者はパッドがついた検査台に膝関節屈曲 90°で膝立ちをする。このとき脛骨粗面が接地し，膝蓋骨と大腿骨上顆がパッドに触れないようにする。

表 19-2 ストレス X 線での損傷部位におけるカットオフ値と感度・特異度（文献 8 より作成）

切除部位		30°		80°	
PCL 部分（ALB）切除		<3 mm		<6 mm	
PCL 完全切除		4〜9 mm		7〜12 mm	
感度	特異度	93.3%	86.7%	97.6%	77.8%
PLC 切除または PLC・PMC 切除		>9 mm		>12 mm	
感度	特異度	88.0%	77.1%	88.5%	79.4%

PMC：後内側構成体。

表 19-3 PCL 損傷に対する MRI 診断の感度・特異度・精度

報告者	比較対象	解像度	感度	特異度	精度
Laoruengthana ら [21]	関節鏡	1.5 T	100%	97.1%	97.5%
Nikolaou ら [29]	関節鏡	1.5 T	100%	98%	98%
Khanda ら [19]	関節鏡	1.5 T	100%	95.8%	96%
Winters ら [41]	関節鏡	1.5 T	80%	97%	96%
Vaz ら [40]	関節鏡	0.5 T	100%	99.7%	99.6%
Twaddle ら [39]	関節切開	1.5 T	100%	100%	100%

断裂のカットオフ値になると述べた。Garavaglia ら[8]は，屍体膝を用いて膝屈曲 30°・80°にて 180 N の後方剪断力を加えた際の後方変位量を靱帯損傷部位に応じて計測した。また，統計手法を用い，部分損傷，完全断裂，複合靱帯損傷におけるカットオフ値と感度，特異度を算出した。その結果，膝屈曲 30°での 3 mm 未満，80°での 6 mm 未満の後方変位は PCL 部分損傷を示し，30°での 4〜9 mm，80°での 7〜12 mm の後方変位は PCL 完全断裂を示した。部分損傷・完全断裂の鑑別診断における感度・特異度は，30°で 93.3%・86.7%，80°で 97.6%・77.8% を有すると算出した。また，30°での 9 mm，80°での 12 mm より大きな後方変位は PLC と後内側構成体（posteromedial corner：PMC）との複合靱帯損傷を示し，完全断裂との鑑別診断における感度・特異度は 30°で 88.0%・77.1%，80°で 88.5%・79.4% を有すると算出した（表 19-2）。一方，PCL 損傷者など生体を対象としたストレス X 線の感度・特異度のデータはみられなかった。

3）MRI

急性期 PCL 損傷に対する MRI の信頼性について，高い感度・特異度・精度が多く報告された（表 19-3）[19, 21, 29, 39〜41]。一方，陳旧性 PCL 損傷に対する MRI の信頼性について，Servant ら[34]は 10 名の陳旧性 PCL 損傷者を対象に MRI 撮像を行い，得られた画像を 7 名の画像診断医に二重盲検下で①損傷なし，②部分損傷，③完全断裂，の 3 つに分類させ，その正答率を計算した。その結果，平均 57% の正答率であった。以上より，急性期 PCL 損傷では高い信頼性を有する一方，陳旧性 PCL 損傷では診断の正確性が下がる可能性が示唆された。

MRI を用いた PCL 損傷の重症度分類として，Gross ら[10]が提唱した分類が広く用いられている。PCL 損傷をグレード 0 から 3 までに分類し，グレード 0 は正常，グレード 1〜3 を靱帯損傷とした。グレード 1 は靱帯内の信号増加と靱帯内の損傷，グレード 2 は片側辺縁の高信号と部分損傷，グレード 3 では両側辺縁の高信号と完全断裂，と定義した。Belelli ら[5]は，靱帯の解剖

学的特徴を考慮し，Grossらの分類における部分損傷（グレード2）をさらに2つに分類した。靱帯内・背側縁の高信号は後内側線維の損傷を示すタイプ2とし，靱帯内・腹側縁の高信号は前外側線維の損傷を示すタイプ3と定義した。

陳旧性PCL損傷のMRI診断の妥当性についても報告された。Jungら[17]は，受傷後2ヵ月以上（平均15.1ヵ月）経過した陳旧性PCL損傷者46例の靱帯をMRIにて再評価した。陳旧性PCL損傷症例では，①ほぼ正常で連続性のある靱帯，②連続性はあるが変性している靱帯，③連続性はなくPCL断端間に浮腫・脂肪組織を認める靱帯，の3つに分類された。46例中13例（28.3％）がほぼ正常，20例（43.5％）が靱帯の折れ曲がりがあるが連続性あり，など全症例の71.7％において靱帯の連続性を認めた。また，同時に150 NでのTelos stress法によるストレスX線にて脛骨後方変位量も計測した。その結果，ほぼ正常で連続性のある靱帯では8.5 ± 2.1 mm，連続性はあるが変性している靱帯では10.9 ± 3.4 mm，連続性はなくPCL断端間に浮腫・脂肪組織を認めるものでは，ほぼ正常で連続性のある靱帯に比べ有意に大きな12.3 ± 3.1 mmの後方変位量を示した。このことから，陳旧性PCL損傷における靱帯連続性の回復により，後方不安定性が改善する可能性があると考察した。ただし，陳旧性PCL損傷におけるMRI診断および受傷度分類の信頼性が低いこと[34]，盲検化がなされていないことなどにより，追試が必要と考えられる。

3. 手術適応

PCL損傷の治療においては，第一に保存療法が選択されることが多い。しかし，一定期間の保存療法後に手術療法を選択する場合も多くあるため，早い時期に手術適応を決定するための研究が必要である。PCL損傷の手術適応を明記した報

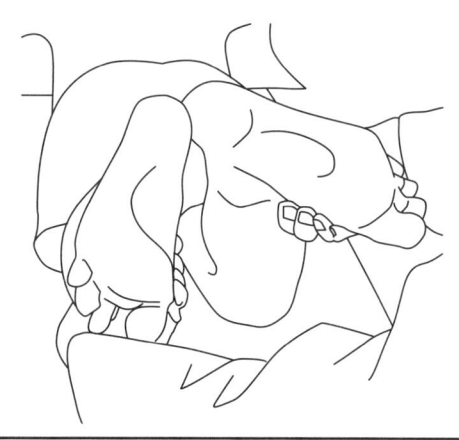

図 19-8　ダイアルテスト（Dial test）
背臥位または腹臥位にて膝関節屈曲30°・90°での脛骨外旋角度を計測し，非損傷側と比較し脛骨の後外側回旋不安定性もしくは下腿外旋角度の増加を有する場合を陽性とする。

告がほとんどなく，コンセンサスが得られていない。Jungら[16]は，PCL再建術式を紹介する論文において手術適応を報告した。受傷後6ヵ月以上経過している陳旧性PCL損傷49症例に再建術を施行した。その基準として，①グレード3の後方不安定性を有する症例（29例），②グレード2の後方不安定性を有し，後外側回旋不安定性を有する症例（17例），③グレード2の後方不安定性を有し活動性の高い若年者で保存療法後も不安定感が残存した症例（3例），をあげた。今後はこれらの基準が適切であるか，手術適応とならなかった保存療法症例との詳細な比較検討など，さらなる報告が望まれる。また，急性期での手術適応症例に関して早期に適応を見極めるための検査所見などについての情報を集積する必要がある。

C. 後外側構成体（PLC）損傷

1. 徒手検査

1）ダイアルテスト，後外側外旋テスト

ダイアルテスト（Dial test）はPLC損傷の評価法として提唱された徒手検査である。このテス

第 5 章　後十字靭帯・膝後外側構成体損傷

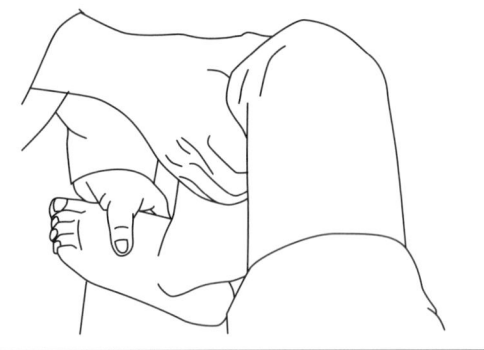

図 19-9　後外側外旋テスト（posterolateral external rotation test）
ダイアルテストと同様の手技を背臥位にて実施する手技である。脛骨の後外側回旋不安定性・下腿外旋角度を健患比較する点でダイアルテストと一致している。

トでは，背臥位または腹臥位にて膝関節屈曲 30°・90°での脛骨外旋角度を計測し，非損傷側と比較し脛骨の後外側回旋不安定性もしくは下腿外旋角度の増加を有する場合を陽性とする（図 19-8）。後外側外旋テスト（posterolateral external rotation test）は同様の手技を，背臥位にて実施する徒手検査である（図 19-9）。脛骨の後外側回旋不安定性・下腿外旋角度を健患比較する点でダイアルテストと一致している。だだし，これら 2 つのテストは明確に区別されない場合が多く，同一の手技と捉えられる場合も多いと推測される。Petrigliano ら[30]は，屍体膝を用いて PCL・PLC を順に切除した際の脛骨外旋角度を計測した。PCL，PLC どちらを先に切除した場合においても，すべての靭帯を切除した後に切除前と比較して有意な外旋角度の増加を示した（図 19-10）。Bae ら[2]は，屍体膝を用いて同様の課題を膝屈曲 30°のみで検討した。その結果，PCL→LCL→PFL，LCL→PFL→PT の順に切除したとき，切除前と比較して有意な外旋角度の増加を認めた（図 19-11）。

生体でのダイアルテストの結果と組織損傷との関係性について検討した研究がある。LaPrade ら[25]は PLC 損傷者の術中所見と術前の徒手検査の結果を比較した。その結果，膝屈曲 30°における陽性徴候と LCL や外側腓腹筋腱の損傷に有意な相関がみられた。膝屈曲 30°にて陽性であった症例のうち 70%に腸脛靭帯深層の損傷がみられた（陽性的中率 70%）。一方，膝屈曲 90°における陽性徴候はどの組織損傷とも有意な相関がみられなかった。膝屈曲 90°にて陽性であった症例のうち，69%に腸脛靭帯の骨関節包層に損傷がみられた（陽性的中率 69%）。膝屈曲 90°にて検査陰性を示した症例のうち 100%が LCL 未損傷，86%が膝窩筋複合体未損傷であった（陰性的中

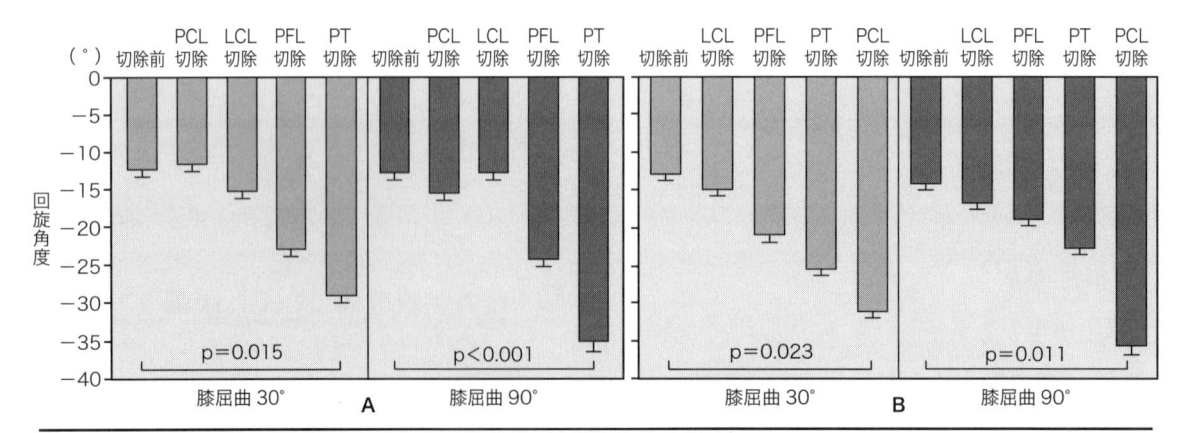

図 19-10　ダイアルテストにおける脛骨外旋角度（文献 30 より引用）
PCL，PLC どちらを先に切除した場合においても，すべての靭帯を切除した後に切除前と比較して有意な外旋角度の増加を示した。

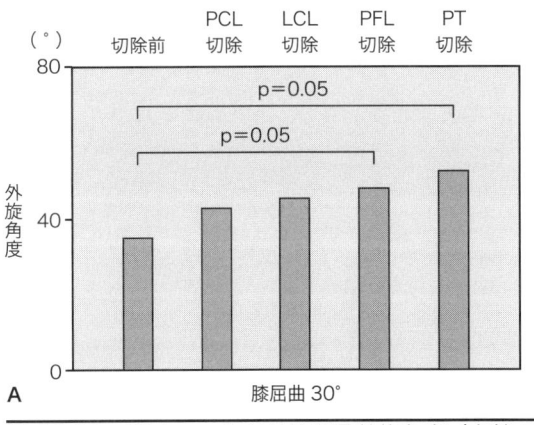

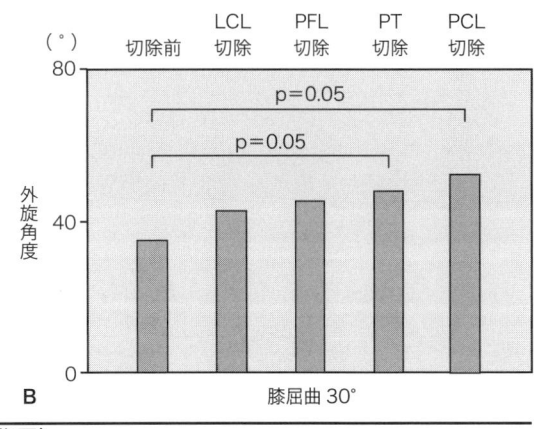

図 19-11　Dial test における脛骨外旋角度（文献 2 より作図）
PCL を先に切除した場合（A），PFL 切除以降に有意な外旋角度の増加を認めた．PLC を先に切除した場合（B），LCL，PFL，PT の PLC 全切除にて有意な外旋角度の増加を示した．

表 19-4　ダイアルテストおける膝蓋骨–脛骨粗面角度（PTA）と下腿–足部角度（TFA）での比較

		相関係数	p 値	誤差	検者内（%）	検者間（%）
PTA	30°	0.9	<0.05	+9°	0.82〜0.90	0.74〜0.88
	90°	0.92	<0.01	+6°		
TFA	30°	0.15	0.4	+57°	−0.8〜−0.3	−0.3〜0.13
	90°	0.4	0.4	+41°		

率 100％・86％）。Bleday ら[6]は，18〜50 歳の健常男女 90 名を対象に，膝関節 30°と 90°でのダイアルテストを実施し，正常膝における下腿外旋角度を計測した。その結果，性別・年齢に有意差はなく，90°では 4.4 ± 3.6°，30°では 5.5 ± 3.8°の左右差が認められた。以上より，単に後外側回旋不安定性や下腿外旋角度の健患差が PT，LCL，PFL の損傷を示さない場合もあり，ダイアルテストの妥当性について疑問が残る。

ダイアルテストの測定方法に関する研究も報告された。Alam ら[1]は屍体膝の脛骨に直接装着した傾斜計による脛骨外旋角度を真値とし，①膝蓋骨–脛骨粗面角度（patella–tubercle angle：PTA）と②下腿–足部角度（thigh–foot angle：TFA）を比較した。その結果，PTA は真値との少ない誤差，高い級内相関係数を示した（表 19-4）。また，Jung ら[18]は，PCL・PLC 複合損傷症例に対し，PTA を用いてダイアルテストにおける角度を計測した際の脛骨後方脱臼位の影響を検討した。後方への亜脱臼を徒手的に整復して外旋を促した場合に，計測される外旋角度が増加した。このことより，ダイアルテストにおいて，脛骨の後方亜脱臼を整復する手技を加えることにより，手術適応となる回旋不安定性の見落としが減少する可能性が示唆された。

2）外旋反張テスト

外旋反張テスト（external rotation recurvatum test）は，背臥位にて母趾をつかみ，大腿遠位を抑えながら脚を挙上させ，他動的に膝関節を完全伸展させるテストである（図 19-12）。被検側と比較し，膝関節の過伸展，内反，脛骨外旋にて陽性となる。LaPrade ら[24]は外旋反張テストの感度・特異度を検討した。その結果，ACL との複合靱帯損傷に対する感度は 30％，特異度は 100％であり，全膝外傷の 134 人中 10 人の陽性

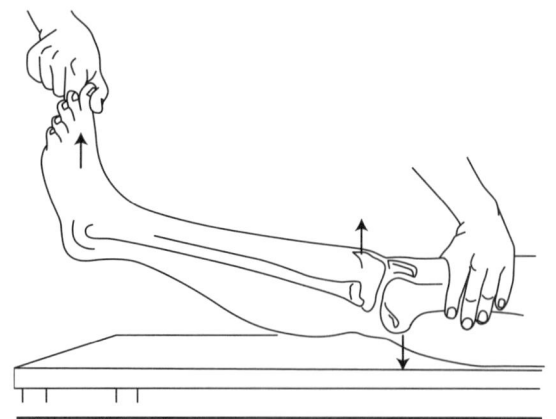

図 19-12 外旋反張テスト (external rotation recurvatum test)
背臥位にて母趾をつかみ，大腿遠位を抑えながら脚を挙上させ，他動的に膝関節完全伸展させる。被検側と比較し，膝関節の過伸展，内反，脛骨外旋にて陽性となる。

者はすべて ACL と PLC の複合靱帯損傷であった。また，生体にて外旋反張テストの検査結果と組織損傷を照合した研究において陽性であった症例のうち 71％ に外側腓腹筋腱の損傷がみられ（陽性的中率 71％），陰性であった症例のうち 94％ が外側腓腹筋未損傷であった（陰性的中率 94％）[25]。しかしながら，このテストに関する報告は少なく，コンセンサスが得られていない。

3）その他の徒手検査

PLC 損傷に対するその他の徒手検査として，リバースピボットシフトサインや内反ストレステスト（varus stress test）があげられる。生体における研究[25] では，PLC 損傷において，リバースピボットシフトサインの陽性徴候と LCL，膝窩筋複合体，前外側靱帯の損傷に有意な関連性が認められた。検査陽性であった症例のうち 68％ に腸脛靱帯の骨関節包層に損傷がみられ（陽性的中率 68％），検査陰性であった症例のうち 89％ が LCL 未損傷，78％ が膝窩筋複合体未損傷であった（陰性的中率 89％・78％）。また，屍体膝を用いた研究において（図 19-5）[30]，PCL と PLC の損傷により後外側回旋不安定性が出現することが報告された。以上より，リバースピボットシフトサインは PLC 損傷の診断に有用であることが示唆された。

2. 画像診断

1）ストレス X 線

PLC 損傷の診断において，内反ストレス X 線が用いられている。LaPrade ら[23] は LCL，PT，PFL，ACL，PCL の順に靱帯を切除した屍体膝を用いて内反ストレスを加えた際の大腿骨外側顆-外側脛骨高原距離を計測した。その結果，徒手負荷を加えた際，PFL までの切除にて切除前と比較して 4 mm の拡大を示した。以上より，徒手負荷での 4 mm の拡大時には LCL，PT，PFL の損傷があることが示唆された。また，同研究において，検者内・検者間信頼性としての級内相関係数は 0.99，0.97 と高い信頼性を示した。

2）MRI

PLC 損傷における MRI 診断の感度・特異度に関する報告は PCL 損傷と比較して少ない。LaPrade ら[22] は，徒手検査などにより PLC 損傷と診断された症例を対象に，MRI での検出率を前向きに検討した。その結果，LCL，PT 損傷において高い感度と特異度が示された一方，PFL 損傷では感度・特異度ともに低値を示した。Theodorou ら[38] の研究でも同様の結果であった（表 19-5）。

3. 手術適応

PLC 損傷の手術適応については，PCL 同様，報告数が少なく，コンセンサスが得られていない。Jung ら[15] は，後外側外旋テストと内反ストレステストにおける回旋不安定性，内反不安定性にて重症度を分類し，手術適応を決定した。健患差 10°以上の外旋可動域の増加，5〜10 mm の内

表 19-5　MRI 診断における PLC 損傷組織別の感度・特異度・精度

報告者	比較対象	解像度	構成体	感度	特異度	精度
LaPrade ら [22]	関節鏡	1.5 T	外側側副靱帯	94.4%	100%	95%
			膝窩筋大腿骨付着部	93.3%	80%	90%
			膝窩腓骨靱帯	68.8%	66.7%	68%
Theodorou ら [38]	関節鏡	1.5 T	外側側副靱帯	100%	100%	100%
			膝窩筋腱	80%	89%	86%
			膝窩腓骨靱帯	―	―	―

―：MRI で特定できず．

反不安定性と脛骨の後外側亜脱臼がみられる者をグレード 2，エンドポイントのない健患差 10°以上の外旋可動域の増加，10 mm より大きい内反不安定性と脛骨の後外側亜脱臼が見られる者をグレード 3 とし，グレード 2 と 3 を手術適応とした．また，Gwathmey ら [11] は内反ストレス X 線を用いた手術適応に関して，MRI にて PLC の完全損傷，部分損傷と診断された PLC 損傷者において，内反ストレス X 線での開大距離を計測した．その結果，PLC の部分損傷と診断された者のうち再建術を施行した 10 名では，未再建の 5 名よりも大きな開大距離を有する傾向にあった．以上より，MRI のみでは手術適応の判断はできず，内反不安定性の計測が手術適応例検出の一助になると述べた．

D. まとめ

1. すでに真実として承認されていること．

- MRI による急性期 PCL 損傷の診断は高い感度・特異度を示す．
- PTA によるダイアルテストの計測は，TFA に比べて妥当性・信頼性の担保された計測方法である．

2. 議論の余地はあるが，今後の重要な研究テーマとなること．

- 後方引き出しテストにおけるグレード分類と損傷組織のより詳細な検討．
- PLC 損傷における後外側不安定性・下腿外旋角度増加と損傷組織のより詳細な検討．
- 3T MRI による PLC 損傷の感度・特異度・精度の検討．
- PCL・PLC における MRI 所見（重症度・損傷部位）と徒手検査の関連性の検討．
- PCL・PLC の手術適応に関する客観的な評価指標の確立．

3. 真実と思われていたが実は疑わしいこと

- ダイアルテスト・後外側外旋テストでの後外側回旋不安定性・下腿外旋角度の増加は，PT，LCL，PFL の損傷を反映しない．

E. 今後の課題

- PCL・PLC の徒手検査における感度・特異度・精度の研究はバイアスリスクが高いものが大半であり，さらに高質な研究デザインでの研究が必要である．
- 徒手検査の結果と MRI 所見における重症度分類・損傷部位と照合した研究を行い，徒手検査における陽性徴候がどの組織の損傷を反映しているかを明らかにする必要がある．
- 手術適応についての研究が少なく，コンセンサスが得られていない．保存療法，手術療法の境界線を明確にするためにも，PCL・PLC 損傷

第5章 後十字靭帯・膝後外側構成体損傷

症例における検査所見を前向きに検討する必要がある。

文 献

1. Alam M, Bull AM, Thomas R, Amis AA: Measurement of rotational laxity of the knee: in vitro comparison of accuracy between the tibia, overlying skin, and foot. *Am J Sports Med*. 2011; 39: 2575-81.
2. Bae JH, Choi IC, Suh SW, Lim HC, Bae TS, Nha KW, Wang JH: Evaluation of the reliability of the dial test for posterolateral rotatory instability: a cadaveric study using an isotonic rotation machine. *Arthroscopy*. 2008; 24: 593-8.
3. Baker CL Jr, Norwood LA, Hughston JC: Acute combined posterior cruciate and posterolateral instability of the knee. *Am J Sports Med*. 1984; 12: 204-8.
4. Barton TM, Torg JS, Das M: Posterior cruciate ligament insufficiency. A review of the literature. *Sports Med*. 1984; 1: 419-30.
5. Bellelli A, Mancini P, Polito M, David V, Mariani PP: Magnetic resonance imaging of posterior cruciate ligament injuries: a new classification of traumatic tears. *Radiol Med*. 2006; 111: 828-35.
6. Bleday RM, Fanelli GC, Giannotti BF, Edson CJ, Barrett TA: Instrumented measurement of the posterolateral corner. *Arthroscopy*. 1998; 14: 489-94.
7. Fowler PJ, Messieh SS: Isolated posterior cruciate ligament injuries in athletes. *Am J Sports Med*. 1987; 15: 553-7.
8. Garavaglia G, Lubbeke A, Dubois-Ferriere V, Suva D, Fritschy D, Menetrey J: Accuracy of stress radiography techniques in grading isolated and combined posterior knee injuries: a cadaveric study. *Am J Sports Med*. 2007; 35: 2051-6.
9. Garofalo R, Fanelli GC, Cikes A, N'Dele D, Kombot C, Mariani PP, Mouhsine E: Stress radiography and posterior pathological laxity of knee: comparison between two different techniques. *Knee*. 2009; 16: 251-5.
10. Gross ML, Grover JS, Bassett LW, Seeger LL, Finerman GA: Magnetic resonance imaging of the posterior cruciate ligament. Clinical use to improve diagnostic accuracy. *Am J Sports Med*. 1992; 20: 732-7.
11. Gwathmey FW Jr, Tompkins MA, Gaskin CM, Miller MD: Can stress radiography of the knee help characterize posterolateral corner injury? *Clin Orthop Relat Res*. 2012; 470: 768-73.
12. Hewett TE, Noyes FR, Lee MD: Diagnosis of complete and partial posterior cruciate ligament ruptures. Stress radiography compared with KT-1000 arthrometer and posterior drawer testing. *Am J Sports Med*. 1997; 25: 648-55.
13. Jackman T, LaPrade RF, Pontinen T, Lender PA: Intraobserver and interobserver reliability of the kneeling technique of stress radiography for the evaluation of posterior knee laxity. *Am J Sports Med*. 2008; 36: 1571-6.
14. Jakob RP, Hassler H, Staeubli HU: Observations on rotatory instability of the lateral compartment of the knee. Experimental studies on the functional anatomy and the pathomechanism of the true and the reversed pivot shift sign. *Acta Orthop Scand Suppl*. 1981; 191: 1-32.
15. Jung YB, Jung HJ, Kim SJ, Park SJ, Song KS, Lee YS, Lee SH: Posterolateral corner reconstruction for posterolateral rotatory instability combined with posterior cruciate ligament injuries: comparison between fibular tunnel and tibial tunnel techniques. *Knee Surg Sports Traumatol Arthrosc*. 2008; 16: 239-48.
16. Jung YB, Jung HJ, Tae SK, Lee YS, Yang DL: Tensioning of remnant posterior cruciate ligament and reconstruction of anterolateral bundle in chronic posterior cruciate ligament injury. *Arthroscopy*. 2006; 22: 329-38.
17. Jung YB, Jung HJ, Yang JJ, Yang DL, Lee YS, Song IS, Lee HJ: Characterization of spontaneous healing of chronic posterior cruciate ligament injury: analysis of instability and magnetic resonance imaging. *J Magn Reson Imaging*. 2008; 27: 1336-40.
18. Jung YB, Lee YS, Jung HJ, Nam CH: Evaluation of posterolateral rotatory knee instability using the dial test according to tibial positioning. *Arthroscopy*. 2009; 25: 257-61.
19. Khanda GE, Akhtar W, Ahsan H, Ahmad N: Assessment of menisci and ligamentous injuries of the knee on magnetic resonance imaging: correlation with arthroscopy. *J Pak Med Assoc*. 2008; 58: 537-40.
20. Kopkow C, Freiberg A, Kirschner S, Seidler A, Schmitt J: Physical examination tests for the diagnosis of posterior cruciate ligament rupture: a systematic review. *J Orthop Sports Phys Ther*. 2013; 43: 804-13.
21. Laoruengthana A, Jarusriwanna A: Sensitivity and specificity of magnetic resonance imaging for knee injury and clinical application for the Naresuan University Hospital. *J Med Assoc Thai*. 2012; 95 Suppl 10: S151-7.
22. LaPrade RF, Gilbert TJ, Bollom TS, Wentorf F, Chaljub G: The magnetic resonance imaging appearance of individual structures of the posterolateral knee. A prospective study of normal knees and knees with surgically verified grade III injuries. *Am J Sports Med*. 2000; 28: 191-9.
23. LaPrade RF, Heikes C, Bakker AJ, Jakobsen RB: The reproducibility and repeatability of varus stress radiographs in the assessment of isolated fibular collateral ligament and grade-III posterolateral knee injuries. An in vitro biomechanical study. *J Bone Joint Surg Am*. 2008; 90: 2069-76.
24. LaPrade RF, Ly TV, Griffith C: The external rotation recurvatum test revisited: reevaluation of the sagittal plane tibiofemoral relationship. *Am J Sports Med*. 2008; 36: 709-12.
25. LaPrade RF, Terry GC: Injuries to the posterolateral aspect of the knee. Association of anatomic injury patterns with clinical instability. *Am J Sports Med*. 1997; 25: 433-8.
26. Larson RL: Physical examination in the diagnosis of rotatory instability. *Clin Orthop Relat Res*. 1983; (172): 38-44.
27. Loos WC, Fox JM, Blazina ME, Del Pizzo W, Friedman

MJ: Acute posterior cruciate ligament injuries. *Am J Sports Med*. 1981; 9: 86-92.
28. Moore HA, Larson RL: Posterior cruciate ligament injuries. Results of early surgical repair. *Am J Sports Med*. 1980; 8: 68-78.
29. Nikolaou VS, Chronopoulos E, Savvidou C, Plessas S, Giannoudis P, Efstathopoulos N, Papachristou G: MRI efficacy in diagnosing internal lesions of the knee: a retrospective analysis. *J Trauma Manag Outcomes*. 2008; 2: 4.
30. Petrigliano FA, Lane CG, Suero EM, Allen AA, Pearle AD: Posterior cruciate ligament and posterolateral corner deficiency results in a reverse pivot shift. *Clin Orthop Relat Res*. 2012; 470: 815-23.
31. Rubinstein RA Jr, Shelbourne KD, McCarroll JR, VanMeter CD, Rettig AC: The accuracy of the clinical examination in the setting of posterior cruciate ligament injuries. *Am J Sports Med*. 1994; 22: 550-7.
32. Schulz MS, Russe K, Lampakis G, Strobel MJ: Reliability of stress radiography for evaluation of posterior knee laxity. *Am J Sports Med*. 2005; 33: 502-6.
33. Sekiya JK, Whiddon DR, Zehms CT, Miller MD: A clinically relevant assessment of posterior cruciate ligament and posterolateral corner injuries. Evaluation of isolated and combined deficiency. *J Bone Joint Surg Am*. 2008; 90: 1621-7.
34. Servant CT, Ramos JP, Thomas NP: The accuracy of magnetic resonance imaging in diagnosing chronic posterior cruciate ligament injury. *Knee*. 2004; 11: 265-70.
35. Shelbourne KD, Benedict F, McCarroll JR, Rettig AC: Dynamic posterior shift test. An adjuvant in evaluation of posterior tibial subluxation. *Am J Sports Med*. 1989; 17: 275-7.
36. Shino K, Mitsuoka T, Horibe S, Hamada M, Nakata K, Nakamura N: The gravity sag view: a simple radiographic technique to show posterior laxity of the knee. *Arthroscopy*. 2000; 16: 670-2.
37. Staubli HU, Jakob RP: Posterior instability of the knee near extension. A clinical and stress radiographic analysis of acute injuries of the posterior cruciate ligament. *J Bone Joint Surg Br*. 1990; 72: 225-30.
38. Theodorou DJ, Theodorou SJ, Fithian DC, Paxton L, Garelick DH, Resnick D: Posterolateral complex knee injuries: magnetic resonance imaging with surgical correlation. *Acta Radiol*. 2005; 46: 297-305.
39. Twaddle BC, Hunter JC, Chapman JR, Simonian PT, Escobedo EM: MRI in acute knee dislocation. A prospective study of clinical, MRI, and surgical findings. *J Bone Joint Surg Br*. 1996; 78: 573-9.
40. Vaz CE, Camargo OP, Santana PJ, Valezi AC: Accuracy of magnetic resonance in identifying traumatic intraarticular knee lesions. *Clinics (Sao Paulo)*. 2005; 60: 445-50.
41. Winters K, Tregonning R: Reliability of magnetic resonance imaging of the traumatic knee as determined by arthroscopy. *N Z Med J*. 2005; 118: U1301.

（本村　遼介）

20. 治療

はじめに

　後十字靱帯（PCL）の部分断裂に対しては保存療法が有効であり，その競技復帰率は高い。しかし，PCL完全断裂に対する治療方針に関して，保存療法と手術療法のどちらを選択すべきかについてはコンセンサスが得られていない。また，大きな後方不安定性を呈した症例は，PCL損傷に後外側構成体（PLC）損傷を合併していることが少なくない。これらの合併損傷の場合は，手術療法が選択されることが多い。本項では，PCL・PLC損傷に対する治療に関して，PCL単独損傷とPCL・PLC合併損傷とに分けて，保存療法と手術療法に関する知見を整理した。

A. 文献検索方法

　文献検索にはPubMedを用いた。検索ワードとして「posterior cruciate ligament」「posterolateral corner」「posterolateral complex」「posterolateral structures」「treatment」「rehabilitation」「physical therapy」「operation」を用いた。ヒットした文献から本項のテーマに合った文献を絞り込み，さらに必要に応じて抽出した論文で引用されている文献も適宜加え，37件を採択した。

B. PCL単独損傷に対する保存療法

1. PCL損傷後の治癒反応と後方不安定性

　損傷したPCLは前十字靱帯（ACL）とは異なり自然治癒することがいくつかの先行研究で報告された。Shelbourneら[26]はPCL損傷後の40膝をMRIにて平均3.2年経過観察した結果，部分損傷18膝では全例治癒が認められ，完全損傷22膝でも19膝において連続性が回復したと報告した。ただし，完全損傷の場合はエロンゲーションが生じているなど，正常なPCLとは異なる形態で治癒していた。Marianiら[17]はPCL単独損傷や内側側副靱帯との合併損傷18例中12例においてMRI上でPCLの治癒を認めたが，治癒が認められなかった残りの6例はPLC損傷を合併しており，いずれも12 mm以上の後方不安定性が残存していたと報告した。Akisueら[1]はPCL損傷48例のうち33例が後方引き出しテストにおいて明確なエンドポイントがある状態に回復したと報告した。残りの15例はエンドポイントのない状態であり，脛骨前後移動量はエンドポイントのあった33例に比べて有意に大きかった（33例：7.6 mm，15例：11.9 mm）。以上より，保存療法では，損傷したPCLの治癒を考慮する必要があるかもしれない。

　保存療法の選択肢の1つに装具療法があげられる。後方不安定性の改善のためには，脛骨後方変位の予防を目的とした装具を，受傷直後から一定期間装着することが推奨されている。Jacobiら[12]はPCL単独損傷直後の17例に対し，6週間の膝伸展位固定の後に6週間の脛骨後方変位防止装具を装着させた。その結果，脛骨後方移動量の健患差の改善が認められた（6.20 mm → 2.97 mm）。また，Jungら[13]はPCL単独損傷直後の21例に対し，固定はせずに4ヵ月間の脛骨

20. 治療

表 20-1 後方引き出しテスト（posterior drawer test）による後方不安定性評価（文献 28 より引用）

PCL 弛緩性グレード	後方引き出しテストによる脛骨後方移動量の健患差
1.0	3〜5 mm
1.5	6〜8 mm
2.0	9〜10 mm
2.5	11〜13 mm
3.0	13 mm 以上（PLC 損傷を合併している可能性がある）

表 20-2 後方不安定性の程度と IKDC スコアの関連（文献 27 より引用）

PCL 弛緩性グレード	IKDC スコア			
	疼痛	安定性	活動性	トータルスコア
1.0	15.2	18.1	17.7	87.6
1.5	14.6	17.2	17.0	84.0
2.0	14.7	17.6	17.0	84.4

満点：疼痛 20 点，安定性 20 点，活動性 20 点，トータルスコア 100 点。

後方変位防止装具を装着させた。その結果，受傷 1 年後の脛骨後方移動量の健患差の改善が認められた（7.1 mm → 2.3 mm）。しかし，対照群との比較ではないため，装具装着による効果の程度や装具装着が損傷した PCL の治癒に及ぼす効果に関しては不明である。以上より，PCL 損傷後の靭帯治癒に対する装具療法の効果について，十分なエビデンスは存在しないといえる。

2. 後方不安定性と膝機能との関連

PCL 単独損傷後の後方不安定性の程度と膝機能との関連性が検討された論文がいくつかみられた。Shelbourne ら[27]は PCL 単独損傷後の 271 例について，後方不安定性の程度と膝機能スコアとの関係を調査した。後方不安定性の程度は，後方引き出しテスト（posterior drawer test）においてグレード 1.0，1.5，2.0 の 3 段階[28]で評価された（表 20-1）。271 例のうち平均 7.8 年経過観察した 215 例において，Noyes 主観的評価変法が平均 85.6 点（100 点満点）であった。また，IKDC 主観的スコアでは 85 例（受傷後平均 8.8 年経過）で平均 82.7 点（100 点満点）であった。後方不安定性の程度と IKDC スコアの疼痛，安定性，活動性に該当するスコアおよびトータルスコアとの間に相関は認められなかった（表 20-2）。さらに Shelbourne ら[24]は他の研究で，PCL 単独損傷後 10 年以上経過した症例を対象に，後方不安定性の程度とパフォーマンス（大腿四頭筋とハムストリングスの筋力および片脚ホップテストの健患差）の関連性を分析した。その結果，大腿四頭筋の筋力，ハムストリングスの筋力，片脚ホップテストの健患差はそれぞれ 97.2%，93.2%，98.5% であり，後方不安定性の程度とパフォーマンスとの関連は認められなかった。このことから後方不安定性が PCL 単独損傷後のパフォーマンスへ及ぼす影響も少ないことが示唆された。

3. スポーツ復帰

PCL 単独損傷後の保存療法によるスポーツ復帰に関していくつかの論文がみられた。Fowler ら[5]の研究では，鏡視により部分損傷もしくは完全損傷と診断され保存療法を受けた 12 例全員が受傷前と同レベルのスポーツ活動に復帰できた。また，Shelbourne ら[25]の研究では，後方引き出しテストによりグレード 1.0，1.5，2.0 と評価された 133 例のうち 67 例（50.4%）が受傷前と同レベルのスポーツ活動に復帰でき，42 例（31.6%）がレベルを落として同じスポーツに復帰した。また，後方不安定性の大きさと競技復帰率には関連性がなかった。以上より，同程度の後方不安定性でも，受傷前の競技レベルへのスポーツ復帰が可能か否かは，後方不安定性以外の要因が影響していることが示唆された。

スポーツ復帰に影響する要因を明らかにするには，復帰に難渋した症例に関する調査が必要であ

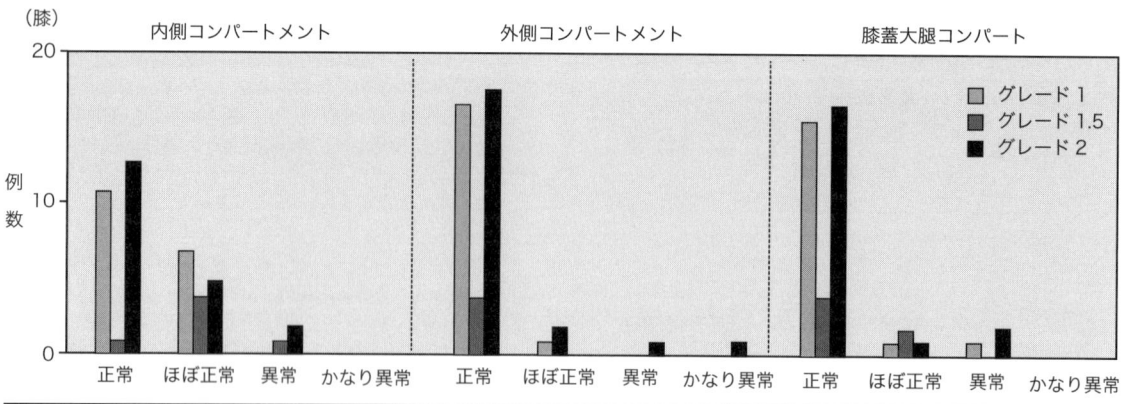

図20-1 後方不安定性の程度とX線画像による関節裂隙の評価（文献24より作図）
内側コンパートメントにおける正常の割合が少ない。

ると考えられる。Toritsukaら[31]の研究によると，PCL損傷を呈したラグビー選手16例のうち，88%の症例は平均3ヵ月後に受傷前と同レベルでスポーツ復帰可能であった。残りの復帰が遅れた症例は軟骨損傷の存在，痛みの残存，大きな後方不安定性を有していた。Parolieら[22]の研究では，等速性膝伸展筋力（45，90，180°/秒）が患側と同等以上であることがスポーツ復帰の際の満足度の高さに関連する要因であり，後方不安定性の程度は復帰後の満足度とは関連しなかった。このように，スポーツ復帰が困難であった症例をさらに詳細に検討し，スポーツ復帰を妨げる要因を同定する必要がある。

4. 保存療法の長期成績

PCL単独損傷後の保存療法の長期成績に関連して関節軟骨の変性が着目されている。PCL損傷膝は，大腿脛骨関節および膝蓋大腿関節のキネマティクスが変化し[8,33]，さらに内側コンパートメントや膝蓋大腿関節の接触圧が増加する[32]。以上より，これらの領域に軟骨変性が生じる可能性が高いことが示唆された。Strobelら[30]は181例のPCL損傷患者のうち，5年以上の期間PCL不全であった症例の77.8%が大腿骨内顆に，46.7%が膝蓋骨に軟骨変性を認めた。Shelbourneら[24]は66例のPCL単独損傷患者に対する保存療法の成績に関して，経過観察期間が17.6年にわたる長期成績の結果を報告した。うち44例についてX線画像により関節裂隙を「正常」から「かなり異常」までの4段階で評価したところ，「正常」ではない症例数が最も多かったのは内側コンパートメントであり（図20-1），5例においては内側コンパートメントに2.0 mm以上の狭小化を認めた。この結果は，PCL単独損傷膝は長期的に内側コンパートメントのOA変化が進行しやすいことを示唆するものである。しかし，PCL損傷側と非損傷側との比較では，関節裂隙に有意な差は認められなかった。したがって，PCL損傷によりOA変化が進行したとはいえず，これらの関連は議論の余地がある。Chandrasekaranら[4]のシステマティックレビューによると，PCL損傷後に軟骨変性の発生する割合は15%[25]〜88%[14]とばらつきがあるが，受傷からの経過が長くなるほどその発生割合は高くなる傾向があった。一方，ACL損傷後の保存療法において高頻度に発生する半月板損傷に関しては，PCL損傷後の保存療法では発生頻度が低いことが示された[14]。

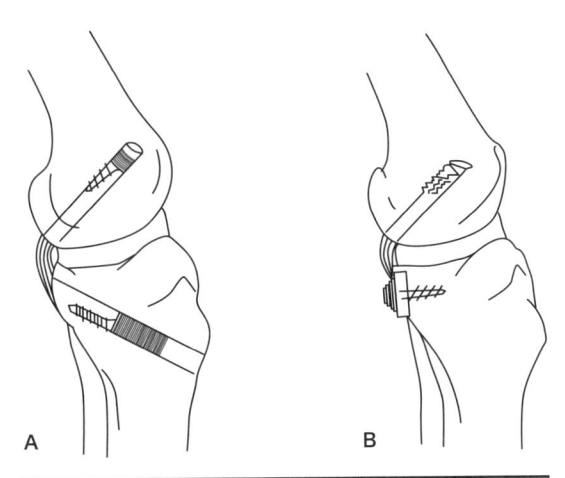

図20-2 PCL再建術におけるグラフトの脛骨側の固定方法の違い（文献2より引用）
A：脛骨前面からPCLの脛骨付着部へ骨孔を作製し，骨孔内もしくは脛骨前面までグラフトを引き出し固定するtranstibial法，B：脛骨後方でグラフトを固定するtibial inlay法。

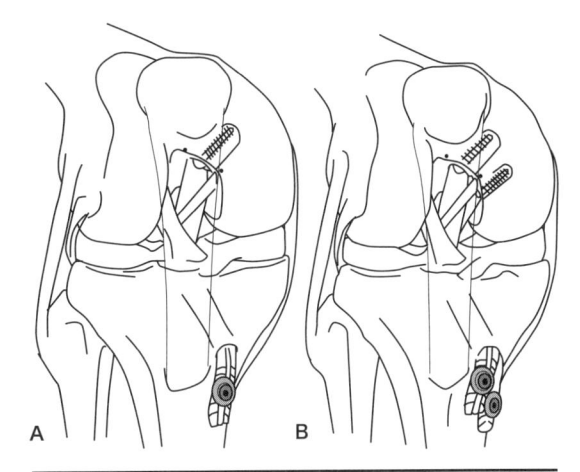

図20-3 PCL再建術におけるグラフトの本数の違い（文献35より引用）
A：主に前外側線維束を再建するsingle-bundle再建，B：前外側線維束と後内側線維束の2つを再建するdouble-bundle再建。

C. PCL単独損傷に対する手術療法

PCL再建術にはさまざまな術式が報告されているが，研究間で議論となっているのは脛骨側の固定方法と再建グラフトの数である。脛骨側の固定方法として，脛骨後方でグラフトを固定するtibial inlay法と，脛骨前面からPCLの脛骨付着部へ骨孔を作製し，骨孔内もしくは脛骨前面までグラフトを引き出し固定するtranstibial法がある（図20-2）[2]。また，再建グラフトの本数に関しては，ACL再建術と同様にsingle-bundle再建とdouble-bundle再建が比較されている（図20-3）[35]。Single-bundle再建は主に前外側線維束（anterolateral bundle）を再建する報告が多く，double-bundle再建は前外側線維束と後内側線維束（posteromedial bundle）の2つの線維束を再建する術式である[29]。

1. 固定法

脛骨側の固定方法の違いによる影響に関する検討が必要である。Transtibial法ではグラフトが脛骨開口部で急激な折れ曲がり"killer turn"が生じてしまうため，グラフトの破断など機械的劣化が生じる可能性が高いと指摘された[11]。屍体膝を用いて，繰り返し脛骨後方引き出し力を与えた際のグラフトの機械的劣化の発生を，transtibial法とtibial inlay法で比較した研究[2, 19]では，transtibial法で有意にグラフトの機械的劣化の程度が大きかった。

Transtibial法とtibial inlay法による制動性の差についても検討された。Margheritiniら[16]は屍体膝を用い，正常膝，PCL不全膝，transtibial法とtibial inlay法の各術式を用いた再建膝の4条件で，134Nの脛骨後方負荷に対する制動性を比較した。その結果，術式による制動性に有意差は認められず，さらにいずれの術式においても正常膝の制動性を再現できなかった（図20-4）。一方，Seonら[23]は生体膝におけるtranstibial法とtibial inlay法の再建術後の術後成績を比較した。その結果，膝90°屈曲位における20Nの脛骨後方負荷に対する制動性は，術式の違い，Lysholm knee score, Tegner activity scores

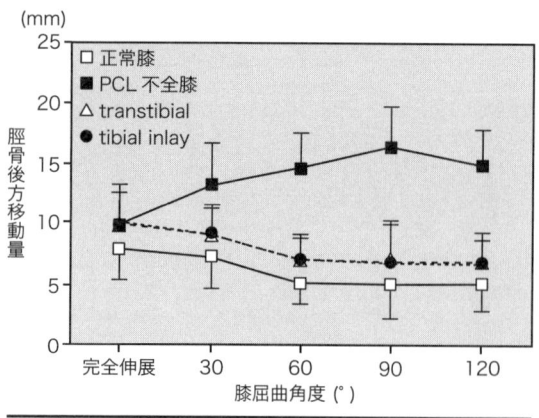

第5章 後十字靭帯・膝後外側構成体損傷

図20-4 正常膝, PCL不全膝, transtibial再建膝, tibial inlay再建膝の4条件における134Nの脛骨後方負荷に対する脛骨後方移動量の比較（文献16より引用）
術式による制動性に有意差は認められず，いずれの術式においても正常膝の制動性を再現できなかった。

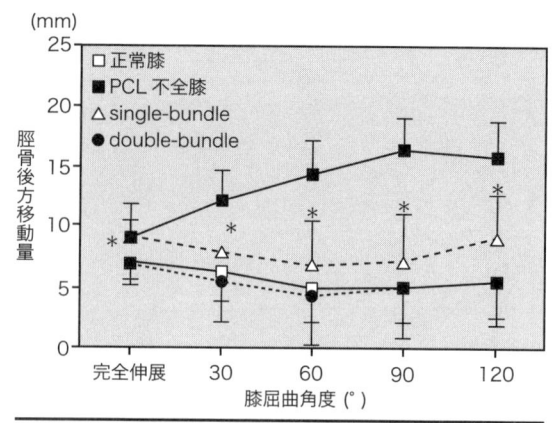

図20-5 正常膝, PCL不全膝, single-bundle再建膝, double-bundle再建膝の4条件における134Nの脛骨後方負荷に対する制動性の比較（文献9より引用）
Single-bundle再建膝よりもdouble-bundle再建膝で優れた制動性を有した。$*p<0.05$ vs. 正常膝。

のいずれにおいても有意差は認められなかった。さらに，transtibial法とtibial inlay法で術後2年以降の膝機能スコアおよびX線所見においても差は認められなかった。このように，これまでの報告では脛骨側の固定方法の違いによる制動性や膝機能への影響は認められていない。また，屍体膝で報告されたようなグラフトの機械的劣化に関して，生体膝での研究はみられない。

2. 再建グラフト数

前外側線維束と後内側線維束という2つの線維束のそれぞれの役割が，屍体膝の研究により解明されてきた。Harnerら[9]は屍体膝を用いて正常膝，PCL不全膝，single-bundle再建膝，double-bundle再建膝の4条件で，134Nの脛骨後方負荷に対する制動性を比較した。その結果，single-bundle再建膝よりもdouble-bundle再建膝で優れた制動性を有し，double-bundle再建膝は正常膝により近い制動性を再現できた（図20-5）。回旋制動性に関してはWijdicksら[35]が屍体膝およびロボットシステムを用いた実験を行った。その結果，膝屈曲域の内旋制動性

はsingle-bundle再建に比べdouble-bundle再建で有意に高かった。

生体膝におけるsingle-bundle再建とdouble-bundle再建の術後成績を判定するには，transtibial法とtibial inlay法を分けて分析する必要がある。Shonら[29]は，tibial inlay法によるsingle-bundle再建膝とdouble-bundle再建膝との間で，膝90°屈曲位で20Nの脛骨後方負荷に対する制動性を分析した。その結果，後方制動性において有意差は認められなかった。一方，Yoonら[37]はテロスを用いた単純X線写真により後方制動性を評価した。その結果，transtibial法によるdouble-bundle再建膝のほうがsingle-bundle再建膝に比べ，膝90°屈曲位で150Nの脛骨後方負荷に対してより良好な制動性を有していた。

以上より，屍体膝ではdouble-bundle再建が良好な制動性を有していた。一方で，生体内ではdouble-bundle再建とsingle-bundle再建の制動性の差は，脛骨側の固定方法の違いによって影響を受けている可能性が示唆された。しかし，回旋制動性に関しての検討されていないため，再建

グラフトの数の違いが制動性に与える影響に関しては、さらなる検討が必要である。

3. PCL 再建術後成績

PCL 再建術後成績に関して、Kim ら[15]は single-bundle 再建術後の成績に関するシステマティックレビューを発表した。包含基準を満たした 10 論文が採用され、そのうち 4 論文において再建術前後の膝制動性の比較が行われていた。再建術症例の術前の脛骨後方移動量の健患差平均 8〜12 mm が、再建術後には平均 3.5〜4.0 mm にまで改善した。これより、再建術による制動性の回復はある程度は見込めると考察された[3,23,36]。しかし、IKDC スコアにおける膝制動性評価では、術後に健患差 6 mm 以上の C もしくは D と判定される症例も存在するため、ACL 再建術後ほど膝制動性の回復は期待できない可能性が示唆された。また、6 論文において PCL 再建術後の変形性膝関節症（膝 OA）についての分析が行われていた。平均 3〜5 年経過した PCL 単独損傷に対する再建術後症例では、Ahlback の分類や X 線画像上での膝関節裂隙の観察によって、OA 変化の進行の程度が評価された。Wang ら[34]によると、3 mm 未満の関節裂隙狭小化であるステージ 1 の膝 OA は 55 例中 33 例（60％）に認められた。しかし、対照群または健側との比較がなされていないため、OA 変化の進行に PCL 再建がどの程度関与しているかは不明である。さらに、受傷時の半月板損傷や軟骨損傷に関して整理されていないため、それらの合併により生じる影響が考慮されていない問題がある。再建術後の活動レベルに関する検討は 8 論文でされた。スポーツ活動に関しては Tegner スコアを用いているほか、筋力や機能テストなどによって評価された。Wu ら[36]の術後 5 年程度経過した長期成績の報告によると、術前の Tegner スコアは平均 3 点（10 点満点）と軽い労働が可能なレベル程度であったが、術後は平均 6 点とレクリエーションレベルのスポーツに参加可能レベルにまで回復した。また、膝伸展筋力は 22 例中 20 例（91％）で健側比 90％以上を達成し、機能テストである片脚ホップテストでは 18 例（82％）が健患比 90％以上を達成した。このように、PCL の single-bundle 再建術後の制動性に関しては健常膝に近い制動性にまで回復可能かどうかはさらなる検討が必要である。一方で、機能に関してはある一定の回復が期待できると考えられる。

4. PCL 再建術後のキネマティクスの変化

PCL 損傷膝では、脛骨の後方偏位と外方偏位が生じ[8]、膝蓋骨の前傾が増大、外反回旋（下極が外方に回旋）、外方傾斜が減少した[33]。また、大腿脛骨関節や膝蓋大腿関節のキネマティクスが変化することが示された[8,32]。Gill ら[8]は single-bundle 再建前後の 7 膝と健側 1 膝の合計 8 膝を対象に、MRI および 2 方向 X 線装置を用いた 2D-3D registration 法により、前方ランジ動作中のキネマティクスを測定した。その結果、大腿脛骨関節では大腿骨に対する脛骨の後方変位は減少したが、外方への偏位は減少しなかった（図 20-6A）。また、膝蓋大腿関節では膝蓋骨の前傾は減少したが、外反回旋および外方傾斜は減少しなかった（図 20-6B、C）。さらに Gill ら[7]は屍体膝における single-bundle 再建術後の膝蓋大腿関節の接触圧を、ロボットシステムを用いて計測した。屍体膝関節内に膝蓋大腿関節に圧センサーを埋設し、大腿四頭筋のみ収縮を再現させたモデルと、大腿四頭筋とハムストリングスの収縮を再現させたモデルの 2 条件とした。その結果、PCL 不全膝は正常膝に比べ接触圧が高い値を示したが、single-bundle 再建膝は PCL 不全膝と同等の値を示した（図 20-7）。以上より、PCL 再建術は正常膝の大腿脛骨関節

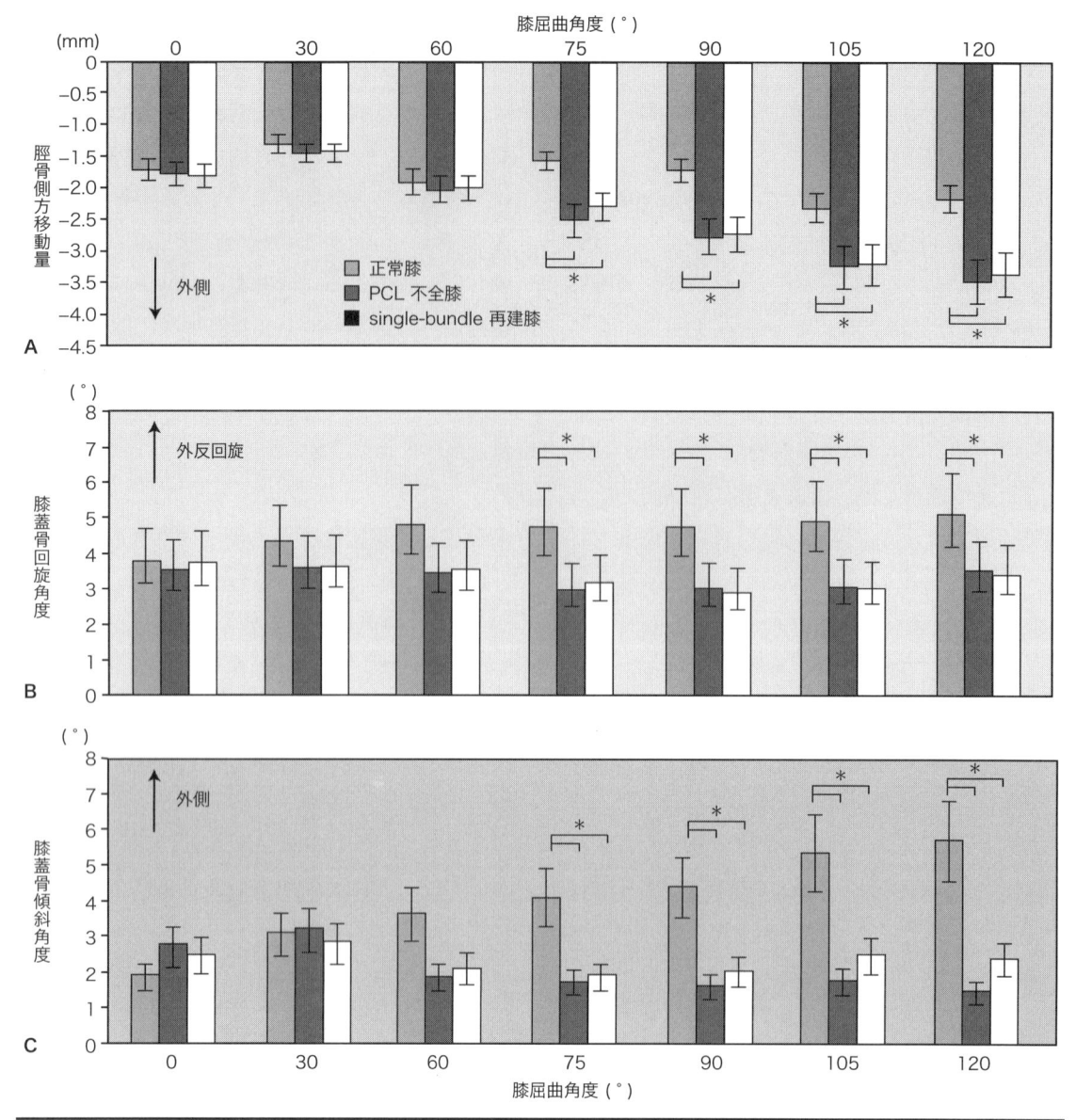

第5章 後十字靱帯・膝後外側構成体損傷

図 20-6 正常膝，PCL 不全膝，single-bundle 再建膝における前方ランジ動作中の脛骨側方移動量（A），膝蓋骨回旋角度（B），膝蓋骨傾斜角度（C）の比較（文献 8 より引用）
大腿脛骨関節では大腿骨に対する脛骨の後方偏位は減少したが，外方への偏位は減少しなかった。また，膝蓋大腿関節では膝蓋骨の前傾は減少したが，外反回旋および外方傾斜は減少しなかった。＊$p<0.05$。

および膝蓋大腿関節のキネマティクスを再現できていないことが示唆された。しかし，これらが将来的な OA 変化の進行に関与するかは不明である。

D. PLC 損傷を合併した PCL 損傷に対する治療

1. PLC 不全が PCL 再建靱帯に与える影響

　PLC 損傷を合併した PCL 損傷は，後方引き出しテストにおいてグレード III の大きな後方不安

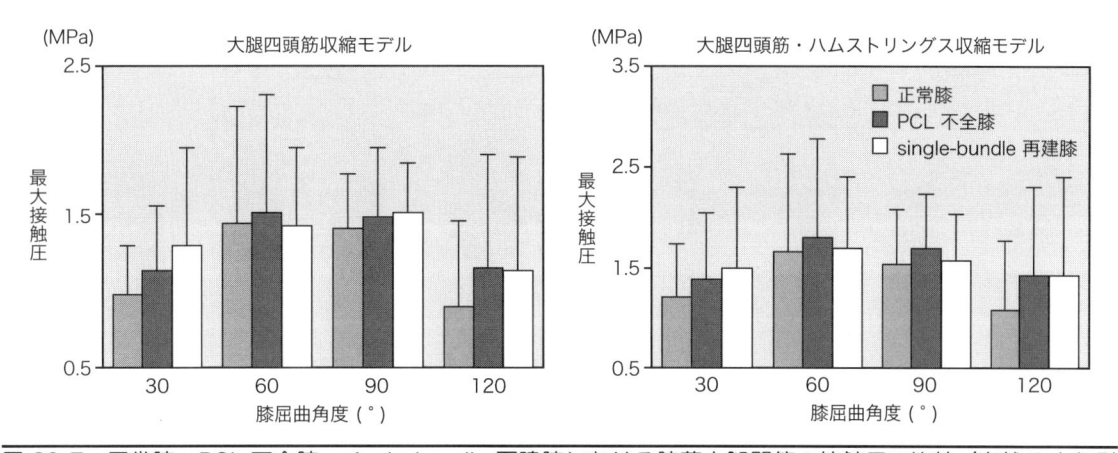

図20-7 正常膝，PCL不全膝，single-bundle再建膝における膝蓋大腿関節の接触圧の比較（文献7より引用）
PCL不全膝は正常膝に比べ高い接触圧を示したが，single-bundle再建膝はPCL不全膝と同等の値であった。

定性に加え後外方不安定性を呈し，PCLが治癒する可能性が低く，保存療法の成績は不良であり手術療法が推奨される[15]。その際，PCLのみを再建した場合とPCLとPLCの同時再建をした場合で，術後成績は大きく異なる[6]。PCL・PLC合併損傷膝に対して，PCL再建のみを施行すると，再建グラフト不全が生じる可能性が高い[21]。Harnerら[10]は屍体膝とロボットシステムを用い，PCL単独損傷膝とPCL・PLC合併損傷膝に対して，PCL再建のみを施行した際に再建グラフトに生じる張力を測定した。その結果，合併損傷膝では単独損傷膝と比較して脛骨後方負荷もしくは脛骨内旋負荷に対して，有意に再建グラフトの張力が高まった（図20-8）。以上より，PLC不全状態のままPCL再建のみを施行すると，張力が再建グラフトに過度に加わり，破断が生じる可能性が示唆された。実際Noyesら[21]は，生体内でPCL再建術後に再建グラフトの機能不全を呈した症例を対象に，機能不全に陥った要因を調査したところ，骨孔の不良位置など手術手技の問題が1つの大きな要因としてあげられたが，それ以上にPLC不全を伴う症例が再建グラフトの機能不全を引き起こす可能性が高かった。

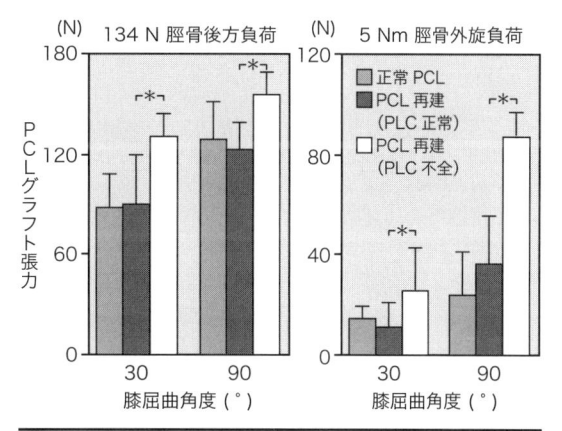

図20-8 正常膝，PCL再建膝（PLCは正常），PCL再建膝（PLC不全）に対し脛骨後方負荷および外旋負荷を与えた際のPCLグラフトへ生じる張力の比較（文献10より引用）
合併損傷膝では単独損傷膝と比較して脛骨後方負荷，脛骨内旋負荷に対して，再建グラフトの張力が高まった。$*p<0.05$。

2. PCL・PLC合併損傷に対する手術療法

PLCの再建に関してはさまざまな術式が提唱されているが，術後成績を向上させるうえでPLC再建により各組織が担う制動性の向上，また同時再建したPCL再建グラフトの張力の変化が重要である。Markolfら[18]は屍体膝を用いて正常膝からPCLとPLC（LCLを含む）を取り除き，PCLとLCLを再建した後に膝窩筋腱

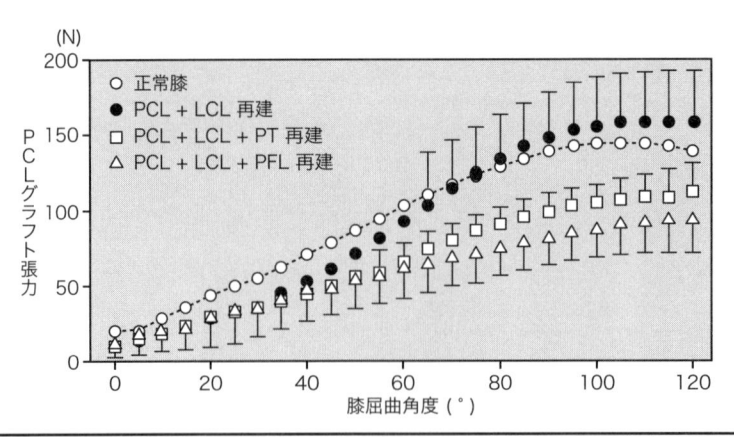

第5章 後十字靱帯・膝後外側構成体損傷

図20-9 100 Nの脛骨後方負荷を与えながら受動的に膝を伸展させた際のPCLグラフトに生じる張力の変化（文献18より引用）
PCL＋LCL再建ではPCL再建グラフトの張力が深屈曲域で正常膝に比べて高まった。また，PTもしくはPFLを再建することでPCL再建グラフトへ生じる張力が減少した。

(popliteus tendon：PT）の再建を追加した場合と，膝窩腓骨靱帯（popliteofiblar ligament：PFL）の再建を追加した場合とで，100 Nの脛骨後方負荷を与えながら受動的に膝を伸展させた際のPCL再建グラフトに生じる張力の変化を調査した。その結果，PCLとLCLのみの再建では，PCL再建グラフトの張力が深屈曲域で正常膝に比べて高まった。また，PTもしくはPFLを再建することでPCL再建グラフトへ生じる張力が軽減した（図20-9）。以上より，PLC損傷を合併したPCL損傷に対しては，PLCのなかでもPTもしくはPFLの再建が重要である可能性が示された。さらにPFLの再建は内反制動性を向上させる[20]。以上より，PFL再建の重要性が示唆された。しかし，一方でPTの再建は異常な膝関節運動を導く可能性も指摘されており，PLCを構成する靱帯のすべてを再建すべきかについてのコンセンサスは得られていない。

3. PCL・PLC合併損傷に対する手術療法の術後成績

PCL・PLC合併損傷に対する再建術後成績の報告は少ない。合併損傷に対してPCLのみ再建した症例とPCL・PLC同時再建した症例の2年以上経過した術後成績が比較され，後方制動性，膝機能スコア（Lysholm knee score, IKDC score）が，PCL・PLC同時再建のほうが有意に優れていた[15]。また，その他の報告[6]でも同様の結果が得られた。

E. まとめ

1. すでに真実として承認されていること。

- 損傷したPCLは治癒が期待でき，保存療法で良好な成績が報告されている。
- PCL単独損傷例では後方不安定性の改善が見込めるが，膝機能やスポーツ復帰率との間に関連はない。
- PCL・PLC合併損傷では同時再建が推奨される。

2. 議論の余地はあるが，今後の重要な研究テーマとなること。

- Transtibial法はグラフトの損傷が生じやすい。
- Double-bundle再建のほうがsingle-bundle

再建に比べ正常膝に近い制動性を獲得できる．
- PCL 再建後には，保存療法でも手術療法でも OA 変化は生じる．

F. 今後の研究課題

- 保存療法において，膝機能やスポーツ復帰に影響する要因の検討．
- PCL 再建術式の違いが術後長期成績に与える影響．
- PCL 再建術後のキネマティクスの変化が軟骨損傷などに与える影響．
- PLC・PCL 同時再建術後の長期成績．
- PLC のなかで損傷組織ごとの治療および成績の調査．

文 献

1. Akisue T, Kurosaka M, Yoshiya S, Kuroda R, Mizuno K: Evaluation of healing of the injured posterior cruciate ligament: analysis of instability and magnetic resonance imaging. *Arthroscopy*. 2001; 17: 264-9.
2. Bergfeld JA, McAllister DR, Parker RD, Valdevit AD, Kambic HE: A biomechanical comparison of posterior cruciate ligament reconstruction techniques. *Am J Sports Med*. 2001; 29: 129-36.
3. Chan YS, Yang SC, Chang CH, Chen AC, Yuan LJ, Hsu KY, Wang CJ: Arthroscopic reconstruction of the posterior cruciate ligament with use of a quadruple hamstring tendon graft with 3- to 5-year follow-up. *Arthroscopy*. 2006; 22: 762-70.
4. Chandrasekaran S, Ma D, Scarvell JM, Woods KR, Smith PN: A review of the anatomical, biomechanical and kinematic findings of posterior cruciate ligament injury with respect to non-operative management. *Knee*. 2012; 19: 738-45.
5. Fowler PJ, Messieh SS: Isolated posterior cruciate ligament injuries in athletes. *Am J Sports Med*. 1987; 15: 553-7.
6. Freeman RT, Duri ZA, Dowd GS: Combined chronic posterior cruciate and posterolateral corner ligamentous injuries: a comparison of posterior cruciate ligament reconstruction with and without reconstruction of the posterolateral corner. *Knee*. 2002; 9: 309-12.
7. Gill TJ, DeFrate LE, Wang C, Carey CT, Zayontz S, Zarins B, Li G: The effect of posterior cruciate ligament reconstruction on patellofemoral contact pressures in the knee joint under simulated muscle loads. *Am J Sports Med*. 2004; 32: 109-15.
8. Gill TJ, Van de Velde SK, Wing DW, Oh LS, Hosseini A, Li G: Tibiofemoral and patelofemoral kinematics after reconstruction of an isolated posterior cruciate ligament injury: *in vivo* analysis during lunge. *Am J Sports Med*. 2009; 37: 2377-85.
9. Harner CD, Janaushek MA, Kanamori A, Yagi M, Vogrin TM, Woo SL: Biomechanical analysis of a double-bundle posterior cruciate ligament reconstruction. *Am J Sports Med*. 2000; 28: 144-51.
10. Harner CD, Vogrin TM, Hoher J, Ma CB, Woo SL: Biomechanical analysis of a posterior cruciate ligament reconstruction. Deficiency of the posterolateral structures as a cause of graft failure. *Am J Sports Med*. 2000; 28: 32-9.
11. Huang TW, Wang CJ, Weng LH, Chan YS: Reducing the "killer turn" in posterior cruciate ligament reconstruction. *Arthroscopy*. 2003; 19: 712-6.
12. Jacobi M, Reischl N, Wahl P, Gautier E, Jakob RP: Acute isolated injury of the posterior cruciate ligament treated by a dynamic anterior drawer brace: a preliminary report. *J Bone Joint Surg Br*. 2010; 92: 1381-4.
13. Jung YB, Tae SK, Lee YS, Jung HJ, Nam CH, Park SJ: Active non-operative treatment of acute isolated posterior cruciate ligament injury with cylinder cast immobilization. *Knee Surg Sports Traumatol Arthrosc*. 2008; 16: 729-33.
14. Keller PM, Shelbourne KD, McCarroll JR, Rettig AC: Nonoperatively treated isolated posterior cruciate ligament injuries. *Am J Sports Med*. 1993; 21: 132-6.
15. Kim YM, Lee CA, Matava MJ: Clinical results of arthroscopic single-bundle transtibial posterior cruciate ligament reconstruction: a systematic review. *Am J Sports Med*. 2011; 39: 425-34.
16. Margheritini F, Mauro CS, Rihn JA, Stabile KJ, Woo SL, Harner CD: Biomechanical comparison of tibial inlay versus transtibial techniques for posterior cruciate ligament reconstruction: analysis of knee kinematics and graft in situ forces. *Am J Sports Med*. 2004; 32: 587-93.
17. Mariani PP, Margheritini F, Christel P, Bellelli A: Evaluation of posterior cruciate ligament healing: a study using magnetic resonance imaging and stress radiography. *Arthroscopy*. 2005; 21: 1354-61.
18. Markolf KL, Graves BR, Sigward SM, Jackson SR, McAllister DR: Effects of posterolateral reconstructions on external tibial rotation and forces in a posterior cruciate ligament graft. *J Bone Joint Surg Am*. 2007; 89: 2351-8.
19. Markolf KL, Zemanovic JR, McAllister DR: Cyclic loading of posterior cruciate ligament replacements fixed with tibial tunnel and tibial inlay methods. *J Bone Joint Surg Am*. 2002; 84-A: 518-24.
20. McCarthy M, Camarda L, Wijdicks CA, Johansen S, Engebretsen L, Laprade RF: Anatomic posterolateral knee reconstructions require a popliteofibular ligament reconstruction through a tibial tunnel. *Am J Sports Med*. 2010; 38: 1674-81.
21. Noyes FR, Barber-Westin SD: Posterior cruciate ligament revision reconstruction, part 1: causes of surgical failure in 52 consecutive operations. *Am J Sports Med*. 2005; 33: 646-54.

22. Parolie JM, Bergfeld JA: Long-term results of nonoperative treatment of isolated posterior cruciate ligament injuries in the athlete. *Am J Sports Med*. 1986; 14: 35-8.
23. Seon JK, Song EK: Reconstruction of isolated posterior cruciate ligament injuries: a clinical comparison of the transtibial and tibial inlay techniques. *Arthroscopy*. 2006; 22: 27-32.
24. Shelbourne KD, Clark M, Gray T: Minimum 10-year follow-up of patients after an acute, isolated posterior cruciate ligament injury treated nonoperatively. *Am J Sports Med*. 2013; 41: 1526-33.
25. Shelbourne KD, Davis TJ, Patel DV: The natural history of acute, isolated, nonoperatively treated posterior cruciate ligament injuries. A prospective study. *Am J Sports Med*. 1999; 27: 276-83.
26. Shelbourne KD, Jennings RW, Vahey TN: Magnetic resonance imaging of posterior cruciate ligament injuries: assessment of healing. *Am J Knee Surg*. 1999; 12: 209-3.
27. Shelbourne KD, Muthukaruppan Y: Subjective results of nonoperatively treated, acute, isolated posterior cruciate ligament injuries. *Arthroscopy*. 2005; 21: 457-61.
28. Shelbourne KD, Rubinstein RA Jr: Methodist Sports Medicine Center's experience with acute and chronic isolated posterior cruciate ligament injuries. *Clin Sports Med*. 1994; 13: 531-43.
29. Shon OJ, Lee DC, Park CH, Kim WH, Jung KA: A comparison of arthroscopically assisted single and double bundle tibial inlay reconstruction for isolated posterior cruciate ligament injury. *Clin Orthop Surg*. 2010; 2: 76-84.
30. Strobel MJ, Weiler A, Schulz MS, Russe K, Eichhorn HJ: Arthroscopic evaluation of articular cartilage lesions in posterior-cruciate-ligament-deficient knees. *Arthroscopy*. 2003; 19: 262-8.
31. Toritsuka Y, Horibe S, Hiro-Oka A, Mitsuoka T, Nakamura N: Conservative treatment for rugby football players with an acute isolated posterior cruciate ligament injury. *Knee Surg Sports Traumatol Arthrosc*. 2004; 12: 110-4.
32. Van de Velde SK, Bingham JT, Gill TJ, Li G: Analysis of tibiofemoral cartilage deformation in the posterior cruciate ligament-deficient knee. *J Bone Joint Surg Am*. 2009; 91: 167-75.
33. Van de Velde SK, Gill TJ, Li G: Dual fluoroscopic analysis of the posterior cruciate ligament-deficient patellofemoral joint during lunge. *Med Sci Sports Exerc*. 2009; 41: 1198-205.
34. Wang CJ, Chan YS, Weng LH, Yuan LJ, Chen HS: Comparison of autogenous and allogenous posterior cruciate ligament reconstructions of the knee. *Injury*. 2004; 35: 1279-85.
35. Wijdicks CA, Kennedy NI, Goldsmith MT, Devitt BM, Michalski MP, Årøen A, Engebretsen L, LaPrade RF: Kinematic analysis of the posterior cruciate ligament, part 2: a comparison of anatomic single- versus double-bundle reconstruction. *Am J Sports Med*. 2013; 41: 2839-48.
36. Wu CH, Chen AC, Yuan LJ, Chang CH, Chan YS, Hsu KY, Wang CJ, Chen WJ: Arthroscopic reconstruction of the posterior cruciate ligament by using a quadriceps tendon autograft: a minimum 5-year follow-up. *Arthroscopy*. 2007; 23: 420-7.
37. Yoon KH, Bae DK, Song SJ, Cho HJ, Lee JH: A prospective randomized study comparing arthroscopic single-bundle and double-bundle posterior cruciate ligament reconstructions preserving remnant fibers. *Am J Sports Med*. 2011; 39: 474-80.

（中田　周兵）

第6章
内側側副靱帯・外側側副靱帯損傷

　膝関節内外側の支持機構のなかで膝関節内側側副靱帯（MCL）損傷は発生頻度の高いスポーツ外傷の1つである。特にコンタクトスポーツにおける膝関節の外反強制は MCL の特徴的な受傷機転である。MCL 損傷は構成する靱帯や内側の支持機構となる軟部組織の合併損傷により，損傷の重症度や機能予後が異なると考えられている。MCL は高頻度に損傷する一方，高い修復能を有するため保存治療による機能予後は良好である。このため臨床の観点を基盤とした治療や予防に関する研究は多くない。治療に関してはコンセンサスを十分に得られていない方法も多く，Ⅲ度損傷における保存療法と手術療法の選択においては，明確な結論が得られていない。

　本章では膝関節の内外側の支持組織の損傷について「基礎科学」「疫学・病態」「診断・評価」「治療」の4つに分けてレビューを行った。「基礎科学」では MCL を構成する浅層の線維（sMCL）と深層の線維（dMCL）に分け，MCL と同様に膝関節の内側支持機構を担う POL を含めた関節運動への制動効果について情報を加えた。「疫学・病態」では膝関節外傷に含まれる MCL 損傷の発生割合とスポーツによる外傷発生の割合についてレビューした。「診断・評価」では従来の重症度分類では MCL 損傷の病態を十分に反映しないことから，MCL 以外の靱帯を含め理学的所見の妥当性と信頼性についてレビューした。また理学的所見以外に画像所見（単純 X 線，MRI，超音波）についても同様に検査の妥当性と信頼性についてまとめた。「治療」では MCL の損傷部位ごとの予後と，重症度と治療法の選択（保存療法と手術療法）についてレビューした。

　膝関節外側側副靱帯（LCL）損傷の発生頻度は MCL よりも低く，スポーツ外傷としての LCL 損傷についての論文はわずかであった。LCL が有する機能については徐々に明らかにされてきており，MCL と同様に他の靱帯と共同して関節運動を制動すると考えられる。そこで LCL に関しても MCL の項目と同様にレビューを行った。また近年の膝関節外側支持機構の話題は，前外側靱帯（ALL）の機能特性が明らかになったことである。ALL は過去 Segond が報告した ACL 損傷と合併する Segond fracture を説明する重要な機能を有する。ALL は脛骨の外側前方に停止しており，脛骨の内旋を制動する。このため Segond fracture を合併した ACL 損傷では ACL を再建しても回旋不安定性が残存する。ALL に関する知見は膝関節機能の解明に近づく有力な情報となるため，少数の報告ではあるが ALL についての論文を追加した。

　今回の文献レビューにおいて，膝関節の内外側支持機構に関する論文は多くなかった。しかしながら基礎研究において示されているにもかかわらず，臨床に反映されていない知見が存在した。また未解明の領域も散見された。膝関節は下肢関節のなかでも多くの報告が認められるものの，内外側の支持機構に関して十分に整理されているとはいいがたい。膝関節の機能についてさらなる研究を推進するためにも，膝関節内外側支持機構の着目すべき焦点について明確にする必要がある。

第6章編集担当：渡邊　裕之

21. 基礎科学

はじめに

内側側副靱帯(medial collateral ligament: MCL)は,膝内側の安定性に寄与する重要な組織構造を有している。MCLは複数の線維組織で構成され,各線維は異なる機能を有している。一方,外側側副靱帯(lateral collateral ligament: LCL)は膝の後外側支持機構の1つであり,膝外側の安定性に関与する。MCLの各線維,およびLCLの解剖学,バイオメカニクスについて理解を深めることは,靱帯損傷の受傷メカニズムの解明や障害予防,さらには損傷後の診断技術,外科的治療の発展に貢献する。近年,膝関節の前外側に新たに靱帯が発見され,前外側靱帯(anterolateral ligament: ALL)と命名された。本項では,MCL,LCL,ALLの解剖学,バイオメカニクスについての最新の知見をもとに,現時点での科学的根拠を明確にし,今後の課題を整理した。なお,内側側副靱帯と外側側副靱帯は,それぞれtibial collateral ligament (TCL), fibular collateral ligament (FCL)と呼ばれることもあるが,本項ではMCLとLCLに統一した。

A. 文献検索方法

文献検索にはPubMedを使用し,言語は英語に限定した。「knee」「medial collateral ligament」「lateral collateral ligament」を基本とし,「anatomy」「biomechanics」「kinematics」「kinetics」「morphology」のいずれかのキーワードを含む文献を検索した結果,278件の文献が抽出された。このうち,本項に関連する文献を選択し,ハンドサーチにて収集した文献を加えて,合計40件の文献をレビューに用いた。

B. 内側側副靱帯(MCL)

1. 組織構造と解剖学

MCLに含まれるコラーゲン基質は,乾燥重量の約70.8%,湿潤重量の約19.4%を占める[10]。ラットを用いてタイプ別のコラーゲン含有量を調べたAmielら[2]の論文によると,コラーゲン基質は乾燥重量の約79.7%を占め,そのうちの91%はI型コラーゲンで,残りの9%はIII型コラーゲンであった。

MCLの深部には,膝窩動脈に由来する内側下膝動脈が走行しており,MCLはこの動脈によって血液供給を受けている[30]。さらに,靱帯には機械的受容器が存在し,各受容器は求心性神経を介して神経筋の協調運動に関与することが知られている[1]。ラットにおいて,MCLには1 mm³あたりルフィニ小体が0.57個,パチニ小体が0.97個存在し,これらの受容器は靱帯周囲の組織で発見された[8]。また,ゴルジ腱器官は0.31個,自由神経終末は5.67個存在し,両受容器は靱帯周囲の組織だけでなく靱帯内にも存在していた[8]。各受容器からの情報は,求心性神経を介して中枢神経系に伝わる。前内側・前外側の関節包と同部位に関連する靱帯は,大腿神経,総腓骨神経,および伏在神経の関節枝から構成される膝前方の神経グループによって支配されていた[22]。しかし,

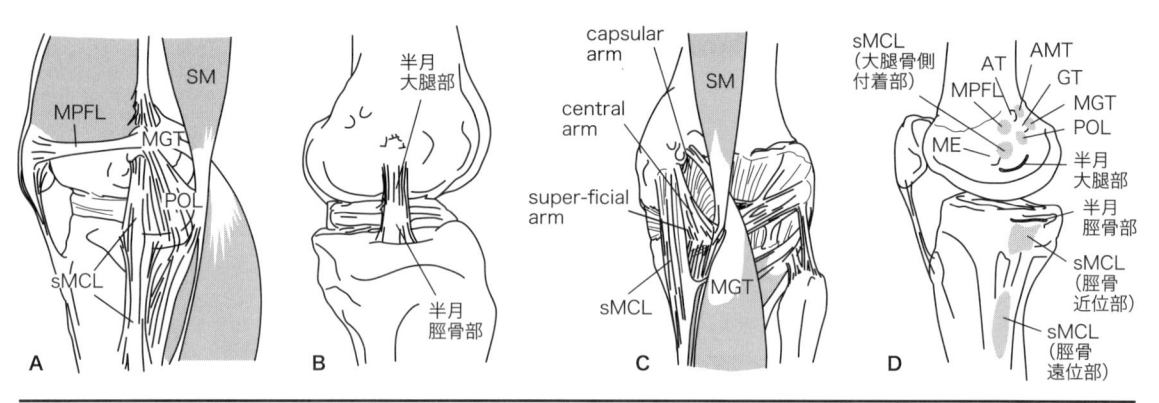

図 21-1 内側側副靱帯浅層（sMCL），深層（dMCL），posterior oblique ligament（POL）の走行と付着部（文献 23，38 より引用）
A：sMCL と POL の走行（右膝内側面），B：dMCL の走行（左膝内側面），C：POL の走行（右膝後面），D：各線維の付着部位（右膝内側面）。MPFL：内側膝蓋大腿靱帯，MGT：腓腹筋内側頭の腱，SM：半膜様筋，ME：大腿骨内側上顆，AT：内転筋結節，AMT：大内転筋腱，GT：腓腹筋結節。

MCL がどの神経枝に支配されているかを具体的に明記した論文は見当たらなかった。

MCL は浅層線維である superficial medial collateral ligament（sMCL）と深層線維である deep medial collateral ligament（dMCL）に分けられる（図 21-1A，B）[23, 38]。さらに，これらの線維は複数の付着部位を有し，sMCL は脛骨近位部（proximal tibial attachment）と脛骨遠位部（distal tibial attachment）に，dMCL は半月大腿部（meniscofemoral）と半月脛骨部（meniscotibial）で構成される。また，膝内側構造の 1 つに posterior oblique ligament（POL）がある（図 21-1A，C）。Brantigan ら[3]は，POL を sMCL の後斜走線維と定義した。しかし近年，sMCL と POL は別々の構造であることが指摘された[11, 19, 24]。LaPrade ら[23]は，POL は後内側関節包の肥厚の一部であると定義した。

sMCL は大腿骨側に 1 つ，脛骨側に 2 つの付着部を有している。LaPrade ら[23]の解剖学的研究によると，大腿骨側付着部は楕円形で，大腿骨内側上顆から 3.2（1.6〜5.2）mm 近位かつ 4.8（2.5〜6.3）mm 後方に位置している。sMCL は脛骨側に向かって 2 つの線維に分かれて走行する。脛骨近位部は関節面から 12.2（8.8〜15.3）mm 遠位で，半腱様筋腱の終末端の軟部組織に付着する。脛骨遠位部は関節面から 61.2 mm 遠位で，脛骨後内側稜の前方の骨に付着する（図 21-1D）。大腿骨側付着部の断面積は 94.1（60.1〜143.8）mm^2，脛骨近位部は 395.5（241.4〜612.5）mm^2，脛骨遠位部の断面積は 294.3（212.4〜356.8）mm^2 であり，大腿骨側付着部の断面積が最も小さい。

dMCL は sMCL の深部に位置し，内側関節包の肥厚したものと考えられる。dMCL は内側半月を境に，半月大腿部と半月脛骨部に分けられる。半月大腿部の大腿骨側付着部は，関節面から 15.7（13.6〜17.5）mm 近位かつ sMCL の大腿骨側付着部の 12.2 mm 遠位であり，そこから遠位に走行し内側半月に向かって走行する。半月脛骨部は内側半月から起始し，脛骨側に向かって走行する。半月脛骨部の脛骨側付着部は，関節面から 3.2（1.8〜5.9）mm 遠位かつ sMCL の脛骨近位部から 9.0 mm 近位である（図 21-1D）。したがって，dMCL の半月大腿部は半月脛骨部と比較して長い。dMCL は内側半月に付着するため，dMCL は膝の運動に伴って内側半月が関節

表 21-1 内側側副靭帯（MCL）の剛性と破断強度（文献 27, 37, 40 より作成）

報告者	対象（人）	伸張速度（mm/分）	剛性（N/mm）	破断強度（N）
Robinson ら [27]	8	1,000	80 ± 8	534 ± 85
Wijdicks ら [37]	8	20	63 ± 9	557 ± 55
Wilson ら [40]	9	500	63 ± 14	799 ± 209

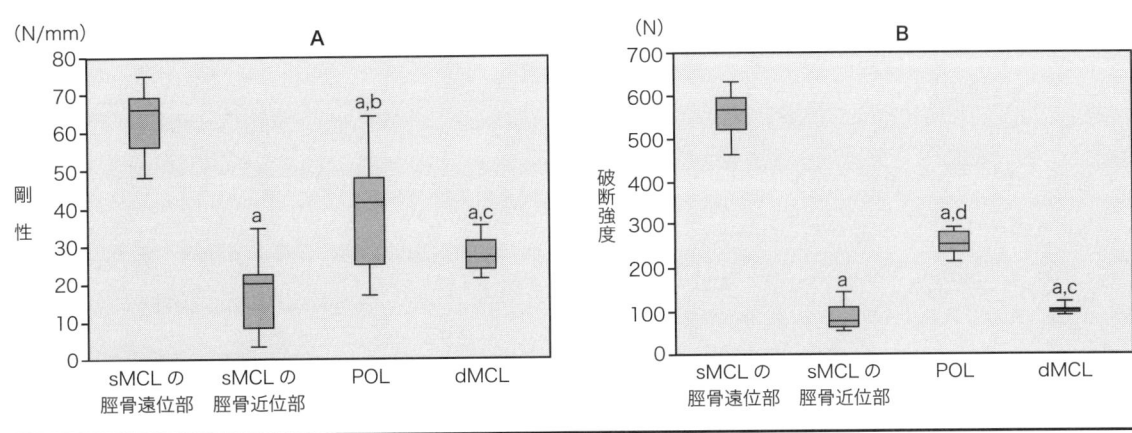

図 21-2 線維別の剛性（A）と破断強度（B）（文献 37 より引用）
剛性，破断強度ともに sMCL の脛骨遠位部が最も強く，以下 POL，dMCL，sMCL の脛骨近位部が続く。a：vs. sMCL の脛骨遠位部，b：vs. sMCL の脛骨近位部，c：vs. POL，いずれも $p<0.05$。

内に引き込まれることを防ぐ機能を有すると考えられている[1]。

POL は半膜様筋腱の遠位から走行している線維で，superficial arm，central arm，capsular arm の 3 つの筋膜付着部から構成される（図 21-1C）。大腿骨側の共通する付着部は，内転筋結節から 7.7（6.1〜9.8）mm 遠位かつ 6.4（4.5〜10.6）mm 後方に位置している。Superficial arm は近位では半膜様筋の前内側を走行し，遠位では sMCL の後縁と平行して走行する。Central arm は POL のなかで最も大きく厚い組織である。Central arm は半膜様筋腱の遠位面から走行し，後内側関節包の半月大腿部と半月脛骨部の両方を補強している厚い筋膜であり，内側半月への強固な付着部を有する。さらに遠位部では内側半月の後内側面，後内側関節包の半月脛骨部，および脛骨後内側部に付着する。Capsular arm は脛骨へは走行せず，後内側関節包の半

月大腿部や腓腹筋内側頭の腱上の軟部組織，および大内転筋腱の大腿骨側付着部に付着しており，骨への付着部を有していない（図 21-1C，D）。

sMCL の長さは 112.1 ± 59 mm，幅は 32.1 ± 3.1 mm，厚さ 2.1 ± 0.6 mm [40]，dMCL の長さは 29.0〜33.0 mm，幅は 5.0〜9.0 mm [29]，POL の長さは 50 mm [19] と報告された。したがって，3 つの靭帯のうち sMCL が最大の靭帯と位置づけられる。しかし，これまでに付着部位別の構造的な特徴について定量的に評価を行った研究はなく，今後より詳細な解剖学的研究が期待される。

2. MCL のバイオメカニクス

1）剛性と破断強度

MCL のなかで最大かつ最も重要な構造である sMCL の物理的特性について，複数の論文における結果を表 20-1 に示した [27,37,40]。各研究で負荷を加える際の伸張速度が異なるが，sMCL は 60

第6章 内側側副靱帯・外側側副靱帯損傷

～80 N/mm の剛性と，500～800 N の破断強度を有している．さらに，Wijdicks ら[37]は，MCL を sMCL の脛骨近位部，脛骨遠位部，dMCL，POL に分けた際の各線維の剛性と破断強度を計測した．その結果，sMCL の脛骨遠位部が最も強い剛性と破断強度を有し，POL，dMCL が続き，sMCL の脛骨近位部が最も弱い剛性と破断強度を有していた（図 21-2）．

2）屈曲角度による靱帯長の変化

MCL の屈伸に伴う緊張の変化についてはコンセンサスが得られていない．Abbott ら[1]と Wang ら[35]は，MCL は完全伸展位で最も緊張し，屈曲に伴って弛緩すると報告した．一方，Brantigan ら[3]，Robinson ら[29]は，MCL は屈曲に伴って弛緩せず，緊張を維持したままであると結論づけた．しかしこれらの報告は，MCL と POL の区別が明確ではなく，また測定部位が統一されていないため科学的根拠に乏しい．Warren ら[36]は sMCL を前方線維と後方線維に分けて屈曲に伴う長さの変化を調べた．sMCL の前方線維は完全伸展位から 90°屈曲位までは緊張下にあり，45°で最も緊張した．一方，後方線維は屈曲に伴って弛緩した（図 21-3）．また，Park ら[26]は MRI を用いて三次元モデルを作成し，屈曲に伴う MCL の長さの変化を前方線維，中間線維，後方線維に分けて測定した．その結果，前方線維の長さは完全伸展位（66.8 ± 4.9 mm）から 90°屈曲位（68.9 ± 3.3 mm）までの間で有意な変化が認められなかった．それに対し，後方線維の長さは完全伸展位（87.9 ± 4.9 mm）で最大長となり，屈曲に伴って著しく減少し，90°屈曲位で最も短縮した（74.0 ± 4.4 mm）．中間線維の長さは完全伸展位において最大であった（76.0 ± 4.1 mm）．以上より，MCL を前方線維と後方線維に分けると，屈曲角度による長さの変化は異なるパターンを示し，前方線維

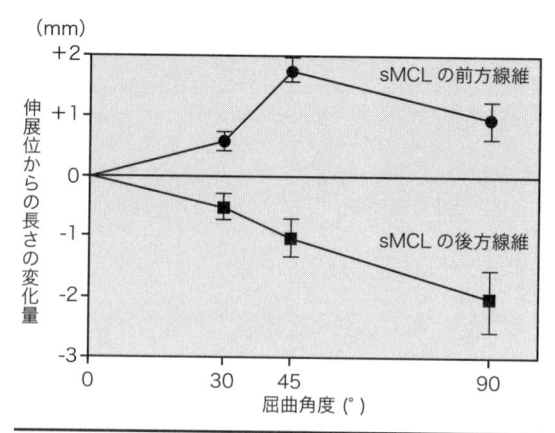

図 21-3 内側側副靱帯浅層（sMCL）の長さの変化（文献 36 より引用）
前方線維は屈曲に伴い緊張したままであるが，後方線維は屈曲に伴って弛緩した．

は屈曲位でも緊張するが，後方線維は屈曲に伴って弛緩することが示唆された．一方，POL の長さを定性的に評価した研究では，一貫して POL は屈曲に伴って弛緩した[3, 19, 29]．

3）MCL の外反制動機能

MCL は膝関節の外反制動性を有することが一般的に知られており[1, 15, 31, 38]，その制動力は 5°屈曲位では 57.4 ± 3.5%，25°屈曲位では 78.2 ± 3.7% を占めることが報告された[14, 15]．線維別に外反制動力を比較すると，特に sMCL が最も大きな外反制動力を有し，dMCL と POL は二次的な外反制動として機能することが知られている[1, 16, 28, 31, 38, 39]．

MCL の各線維を切離して，さらに詳細な役割が検証されてきた．Robinson ら[28]は sMCL，dMCL，および POL の母体となる後内側関節包（posteromedial capsule：PMC）を異なる順番で切除し，5 Nm の外反ストレスを加えた際の膝関節外反角度を測定した．その結果，sMCL の単独切除ではすべての屈曲角度において外反角度は正常状態と比較して有意に増加したが，dMCL の単独切除では外反角度は増加しなかった．しか

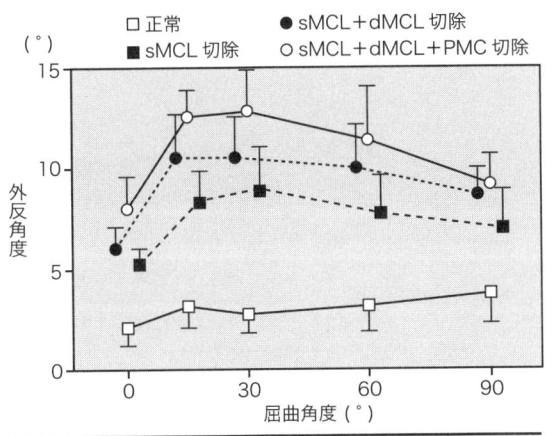

図21-4 内側側副靱帯（MCL）の外反制動性（文献28より引用）
sMCL単独の切除で外反角度は著しく増加し，その後dMCLを切除すると外反角度はさらに増加した。

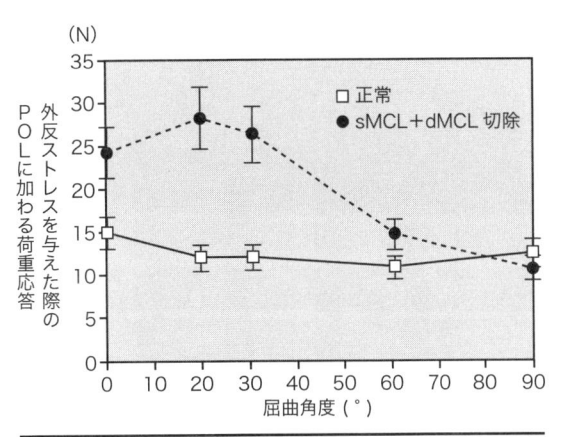

図21-5 Posterior oblique ligament（POL）の外反制動性（文献39より引用）
sMCLとdMCLを切除した状態で外反ストレスを与えると，0〜30°屈曲位でPOLの荷重応答は高くなる。

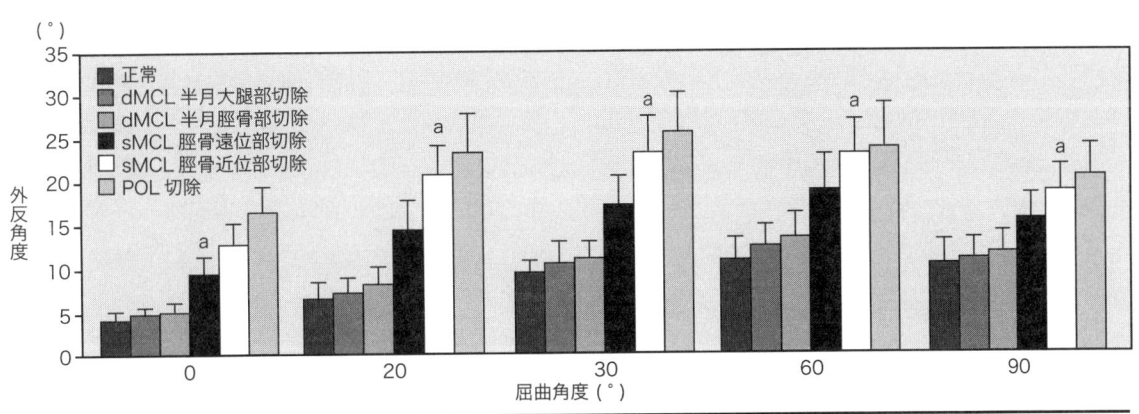

図21-6 内側側副靱帯浅層（sMCL），深層（dMCL）の線維別の外反制動性（文献13より引用）
dMCL半月大腿部→dMCL半月脛骨部→sMCL脛骨遠位部→sMCL脛骨近位部→POLの順で各線維を切除した際の外反角度の変化。sMCLの脛骨近位部を切除したときに外反角度が有意に増加した。a：$p<0.05$ vs. 正常。

し，sMCLを切除した状態でさらにdMCLを切除すると，sMCLのみの切除と比較して外反角度は有意に増加した。PMCの単独切除は膝伸展位で外反角度が著しく増加し，さらにsMCLとdMCLを切除した後にPMCを切除すると，すべての屈曲角度において外反角度は有意に増加した（図21-4）。Wijdicksら[39]はsMCLとdMCLを切除した状態で膝関節に10 Nmの外反ストレスを加えた際のPOLに加わる荷重応答を測定した。その結果，膝関節が0〜30°屈曲位において，POLの荷重応答は正常状態と比較して有意に増加した（図21-5）。以上より，外反の主な制動はsMCLが担い，二次的な制動はPOLとdMCLが担うといえる。さらに，POLは屈曲位にて弛緩する特性を有するため，膝関節伸展位付近において，外反を二次的に制動する機能を有している。

sMCLの各線維は，外反制動に対して異なる機能を有すると考えられている。Griffithら[13]はsMCLの脛骨近位部，脛骨遠位部，dMCLの半月大腿部，半月脛骨部，POLを順番に切除し，

第6章 内側側副靱帯・外側側副靱帯損傷

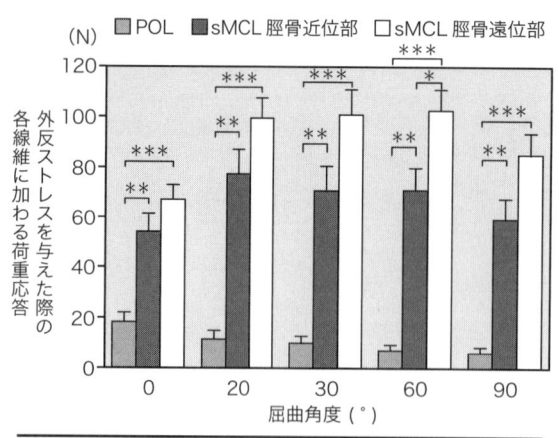

図21-7 外反ストレスを加えた際の各線維に加わる荷重応答(文献13より引用)
すべての角度において，sMCLの脛骨遠位部に加わる荷重応答が高い。* $p<0.05$，** $p<0.001$，*** $p<.00001$。

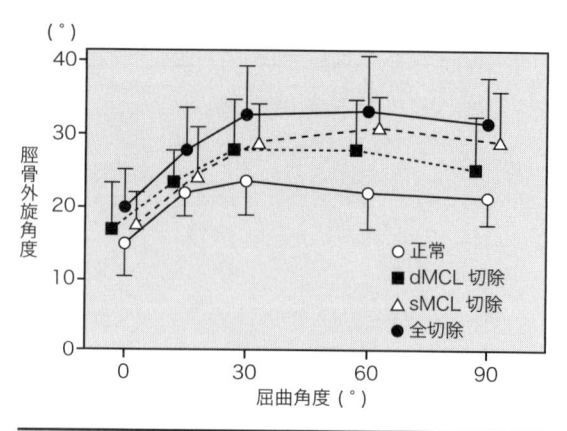

図21-8 内側側副靱帯(MCL)の外旋制動性(文献28より引用)
sMCLを単独で切除すると，60〜90°屈曲位において外旋角度は著しく増加し，dMCLを単独で切除すると外旋角度はわずかに増加する。

膝関節に10 Nmの外反ストレスを加えた際の外反角度を測定した。その結果，sMCLの脛骨近位部を切除すると外反角度が有意に増加し，sMCLの脛骨近位部以外の線維を切除しても正常状態と比較して外反角度は有意に増加しなかった。そのため，sMCLのなかでも特に脛骨近位部が外反制動の主な機能を有するといえる(図21-6)。しかし，同じGriffithら[14]が靱帯を切除せず，バックルトランスデューサーを用いて靱帯に加わる荷重応答を測定した結果，sMCLの脛骨遠位部は脛骨近位部よりも外反ストレスに対する荷重応答が高かった(図21-7)。この結果について，sMCLの脛骨近位部は軟部組織に付着しているため，靱帯に加わる負荷が分散されたと考察された。sMCLを線維ごとに分けて機能の違いを検討した研究は，Griffithらの研究グループが行った実験のみであり，sMCLの線維ごとの外反制動の違いについては推論の域を出ない。

4) MCLの外旋制動機能

MCLは，脛骨の外旋を制動する機能も有する[1, 28, 31, 38, 39]。Robinsonら[28]はsMCL，dMCL，POLの母体となるPMCを異なる順番で切除し，膝関節に5 Nmの外旋ストレスを加えた際の脛骨の外旋角度を測定した。その結果，sMCLを単独で切除すると60〜90°屈曲位で外旋角度が増加した。また，dMCLを単独で切除した際も60〜90°屈曲位の範囲で外旋角度がわずかに増加したが，増加量はsMCLの単独切除と比較して小さかった。PMCを単独で切除した場合，および他の組織と組み合わせて切除した場合は，いずれの屈曲角度においても外旋角度には有意な変化を認めなかった(図21-8)。したがって，外旋の主な制動にはsMCLが，二次的な制動にはdMCLが関与しており，PMCから構成されるPOLの外旋制動に対する貢献は低い。

sMCLの各線維は外旋制動に対しても異なる機能を有すると考えられている。Griffithら[13]はsMCLの脛骨近位部，脛骨遠位部，dMCLの半月大腿部，半月脛骨部，POLを順番に切除し，膝関節に10 Nmの外旋ストレスを加えた際の外旋角度を測定した。その結果，sMCLの脛骨遠位部を切除することにより，0°，20°，60°屈曲位での外旋角度は正常状態と比較して有意に増加した。その後sMCLの脛骨近位部を切除しても外旋角度は増加しなかった(図21-9)。そのため，

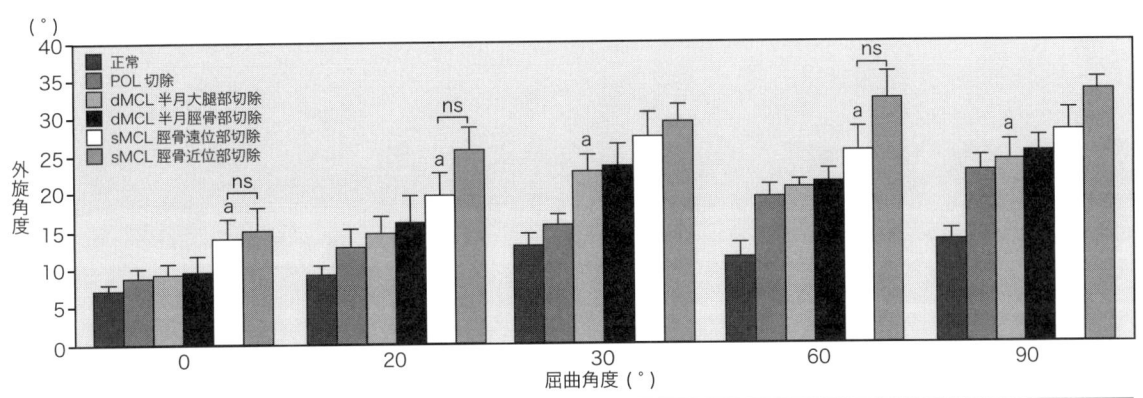

図21-9 内側側副靱帯浅層（sMCL），深層（dMCL）の線維別の外旋制動性（文献13より引用）
POL→dMCL半月大腿部→dMCL半月脛骨部→sMCL脛骨遠位部→sMCL脛骨近位部の順で各線維を切除した際の外旋角度の変化。sMCLの脛骨遠位部を切除することにより，0°，20°，60°屈曲位での外旋角度は有意に増加し，その後sMCLの脛骨近位部を切除しても外旋角度は増加しなかった。a：p＜0.05 vs. 正常。

sMCLを構成するなかでも特に脛骨遠位部が外旋を主に制動している可能性がある。一方で，Griffithら[14]はバックルトランスデューサーを用いて靱帯に加わる荷重応答を測定した。その結果，外旋ストレスに対する荷重応答は0～30°屈曲位においてsMCLの脛骨近位部が高い値を示し，60～90°屈曲位では脛骨遠位部が高い値を示した（図21-10）。これより，屈曲角度によって各線維の受ける荷重応答が異なる可能性が示唆される。しかしながら，外反制動と同様にsMCLを線維ごとに分けて機能の違いを分析した研究はこの報告のみであり，sMCLの線維ごとの外旋制動の違いについて一定の見解は得られていない。

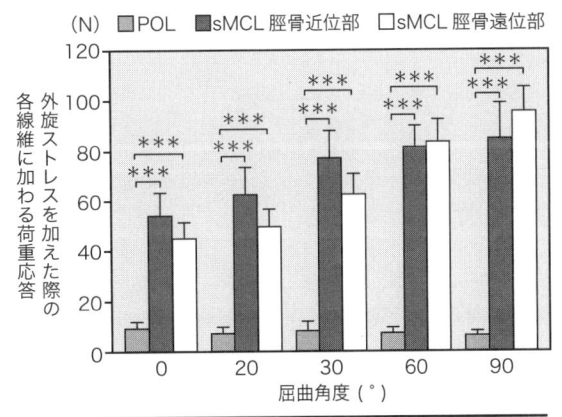

図21-10 外旋ストレスを加えた際の各線維に加わる荷重応答（文献13より引用）
外旋ストレスに対する荷重応答は，0～30°屈曲位ではsMCLの脛骨近位部が，60～90°屈曲位では脛骨遠位部が高値を示した。＊＊＊p＜0.0001。

5）MCLの内旋制動機能

MCLは脛骨の内旋制動機能も有する[13～15, 28, 31, 38]。Griffithら[13]はsMCL，dMCL，POLを単独で切除すると，いずれの線維を切除した場合でも，正常状態と比較して内旋角度は有意に増加したと報告した。Robinsonら[28]はsMCL，dMCL，PMCを異なる順番で切除し，膝関節に5Nmの内旋ストレスを加えた際の内旋角度を測定した。その結果，sMCLの単独切除では，30～90°屈曲位の間で内旋角度が増加し，POLの単独切除では，屈曲0°～15°において内旋角度が増加した（図21-11）。以上より，各線維はすべて内旋制動にかかわるが，特に膝関節伸展位ではPOLが制動し，屈曲位ではsMCLが内旋を制動することが考えられる。それに対して，Griffithら[14]はsMCL，dMCL，POLを温存し，膝関節に5Nmの内旋・外旋ストレスを加えた際の各線維に加わる荷重応答を測定した。その結果，各線維に加わる荷重応答は内旋ストレスよりも外旋ストレスで高くなった（図21-10，図21-12）。したがっ

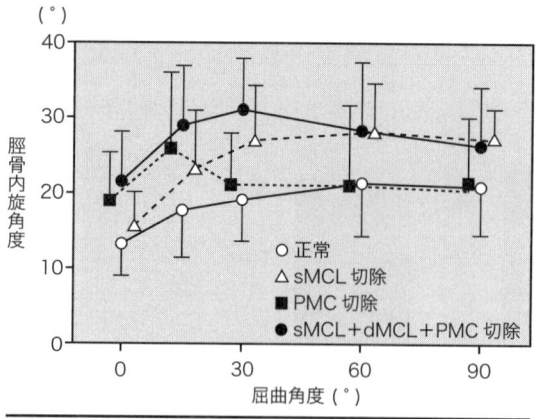

図 21-11　内側側副靱帯（MCL）の内旋制動性（文献 28 より引用）
sMCL の単独切除では 30〜90°屈曲位の間で内旋角度が増加し，POL の単独切除では屈曲 0°〜15°において内旋角度が増加した。

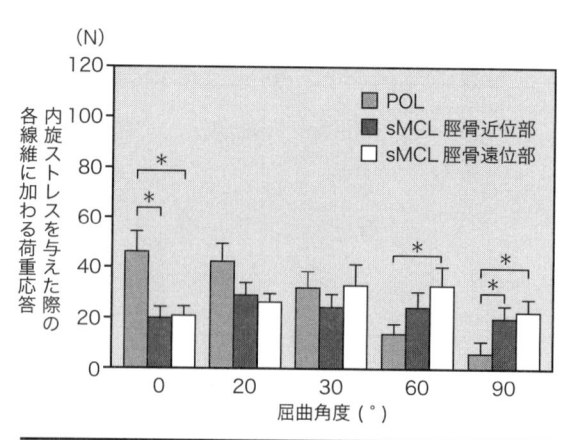

図 21-12　内旋ストレスを加えた際の各線維に加わる荷重応答（文献 13 より引用）
内旋ストレスに対する荷重応答は，0〜30°屈曲位では POL が最も高値を示したが，図 21-10 の外旋ストレスに対する荷重応答と比較すると，いずれの線維も荷重応答は低値を示した。＊ $p<0.05$ 。

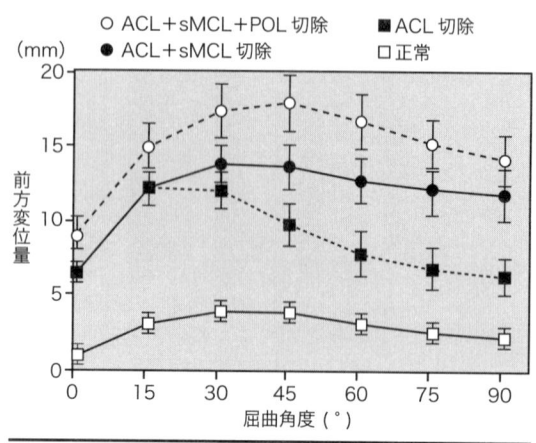

図 21-13　内側側副靱帯（MCL）の前方変位制動性（文献 15 より引用）
ACL の単独切除で脛骨の前方変位量は有意に増加し，ACL を切除後 sMCL を切除すると，前方変位量はさらに増加した。

て，MCL は内旋制動にかかわるが，その貢献度は外旋制動よりも小さいことが示唆された。

6）MCL の脛骨前方・後方変位制動機能

MCL は脛骨の前方・後方変位制動機能を有すると報告されている[13,15,16,28]。一般的に，脛骨の前方変位に対しては前十字靱帯（ACL）が制動し，後方変位に対しては後十字靱帯（PCL）が制動に貢献する。

Haimes ら[16]は ACL，sMCL，POL を異なる順番で切除し，脛骨に対して 100 N の前方剪断力を加えた際の脛骨の前方変位量を測定した。その結果，ACL の単独切除で脛骨の前方変位量は有意に増加したが，sMCL，POL のみの切除では前方変位量は増加しなかった。しかし，ACL を切除した状態で sMCL を切除すると，前方変位量はさらに増加したことから，脛骨の前方制動には ACL が最も貢献度が高く，sMCL が二次的に関与することがわかった（**図 21-13**）。一方，Robinson ら[28]は脛骨の後方変位について，脛骨を内旋位に固定した膝伸展位で，sMCL，dMCL，POL の母体である PMC を異なる順番で切除し，脛骨に対して 150 N の後方剪断力を加えた際の脛骨の後方変位量を測定し，各線維の後方変位制動に対する貢献度を算出した。その結果，PMC を単独で切除した場合のみ後方変位量は有意に増加し，PMC は後方剪断力に対して 42％の抵抗を示し，sMCL は 18％の抵抗を示した（**図 21-14**）。また，PCL を含めた他の組織は

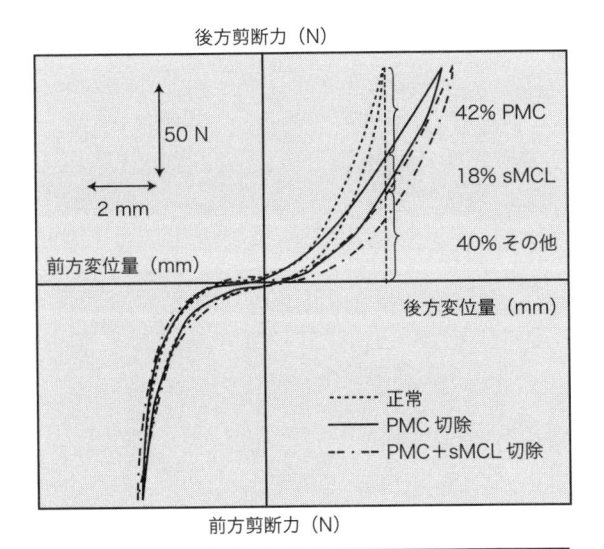

図 21-14 内側側副靱帯（MCL）の後方制動性（文献 28 より引用）
後内側関節包（PMC）は後方剪断力の 42%，sMCL は 18%，後十字靱帯（PCL）を含めた他の構造は 40%に抵抗した。

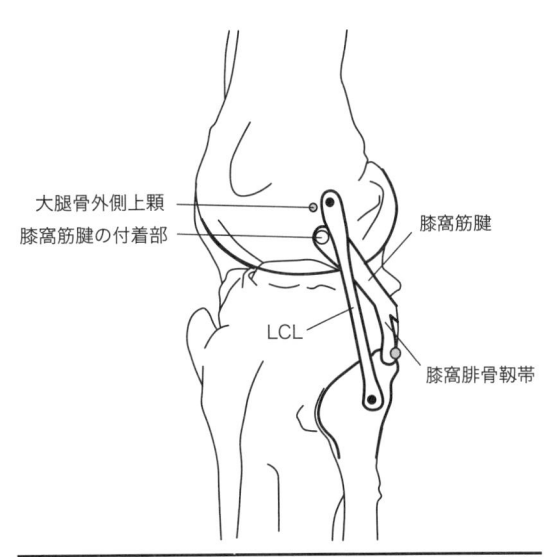

図 21-15 外側側副靱帯（LCL）の走行（左膝外側面）（文献 3 より引用）
LCL は大腿骨外側上顆から腓骨頭に向かって走行している。

後方剪断力に対して 40%の抵抗を示した。以上より，sMCL と PMC から構成される POL は後方変位に対する制動機能に関与し，特に POL が重要な役割を担っていることが考えられた。また，PCL と直接比較されていないが，POL は PCL と同程度の制動力を有する可能性がある。

C. 外側側副靱帯（LCL）

1. 解剖学

LCL は乾燥重量の約 81.7%，湿潤重量の約 20.9%をコラーゲンが占めている靱帯である[10]。LCL の血液供給は，LCL の深部を走行する膝窩動脈由来の外側下膝動脈が担っていると考えられている[30]。MCL と同様に，LCL には機械的受容器が存在する。1 mm³ あたり，ルフィニ小体は 1.08 個，パチニ小体は 0.97 個存在し，これらの受容器は靱帯周囲の組織に存在する。また，ゴルジ腱器官は 0.43 個，自由神経終末は 6.96 個存在し，両受容器は靱帯周囲の組織と靱帯内に存在する[8]。LCL には総腓骨神経から分岐している外側関節枝が走行しており，各受容器から得られた情報は，外側関節枝を介して中枢神経系に伝わると考えられている[22]。Brinkman ら[4]の解剖学的研究によれば，LCL は大腿骨外側上顆から 1.3 ± 3.6 mm 近位かつ 4.6 ± 2.0 mm 後方に付着し，そこから腓骨に向かって走行している。腓骨側の付着部は，腓骨頭前縁から 0.4 ± 3.5 mm 遠位かつ 8.1 ± 3.2 mm 後方である（**図 21-15**）。Wilson ら[40] は LCL の構造的特徴を計測した結果，その長さ 69.9 ± 6.4 mm，幅 4.7 ± 1.1 mm，厚さ 2.6 ± 0.3 mm であったと報告した。

2. LCL のバイオメカニクス

1）剛性，破断強度

LCL の物理的特性について，複数の論文における結果を**表 20-2** に示す[32, 40]。LCL は約 60 N/mm の剛性と，300〜400 N の破断強度を有する。これは前述した MCL の剛性および破断強度よりも低い傾向を示す。

表 21-2 外側側副靱帯（LCL）の剛性と破断強度（文献 32, 40 より引用）

報告者	対象（人）	伸張速度 (mm/分)	剛性 (N/mm)	破断強度 (N)
Sugita ら [32]	10	200	58 ± 23	309 ± 91
Wilson ら [40]	9	500	59 ± 12	392 ± 104

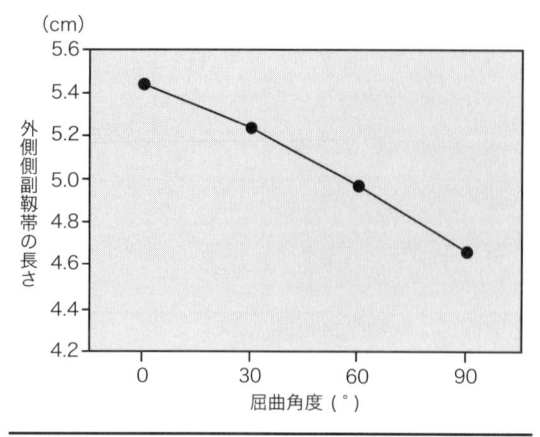

図 21-16 外側側副靱帯（LCL）の長さの変化（文献 35 より引用）
LCL は屈曲に伴って弛緩する。

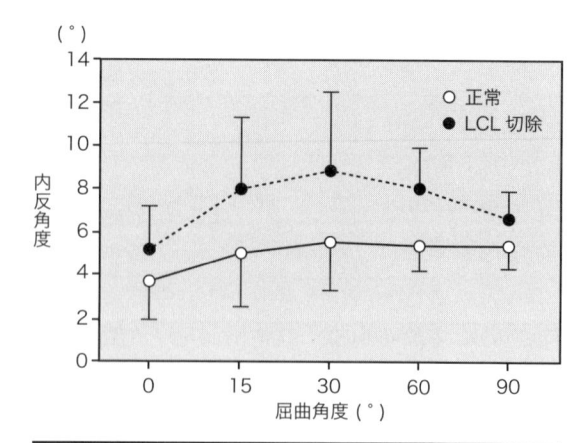

図 21-17 外側側副靱帯（LCL）の内反制動性（文献 6 より引用）
LCL を切除するとすべての角度において内反角度は増加した。

2）屈曲角度による靱帯長の変化

LCL は屈曲に伴って弛緩する[1,35]。Wang ら[35]は屍体 12 膝を対象に，異なる屈曲角度における LCL の長さを測定した。その結果，LCL は膝伸展位で最も伸長され，屈曲に伴って短縮した（**図 21-16**）。

3）LCL の内反制動機能

LCL は一般的に膝関節の内反を制動すると認識されている[1,7,12,15]。その制動力は 5°屈曲位では 54.8 ± 3.8%，25°屈曲位では 69.2 ± 5.4%を占める[15]。Coobs ら[7]は LCL を単独で切除し，膝関節に 10 Nm の内反ストレスを与える実験を行った。その結果，内反角度は正常状態と比較して有意に増加した（**図 21-17**）。Gollehon ら[12]は LCL，PCL，弓状靱帯複合体を異なる順番で切除し，内反ストレスを加えたときの内反角度を測定した。その結果，LCL を単独で切除したときのみ内反角度が増加したことを報告した。以上より，LCL は後外側支持機構のなかでも内反制動に対して高い貢献度を有することが認められた。

4）LCL の外旋制動機能

LCL による外旋制動機能についても実験的に検証されてきた[7]。Coobs ら[7]は LCL を単独で切除し，膝関節に 5 Nm の外旋ストレスを加える実験を行った。その結果，外旋角度はわずかに増加した（**図 21-18**）。Gollehon ら[12]は LCL，PCL，弓状靱帯複合体を異なる順番で切除し，外旋ストレスを加えた際の外旋角度を測定した。その結果，LCL の単独の切除では外旋角度は増加しなかったが，LCL に加えて弓状靱帯複合体を切除した場合に外旋角度は有意に増加した（**図 21-19**）。したがって，LCL は単独での外旋制動性は小さいが，他の後外側支持機構とともに外旋

21. 基礎科学

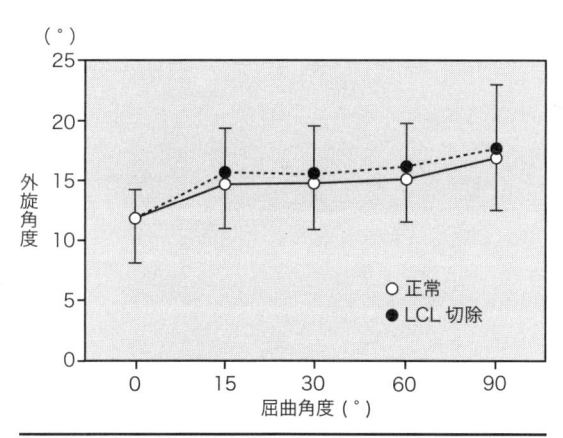

図 21-18 外側側副靱帯（LCL）の外旋制動性（文献 6 より引用）
LCL を切除すると外旋角度はわずかに増加した。

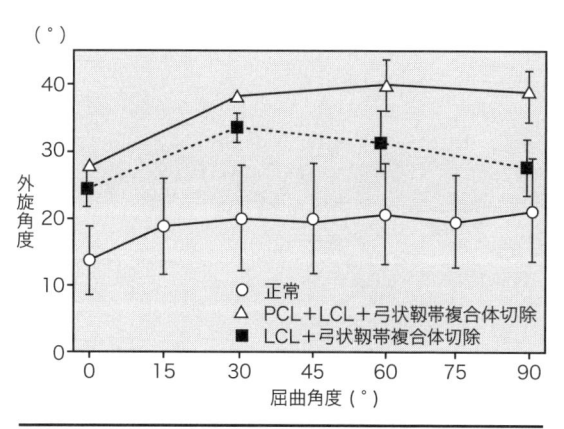

図 21-19 外側側副靱帯（LCL）と他の後外側支持機構の外旋制動性（文献 11 より引用）
LCL に加えて弓状靱帯複合体を切除した場合に外旋角度は有意に増加した。

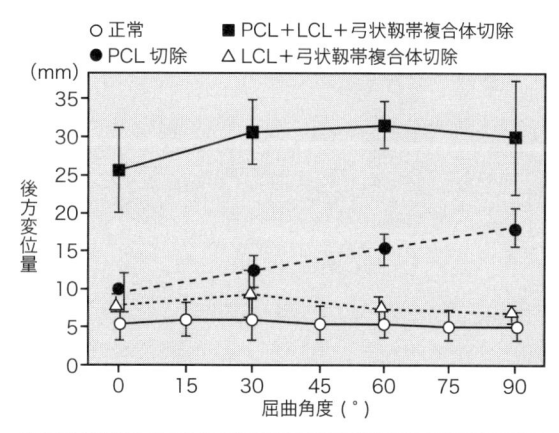

図 21-20 外側側副靱帯（LCL）と他の後外側支持機構の後方変位制動性（文献 11 より引用）
PCL の単独切除では後方変位量は有意に増加した。LCL と弓状靱帯複合体を同時に切除すると、後方変位量はわずかに増加した。

を制動する機能を有している。

5）LCL の後方変位制動機能

LCL は後方変位制動の機能を有することが報告された。Gollehon ら[12] は LCL，PCL，弓状靱帯複合体を異なる順番で切除し，脛骨に対して 125 N の後方剪断力を加えた際の脛骨の後方変位量を測定した。その結果，PCL の単独切除では脛骨の後方変位量は有意に増加したが，LCL の単独切除では後方変位量は変化しなかった。しかし，LCL と弓状靱帯複合体を同時に切除すると，後方変位量はわずかに増加した（**図 21-20**）。以上より，LCL は他の後外側支持機構とともに脛骨の後方変位を制動する機能を有する可能性が示唆された。

D. 前外側靱帯（ALL）

1．ALL 発見の歴史的背景

ALL は Claes ら[6] によって新たに発見された膝外側の靱帯である。Claes ら[6] によると，ALL についてはじめて存在が確認されたのは，フランスの Segond らによる 1897 年の論文であった。Segond らは，Segond 骨折（ACL 断裂に伴う脛骨前外側近位端の剥離骨折）の部位に，"pearly, resistant, fibrous band（真珠のような抵抗性のある線維束）"が付着していると述べた。しかし Segond らは，この論文においてこの構造体に名称をつけなかった。その後，複数の研究でこの構造体に関して着目され，"anterior band of the lateral collateral ligament"[20]，"(mid-third) lateral capsular ligament"[17,18,21,25]，"anterior oblique band"[5]，"anterolateral ligament"[33,34] な

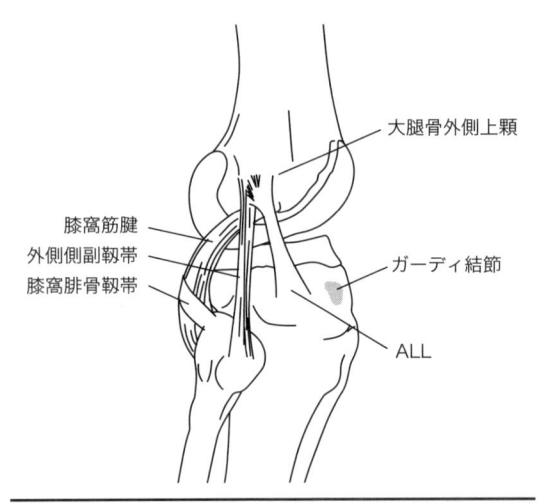

図 21-21　前外側靱帯（ALL）の走行（右膝外側面）
（文献 5 より引用）
ALL は LCL の前方に位置する。

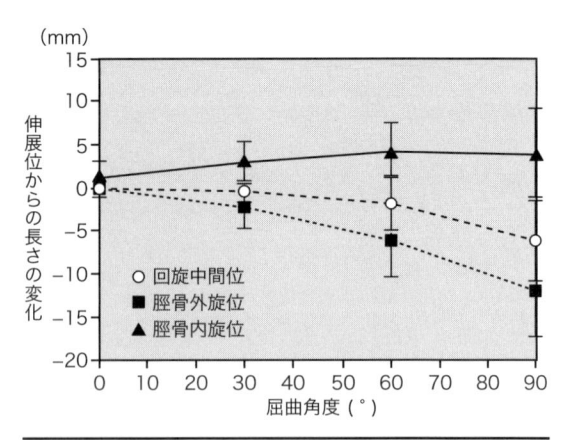

図 21-22　脛骨を内旋または外旋させた場合の前外側靱帯（ALL）の長さの変化（文献 8 より引用）
ALL は脛骨外旋位では弛緩するが，脛骨内旋位では緊張する。

どのさまざまな名称で呼ばれてきた。しかし，いずれの研究においても，この構造体について機能的な評価は行われず，その詳細については明らかにされていなかった。Claes ら[6] は屍体膝の解剖研究において，41 膝中 40 膝（男性 22 名，女性 19 名，平均 79 歳）に前外側関節包とは異なる構造体があることを指摘し，この構造体の機能についてはじめて定量的に評価した。そして，Claes らはこの構造体を前外側靱帯（anterolateral ligament：ALL）と命名した。ALL の存在は 19 世紀から確認されてはいたが，機能などを定量的に評価したのは Claes がはじめてである。

2．ALL の解剖学

　Claes ら[6] の報告によれば，ALL は LCL の前方に付着している。ALL の大腿骨側付着部は外側上顆に存在する LCL 付着部のわずかに前方である。そこから遠位に向かって走行し，脛骨のガーディ結節から 21.6 ± 4.0 mm 後方かつ腓骨頭から 23.2 ± 5.7 mm 前方に付着している。さらに，ALL は外側半月との付着部も有する。膝関節伸展位での長さは 38.5 ± 6.1 mm であり，屈曲 90° では 41.5 ± 6.7 mm である。幅は大腿骨付着部では 8.3 ± 2.1 mm，関節裂隙部では 6.7 ± 3.0 mm，脛骨付着部では 11.2 ± 2.5 mm であり，骨付着部で広く，靱帯の中間部では狭くなる形状である（図 21-21）。

3．ALL のバイオメカニクス

　Claes ら[6] は解剖中に脛骨内旋を組み合わせて膝関節を屈曲させると，ALL は緊張することを報告した。このことから，ALL は脛骨の内旋を制動し，ACL 欠損膝で認められる膝の回旋不安定性（ピボット-シフト現象）に関与する可能性があると述べた。しかし，Claes らの実験では機能に関する定量的な評価を行っていない。ALL のバイオメカニクスに関して定量的に評価を行ったのは Dodds ら[9] のみである。Dodds らは屍体 40 膝（男性 21 名，女性 19 名）のうち 33 膝（83％）に ALL が見出されたことを報告した。さらに，脛骨を内旋または外旋させて膝関節を屈曲させた場合の ALL の長さの変化を測定した。その結果，脛骨外旋位では屈曲に伴って ALL は弛緩するが，脛骨内旋位では屈曲に伴って緊張することが報告された（図 21-22）。以上より，ALL は脛骨の内旋を制動する可能性があるが，

ALLのバイオメカニクスに関する報告はDoddsらの実験のみであり，今後さらなる研究が期待される。

E. まとめ

1. すでに真実として承認されていること

1) MCL
- MCLはsMCL，dMCLに大別されており，それぞれ異なる機能を有する。
- sMCLは外反と外旋に対する主要な制動性を有し，前方変位に対する二次的な制動として作用する。
- dMCLは外反と外旋を二次的に制動する。
- POLは伸展位での外反，内旋を二次的に制動する。

2) LCL
- LCLは内反の主要な制動性を有する。

2. 議論の余地はあるが，今後の重要な研究テーマとなること

1) MCL
- sMCLの脛骨近位部と脛骨遠位部は異なる機能を有する。
- sMCLとPOLは，PCLと同程度の後方変位制動性を有する。

2) LCL
- LCL単独での外旋，後方変位に対する制動力は小さく，他の後外側支持機構と協調して外旋を制動する。

3) ALL
- LCLの外側にはALLが存在し，脛骨の内旋を制動する。

3. 真実と思われていたが実は疑わしいこと
- POLはsMCLの一部であるとされていたが，実際には後内側関節包の肥厚部分である。

F. 今後の課題

- sMCLの脛骨近位部と脛骨遠位部が，それぞれ外反，外旋制動に関与する貢献度を検証する。
- 単独の運動方向だけでなく，実際の受傷機転を想定した運動方向に対する各靱帯の制動性を検証する。
- 実際のスポーツ動作を想定し，荷重条件を加味した生体力学研究を行い，各靱帯に加わる負荷を検証する。
- ALLに関する報告はきわめて少ないため，人種による保有率の違いや詳細な解剖，バイオメカニクスについて検証する。

文　献

1. Abbott LC, Saunders JB, Bost FC, Anderson CE: Injuries to the ligaments of the knee joint. *J Bone Joint Surg*. 1944; 26: 503-21.
2. Amiel D, Frank C, Harwood F, Fronek J, Akeson W: Tendons and ligaments: a morphological and biochemical comparison. *J Orthop Res*. 1984; 1: 257-65.
3. Brantigan OC, Voshell AF: The tibial collateral ligament: its function, its bursae, and its relation to the medial meniscus. *J Bone Joint Surg Am*. 1943; 25: 121-31.
4. Brinkman JM, Schwering PJ, Blankevoort L, Kooloos JG, Luites J, Wymenga AB: The insertion geometry of the posterolateral corner of the knee. *J Bone Joint Surg Br*. 2005; 87: 1364-8.
5. Campos JC, Chung CB, Lektrakul N, Pedowitz R, Trudell D, Yu J, Resnick D: Pathogenesis of the Segond fracture: anatomic and MR imaging evidence of an iliotibial tract or anterior oblique band avulsion. *Radiology*. 2001; 219: 381-6.
6. Claes S, Vereecke E, Maes M, Victor J, Verdonk P, Bellemans J: Anatomy of the anterolateral ligament of the knee. *J Anat*. 2013; 223: 321-8.
7. Coobs BR, LaPrade RF, Griffith CJ, Nelson BJ: Biomechanical analysis of an isolated fibular (lateral) collateral ligament reconstruction using an autogenous semitendinosus graft. *Am J Sports Med*. 2007; 35: 1521-7.
8. Delgado-Baeza E, Utrilla-Mainz V, Contreras-Porta J, Santos-Alvarez I, Martos-Rodriguez A: Mechanoreceptors in collateral knee ligaments: an animal experiment. *Int Orthop*. 1999; 23: 168-71.
9. Dodds AL, Halewood C, Gupte CM, Williams A, Amis

AA: The anterolateral ligament: anatomy, length changes and association with the Segond fracture. *J Bone Joint Surg*. 2014; 96-B: 325-31.
10. Eleswarapu SV, Responte DJ, Athanasiou KA: Tensile properties, collagen content, and crosslinks in connective tissues of the immature knee joint. *PLoS One*. 2011; 6: e26178.
11. Fischer RA, Arms SW, Johnson RJ, Pope MH: The functional relationship of the posterior oblique ligament to the medial collateral ligament of the human knee. *Am J Sports Med*. 1985; 13: 390-7.
12. Gollehon DL, Torzilli PA, Warren RF: The role of the posterolateral and cruciate ligaments in the stability of the human knee. A biomechanical study. *J Bone Joint Surg Am*. 1987; 69: 233-42.
13. Griffith CJ, LaPrade RF, Johansen S, Armitage B, Wijdicks C, Engebretsen L: Medial knee injury: part 1, static function of the individual components of the main medial knee structures. *Am J Sports Med*. 2009; 37: 1762-70.
14. Griffith CJ, Wijdicks CA, LaPrade RF, Armitage BM, Johansen S, Engebretsen L: Force measurements on the posterior oblique ligament and superficial medial collateral ligament proximal and distal divisions to applied loads. *Am J Sports Med*. 2009; 37: 140-8.
15. Grood ES, Noyes FR, Butler DL, Suntay WJ: Ligamentous and capsular restraints preventing straight medial and lateral laxity in intact human cadaver knees. *J Bone Joint Surg Am*. 1981; 63: 1257-69.
16. Haimes JL, Wroble RR, Grood ES, Noyes FR: Role of the medial structures in the intact and anterior cruciate ligament-deficient knee. Limits of motion in the human knee. *Am J Sports Med*. 1994; 22: 402-9.
17. Haims AH, Medvecky MJ, Pavlovich R Jr, Katz LD: MR imaging of the anatomy of and injuries to the lateral and posterolateral aspects of the knee. *Am J Roentgenol*. 2003; 180: 647-53.
18. Hughston JC, Andrews JR, Cross MJ, Moschi A: Classification of knee ligament instabilities. Part II. The lateral compartment. *J Bone Joint Surg Am*. 1976; 58: 173-9.
19. Hughston JC, Eilers AF: The role of the posterior oblique ligament in repairs of acute medial (collateral) ligament tears of the knee. *J Bone Joint Surg Am*. 1973; 55: 923-40.
20. Irvine GB, Dias JJ, Finlay DB: Segond fractures of the lateral tibial condyle: brief report. *J Bone Joint Surg Br*. 1987; 69: 613-4.
21. Johnson LL: Lateral capsualr ligament complex: anatomical and surgical considerations. *Am J Sports Med*. 1979; 7: 156-60.
22. Kennedy JC, Alexander IJ, Hayes KC: Nerve supply of the human knee and its functional importance. *Am J Sports Med*. 1982; 10: 329-35.
23. LaPrade RF, Engebretsen AH, Ly TV, Johansen S, Wentorf FA, Engebretsen L: The anatomy of the medial part of the knee. *J Bone Joint Surg Am*. 2007; 89: 2000-10.
24. Loredo R, Hodler J, Pedowitz R, Yeh LR, Trudell D, Resnick D: Posteromedial corner of the knee: MR imaging with gross anatomic correlation. *Skeletal Radiol*. 1999; 28: 305-11.
25. Moorman CT 3rd, LaPrade RF: Anatomy and biomechanics of the posterolateral corner of the knee. *J Knee Surg*. 2005; 18: 137-45.
26. Park SE, DeFrate LE, Suggs JF, Gill TJ, Rubash HE, Li G: The change in length of the medial and lateral collateral ligaments during in vivo knee flexion. *Knee*. 2005; 12: 377-82.
27. Robinson JR, Bull AM, Amis AA: Structural properties of the medial collateral ligament complex of the human knee. *J Biomech*. 2005; 38: 1067-74.
28. Robinson JR, Bull AM, Thomas RR, Amis AA: The role of the medial collateral ligament and posteromedial capsule in controlling knee laxity. *Am J Sports Med*. 2006; 34: 1815-23.
29. Robinson JR, Sanchez-Ballester J, Bull AM, Thomas Rde W, Amis AA: The posteromedial corner revisited. An anatomical description of the passive restraining structures of the medial aspect of the human knee. *J Bone Joint Surg Br*. 2004; 86: 674-81.
30. Scapinelli R: Studies on the vasculature of the human knee joint. *Acta Anat (Basel)*. 1968; 70: 305-31.
31. Schein A, Matcuk G, Patel D, Gottsegen CJ, Hartshorn T, Forrester D, White E: Structure and function, injury, pathology, and treatment of the medial collateral ligament of the knee. *Emerg Radiol*. 2012; 19: 489-98.
32. Sugita T, Amis AA: Anatomic and biomechanical study of the lateral collateral and popliteofibular ligaments. *Am J Sports Med*. 2001; 29: 466-72.
33. Vieira EL, Vieira EA, da Silva RT, Berlfein PA, Abdalla RJ, Cohen M: An anatomic study of the iliotibial tract. *Arthroscopy*. 2007; 23: 269-74.
34. Vincent JP, Magnussen RA, Gezmez F, Uguen A, Jacobi M, Weppe F, Al-Saati MF, Lustig S, Demey G, Servien E, Neyret P: The anterolateral ligament of the human knee: an anatomic and histologic study. *Knee Surg Sports Traumatol Arthrosc*. 2012; 20: 147-52.
35. Wang CJ, Walker PS: The effects of flexion and rotation on the length patterns of the ligaments of the knee. *J Biomech*. 1973; 6: 587-96.
36. Warren LA, Marshall JL, Girgis F: The prime static stabilizer of the medical side of the knee. *J Bone Joint Surg Am*. 1974; 56: 665-74.
37. Wijdicks CA, Ewart DT, Nuckley DJ, Johansen S, Engebretsen L, Laprade RF: Structural properties of the primary medial knee ligaments. *Am J Sports Med*. 2010; 38: 1638-46.
38. Wijdicks CA, Griffith CJ, Johansen S, Engebretsen L, LaPrade RF: Injuries to the medial collateral ligament and associated medial structures of the knee. *J Bone Joint Surg Am*. 2010; 92: 1266-80.
39. Wijdicks CA, Griffith CJ, LaPrade RF, Spiridonov SI, Johansen S, Armitage BM, Engebretsen L: Medial knee injury: part 2, load sharing between the posterior oblique ligament and superficial medial collateral ligament. *Am J Sports Med*. 2009; 37: 1771-6.
40. Wilson WT, Deakin AH, Payne AP, Picard F, Wearing SC: Comparative analysis of the structural properties of the collateral ligaments of the human knee. *J Orthop Sports Phys Ther*. 2012; 42: 345-51.

(高橋　美沙)

22. 疫学・病態

はじめに

内側側副靱帯（MCL），外側側副靱帯（LCL）は膝関節静的支持機構であり，膝関節の内側，外側の安定性に関与している。重度な MCL，LCL 損傷は，膝関節外・内反，回旋の不安定性を招き，長期にわたる競技からの離脱へとつながる。MCL，LCL 損傷を予防するうえで，疫学調査により発生状況や特徴を明らかとすることが重要であるが，疫学論文の数は LCL よりも MCL 損傷が圧倒的に多い。また，MCL，LCL は関節外靱帯であり，膝前十字靱帯（ACL）損傷など関節内靱帯の損傷とは病態が異なり，治癒過程も異なる。本項では，MCL，LCL 損傷に関する現在の疫学的知見，病態についてレビューを行った。

A. 文献検索方法

PubMed を用いて文献検索を実施した。検索ワードとして「medial collateral ligament」「lateral collateral ligament」「epidemiology or incidence or pathology」を用いて検索した。また，anterior cruciate ligament, lateral meniscus, medial meniscus を除外単語とした。以上によりヒットした計 26 論文を対象とした。

B. 内側側副靱帯（MCL）損傷

1．MCL 損傷の疫学
1）膝関節疾患内の MCL 損傷の疫学

MCL 損傷の疫学については複数の論文に記載されていた。Miyasaka ら[19]は 1985～1988 年にカリフォルニア州にある病院へ来院した患者 2,547 名を対象に，膝関節疾患の内訳を調査した。その結果，急性の膝関節靱帯損傷で徒手検査で陽性所見を認めたのは 2,547 名中 500 名，うち単独 MCL 損傷の割合は 28.8% であり，ACL 損傷（47.6%）に次いで 2 番目に多かった。また，ACL と MCL の複合損傷は全体の 12.8% であった。Majewski ら[17]はスイスのリースタル区のクリニックにおいて，10 年間に膝関節疾患で来院した 6,434 名について調査した。その結果，靱帯損傷または半月板損傷と診断された者は 3,482 名であった。単独 MCL 損傷は 612 件（17.6%）であり，ACL 損傷（45.4%），内側半月板損傷（24.0%）に次いで 3 番目に多かった。なお，ACL 損傷のうち 24.6% が MCL との複合損傷であった。Swenson ら[25]は 2005～2010 年，アメリカ人中学生 5,116 名を対象に疫学調査を行った。その結果，膝外傷全体のうち単独 MCL 損傷は 25.1%，MCL 損傷と他の靱帯や半月板との複合損傷は 11.0% であった。以上より，膝関節疾患全体に対する MCL 損傷の割合は，単独損傷で 17.6～28.8%，複合損傷で 11.0～12.8% の範囲と推定される。存在率に幅がある理由は Miyasaka ら[19]や Majewski ら[17]の対象の年齢が不明であることが一因と考えられる。一方，Swenson ら[25]の調査では，調査に参加可能であったアメリカの中学校から 100 校を無作為抽出しており，集団に加わるバイアスは明らかに低いと推測された。このようにサンプリングバイ

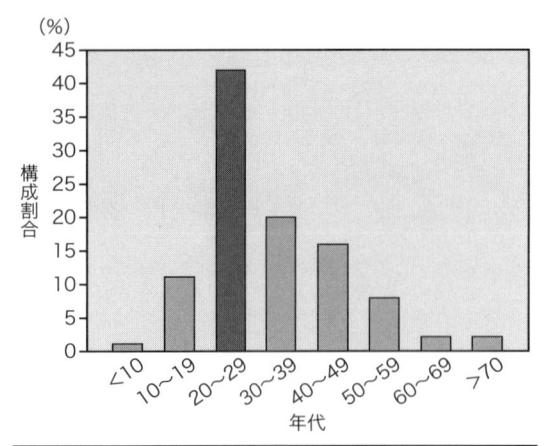

図 22-1 内側側副靱帯（MCL）損傷の年代別の構成比率（文献 17 より引用）
MCL 損傷は 20 代から 30 代にかけて多い。

アスの可能性の小さい疫学調査は少なく，発生率に関するコンセンサスは得られていない。

2) 年代別，性別における MCL 損傷の疫学

MCL 損傷の年代別構成比率を記載した論文は少ない。Miyasaka ら[19]は前述の急性の膝関節靱帯損傷患者で徒手検査で陽性所見を認めた 500 名における MCL 損傷の年代別存在率を求めた。その結果，膝靱帯損傷数と MCL 単独損傷は，14 歳以下 17 膝中 4 膝（23.5％），15〜29 歳 274 膝中 74 膝（27.0％），30〜44 歳 177 膝中 55 膝（31.1％），44 歳以上 32 膝中 11 膝（34.4％）であった。Majewski ら[17]は前述の MCL 損傷患者 612 件（17.6％）の年代別の構成比率を集計した。その結果，20 代 254 件（41.5％），30 代 124 件（20.3％），40 代 98 件（16.0％），10 代 67 件（10.9％）であった（**図 20-1**）。以上より，MCL 損傷の年代別発生数は 20 代から 30 代にかけて多いことがわかった。

MCL 損傷の性別の構成比率を記載した論文は 2 件あった。Majewski ら[17]によると，10 年間の MCL 損傷による受診者 612 名のうち，男性 369 名，女性 241 名，未記載 2 名と男性が多かった。Swenson ら[25]はアメリカ人中学生におけ る MCL 損傷の男女別発生率は，男性 0.28／10,000 AE（athlete exposure），女性 0.44／10,000 AE と報告した。以上より，MCL 損傷の発生件数は男性に多いが，同一条件下に統制した割合は女性のほうが高いと考えられる。また，競技別に性差を調査した論文はみられなかった。

3) スポーツ種目別の MCL 損傷の疫学

スポーツ種目別の MCL 損傷に関しては，複数の論文に記載があった。Miyasaka ら[19]は外来に訪れた MCL 単独損傷の約 53％，ACL 損傷との複合損傷の約 61％がスポーツによる受傷であったと報告した。スポーツ種目別の MCL 損傷の頻度について，アイスホッケー，サッカー，スキーにおける調査が存在する。スウェーデンのアイスホッケー 1 チームの 1982〜1985 年に生じた外傷のうち，MCL 損傷の割合は 4.2％であった[14]。サッカーでは，欧州サッカー連盟（Union of European Football Associations：UEFA）に所属するチームの 11 年間に生じた MCL 損傷の発生率は 0.33 件／1,000 player-hours（PH）であり，外傷全体に対する割合は 4.3％であった[16]。スキーでは 1982〜1993 年に受診した MCL 損傷患者の割合は 18.0％であった[26]。また，クラブチーム内で生じた外傷における MCL 損傷の割合は，ラグビーで 28.9％[5]，アメリカンフットボール 33.9％[4]であった（**表 20-1**）。以上より，MCL 損傷はスポーツでの発症が多く，ラグビー，アメリカンフットボールなどのコンタクトスポーツやスキーで多く発生していたといえる。

4) MCL 損傷の受傷機転の疫学

MCL 損傷の受傷機転を記載した論文が 4 件あった。Abbott ら[1]，Marchant ら[18]は MCL 損傷を①直接外力により膝関節を外反強制されて受傷する接触型損傷，②着地動作などで膝関節外反に加えて脛骨外旋ストレスが生じる非接触型損傷

表22-1 スポーツ種目別の外傷における内側側副靱帯（MCL）損傷の発生割合

報告者	外傷件数	スポーツ種目	発生割合
Lorentzonら[14]	95件	アイスホッケー	4.2%
Warmeら[26]	9,749件	スキー	18.0%
Dallalanaら[5]	211件	ラグビー	28.9%
Bradleyら[4]	233件	アメリカンフットボール	33.9%
Lundbladら[16]	8,029件	サッカー	4.3%

表22-2 内側側副靱帯（MCL）損傷の治療手段（文献6より引用）

	I度損傷	II度損傷	III度損傷
単独損傷				
保存療法	100%（8名）	85%（51名）	43%（12名）
手術療法	0%	15%（9名）	57%（16名）
複合損傷				
保存療法	0%	40%（27名）	17%（17名）
手術療法	100%（2名）	60%（40名）	83%（83名）

に分類した。Dallalanaら[5]はラグビーにおけるMCL損傷のうち接触型損傷が約70%を占めていたと報告した。一方，Lundbladら[16]の報告では，サッカーにおけるMCL損傷のうち接触型損傷23件/1,000 PH，非接触型損傷21件/1,000 PHであった。以上より，MCLは接触型での損傷が多く，膝関節外反に加えて脛骨外旋での受傷が多いと考えられる。

5）MCL損傷の保存療法，手術療法の割合

MCL損傷の単独損傷のうち，グレード1，2の不全損傷では，保存療法が有効である[12, 15, 22]。Fettoら[6]はMCLの単独損傷では保存療法，ACLなどとの複合損傷では手術療法を選択する割合が高いと報告した（**表20-2**）。Majewskiら[17]によると，MCL損傷者のうち手術を施行したのは58.5%であった。以上より，MCLの単独損傷では第一に保存療法が選択され，重症度が高く複合損傷を合併すると手術療法が選択されることが多いといえる。

6）スポーツによるMCL損傷の再発率

MCL損傷はスポーツ活動により再発しやすい。Dallalanaら[5]の報告では，ラグビーにおけるMCL損傷者のうち13%が再発例であった。Lundbladら[16]の報告では，サッカーにおけるMCL損傷再発率は13件/1,000 PHであった。再発率のデータは，コンタクトスポーツを対象と したもののみであり，ノンコンタクトスポーツについては情報が得られなかった。

2．MCL損傷の病態

1）MCL損傷の臨床所見

MCLは表層にあるsMCL（superficial MCL）と深層にあるdMCL（deep MCL）に分類される。さらに，MCLとは異なる内側支持機構の組織であるPOL（posterior oblique ligament）が存在する。Schweitzerら[24]はMCL損傷の臨床における各症状について，MRI所見による皮下浮腫をI度，浮腫，高輝度像，形態の不整像のいずれかが認められた場合をII度，不連続性が認められた場合をIII度に分類した。また，疼痛，圧痛，腫脹，不安定性について分類間に傾向が認められず，重症度に応じた所見が増悪を示さないことを報告した（**表22-3**）。Kurzweilら[13]は膝関節伸展位での圧痛部位は大腿骨顆部が最も多く，裂隙部の圧痛は半月板損傷との鑑別が困難であることを報告した。以上より，臨床所見から重症度を鑑別することは困難であり，半月板損傷との鑑別が重要であると考えられる。

2）sMCL損傷による膝関節不安定性

sMCL損傷がもたらす膝関節の不安定性について，屍体膝を用いた研究が行われてきた。Robinsonら[23]は屍体膝を用いてsMCLを切断したところ，膝関節外反不安定性が増大したと報

表22-3 内側側副靱帯（MCL）損傷の重症度別臨床所見の発現率（文献13より引用）

重症度	疼痛	圧痛	腫脹	不安定性
Ⅰ度	44%	56%	56%	33%
Ⅱ度	80%	87%	59%	26%
Ⅲ度	64%	64%	50%	18%

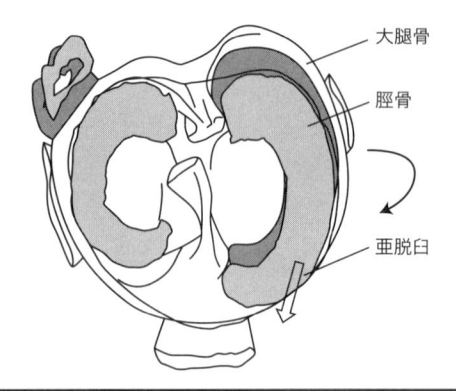

図22-2 前内方回旋不安定性（anteromedial rotatory instability）（文献3より引用）
大腿骨に対し，脛骨高原の内側が亜脱臼する。

告した。一方，Marchantら[18]はsMCL単独損傷では伸展位で明らかな関節不安定性を生じず，MCLの複合損傷やACL損傷を合併することで膝関節外反不安定性を生じると報告した。以上より，sMCL損傷は膝関節外反不安定性との関連が強く，他靱帯との複合損傷により不安定性が増大すると考えられる。

3）dMCL損傷による膝関節不安定性

屍体膝を用いた研究[23]では，dMCLを単独で切断することで膝関節外反不安定性は生じないが，sMCLの切断に加えてdMCLを同時に切除することで，より膝関節外反不安定性が増大した。また，Griffithら[9]によると，膝関節30～90°においてdMCLは膝関節外旋トルクに対して制動効果を示した。以上より，dMCLは他靱帯との合併損傷にて膝関節外反不安定性を増強させ，さらに外旋に対しても不安定性を生じさせると考えられる。

4）POL損傷による膝関節不安定性

POL損傷が膝関節不安定性に及ぼす影響についても屍体膝で調べられた。Griffithら[9]はPOLは膝関節内旋を制動するとした。Hughstonら[11]は膝関節の前内方回旋不安定性（anteromedial rotatory instability：AMRI）（図22-2）をもつ者は，POL損傷を生じていたことを報告した。AMRIとは大腿骨に対して脛骨高原の内側が亜脱臼および外旋することであると定義された。以上より，POL損傷は膝関節内旋，外旋不安定性とともに，膝関節内側の前方亜脱臼を招くと考えられる。

5）MCL損傷とACLの関係

MCL損傷によってACLへのストレスが増大するかについて屍体膝で調べられた。Battagliaら[3]は，MCL損傷膝関節に前後剪断力，外反力，内外旋力の負荷を与え，ACLの負荷を測定した。その結果，すべての条件でACLへの負荷が増大し，膝関節外反不安定性，内・外旋不安定性が増大した。

C. 外側側副靱帯（LCL）損傷

1．LCL損傷の疫学

1）膝関節疾患内のLCL損傷の疫学

LCLの疫学的研究は少ない。Miyasakaら[19]は前述した来院した患者2,547名の膝関節疾患患者のうち，徒手検査で陽性となった急性の膝関節靱帯損傷500名中，LCLの単独損傷は10件（2.0%），他の靱帯や半月板などとの複合損傷は7件（1.4%）であった。Majewskiら[17]は膝関節疾患により来院した6,434名のうち，LCLの単独損傷は2.5%であったと報告した。Swensonら[25]が行ったアメリカ人中学生5,116名を対象

にした疫学調査では，LCL 単独損傷は 7.9％，他の靱帯や半月板との複合損傷は 5.1％であった。以上より，膝関節疾患における LCL 損傷の割合は，単独損傷 2.0〜7.9％，複合損傷で 1.4〜5.1％であり，MCL 損傷と比較して少なかった。

2）年代別，性別の LCL 損傷の疫学

LCL 損傷の年代別構成比率についての論文が 2 件あった。Miyasaka ら[19]は来院した患者 2,547 名を対象に，LCL 損傷と他靱帯や半月板損傷との複合損傷 17 名の年代別の発生率を調査した。その結果，0〜14 歳 1 件（5.9％），15〜29 歳 7 件（41.1％），30〜44 歳 6 件（35.3％），44 歳以上 3 件（17.6％）であった。Majewski ら[17]は来院した LCL 損傷患者 88 名を対象に年代別内訳を調査した。その結果，20 代が約 60％を占めており，次いで 30 代が 20％，それ以外の年代は合わせて 10％以下であった（**図 22-3**）。

LCL 損傷の性別構成比率についての論文が 2 件あった。Majewski ら[17]は来院した LCL 損傷患者 88 名の内訳は男性 72 名，女性 16 名と報告した。Grana ら[8]の報告では，外側靱帯複合損傷者 19 名のうち男性が 16 名，女性 3 名であった。以上のように，LCL 損傷は男性に多い傾向がある。

3）スポーツ種目別の LCL 損傷の疫学

スポーツ種目と LCL 損傷についての論文が 3 件あった。Grana ら[8]の報告では，急性膝関節損傷受傷者 120 名のうち LCL 損傷は 20 名（16.7％）であり，そのうち 12 名（60％）が事故，4 名（20％）がスポーツによる受傷であった。Miyasaka ら[19]が 17 件の LCL 損傷の受傷場面を調査した結果，スポーツが約 40％，事故などが約 60％を占めていた（**表 22-4**）。Majewski ら[17]はスポーツ種目別での LCL 損傷の発生率を調査した結果，体操 8.1％，テニス 5.4％で高か

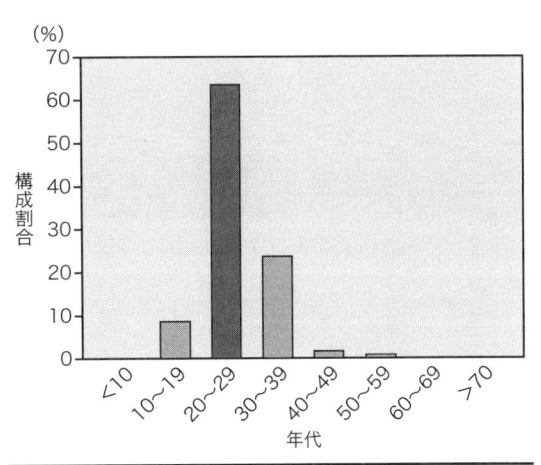

図 22-3 外側側副靱帯（LCL）損傷発生の年代別構成割合（文献 17 より引用）
LCL 損傷は 20 代が約 60％を占めており，次いで 30 代が 20％を占めていた。

表 22-4 外側側副靱帯（LCL）損傷（複合損傷含む）17 例のスポーツと事故での種目別構成割合（文献 19 より引用）

発生状況	構成割合
スキー	6％
サッカー	6％
野球	18％
アメリカンフットボール	0％
バスケットボール	0％
その他スポーツ	12％
交通事故	6％
その他	53％

った（**表 22-5**）。以上より，LCL 損傷はスポーツよりも事故による受傷が多く，スポーツ種目別では体操やテニスに好発するといえる。

4）LCL 損傷の受傷機転の疫学

LCL 損傷の受傷メカニズムについての論文が 3 件あった。Recondo ら[21]は LCL を含む後外側組織は，膝関節内反に加え脛骨外旋あるいは膝関節過伸展により損傷するとした（**図 22-4**）。Baker ら[2]の報告では，後外側組織の受傷は，接触での過伸展 6 名，非接触での過伸展と脛骨外旋の合併 6 名，過伸展 2 名，事故 3 名であっ

表 22-5 スポーツ損傷に占める外側側副靱帯（LCL）損傷の割合（文献 17 より引用）

スポーツ	割合	スポーツ	割合	スポーツ	割合
体操	8.1%	陸上競技	2.4%	バドミントン	0%
テニス	5.4%	ハンドボール	2.2%	ジョギング	0%
ボディビル	4.7%	バスケットボール	1.5%	体育	0%
サッカー	3.8%	バレーボール	1.3%	ダンス	0%
スキー	1.7%	自転車	0%	モータースポーツ	0%
柔道	2.4%	スカッシュ	0%	その他	1.7%

膝関節内反＋脛骨外旋　　膝関節過伸展

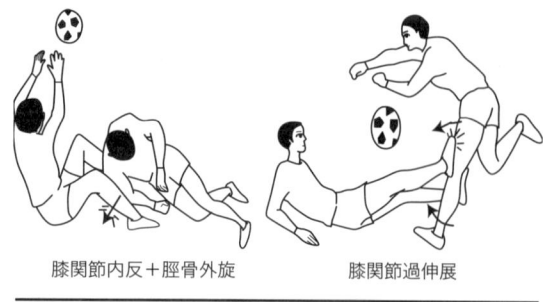

図 22-4 外側側副靱帯（LCL）損傷の受傷機転（文献 21 より引用）
LCL を含む後外側組織は，膝関節内反に加え脛骨外旋あるいは膝関節過伸展により損傷する。

た。Dallalana ら[5]によるラグビー選手の LCL 損傷の受傷機転に関する報告では，接触型が約 50%，非接触型が約 40% であった。以上より，LCL 損傷は膝関節内反あるいは過伸展に脛骨外旋が加わり損傷し，接触型，非接触型の損傷割合は同程度のようである。

5）LCL 損傷の保存療法，手術療法の割合

LCL 単独損傷および LCL と他の靱帯や半月板などとの合併損傷の約 48.8〜54.8% に対し手術療法が行われていた[2,17]。しかし，これらの報告では手術適応となった LCL 損傷患者のスポーツ種目や重症度が不明であった。

2. LCL 損傷の病態

LCL 損傷による不安定性に関する論文が 3 件あった。Hughston ら[10]は LCL を含む膝関節外側の靱帯損傷によって前外方回旋不安定性（anterolateral rotatory instability：ALRI）が生じると記載した。なお，ALRI は大腿骨に対して脛骨外側が前方に亜脱臼することと定義された。Gollehon ら[7]の屍体 17 膝を対象とした実験では，LCL の切断により膝関節内反，脛骨外旋不安定性が生じた。Nielsen ら[20]は LCL 損傷は膝関節内反と ALRI を招くと述べた。以上より，LCL 損傷では膝関節内反，脛骨外旋不安定性を生じるとともに，膝関節外側の亜脱臼にも関与すると考えられる。

D. まとめ

1. すでに真実として承認されていること

- MCL 損傷は外反強制あるいは外反に加え外旋位で受傷する。
- MCL 損傷では膝関節外反，内外旋不安定性を生じる。
- LCL 損傷は事故による受傷が多いものの，スポーツでも少なからず発生する。
- LCL 損傷では，膝関節内反，脛骨外旋不安定性，前外方回旋不安定性（anterolateral rotatory instability：ALRI）を生じる。

2. 議論の余地はあるが，今後の重要な研究テーマとなること

- MCL 損傷の受傷機転別の発生頻度。
- スポーツにおける LCL 損傷の受傷機転。
- LCL 損傷の臨床所見。

- MCL, LCL 損傷の保存療法, 手術療法の判断基準.

E. 今後の課題

- 年代, スポーツなど対象を詳細に分類したMCL, LCL 損傷の疫学調査.
- MCL, LCL 損傷における受傷機転の調査.
- 特に単独損傷での疫学, 病態の把握などLCL損傷に関するさらなる調査.

文献

1. Abbott LC, Saunders JB, Bost FC, Anderson CE: Injuries to the ligaments of the knee joint. *J Bone Joint Surg*. 1944; 26: 503-21.
2. Baker CL Jr, Norwood LA, Hughston JC: Acute posterolateral rotatory instability of the knee. *J Bone Joint Surg Am*. 1983; 65: 614-8.
3. Battaglia MJ 2nd, Lenhoff MW, Ehteshami JR, Lyman S, Provencher MT, Wickiewicz TL, Warren RF: Medial collateral ligament injuries and subsequent load on the anterior cruciate ligament: a biomechanical evaluation in a cadaveric model. *Am J Sports Med*. 2009; 37: 305-11.
4. Bradley J, Honkamp NJ, Jost P, West R, Norwig J, Kaplan LD: Incidence and variance of knee injuries in elite college football players. *Am J Orthop (Belle Mead NJ)*. 2008; 37: 310-4.
5. Dallalana RJ, Brooks JH, Kemp SP, Williams AM: The epidemiology of knee injuries in English professional rugby union. *Am J Sports Med*. 2007; 35: 818-30.
6. Fetto JF, Marshall JL: Medial collateral ligament injuries of the knee: a rationale for treatment. *Clin Orthop Relat Res*. 1978; (132): 206-18.
7. Gollehon DL, Torzilli PA, Warren RF: The role of the posterolateral and cruciate ligaments in the stability of the human knee. A biomechanical study. *J Bone Joint Surg Am*. 1987; 69: 233-42.
8. Grana WA, Janssen T: Lateral ligament injury of the knee. *Orthopedics*. 1987; 10: 1039-44.
9. Griffith CJ, LaPrade RF, Johansen S, Armitage B, Wijdicks C, Engebretsen L: Medial knee injury: part 1, static function of the individual components of the main medial knee structures. *Am J Sports Med*. 2009; 37: 1762-70.
10. Hughston JC, Andrews JR, Cross MJ, Moschi A: Classification of knee ligament instabilities. Part II. The lateral compartment. *J Bone Joint Surg Am*. 1976; 58: 173-9.
11. Hughston JC, Barrett GR: Acute anteromedial rotatory instability. Long-term results of surgical repair. *J Bone Joint Surg Am*. 1983; 65: 145-53.
12. Jones RE, Henley MB, Francis P: Nonoperative management of isolated grade III collateral ligament injury in high school football players. *Clin Orthop Relat Res*. 1986; (213): 137-40.
13. Kurzweil PR, Kelley ST: Physical examination and imaging of the medial collateral ligament and posteromedial corner of the knee. *Sports Med Arthrosc*. 2006; 14: 67-73.
14. Lorentzon R, Wedren H, Pietila T: Incidence, nature, and causes of ice hockey injuries. A three-year prospective study of a Swedish elite ice hockey team. *Am J Sports Med*. 1988; 16: 392-6.
15. Lundberg M, Messner K: Long-term prognosis of isolated partial medial collateral ligament ruptures. A ten-year clinical and radiographic evaluation of a prospectively observed group of patients. *Am J Sports Med*. 1996; 24: 160-3.
16. Lundblad M, Walden M, Magnusson H, Karlsson J, Ekstrand J: The UEFA injury study: 11-year data concerning 346 MCL injuries and time to return to play. *Br J Sports Med*. 2013; 47: 759-62.
17. Majewski M, Susanne H, Klaus S: Epidemiology of athletic knee injuries: A 10-year study. *Knee*. 2006; 13: 184-8.
18. Marchant MH Jr, Tibor LM, Sekiya JK, Hardaker WT Jr, Garrett WE Jr, Taylor DC: Management of medial-sided knee injuries, part 1: medial collateral ligament. *Am J Sports Med*. 2011; 39: 1102-13.
19. Miyasaka KC, Daniel DM, Stone ML, Hirshman P: The incidence of knee ligament injuries in the general population. *Am J Knee Surg*. 1991; 4: 3-8.
20. Nielsen S, Rasmussen O, Ovesen J, Andersen K: Rotatory instability of cadaver knees after transection of collateral ligaments and capsule. *Arch Orthop Trauma Surg*. 1984; 103: 165-9.
21. Recondo JA, Salvador E, Villanua JA, Barrera MC, Gervas C, Alustiza JM: Lateral stabilizing structures of the knee: functional anatomy and injuries assessed with MR imaging. *Radiographics*. 2000; 20: S91-102.
22. Reider B, Sathy MR, Talkington J, Blyznak N, Kollias S: Treatment of isolated medial collateral ligament injuries in athletes with early functional rehabilitation. A five-year follow-up study. *Am J Sports Med*. 1994; 22: 470-7.
23. Robinson JR, Bull AM, Thomas RR, Amis AA: The role of the medial collateral ligament and posteromedial capsule in controlling knee laxity. *Am J Sports Med*. 2006; 34: 1815-23.
24. Schweitzer ME, Tran D, Deely DM, Hume EL: Medial collateral ligament injuries: evaluation of multiple signs, prevalence and location of associated bone bruises, and assessment with MR imaging. *Radiology*. 1995; 194: 825-9.
25. Swenson DM, Collins CL, Best TM, Flanigan DC, Fields SK, Comstock RD: Epidemiology of knee injuries among U. S. high school athletes, 2005/2006-2010/2011. *Med Sci Sports Exerc*. 2013; 45: 462-9.
26. Warme WJ, Feagin JA Jr, King P, Lambert KL, Cunningham RR: Ski injury statistics, 1982 to 1993, Jackson Hole Ski Resort. *Am J Sports Med*. 1995; 23: 597-600.

〈藤井　周〉

23. 診断・評価

はじめに

靱帯損傷の重症度は，Ⅰ度，Ⅱ度，Ⅲ度に分けられる。臨床上，内側側副靱帯（MCL）損傷や外側側副靱帯（LCL）損傷は，身体所見ならびに画像所見により診断・評価される。身体所見には触診による疼痛部位の確認，徒手検査による不安定性や重症度の判定が含まれる。画像所見にはストレスX線，MRI，超音波があり，病態部位の特定ならびに靱帯周囲組織の炎症性変化が確認できる。本項では，診断・評価における各評価の信頼性，妥当性，有用性について先行研究を整理した。

A. 文献検索方法

文献検索にはPubMedを使用した。検索式はknee AND (MCL OR LCL) AND (measure OR assessment OR evaluation OR diagnosis)とした。なお，この検索式にヒットした文献に加え，ハンドサーチによりヒットした文献の引用文献を加え，41論文をレビューした。

B. 内側側副靱帯（MCL）損傷

1. 重症度分類

MCL損傷の重症度分類としては，1966年のAmerican Medical Association（AMA）の分類が用いられている[32,41]。これによると，Ⅰ度損傷は不安定性なし・限局した圧痛，Ⅱ度損傷は不安定性なし・限局した圧痛・靱帯の不全断裂，Ⅲ度損傷は不安定性あり・靱帯の完全断裂と分類された。しかし，この分類は損傷の程度によって示される病態を十分に説明することができない。そこでHughstonら[15,16]，Phisitkulら[33]はAMA分類をもとにMCL損傷の重症度を重症度分類と不安定性分類に細分化した。重症度分類はAMA分類とほぼ同様である。一方，不安定性分類は30°屈曲位における麻酔下外反ストレステスト時の内側裂隙開大距離を基準とし，Ⅰ度損傷は3～5 mm，Ⅱ度損傷は6～10 mm，Ⅲ度損傷は10 mm以上と定義された。現在，MCL損傷の重症度はこの分類を基本に概ね3段階に分類されている。

MCL損傷の重症度分類と症状とは必ずしも一致しない。Schweitzerら[38]は前述の重症度分類と疼痛，圧痛，腫脹，不安定性の陽性率との間に関連性を認めなかった（**表23-1**）。さらにKurzweilら[20]は，圧痛検査で診断を下すことは困難であると結論づけた。

2. 徒手検査
1）外反ストレステスト

外反ストレステストはMCL損傷に対する最も

表23-1 内側側副靱帯（MCL）損傷重症度別の臨床所見（文献38より引用）

重症度	疼痛	圧痛	腫脹	不安定性
Ⅰ度	44%	56%	56%	33%
Ⅱ度	80%	87%	59%	26%
Ⅲ度	64%	64%	50%	18%

23. 診断・評価

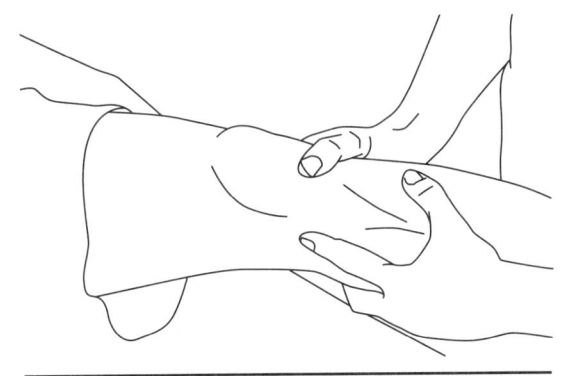

図 23-1 外反ストレステスト（文献 29 より引用）
膝関節 0°および 30°屈曲位にて膝関節に対して外反ストレスを与え，膝内側関節裂隙の開大により外反不安定性を評価する。

表 23-2 外反ストレス負荷時の内側裂隙開大距離（単位 mm）（文献 2 より引用）

屈曲角度	正常	II 度損傷	III 度損傷
0°	3.08 ± 0.94	5.36 ± 2.33	7.80 ± 2.45
30°	2.84 ± 0.85	7.52 ± 1.06	11.12 ± 2.58

表 23-3 外反ストレステストの感度，特異度

報告者	感度	特異度
Harilainen [13]	82.6%	96.7%
Garvin ら [9]	96%	－
Kastelein ら [19]	91%	49%

一般的な徒手検査である．本検査は膝関節 0°および 30°屈曲位にて，膝関節に対して外反ストレスを与え，膝内側関節裂隙の開大により外反不安定性を評価する検査法である（図 23-1）[29, 41]．Marchant ら[29]はレビュー論文において，伸展位で外反不安定性が認められた場合は MCL の完全断裂が疑われると記述した．これに対して，Grood ら[11]は屍体膝において MCL を切断した結果，15°以上の屈曲域で外反不安定性が検出された．Battaglia ら[2]の屍体膝を用いた外反ストレステスト実験において，30°屈曲位のほうがより不安定性が大きく，II 度損傷で 7.52 mm，III 度損傷で 11.12 mm の不安定性が検出された（表 23-2）．この結果は，前述の分類[15, 16, 33]を裏づける結果であった．さらに，Ikuma ら[17]は外反ストレステストによって重症度分類された患者における損傷部位を MRI によって調べた．その結果，重症度が高くなるにつれて靱帯中央部，脛骨側の損傷が増えた．膝伸展位での外反ストレステストでは前十字靱帯（ACL）の張力が反映されるため，MCL の不安定性を正しく評価するためには 30°屈曲位での外反ストレステストが妥当であると考えられている[13, 29, 41]．

外反ストレステストの感度，特異度は複数の論文で検証され，感度 82.6〜96%，特異度 49.0〜96.7%と報告された（表 23-3）[9, 13, 19]．不安定性なしの場合は感度が高く，不安定が認められる場合は特異度が高かった[13]．MCL 損傷は疼痛が強く認められる場合が多いため，不安定性が大きい場合には防御性の収縮が働くことによって感度が下がり特異度が上がると考えられる．したがって，より正確に診断を下すためには麻酔下でのテストが必要である．

2）ダイアルテスト

ダイアルテスト（Dialt test）は後外方不安定性の検査として用いられるとともに，MCL 損傷による前内方不安定性の検査としても用いられる[1, 10, 24, 34]．これは背臥位または腹臥位，膝関節 30°および 90°屈曲位にて脛骨を他動的に外旋し，下腿外旋角度の左右差を比較する検査である（図 19-8 参照）[25]．本テストで MCL 切断により，10°以上の回旋不安定性が増大した[34]．しかし，本検査は後十字靱帯（PCL），ACL，内側支持機構の組織である POL（posterior oblique ligament）損傷においても陽性所見が認められるため，他の検査と併用することが必要である．

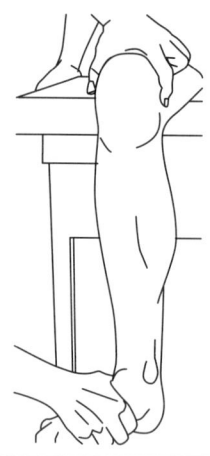

図 23-2　Swain テスト（文献 29 より引用）
膝関節 90°屈曲位にて脛骨を他動的に外旋し，疼痛が誘発された場合に陽性とする。

3) Swain テスト

Swain テストは，Dial テストと同様に膝の回旋不安定を検出する徒手検査法である[27]。本検査は，膝関節 90°屈曲位にて脛骨を他動的に外旋して疼痛が誘発された場合に陽性となる（**図 23-2**）[29]。疼痛をアウトカムとしているため，MCL 損傷急性期では他の検査との併用が求められる。

以上より，身体所見のみでは十分な鑑別診断は困難であること，真の外反不安定性を評価するには麻酔下での検査が有用であること，さらに回旋不安定性テストは他のテストとの併用が必要であることが明らかとなった。

3. 画像所見

1) X 線検査

単純 X 線を用いたストレス X 線検査がしばしば用いられる。Harilainen ら[12] は膝関節軽度屈曲位でのストレス X 線検査において健患差 3 mm 以上を MCL 損傷ありと定義し，関節鏡および関節切開術所見に対する感度と特異度を調査した。その結果，ストレス X 線は感度 55%，特異度 89%，陽性的中率 71%，陰性的中率 80% であった。Sawant ら[37] は II 度以上の MCL 損傷と診断された 23 名に対し，膝軽度屈曲位において徒手で最大外反ストレスを負荷し，X 線により内側裂隙の開大距離を測定した。MCL 単独損傷における内側裂隙の開大距離は平均 15 mm であった。内側裂隙の開大距離が外反ストレステストの報告と比べて大きいのは，内側裂隙の開大距離を大腿骨内外顆最下端を結んだ線から脛骨内側縁への垂線としているためだと考えられる。さらに，LaPrade ら[21] は屍体膝において sMCL，POL，dMCL を順に切断し，その都度 10 Nm の外反ストレスおよび医療従事者による徒手的外反ストレスを負荷して X 線により内側裂隙の開大距離を計測した。sMCL と半月大腿靱帯を切断して II 度損傷を再現した結果，20°屈曲位で内側裂隙は 4.4 mm 開大した。また，sMCL，POL，dMCL すべてを切断し，III 度損傷を再現した場合，内側裂隙は 9.8 mm 開大した（**表 23-4**）。これは Hughshton らの分類に近い結果であった。

表 23-4　sMCL，POL，dMCL を順に切断した場合の内側裂隙開大距離（単位 mm）（文献 21 より引用）

切断靱帯	0° 10 Nm	0° 徒手ストレス	20° 10 Nm	20° 徒手ストレス
正常	6.9 ± 0.8	7.9 ± 0.7	6.4 ± 0.9	7.4 ± 0.7
近位 sMCL	8.6 ± 1.0	9.4 ± 1.0	9.2 ± 1.8	10.6 ± 1.9
半月大腿靱帯	9.2 ± 1.1	9.9 ± 1.2	10.8 ± 1.9	12.2 ± 2.0
POL	11.3 ± 1.7	12.2 ± 1.5	13.2 ± 1.6	14.1 ± 2.1
遠位 sMCL	12.4 ± 2.0	13.2 ± 2.6	13.9 ± 2.1	15.3 ± 2.3
半月脛骨靱帯	12.6 ± 2.9	14.1 ± 2.8	15.2 ± 2.1	16.2 ± 2.8

表23-5 臨床所見を基準としたMRI検査の感度・特異度（文献31より引用）

重症度	感度	特異度	陽性的中率	陰性的中率
I度	81%	40%	63%	100%
II度	63%	88%	45%	93%
III度	100%	95%	25%	100%

表23-6 内側側副靱帯（MCL）損傷患者に対する超音波所見（文献5より引用）

重症度	症例数（例）	関節内出血	MCL不整像	MCL断裂像	関節間距離
I度	3	1	0	0	7～10 mm
II度	3	3	3	0	9～18 mm
III度	4	4	0	4	12～23 mm

2) MRI検査

MCL損傷のMRI診断では，前額面像が有用である[40]．I度損傷では靱帯内の浮腫と出血，II度損傷では靱帯の部分損傷と靱帯周囲の腫脹，III度損傷では靱帯の完全断裂が認められる[3,6,30,32,35,36,38]．関節鏡診断を基準としたMRI検査における感度は56％，特異度は93％，陽性的中率は82％，陰性的中率は79％と報告された[28]．一方，II度損傷における臨床所見を基準とした場合には，それぞれ63％，88％，45％，93％であった（表23-5）[31]．以上より，画像所見のみでは正確にMCL損傷の重症度を判定できない可能性がある．

3) 超音波検査

超音波画像は体表に近いMCL損傷を描出することができる．Finlayら[8]は外反ストレスX線分類をもとに超音波検査によるMCL損傷の重症度を3段階に分類した．その判断基準は，I度損傷ではMCLの軽度の肥厚，II度損傷ではMCLの不全断裂，III度損傷では靱帯の完全断裂および間隙を満たす異常な高輝度信号の存在，であった．Leeら[26]はMCL損傷患者16名，健常ボランティア10名20膝を対象として，超音波画像を用いて大腿骨付着部および脛骨付着部の肥厚を計測した．その結果，MCL損傷患者では大腿骨付着部の肥厚が著明であった．ただし，具体的な損傷部位は明記されなかった．De Flavisら[5]は10名の膝急性外傷患者を対象に超音波検査を実施した．その結果，II度損傷では3例中3例にMCLの不整像，III度損傷では4例中4例にMCLの断裂像が認められた（表23-6）．しかし，これらの研究は症例数が少ないため，さらなる研究が必要である．

C. 外側側副靱帯（LCL）損傷

1. 重症度分類

LCL損傷の重症度分類はMCL損傷の分類に類似している．Deleeら[7]はLCL損傷の重症度をMCL損傷の重症度と同様に外側裂隙の開大距離をもとに分類した．加えて，X線所見，不安定性，腫脹，可動域などを指標とした客観的重症度分類（表23-7）および痛み，腫脹，膝くずれの有無，ロッキングの有無などを指標とした臨床的重症度分類（表23-8）を提唱した．これらはともにGood，Fair，Poorの3段階に分類された．

2. 徒手検査

1) 内反ストレステスト

LCL損傷の徒手検査として内反ストレステストがある（図23-3）[1,14,23,24]．内反ストレステストの診断基準はMCL損傷と同様である[23]．膝伸展位においてはACL，PCLの張力が反映されるため，LCLの不安定性を正しく評価するには30°屈曲位で内反ストレステストを行うことが望ましい[23]．内反ストレステストの感度と特異度はHarilainenら[12]によって報告された（表23-9）．これによると，わずかな不安定性（slight）と判定された場合の感度，特異度，陽性的中率，陰性

表 23-7 外側側副靱帯（LCL）損傷の客観的重症度分類（文献 7 より引用）

Good	Fair	Poor
・前方引き出し（1+）以下 ・内反ストレス（1+）以下 ・後方引き出し（−） ・腫脹（−） ・腓骨亜脱臼（−） ・X 線上，最小限の変化 ・伸展可動域−10°以上 ・屈曲可動域 120°以下	・前方引き出し（2+）以下 ・内反ストレス（2+）以下 ・後方引き出し（1+）以下 ・腓骨亜脱臼（1+）以下 ・軽度な腫脹 ・X 線上，中等度の変化 ・伸展可動域−15°以上 ・屈曲可動域 120°以下	・前方引き出し（3+） ・内反ストレス（3+） ・後方引き出し（2+）以上 ・腓骨亜脱臼（2+）以上 ・明らかな腫脹 ・明らかな X 線変化 ・伸展可動域−20°以上 ・屈曲可動域 110°以下

表 23-8 外側側副靱帯（LCL）損傷の臨床的重症度分類（文献 7 より引用）

Good	Fair	Poor
・痛み，腫脹，膝くずれ，ロッキングなし	・痛みあり，わずかなタイトネス，腫脹 ・膝くずれ，ロッキングなし	・継続的な痛み，腫脹，頻繁な膝くずれ，時折ロッキング

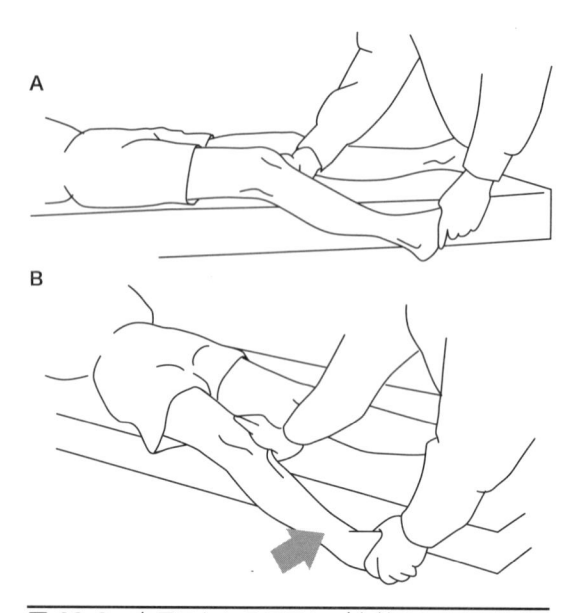

図 23-3 内反ストレステスト（文献 23 より引用）
膝関節 0°および 30°屈曲位にて膝関節に対して内反ストレスを与え，膝内側関節裂隙の開大により外反不安定性を判定する。

表 23-9 外側側副靱帯（LCL）損傷内反ストレステストの感度・特異度（文献 12 より引用）

重症度	感度	特異度	陽性的中率	陰性的中率
None	100%	40%	99%	—
Slight	40%	99%	50%	99%
Obvious	40%	—	100%	99%

的中率はそれぞれ 40%，99%，50%，99%であった。しかし，LCL 損傷の発生数が少ないため，さらなる検討が必要である。

3. 画像所見

1）X 線検査

　LCL 損傷の診断には単純 X 線を用いた内反ストレス X 線が用いられる。Jacobsen ら[18]は膝関節軽度屈曲位にて 9 N の内反ストレスを負荷した場合の外側裂隙の開大距離の計測方法を提唱した。開大距離は大腿骨内外顆最下端を結んだ線と脛骨外側縁からの垂線の交点から，脛骨高原を結んだ線への垂線の長さと定義された（図 23-4）。LaPrade ら[22]は LCL を切断した屍体膝に対して 12 Nm および医療従事者による徒手的な内反ストレスを負荷した場合の外側裂隙の開大距離を X 線で測定した。外側裂隙開大距離の定義は，大腿骨外顆の中心最下端から脛骨上縁までの垂直距離とした。その結果，外側裂隙の開大距離は，12 Nm で 10.99 mm，医療従事者による内反ストレスで 12.44 mm であった。以上より，LCL 損傷による関節裂隙の開大は MCL 損傷よりも大きいといえる。

2) MRI 検査

MRI 検査における診断基準は，I 度損傷は靱帯組織の損傷がなく，靱帯周囲の浮腫や出血のみ，II 度損傷は靱帯の不全断裂，III 度損傷は靱帯の完全断裂と定義された[4,36]。これらは MCL 損傷の MRI 重症度分類と類似している。LCL 損傷に対する MRI 検査の妥当性について，Mirowitz ら[31]は，II 度損傷と判定された場合の感度，特異度，陽性的中率，陰性的中率はそれぞれ 100%，98%，50%，100% と報告した（**表 23-10**）。しかし，この報告も MCL 損傷と比べて少ない症例数からの検討となっているため，解釈には注意が必要である。

3) 超音波検査

術中所見を基準として，超音波検査の妥当性が検証された。Sekiya ら[39]によると，感度は安静時で 92%，内反ストレス負荷時で 83%，特異度は安静時で 75%，内反ストレス負荷時で 100% であった。また，膝後外側構成体（posterolateral ligamentous complex：PLC）損傷疑いの 16 名に対して超音波検査を行い安静時および内反ストレス時の LCL の形態を観察したところ，正常な LCL はまっすぐで平坦なのに対し，損傷 LCL は肥厚し曲線を描いていた[39]。

D. まとめ

1. すでに真実として承認されていること

- MCL 損傷，LCL 損傷の重症度は 3 段階に分類できる。
- 身体所見のみでは各種検査の感度・特異度が低く，十分な鑑別診断を下すことは困難。
- 外反ストレステストの肢位は，完全伸展位では ACL の張力が加わるため，軽度屈曲位が妥当である。
- 内反ストレステストの肢位も軽度屈曲位が妥当

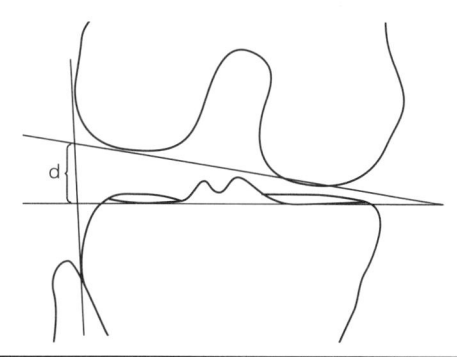

図 23-4 LCL 損傷の X 線による開大距離（d）の計測法（文献 18 より引用）
膝関節軽度屈曲位でのストレス X 線検査において開大距離の健患差 3 mm 以上を MCL 損傷ありと判定する。

表 23-10 外側側副靱帯（LCL）損傷 MRI 所見の感度・特異度（文献 31 より引用）

重症度	感度	特異度	陽性的中率	陰性的中率
I 度	88%	74%	37%	97%
II 度	100%	98%	50%	100%
III 度	—	96%	—	100%

である。
- MCL 損傷に対する外反ストレス X 線検査では内側裂隙の開大距離により重症度の分類が可能。

2. 議論の余地はあるが，今後の重要な研究テーマとなること

- 超音波検査による MCL 損傷，LCL 損傷診断の妥当性。

E. 今後の課題

- MRI や超音波検査における損傷部位別の重症度分類に関する研究。
- LCL 損傷の診断における身体所見の妥当性。

文 献

1. Bahk MS, Cosgarea AJ: Physical examination and imaging of the lateral collateral ligament and posterolateral

corner of the knee. *Sport Med Arthrosc Rev*. 2006; 14: 12-9.

2. Battaglia MJ 2nd, Lenhoff MW, Ehteshami JR, Lyman S, Provencher MT, Wickiewicz TL, Warren RF: Medial collateral ligament injuries and subsequent load on the anterior cruciate ligament: a biomechanical evaluation in a cadaveric model. *Am J Sports Med*. 2009; 37: 305-11.

3. Beall DP, Googe JD, Moss JT, Ly JQ, Greer BJ, Stapp AM, Martin HD: Magnetic resonance imaging of the collateral ligaments and the anatomic quadrants of the knee. *Radiol Clin North Am*. 2007; 45: 983-1002, vi.

4. Bushnell BD, Bitting SS, Crain JM, Boublik M, Schlegel TF: Treatment of magnetic resonance imaging-documented isolated grade III lateral collateral ligament injuries in National Football League athletes. *Am J Sports Med*. 2010; 38: 86-91.

5. De Flaviis L, Nessi R, Leonardi M, Ulivi M: Dynamic ultrasonography of capsulo-ligamentous knee joint traumas. *J Clin Ultrasound*. 1988; 16: 487-92.

6. De Maeseneer M, Shahabpour M, Pouders C: MRI spectrum of medial collateral ligament injuries and pitfalls in diagnosis. *JBR-BTR*. 2010; 93: 97-103.

7. DeLee JC, Riley MB, Rockwood CA Jr: Acute straight lateral instability of the knee. *Am J Sports Med*. 1983; 11: 404-11.

8. Finlay K, Friedman L: Ultrasonography of the lower extremity. *Orthop Clin North Am*. 2006; 37: 245-75, v.

9. Garvin GJ, Munk PL, Vellet AD: Tears of the medial collateral ligament: magnetic resonance imaging findings and associated injuries. *Can Assoc Radiol J*. 1993; 44: 199-204.

10. Griffith CJ, LaPrade RF, Johansen S, Armitage B, Wijdicks C, Engebretsen L: Medial knee injury: part 1, static function of the individual components of the main medial knee structures. *Am J Sports Med*. 2009; 37: 1762-70.

11. Grood ES, Noyes FR, Butler DL, Suntay WJ: Ligamentous and capsular restraints preventing straight medial and lateral laxity in intact human cadaver knees. *J Bone Joint Surg Am*. 1981; 63: 1257-69.

12. Harilainen A, Myllynen P, Rauste J, Silvennoinen E: Diagnosis of acute knee ligament injuries: the value of stress radiography compared with clinical examination, stability under anaesthesia and arthroscopic or operative findings. *Ann Chir Gynaecol*. 1986; 75: 37-43.

13. Harilainen A: Evaluation of knee instability in acute ligamentous injuries. *Ann Chir Gynaecol*. 1987; 76: 269-73.

14. Hughston JC, Andrews JR, Cross MJ, Moschi A: Classification of knee ligament instabilities. Part II. The lateral compartment. *J Bone Joint Surg Am*. 1976; 58: 173-9.

15. Hughston JC, Eilers AF: The role of the posterior oblique ligament in repairs of acute medial (collateral) ligament tears of the knee. *J Bone Joint Surg Am*. 1973; 55: 923-40.

16. Hughston JC: The importance of the posterior oblique ligament in repairs of acute tears of the medial ligaments in knees with and without an associated rupture of the anterior cruciate ligament. Results of long-term follow-up. *J Bone Joint Surg Am*. 1994; 76: 1328-44.

17. Ikuma H, Abe N, Uchida Y, Furumatsu T, Fujiwara K, Nishida K, Ozaki T: Novel magnetic resonance imaging evaluation for valgus instability of the knee caused by medial collateral ligament injury. *Acta Med Okayama*. 2008; 62: 185-91.

18. Jacobsen K: Radiologic technique for measuring instability in the knee joint. *Acta Radiologica: Diagnosis*. 1977; 18: 113-25.

19. Kastelein M, Wagemakers HP, Luijsterburg PA, Verhaar JA, Koes BW, Bierma-Zeinstra SM: Assessing medial collateral ligament knee lesions in general practice. *Am J Med*. 2008; 121: 982-8.

20. Kurzweil PR, Kelley ST: Physical examination and imaging of the medial collateral ligament and posteromedial corner of the knee. *Sports Med Arthrosc*. 2006; 14: 67-73.

21. Laprade RF, Bernhardson AS, Griffith CJ, Macalena JA, Wijdicks CA: Correlation of valgus stress radiographs with medial knee ligament injuries: an *in vitro* biomechanical study. *Am J Sports Med*. 2010; 38: 330-8.

22. LaPrade RF, Heikes C, Bakker AJ, Jakobsen RB: The reproducibility and repeatability of varus stress radiographs in the assessment of isolated fibular collateral ligament and grade-III posterolateral knee injuries. An *in vitro* biomechanical study. *J Bone Joint Surg Am*. 2008; 90: 2069-76.

23. LaPrade RF, Terry GC: Injuries to the posterolateral aspect of the knee. Association of anatomic injury patterns with clinical instability. *Am J Sports Med*. 1997; 25: 433-8.

24. LaPrade RF, Wentorf F: Diagnosis and treatment of posterolateral knee injuries. *Clin Orthop Relat Res*. 2002; (402): 110-21.

25. Laprade RF, Wijdicks CA: The management of injuries to the medial side of the knee. *J Orthop Sports Phys Ther*. 2012; 42: 221-33.

26. Lee JI, Song IS, Jung YB, Kim YG, Wang CH, Yu H, Kim YS, Kim KS, Pope TL Jr: Medial collateral ligament injuries of the knee: ultrasonographic findings. *J Ultrasound Med*. 1996; 15: 621-5.

27. Lonergan KT, Taylor DC: Medial collateral ligament injuries of the knee: An evolution of surgical reconstruction. *Tech Knee Surg*. 2002; 1: 137-45.

28. Lundberg M, Odensten M, Thuomas KA, Messner K: The diagnostic validity of magnetic resonance imaging in acute knee injuries with hemarthrosis. A single-blinded evaluation in 69 patients using high-field MRI before arthroscopy. *Int J Sports Med*. 1996; 17:218-22.

29. Marchant MH Jr, Tibor LM, Sekiya JK, Hardaker WT Jr, Garrett WE Jr, Taylor DC: Management of medial-sided knee injuries, part 1: medial collateral ligament. *Am J Sports Med*. 2011; 39: 1102-13.

30. Mink JH, Deutsch AL: Magnetic resonance imaging of the knee. *Clin Orthop Relat Res*. 1989; (244): 29-47.

31. Mirowitz SA, Shu HH: MR imaging evaluation of knee collateral ligaments and related injuries: comparison of T1-weighted, T2-weighted, and fat-saturated T2-weighted sequences -correlation with clinical findings. *J Magn*

Reson Imaging. 1994; 4: 725-32.
32. Petermann J, von Garrel T, Gotzen L: Non-operative treatment of acute medial collateral ligament lesions of the knee joint. *Knee Surg Sports Traumatol Arthrosc*. 1993; 1: 93-6.
33. Phisitkul P, James SL, Wolf BR, Amendola A: MCL injuries of the knee: current concepts review. *Iowa Orthop J*. 2006; 26: 77-90.
34. Pritsch T, Blumberg N, Haim A, Dekel S, Arbel R: The importance of the valgus stress test in the diagnosis of posterolateral instability of the knee. *Injury*. 2006; 37: 1011-4.
35. Rasenberg EI, Lemmens JA, van Kampen A, Schoots F, Bloo HJ, Wagemakers HP, Blankevoort L: Grading medial collateral ligament injury: comparison of MR imaging and instrumented valgus-varus laxity testdevice. A prospective double-blind patient study. *Eur J Radiol*. 1995; 21: 18-24.
36. Sanders TG, Miller MD: A systematic approach to magnetic resonance imaging interpretation of sports medicine injuries of the knee. *Am J Sports Med*. 2005; 33: 131-48.
37. Sawant M, Narasimha Murty A, Ireland J: Valgus knee injuries: evaluation and documentation using a simple technique of stress radiography. *Knee*. 2004; 11: 25-8.
38. Schweitzer ME, Tran D, Deely DM, Hume EL: Medial collateral ligament injuries: evaluation of multiple signs, prevalence and location of associated bone bruises, and assessment with MR imaging. *Radiology*. 1995; 194: 825-9.
39. Sekiya JK, Swaringen JC, Wojtys EM, Jacobson JA: Diagnostic ultrasound evaluation of posterolateral corner knee injuries. *Arthroscopy*. 2010; 26: 494-9.
40. Turner DA, Prodromos CC, Petasnick JP, Clark JW: Acute injury of the ligaments of the knee: magnetic resonance evaluation. *Radiology*. 1985; 154: 717-22.
41. Wijdicks CA, Griffith CJ, Johansen S, Engebretsen L, LaPrade RF: Injuries to the medial collateral ligament and associated medial structures of the knee. *J Bone Joint Surg Am*. 2010; 92: 1266-80.

（吉本　真純）

24. 治療

はじめに

本項では，内側側副靱帯（MCL）損傷，外側側副靱帯（LCL）損傷に対する保存療法と手術療法について述べる。MCL損傷については超音波療法やその他，近年注目されている治療法についてまとめた。なお手術方法の詳細についてはこのレビューから除外した。

A. 文献検索方法

文献検索にはPubMedを用いた。knee, AND medial collateral ligament (MCL) or lateral collateral ligament (LCL), fibular collateral ligament (FCL) というキーワードを用いて検索し，さらに治療に関連する内容に絞り込むため，AND (treatment or operative or conservative or rehabilitation) 加えた。また，近年のレビュー論文，および引用文献からの孫引きとハンドサーチを行い，最終的に52論文を用いた。

B. 内側側副靱帯（MCL）損傷に対する治療

1. 保存療法

MCL損傷のうちグレードIまたはIIの不全損傷やMCLの単独損傷に対する治療として，保存療法が第一選択として用いられる[3,10,18,43]。それに対して，グレードIIIの完全損傷ではその約80%にMCL以外の靱帯損傷を合併している[13]。そのため，グレードIIIに対する治療における保存療法と手術療法の選択について一定の見解は得られていない[12,15,16,46]。以下では，不全損傷（グレードI・II）および完全損傷（グレードIII）に対する保存療法を紹介する。

1) 不全損傷（グレードI・II）

グレードI，IIの不全損傷の治療成績に関する論文は少ない。Giannotiら[14]のレビュー論文ではグレードI，II損傷では基本的に保存療法が選択されると記載された。Derscheidら[10]の報告では，アメリカンフットボール選手を対象とした4シーズンにわたっての競技復帰までの練習休止日数を調査した結果，グレードI損傷では平均10.6回，グレードII損傷では平均19.5回であった（練習頻度の記載なし）。Lundbergら[35]は10年間の経過観察による保存療法の長期成績を調査した。その結果，受傷後3ヵ月で膝伸展筋力が対健側比97%まで回復し，70%は受傷前の競技レベルに復帰，Lysholmスコアはgoodからexcellentが90%であった。また，外反不安定性（グレードI）は7例（18%）に残存したが，OA変化を示すFairbank signグレードIが認められたのは5例（13%）のみであり，再受傷例は2例（5%）であった。グレードI，IIの不全損傷に対しては保存的な加療で症状が改善し，長期的な予後もおおむね良好であるといえる。

2) 完全損傷（グレードIII）

グレードIIIの単独損傷の保存療法についての論文は，1980年代から1990年代前半に公表さ

24. 治療

表 24-1　内側側副靱帯（MCL）単独完全損傷（グレード III）の保存療法の成績

報告者	対象（例数）	経過観察期間（年）	固定期間（週）	成績
Jones ら [23]	高校生サッカー（24）	—	1	平均 34 日で 92%が安定性改善・競技復帰
Indelicato ら [21]	大学生サッカー（28）	2	2（30°屈曲位）	安定性改善：86% 競技完全復帰 9.2 週
Indelicato ら [20]	大学生（20）	2	2	安定性改善：90% 手術群と有意差なし
Reider ら [43]	大学生（30）	5.3	3	安定性改善：27%⇒不安定性増大は 6% 競技再開 4 週以内 62% 完全復帰 4 ヵ月以内 94%
Kannus ら [25]	36 ± 15 歳（27）	9	5	Lysholm スコア：66（Fair） 63%が活動レベルの低下 不安定性残存：93% グレード 2 と比較し有意に低い

表 24-2　内側側副靱帯（MCL）と PMC 再建の術後成績

報告者	対象数	使用グラフト	経過観察期間（月）	外反不安定性	可動域制限	主観的評価
Yoshiya ら [52]	24	半腱様筋，薄筋腱	27	左右差 2 mm 以下：100% 安定；83%（中等度不安定性あり 17%）	10°以下：100%	
Kim ら [26]	24	半腱様筋腱（脛骨付着部温存）	52.6	左右差 2 mm 以下：92%	10°以下：100% （5°以下：79%）	Lysolm スコア 91.9（80〜100）
Lind ら [33]	61	同側半腱様筋腱（鵞足部温存）	40	左右差 2 mm 以下：50% （5 mm 以下：98%）	20%に残存	KOOS：10 点↑ 91.2%（satisfied, very satisfied）

れた [20, 21, 23, 25, 43]。表 24-1 にグレード III 損傷に対する保存療法による治療成績を示した。対象の年齢や受傷後の固定期間が 1〜5 週とばらつきがあるものの，2 年以内の短期成績では対象者の約 9 割に外反不安定性の改善がみられた [20, 21, 23]。しかし，5 年以上の中・長期成績では改善例が減少し，7〜9 割に不安定性が残存した [25, 43]。このことから，グレード III 損傷の保存例では，長期経過において不安定性が残存する可能性がある。

2．手術療法

MCL のグレード III 損傷のうち MCL 単独損傷は少なく，約 8 割が複合靱帯損傷である [13]。そのため，MCL 以外の組織損傷の状況に応じて治療法が決定される。なお，MCL 単独損傷において，保存療法と手術療法の治療成績を比較した論文はみられなかった。

MCL と PMC（posterior medial corner）の合併損傷において，半腱様筋および薄筋腱による MCL 再建術の術後成績は良好であった（表 24-2）[26, 33, 52]。Kitamura ら [27] は MCL および ACL あるいは PCL の 2 靱帯損傷，MCL および ACL，PCL の両方を合併した 3 靱帯損傷に対する同時再建の術後成績を調査した。MCL・ACL 損傷と MCL・PCL 損傷においては同側および対側の半腱様筋腱を用い，MCL・ACL・PCL 損傷には同側半腱様筋腱および骨付き膝蓋腱にて再建した。その結果，Lysholm スコアおよび外反不安定性（左右差）について再建靱帯数・部位による違いは認められなかった。しかし，健側と比較した膝屈曲可動域制限は，MCL・ACL 群 2.5°，MCL・PCL 群 7.0°，MCL・ACL・PCL 群 11.7°であり，

第6章 内側側副靱帯・外側側副靱帯損傷

表 24-3 前十字靱帯（ACL）損傷に合併した内側側副靱帯（MCL）損傷に対する治療成績（文献 15, 16 より作成）

治療法	対象数	KT-1000 (mm)	外反不安定性 (mm)	大腿四頭筋筋力健患差(%)	片脚ホップテスト患側 (%)	IKDC (正常/ほぼ正常)	Lysholm スコア（平均）	活動レベル
修復術	23	1.3	0.9	14.4	90.2	70%	92	変化なし
保存療法	24	1.2	1.7	9.7	93.4	83%	93.5	変化なし

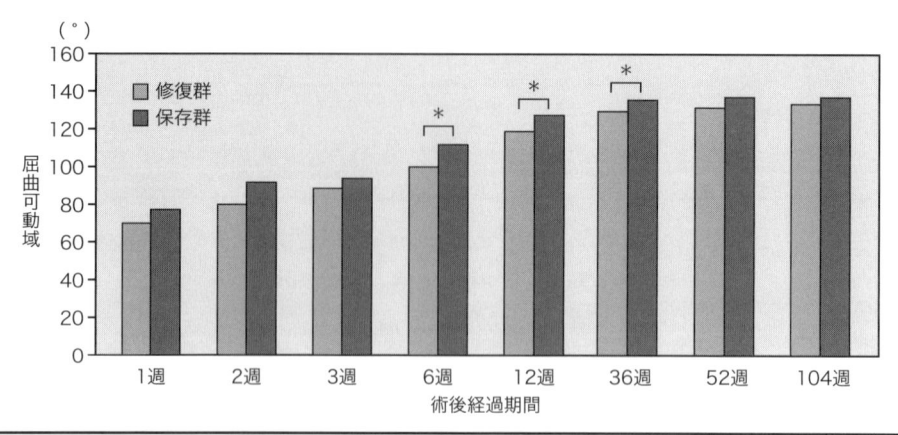

図 24-1 内側側副靱帯（MCL）修復群と保存群の膝屈曲可動域の術後経過（文献 15 より引用）
術後 6 週, 12 週, 36 週において修復群の屈曲可動域が有意に小さかった。*p＜0.05。

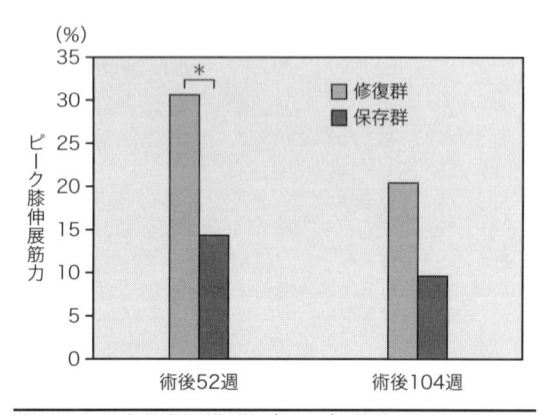

図 24-2 内側側副靱帯（MCL）修復群と保存群のピーク膝伸展筋力の術後経過（文献 15 より引用）
術後 52 週では修復群の対健側比が有意に小さいが, 104 週では両群間に差はなかった。*p＜0.05。

群間差が認められた。

ACL と MCL の合併損傷に対し, ACL 再建時に MCL の修復を行った MCL 修復群と行わなかった保存群の術後成績が調査された[15,16]。その結果, 術後 2 年では両群間に不安定性や筋機能, 活動性に有意な差がなかった（**表 24-3**）。しかし, 術後 6 週, 12 週, 36 週（およそ 9 ヵ月）における膝屈曲可動域の回復（**図 24-1**）および術後 52 週（約 1 年）におけるピーク膝伸展筋力は, いずれも手術群の回復が遅かった（**図 24-2**）。しかしながら, いずれも術後 2 年では手術群と保存群との間に有意差は認められなかった。

1) MCL の治療期間の差による ACL 再建への影響

MCL 損傷に合併する靱帯損傷で最も多いのが ACL 損傷である。Petersen ら[42]は ACL 損傷の合併を伴うグレード III の MCL 損傷に対して, 受傷後 3 週以内に ACL 再建を実施した群（早期手術群）, 受傷後 10 週以上経過した後に ACL 再建を実施した群（後手術群）の術後成績を比較した（いずれも MCL は保存治療）。その結果, Lysholm スコアは早期手術群 85.3 点, 後手術群 89.9 点であり, 膝屈伸可動域および筋力ともに早期手術群の成績が有意に不良であった（**図 24-**

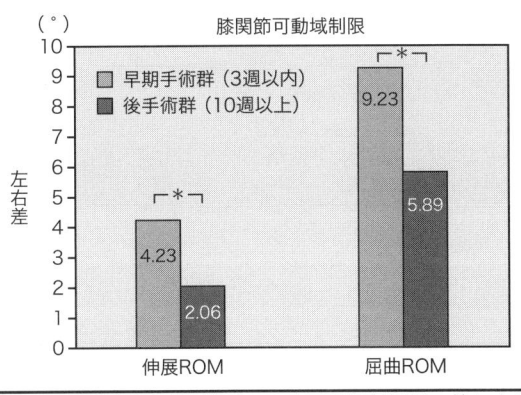

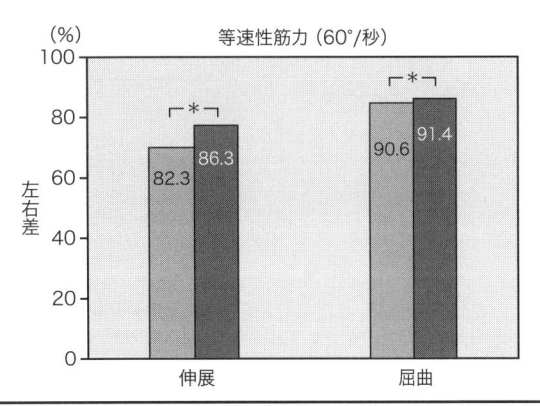

図 24-3 内側側副靱帯（MCL）の治療期間の差による前十字靱帯（ACL）再建後の膝機能（文献 42 より引用）
膝屈伸可動域および筋力ともに早期手術群の成績が有意に不良であった。*p<0.05。

3）。動物を用いた実験や屍体膝を用いた研究により，MCL の治療が不十分な場合，ACL 再建後の外反不安定性残存や再建靱帯に加わるストレスが増大することが示された[4,19]。そのため，MCL の治療を行った後に ACL 再建術を行う 2 段階アプローチが推奨された[36,50]。

2）損傷部位と予後

MCL の損傷部位は治療成績に影響する。Robins ら[44]は sMCL の損傷部位の違いによる関節可動域の改善状況を調査した。その結果，関節裂隙よりも遠位の損傷（脛骨付着部の剝離含む）は，関節裂隙よりも近位の損傷（大腿骨側付着部の剝離含む）よりも屈曲・伸展可動域の改善が早く得られ，最終伸展可動域も早期に獲得された（遠位部 116.4 日 vs. 近位部 200.4 日，p＝0.02）。また，近位部損傷は最終屈曲可動域が有意に小さかった（**図 24-4**）。Nakamura ら[38]は MRI を用いて損傷部位を大腿骨側付着部の損傷（タイプ 1），脛骨付着部損傷（タイプ 2），大腿骨側から関節裂隙を越えての損傷（タイプ 3）の 3 つに分類し，外反不安定性の残存の有無を調査した。その結果，タイプ 1 の 92％に不安定性改善が認められたのに対し，タイプ 3 では全例に不安定性が残存した。Corten ら[9]は Stener 様病変（脛骨付着部からの剝離）では不安定性が著明であるため，

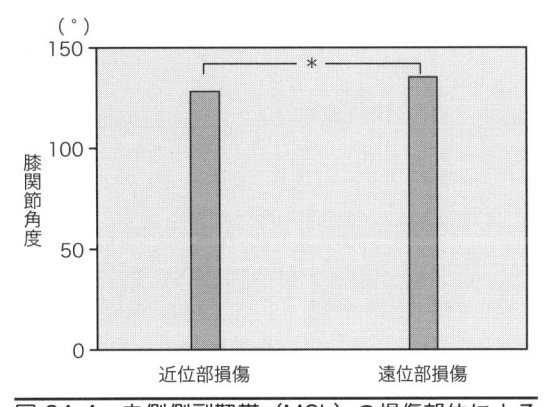

図 24-4 内側側副靱帯（MCL）の損傷部位による関節可動域の違い（文献 44 より引用）
遠位部損傷は近位部損傷よりも早く屈曲・伸展可動域の改善が得られ，最終伸展可動域も早期に獲得され，また，近位部損傷は最終屈曲可動域が有意に小さかった。*p<0.05。

早期の手術が必要であると主張した。また，脛骨付着部損傷の他に dMCL 損傷がある場合も早期の手術が推奨された[51]。Narvani ら[39]は平均 23.6 週の保存療法後も症状が残存したアスリート（17 例）において dMCL 損傷が認められ，受傷機転の 7 割が外反に加え外旋強制を含んでいたこと，また対象者の 9 割において受傷初期の外反不安定性が軽度（グレード I：16 例，グレード II：1 例）であったと報告した。このことより，dMCL 損傷は受傷初期の症状が軽度であるため見落とされやすく，症状が持続する場合は MRI での損傷部位の確認および手術適応も視野に治療を

表 24-4 グレード III 内側側副靱帯（MCL）損傷のリハビリテーションガイドライン（文献 14 より引用）

時期		治療目標	治療内容
第1相	0～4週	1. 腫脹軽減 2. 可動域改善（0～100°；完全伸展） 3. MMT 4 大腿四頭筋，ハムストリングスの筋機能改善 4. 正常歩行の獲得 5. 全荷重	1. 寒冷療法 2. 高強度 EMS 3. 可動域訓練 4. エアロバイク 5. OKC トレーニング 6. ストレッチ
第2相	4～6週	1. 腫脹の管理と軽減 2. 最大可動域の獲得 3. MMT 5 大腿四頭筋，ハムストリングスの筋機能改善	1. 寒冷療法 2. CKC エクササイズ 3. ステッパー 4. 静的な固有感覚エクササイズ
第3相	6～10週	1. フルスクワット 2. 軽度のジョギングとアジリティドリルへの復帰 3. 制限されたスポーツに特異的なドリル・競技へ復帰可能	1. トレッドミル上でのジョギング 2. 動的な固有感覚エクササイズ・パータベーショントレーニング 3. スライドボード 4. リバウンドトレーニング
第4相	8～10（12）週	1. 大腿四頭筋指数健患比（対健側）95% 2. 片脚ホップ指数健患比（対健側）90% 3. ランニングとスポーツに特異的なドリルへの完全復帰 4. 最終的なスポーツ・競技への復帰	1. プライオメトリックトレーニング 2. アジリティ・スポーツに特異的なドリルへの完全復帰 3. 連続した動的な固有感覚エクササイズ，パータベーショントレーニング，リバウンドトレーニング 4. ロード走

行う必要がある．以上より，関節裂隙よりも遠位部損傷では関節可動域の改善は得られやすいものの，その損傷部が脛骨付着部に及ぶ場合や深層の dMCL にいたる場合には不安定性が残存し，疼痛も残存しやすいことが示唆された．

3．リハビリテーション

MCL 損傷における保存療法のプロトコルを明記した研究は少ない．Giannotti ら[14] はレビュー論文においてグレード I および II の保存療法プロトコルを記載した．グレード I 損傷では，受傷後 48～72 時間の RICE 処置を基本とし，腫脹軽減後，可及的に早期の可動域改善と荷重の開始が推奨された．グレード II もグレード I と同様に受傷直後は RICE 処置を実施し，疼痛自制内で可及的早期から荷重を開始する．競技復帰は，①臨床所見の消失，②膝伸展筋力（対健側）90%以上，③アジリティエクササイズでの疼痛なし，を基準とした．

グレード III の MCL 完全損傷における保存療法についての報告も少ない，1980 年代までは 2～5 週間の固定が行われていたが[20,25]，1990 年代以降は受傷初期からの可動域改善を推奨した論文が多い[21,30,43]．また，荷重は装具下で疼痛自制内の部分荷重から開始すること，競技復帰はランニング 60%以上，筋力 90%以上を条件とした論文があったが，固定の是非や明確な復帰基準についてのコンセンサスは得られていない．表 24-4 に Giannoti ら[14] が推奨したグレード III 損傷のリハビリテーションガイドラインを示した．

MCL 損傷の修復術後のリハビリテーションについては，合併損傷の状況により条件が異なるため，荷重の開始時期や固定期間などに統一した見解は得られていない（**表 24-5**）[27,28,30]．

4．その他の治療法
1）超音波療法

超音波治療は靱帯損傷に対してしばしば用いられる．Sparrow ら[47]，Takakura ら[49] は低出力超音波パルス（LIPUS）の照射後，有意に MCL

24. 治療

表 24-5 内側側副靱帯（MCL）再建術後のリハビリテーション

報告者	手術靱帯	荷重	可動域	復帰
Laprade ら [30]	MCL	術後～6週：非荷重 6週以降：全荷重開始	術後～2週：0～90° 2週以降：115°～全可動域	20週～
Kitamura ら [27]	MCL + ACL・PCL	術後～1週：非荷重 2週：1/2部分荷重（装具あり） 3～4週：全荷重（装具あり）	3週：0～90° 5週：0～120° 9週：0～140° 4ヵ月：全可動域	7ヵ月～ジョグ 12ヵ月～
Koga ら [28]	MCL + ACL	術後2日～：20 kg部分荷重 ～4週：全荷重	術後2日～2週：0～120°	3ヵ月～：レッグカール，ジョグ 6～10ヵ月

破断強度，剛性，エネルギー吸収が増大したと報告した。これにより LIPUS が MCL の早期治癒を促すことが示唆された。一方，MCL術直後より非温熱パルス照射により，炎症関連物質の発現が増大し，急性期の炎症を助長する可能性が示唆された[31]。受傷直後や術直後の超音波の有効な利用法について統一した見解は得られていない。

2) ステロイド注射

ステロイド注射により疼痛軽減が期待される。Jones ら[22]は3ヵ月の保存療法に抵抗したdMCL損傷者34例（半月大腿靱帯30例，半月脛骨靱帯4例）に対して，ステロイド注射およびレジスタンストレーニングを実施した。経過観察可能であった26例のうち96％が競技復帰し，58％（15例）は痛みなく復帰できた。疼痛が残存した11例のうち3割は数値的評価スケールで4/10程度の疼痛であった。また，スクワットやランニングでは20例（77％）が疼痛消失，ツイストやターンなどの回旋動作においては16例（62％）が疼痛消失した。以上より，回旋や横方向への移動を含む動作時の疼痛はステロイド注射後も残存しやすく，その有用性については対照群を設けた研究が必要である。

3) 自己多血小板血漿療法（PRP療法）

PRP療法は損傷腱や靱帯の治癒促進に効果があるとされる。Hildebrand ら[17]によると，ラットを用いた実験において，PRP療法によってMCLの破断強度，エネルギー吸収，伸張が対照群と比べ増大した。Eirale ら[11]はグレードIII損傷（大腿骨側近位付着部）を呈したプロサッカー選手1例に対してPRP注射を行った。その結果，受傷後3日で歩行時痛が消失し，10日後よりジョグ開始，18日後から練習復帰，25日後（3週半）で試合復帰が可能であった。

4) 装具療法

MCL の装具療法として，片側支柱付きの装具など種々の膝ブレースが使用されている。装具の目的は膝外反ストレスの減少である。また近年，MCL損傷予防としての装具の効果について検証された。アメリカンフットボールの大規模な疫学調査において，装具をしていないラインマン，ラインバッカー，タイトエンドでは MCL 損傷が生じやすく，装具使用は MCL 損傷を減少させる傾向があった[1,2]。またバイオメカニクス研究において，硬性装具は MCL の外反ストレス抵抗性を20～30％増大させた[37]。一方で，既製品とカスタムメイドとの違いによる予防効果は明らかでないと指摘された[7]。以上より，装具は MCL 損傷の予防がある程度期待できると考えられる。

C. LCL損傷に対する治療

MCL と同様，LCL の単独損傷の治療に焦点を

表 24-6 外側側副靱帯（LCL）損傷の保存療法の治療成績（グレード II vs. III）（文献 24 より引用）

	グレード II (11例)	グレード III (12例)
Lysholm スコア	88 ± 12 (Good)*	65 ± 19 (Fair)
活動レベル	82%が受傷前のレベルに復帰可	75%が受傷前のレベル復帰不可
膝伸展筋力（健患差）	4 ± 7%	23 ± 21%
膝屈曲筋力（健患差）	1 ± 2%	14 ± 14%

*p<0.01。

絞った報告は少なく，ACL，PCL，PLC 損傷との合併に伴う報告が多かった。

1．保存療法

LCL のグレード I 損傷についての論文はみられなかった。Kannus[24] は不全損傷（グレード II）と完全損傷（グレード III）の保存療法の成績を比較した。その結果，平均 8 年の経過観察後，Lysholm スコアはグレード II では 88 (good) であったのに対し，グレード III では 65 (fair) であり，有意にグレード III 損傷が低値を示した。また，受傷前のレベルに復帰可能であった症例の割合は，グレード II で 82%，グレード III で 25% であった。さらにグレード III において，膝屈伸筋力は低値を示し，重度の不安定性（外側裂隙間 11 mm 以上の開大）残存例が 8 割に認められ，すべての項目においてグレード II 損傷よりも劣っていた（表 24-6）。一方，Bushnell ら[6] は NFL シーズン中のグレード III の LCL 単独損傷の選手について保存療法と手術療法の成績を比較した。その結果，保存療法群の離脱期間が有意に短く，受傷後にプレーしたシーズンも有意ではないものの長い傾向があった（表 24-7）。そのため，選手は保存療法を好む場合が多いと考察された。

2．手術療法

LCL 損傷に対する手術療法は靱帯修復術と靱帯再建術に分けられる。修復術と再建術の術後成績を比較した研究では，膝屈曲可動域，Lysholm スコア，IKDC スコアなどの膝機能スコアに有意差は認められなかった。治癒しなかった症例数は修復術において有意に多く，2 年間の短期成績では再建術のほうが成績良好であった[32,48]（表 24-8）。

再建術後の不安定性について in vitro 研究が行われた[8,34]。Liu ら[34] は半腱様筋腱による再建術後と損傷前の膝屈曲 0〜120°における内反，外旋，内旋制動について調査した。関節鏡視下手術では損傷前と比較して外旋および内旋制動に差は認められなかった。内反制動は 90°および 120°において損傷前に比べ有意に低下したが，0〜60°の間では制動に差はなく，臨床的に問題ない範囲と考察された。侵襲が少なく，患者負担も少ないことから，保存療法が観血的手術よりも推奨されると考えられる。

LCL 再建に用いられるグラフトとして，ACL と同様，骨付き膝蓋靱帯（BTB），半腱様筋腱，アキレス腱（同種移植片）がある。使用した再建

表 24-7 NFL 選手のグレード III 外側側副靱帯（LCL）単独損傷の治療成績（文献 6 より引用）

治療方法	損傷部位	受傷時不安定性（左右差）	離脱期間	>1 年後不安定性（左右差）	主観的不安定性	受傷後にプレーした期間
保存群 (5例)	大腿骨側：1 中央：2 腓骨頭側：2	1〜3 mm：2 3〜5 mm：2 >5 mm：1	2.0 週* (0〜6)	1〜3 mm：5	なし：5	4.2 シーズン (3〜6)
手術群 (4例)	大腿骨側：1 中央：1 腓骨頭側：2	1〜3 mm：1 3〜5 mm：1 >5 mm：2	14.5 週* (12〜16)	1〜3mm：2 なし：2	あり：1 なし：3	2.8 シーズン (1〜6)

*p<0.001。

表 24-8 外側側副靱帯（LCL）修復術と再建術の術後成績の比較

報告者	対象数	経過観察期間	失敗率	ROM	Lysholmスコア	IKDC subjective
Levy ら [32]	修復術 10	34 ヵ月	修復術 40% (4/10)*	130°	85	79
	再建術 18	28 ヵ月	再建術 6% (1/18)	115°	88	77
Stannard ら [48]	修復術 35	33 ヵ月	修復術 37% (13/35)*		86.8	63.6
	再建術 22		再建術 9%(2/22)		89.6	64.4

*p<0.05。いずれも ACL, PCL, PLC, PMC の合併を含む複合損傷。

表 24-9 使用グラフトの違いによる術後成績

報告者	使用グラフト	対象数	年齢	経過観察期間	不安定性（左右差）	膝スコア	失敗
Noyes ら [40]	BTB	13	27	6 年	13 mm → 2 mm	膝機能：70%が正常〜ほぼ正常	2
Laprade ら [29]	ST	16	24	2.4 年	3.9 mm → −0.4 mm	IKDC（主観的）：88.1	0
Schechinger ら [45]	アキレス腱（同種移植片）	16	30	2.5 年	78%改善	IKDC（主観的）：80 Lysholm：89	0

いずれも ACL, PCL, PLC, PMC の合併を含む複合損傷。BTB：骨付き膝蓋靱帯，ST：半腱様筋腱。

表 24-10 外側側副靱帯（LCL）再建術後のリハビリテーションプロトコル

報告者	手術部位	荷重	可動域	復帰
Schechinger ら [45] Levy ら [32]	LCL+ACL・PCL・PMC	6 週〜：全荷重	術後〜3 週：伸展位固定	8〜12 ヵ月 術後 1 年は装具着用を推奨
Laprade ら [29]	LCL+ACL・PCL・PLC・半月板	6 週〜：全荷重（部分荷重〜）	術後〜1 週：伸展位固定 1 週〜：全可動域	4 ヵ月（LCL 単独の場合） 屈曲 70°以上：エアロバイク 3 ヵ月：ジョグ 4 ヵ月：レッグカール
Noyes ら [40]	LCL+ACL	術後〜2 週：非荷重 3 週〜：1/3 部分荷重 5 週〜：1/2 部分荷重 7 週〜：全荷重	術後〜4 週：0〜90° 〜6 週：0〜110° 〜8 週：0〜120° 〜12 週：0〜130°	7〜12 ヵ月

グラフトの違いによる術後成績はおおむね良好な成績であった（**表 24-9**）[29,40,45]。しかし，いずれも ACL, PCL, PLC, PMC などの合併を含む複合損傷であり，LCL 単独での術後成績を比較した研究は渉猟しえなかった。

Noyes ら[41]は再建術の長期成績について，14 年間の経過観察をした。その結果，内反不安性における正常例（裂隙間 3 mm 以下）が 77%，ほぼ正常（3〜5 mm）が 23%であった。また，スポーツ活動のレベルを示す Cincinnati スコアは，術前平均 54 点だったのに対し，経過観察最終時の平均 79 点と良好な成績であった。この点から，グレード III 損傷の手術の是非については議論の余地があるといえる。

3. リハビリテーションプロトコル

術後のリハビリテーションについて**表 24-10**に示す[29,32,40,45]。再建術後の固定期間は 1〜3 週と幅があり，一定の見解は得られていない。一方，荷重の開始時期は，いずれも 6 週頃からと一致していた。

D. まとめ

1. すでに真実として承認されていること

● MCL および LCL のグレード I およびグレード

II損傷では保存療法が第一選択であり，いずれも良好な成績である。
- MCLの脛骨付着部の剥離を伴うグレードIII損傷では早期の手術が必要である。

2. 議論の余地はあるが，今後の重要な研究テーマとなること
- dMCL損傷があると不安定性が残存しやすい。

E. 今後の課題
- 装具使用によりMCL損傷の予防効果に関する無作為化対照研究が必要。
- MCL，LCLのグレードIII損傷の治療選択の基準とリハビリテーションプロトコルの策定。

文 献

1. Albright JP, Powell JW, Smith W, Martindale A, Crowley E, Monroe J, Miller R, Connolly J, Hill BA, Miller D: Medial collateral ligament knee sprains in college football. Brace wear preferences and injury risk. *Am J Sports Med*. 1994; 22: 2-11.
2. Albright JP, Powell JW, Smith W, Martindale A, Crowley E, Monroe J, Miller R, Connolly J, Hill BA, Miller D: Medial collateral ligament knee sprains in college football. Effectiveness of preventive braces. *Am J Sports Med*. 1994; 22: 12-8.
3. Ballmer PM, Jakob RP: The non operative treatment of isolated complete tears of the medial collateral ligament of the knee. A prospective study. *Arch Orthop Trauma Surg*. 1988; 107: 273-6.
4. Battaglia MJ 2nd, Lenhoff MW, Ehteshami JR, Lyman S, Provencher MT, Wickiewicz TL, Warren RF: Medial collateral ligament injuries and subsequent load on the anterior cruciate ligament: a biomechanical evaluation in a cadaveric model. *Am J Sports Med*. 2009; 37: 305-11.
5. Bauer KL, Stannard JP: Surgical approach to the posteromedial corner: indications, technique, outcomes. *Curr Rev Musculoskelet Med*. 2013; 6: 124-31.
6. Bushnell BD, Bitting SS, Crain JM, Boublik M, Schlegel TF: Treatment of magnetic resonance imaging-documented isolated grade III lateral collateral ligament injuries in National Football League athletes. *Am J Sports Med*. 2010; 38: 86-91.
7. Chen L, Kim PD, Ahmad CS, Levine WN: Medial collateral ligament injuries of the knee: current treatment concepts. *Curr Rev Musculoskelet Med*. 2008; 1: 108-13.
8. Coobs BR, LaPrade RF, Griffith CJ, Nelson BJ: Biomechanical analysis of an isolated fibular (lateral) collateral ligament reconstruction using an autogenous semitendinosus graft. *Am J Sports Med*. 2007; 35: 1521-7.
9. Corten K, Hoser C, Fink C, Bellemans J: Case reports: a Stener-like lesion of the medial collateral ligament of the knee. *Clin Orthop Relat Res*. 2010; 468: 289-93.
10. Derscheid GL, Garrick JG: Medial collateral ligament injuries in football. Nonoperative management of grade I and grade II sprains. *Am J Sports Med*. 1981; 9: 365-8.
11. Eirale C, Mauri E, Hamilton B: Use of platelet rich plasma in an isolated complete medial collateral ligament lesion in a professional football (soccer) player: a case report. *Asian J Sports Med*. 2013; 4: 158-62.
12. Fanelli GC, Orcutt DR, Edson CJ: The multiple-ligament injured knee: evaluation, treatment, and results. *Arthroscopy*. 2005; 21: 471-86.
13. Fetto JF, Marshall JL: Medial collateral ligament injuries of the knee: a rationale for treatment. *Clin Orthop Relat Res*. 1978; (132): 206-18.
14. Giannotti BF, Rudy T, Graziano J: The non-surgical management of isolated medial collateral ligament injuries of the knee. *Sports Med Arthrosc*. 2006; 14: 74-7.
15. Halinen J, Lindahl J, Hirvensalo E: Range of motion and quadriceps muscle power after early surgical treatment of acute combined anterior cruciate and grade-III medial collateral ligament injuries. A prospective randomized study. *J Bone Joint Surg Am*. 2009; 91: 1305-12.
16. Halinen J, Lindahl J, Hirvensalo E, Santavirta S: Operative and nonoperative treatments of medial collateral ligament rupture with early anterior cruciate ligament reconstruction: a prospective randomized study. *Am J Sports Med*. 2006; 34: 1134-40.
17. Hildebrand KA, Woo SL, Smith DW, Allen CR, Deie M, Taylor BJ, Schmidt CC: The effects of platelet-derived growth factor-BB on healing of the rabbit medial collateral ligament. An *in vivo* study. *Am J Sports Med*. 1998; 26: 549-54.
18. Holden DL, Eggert AW, Butler JE: The nonoperative treatment of grade I and II medial collateral ligament injuries to the knee. *Am J Sports Med*. 1983; 11: 340-4.
19. Ichiba A, Nakajima M, Fujita A, Abe M: The effect of medial collateral ligament insufficiency on the reconstructed anterior cruciate ligament: a study in the rabbit. *Acta Orthop Scand*. 2003; 74: 196-200.
20. Indelicato PA: Non-operative treatment of complete tears of the medial collateral ligament of the knee. *J Bone Joint Surg Am*. 1983; 65: 323-9.
21. Indelicato PA, Hermansdorfer J, Huegel M: Nonoperative management of complete tears of the medial collateral ligament of the knee in intercollegiate football players. *Clin Orthop Relat Res*. 1990; (256): 174-7.
22. Jones L, Bismil Q, Alyas F, Connell D, Bell J: Persistent symptoms following non operative management in low grade MCL injury of the knee -the role of the deep MCL. *Knee*. 2009; 16: 64-8.
23. Jones RE, Henley MB, Francis P: Nonoperative management of isolated grade III collateral ligament injury in high school football players. *Clin Orthop Relat Res*. 1986; (213): 137-40.
24. Kannus P: Nonoperative treatment of grade II and III

sprains of the lateral ligament compartment of the knee. *Am J Sports Med*. 1989; 17: 83-8.
25. Kannus P: Long-term results of conservatively treated medial collateral ligament injuries of the knee joint. *Clin Orthop Relat Res*. 1988; (226): 103-12.
26. Kim SJ, Lee DH, Kim TE, Choi NH: Concomitant reconstruction of the medial collateral and posterior oblique ligaments for medial instability of the knee. *J Bone Joint Surg Br*. 2008; 90: 1323-7.
27. Kitamura N, Ogawa M, Kondo E, Kitayama S, Tohyama H, Yasuda K: A novel medial collateral ligament reconstruction procedure using semitendinosus tendon autograft in patients with multiligamentous knee injuries: clinical outcomes. *Am J Sports Med*. 2013; 41: 1274-81.
28. Koga H, Muneta T, Yagishita K, Ju YJ, Sekiya I: Surgical management of grade 3 medial knee injuries combined with cruciate ligament injuries. *Knee Surg Sports Traumatol Arthrosc*. 2012; 20: 88-94.
29. LaPrade RF, Spiridonov SI, Coobs BR, Ruckert PR, Griffith CJ: Fibular collateral ligament anatomical reconstructions: a prospective outcomes study. *Am J Sports Med*. 2010; 38: 2005-11.
30. Laprade RF, Wijdicks CA: The management of injuries to the medial side of the knee. *J Orthop Sports Phys Ther*. 2012; 42: 221-33.
31. Leung MC, Ng GY, Yip KK: Effect of ultrasound on acute inflammation of transected medial collateral ligaments. *Arch Phys Med Rehabil*. 2004; 85: 963-6.
32. Levy BA, Dajani KA, Morgan JA, Shah JP, Dahm DL, Stuart MJ: Repair versus reconstruction of the fibular collateral ligament and posterolateral corner in the multiligament-injured knee. *Am J Sports Med*. 2010; 38: 804-9.
33. Lind M, Jakobsen BW, Lund B, Hansen MS, Abdallah O, Christiansen SE: Anatomical reconstruction of the medial collateral ligament and posteromedial corner of the knee in patients with chronic medial collateral ligament instability. *Am J Sports Med*. 2009; 37: 1116-22.
34. Liu P, Wang J, Xu Y, Ao Y: In situ forces and length patterns of the fibular collateral ligament under controlled loading: an *in vitro* biomechanical study using a robotic system. *Knee Surg Sports Traumatol Arthrosc*. 2015; 23: 1018-25.
35. Lundberg M, Messner K: Long-term prognosis of isolated partial medial collateral ligament ruptures. A ten-year clinical and radiographic evaluation of a prospectively observed group of patients. *Am J Sports Med*. 1996; 24: 160-3.
36. Marchant MH Jr, Tibor LM, Sekiya JK, Hardaker WT Jr, Garrett WE Jr, Taylor DC: Management of medial-sided knee injuries, part 1: medial collateral ligament. *Am J Sports Med*. 2011; 39: 1102-13.
37. Najibi S, Albright JP: The use of knee braces, part 1: prophylactic knee braces in contact sports. *Am J Sports Med*. 2005; 33: 602-11.
38. Nakamura N, Horibe S, Toritsuka Y, Mitsuoka T, Yoshikawa H, Shino K: Acute grade III medial collateral ligament injury of the knee associated with anterior cruciate ligament tear. The usefulness of magnetic resonance imaging in determining a treatment regimen. *Am J Sports Med*. 2003; 31: 261-7.
39. Narvani A, Mahmud T, Lavelle J, Williams A: Injury to the proximal deep medial collateral ligament: a problematical subgroup of injuries. *J Bone Joint Surg Br*. 2010; 92: 949-53.
40. Noyes FR, Barber-Westin SD: Posterolateral knee reconstruction with an anatomical bone-patellar tendon-bone reconstruction of the fibular collateral ligament. *Am J Sports Med*. 2007; 35: 259-73.
41. Noyes FR, Barber-Westin SD: Long-term assessment of posterolateral ligament femoral-fibular reconstruction in chronic multiligament unstable knees. *Am J Sports Med*. 2011; 39: 497-505.
42. Petersen W, Laprell H: Combined injuries of the medial collateral ligament and the anterior cruciate ligament. Early ACL reconstruction versus late ACL reconstruction. *Arch Orthop Trauma Surg*. 1999; 119: 258-62.
43. Reider B, Sathy MR, Talkington J, Blyznak N, Kollias S: Treatment of isolated medial collateral ligament injuries in athletes with early functional rehabilitation. A five-year follow-up study. *Am J Sports Med*. 1994; 22: 470-7.
44. Robins AJ, Newman AP, Burks RT: Postoperative return of motion in anterior cruciate ligament and medial collateral ligament injuries. The effect of medial collateral ligament rupture location. *Am J Sports Med*. 1993; 21: 20-5.
45. Schechinger SJ, Levy BA, Dajani KA, Shah JP, Herrera DA, Marx RG: Achilles tendon allograft reconstruction of the fibular collateral ligament and posterolateral corner. *Arthroscopy*. 2009; 25: 232-42.
46. Shelbourne KD, Porter DA: Anterior cruciate ligament-medial collateral ligament injury: nonoperative management of medial collateral ligament tears with anterior cruciate ligament reconstruction. A preliminary report. *Am J Sports Med*. 1992; 20: 283-6.
47. Sparrow KJ, Finucane SD, Owen JR, Wayne JS: The effects of low-intensity ultrasound on medial collateral ligament healing in the rabbit model. *Am J Sports Med*. 2005; 33: 1048-56.
48. Stannard JP, Brown SL, Farris RC, McGwin G Jr, Volgas DA: The posterolateral corner of the knee: repair versus reconstruction. *Am J Sports Med*. 2005; 33: 881-8.
49. Takakura Y, Matsui N, Yoshiya S, Fujioka H, Muratsu H, Tsunoda M, Kurosaka M: Low-intensity pulsed ultrasound enhances early healing of medial collateral ligament injuries in rats. *J Ultrasound Med*. 2002; 21: 283-8.
50. Tibor LM, Marchant MH Jr, Taylor DC, Hardaker WT Jr, Garrett WE Jr, Sekiya JK: Management of medial-sided knee injuries, part 2: posteromedial corner. *Am J Sports Med*. 2011; 39: 1332-40.
51. Wilson TC, Satterfield WH, Johnson DL: Medial collateral ligament tibial injuries: indication for acute repair. *Orthopedics*. 2004; 27: 389-93.
52. Yoshiya S, Kuroda R, Mizuno K, Yamamoto T, Kurosaka M: Medial collateral ligament reconstruction using autogenous hamstring tendons: technique and results in initial cases. *Am J Sports Med*. 2005; 33: 1380-5.

〔中村　絵美〕

第7章
合併症

　第7章は合併症をテーマに，可動域制限（関節外病変・関節内病変），筋力低下，膝蓋骨運動異常の4項から構成される。第1章から第6章までで取り上げた多くの膝関節疾患において，可動域制限や筋力低下の合併が認められ，膝蓋骨運動異常を伴う例も多い。これらの病態を理解することが，前章までで整理された疾患に対する効率的な治療にもつながる。

　第25項では，膝関節可動域制限によって生じるキネマティクス・バイオメカニクス的異常をまとめた後，関節外病変によって生じる可動域制限について整理した。主に皮膚や関節外の滑液包・脂肪体が原因で生じる可動域制限に関する文献的考察を行った。

　第26項では，関節内病変によって生じる可動域制限について整理した。膝関節外傷および術後に生じる関節線維症を中心にエビデンスを整理した後，関節線維症発生の原因病巣として代表的なanterior interval scar，cyclops syndrome，後方関節包拘縮に由来する可動域制限についてまとめた。

　第27項では，膝関節外傷および術後に合併する筋力低下について整理した。主に前十字靱帯損傷，後十字靱帯損傷，半月板損傷，膝蓋大腿関節障害に合併する筋力低下に関して現時点でのエビデンスを整理した。

　第28項では，多くの膝関節疾患に合併する膝蓋骨運動異常について整理した。主に前十字靱帯損傷，後十字靱帯損傷，内側膝蓋大腿靱帯損傷に合併する膝蓋骨運動異常に関してまとめた後，膝蓋下脂肪体の癒着や浮腫，膝蓋大腿関節不安定性に起因する膝蓋骨運動の異常に関しても整理した。

　本章のテーマに関して，現時点ではエビデンスレベルが高く十分にデザインされた論文が非常に少ない。そのため，レビューにはエビデンスレベルの低い論文も含まれるが，これらの論文から得られる情報が，少しでも今後の臨床および研究の前進につながることを望む。読者の方々には，本章のテーマに関するレビュー結果は，今後の検討課題を多く含んだ内容であることを前提としてお読みいただけると幸いである。

第7章編集担当：小林　匠

25. 関節外要因による膝関節可動域制限

はじめに

　外傷や障害に続発する膝関節の可動域制限は，歩行などの日常生活動作に影響を及ぼし，リハビリテーションの進行や競技復帰を遅らせる重大な合併症である。可動域制限は関節内要因から生じるものと，関節外要因から生じるものに分類される。可動域制限を引き起こす可能性のある関節外要因として，表層から皮膚，筋・筋膜組織，滑液包，脂肪体，関節外靱帯などがあげられる。可動域制限の治療を行うためには，これらの組織がどのように関与するかを理解することが重要である。しかしながら，膝関節周囲の組織が関節可動域に及ぼす影響を調査した論文は多くはない。本項では可動域制限が運動に及ぼす影響を述べた後に，可動域制限の原因となりうる組織に関する知見を整理する。

A. 文献検索方法

　文献データベースは PubMed を使用した。検索キーワードとヒット件数は（"contracture" OR "immobilization" OR "range of motion deficit"）AND "knee"で 2,611 編，（"bursa" OR "bursitis" OR "fat pad"）AND "knee"で 1,192 編，（"scar" OR "wound"）AND "knee"で 4,521 編だった。ヒットした論文のうち，小児麻痺や中枢・末梢神経損傷など神経疾患に伴う拘縮，先天性疾患による拘縮，熱傷に伴う拘縮に関する論文を除外した。さらに検索された論文をもとにハンドサーチを行い，適宜論文を追加した。本テーマに関するエビデンスレベルの高い論文が少ないため，エビデンスレベルの低い論文も取り込み，最終的に 36 文献を採用した。なお，膝蓋下脂肪体に由来する可動域制限に関しては他項に譲り，過去の SPTS シリーズに記載された内側側副靱帯や鵞足滑液包に由来する可動域制限は割愛した。

B. 可動域制限が動作に及ぼす影響

　模擬的に作製した膝の伸展制限が下肢リーチ動作（前方・後内方・後外方）や歩行に及ぼす影響が，三次元動作解析装置や呼気ガス分析装置を用いて分析されてきた。下肢リーチ動作では，軸足側の 30°の伸展制限により，非制限側の前方リーチに有意な低下が認められた[6]。歩行では，15°の伸展制限によって非制限側の膝伸展および内転モーメント，圧縮力，軸負荷率と制限側の膝伸展モーメントおよび剪断力の有意な増加が認められた[9]。また，30°の伸展制限では，制限側の最大膝屈曲角度が 3.2°増加し，最大膝伸展角度は 7.4°減少した。さらに，立脚中期における両側の床反力増加と推進期での床反力減少[6]，歩行速度の低下[9]，両側の膝伸展および内転モーメント，剪断力，圧縮力，非制限側の軸負荷率の有意な増加[9] など，多くのパラメータに変化が生じた。膝の可動域制限が体幹に及ぼす影響について，30°の伸展制限により立位および歩行時の制限側への体幹側屈と立位時の骨盤後傾，歩行時の体幹および骨盤前傾，非制限側への体幹回旋の減少，制限側への軸圧減少や非制限側への軸圧増加が生

第7章 合併症

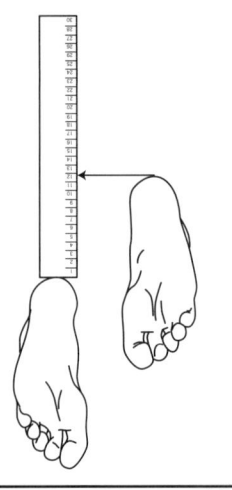

図 25-1　Heel height difference（文献 23 より引用）
うつ伏せでベッド端から下肢を出し，踵の高さの差をセンチメートル単位で測定する。簡易測定として，1 cm の差は約 1°の屈曲拘縮を示す。

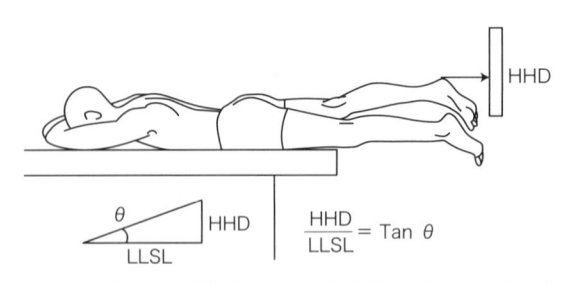

図 25-2　伸展制限の測定方法（文献 23 より引用）
HHD：heel height difference，LLSL：下肢長。下肢長と HHD の正接（Tangent）から算出することができる。

$$\frac{HHD}{LLSL} = \tan\theta$$

じた[8]。歩行中のエネルギーコストは，健常者では 15°以上，可動域制限のない人工膝関節置換術（total knee arthroplasty：TKA）術後患者では 20°以上の伸展制限によって有意に増加した[17]。以上の通り，膝の可動域制限の影響は制限側だけでなく非制限側や体幹へも波及する。これは，一側の膝の伸展制限により二次的な障害を発生させる可能性があることを示唆しており，膝の伸展制限は重要な治療対象となりうると考えられる。

C. 可動域制限の測定方法

可動域制限の測定方法として臨床で多用されるのはゴニオメータである。ゴニオメータによる測定方法の検者内信頼性は，屈曲 0.97〜0.99，伸展 0.91〜0.99[22,32] と良好であった。検者間信頼性は屈曲 0.90，伸展 0.86 と，伸展でやや劣る傾向だった[32]。

異なるゴニオメータを用いることにより信頼性は低下する。3 種類のゴニオメータを用いた際の検者間信頼性は屈曲で 0.91〜0.99 だが，伸展で 0.64〜0.71 だった[22]。また，2 種類のゴニオメータを用いた屈曲可動域測定の検者間信頼性は，相関係数 0.83〜0.87 であったものの，ゴニオメータ間で測定値に有意差が認められた[20]。これらの結果から，Rheault ら[20] は同一施設内では同一のゴニオメータを用いることを推奨した。ゴニオメータの種類や測定肢位が統一されていないものの，伸展可動域測定のほうが信頼性に劣る可能性が考えられる。

Sachs ら[23] はゴニオメータでの検出が困難な 1〜5°程度の比較的小さな伸展制限の計測方法として，heel height difference（HHD）を提唱した。HHD は腹臥位でベッド端から下肢を出し，踵の高さを左右で比較する方法で（**図 25-1**），踵の高さの差と身長から概算した下肢長から伸展制限を算出することが可能である（**図 25-2**）。181 cm の成人で HHD が 1 cm であれば，1.1°の伸展制限が生じていることとなり，概算値として 1 cm の左右差は 1°の可動域制限に相当する述べた。Sachs ら[23] は，身長から HHD と屈曲拘縮角度を求める概算値の一覧表を提示した（**表 25-1**）。Schlegel ら[24] は膝蓋骨をベッド端に乗せるか否かで HHD の測定値が変化するかについて，ゴニオメータによる測定値をゴールデンスタンダードとして調査した。その結果，下肢長から求めた HHD は 1 cm＝1.2°であり，ゴニオメータと

表 25-1　身長と HHD（heel height difference）から算出した屈曲拘縮の概算値（文献 23 より引用）

被験者の身長 (cm)	屈曲拘縮（°） Heel height difference					
	2.5	5.0	7.0	10.0	12.5	15.0
155	3.3	6.6	9.8	13.0	16.1	19.1
165	3.1	6.2	9.2	12.2	15.1	18.0
170	2.9	5.8	8.7	11.5	14.3	17.0
175	2.8	5.5	8.2	10.9	13.6	16.1
180	2.6	5.2	7.8	10.4	12.9	15.4

の相関は，ベッド端に膝蓋骨を乗せた測定で r＝0.75（p＜0.01），ベッド端から膝蓋骨を出した測定で r＝0.78（p＜0.01）であった。そのため，膝蓋骨をベッド端に乗せるか否かは HHD の精度に影響を及ぼさないと結論づけた。

同じく臨床的な評価方法として，Shelbourne ら[26]は flexion contracture sign を紹介した（図 25-3）。膝の伸展制限が生じている場合，背臥位で制限側の股関節が外旋する傾向があるため，この徴候が確認されたら他動的に伸展最終域を確認することが重要であるとした。

以上より，ゴニオメータによる測定の信頼性は概ね良好であるが，屈曲よりも伸展で信頼性が劣り，複数のゴニオメータを用いると，その傾向は顕著となった。また，HHD はわずかな可動域制限を抽出するために有効な測定方法であると考えられる。

図 25-3　Flexion contracture sign（文献 26 より引用）
被験者はベッドに仰臥位になり下肢を脱力させる。屈曲拘縮が生じている下肢は，股関節が外旋する（図では右下肢）。

D. 関節外要因による可動域制限

膝周囲に存在し，可動域制限を引き起こす可能性のある関節外要因は，表層から皮膚，筋・筋膜組織，滑液包，脂肪体，関節外靱帯などがあげられる。ここでは皮膚・皮下組織，滑液包，脂肪体について整理する。

1. 皮膚に由来する可動域制限

皮膚に由来する可動域制限に関する論文の多くは，熱傷後の瘢痕形成に関する研究であった。これに対して，術後の合併症として生じうる術創部の癒着がもたらす可動域制限の研究は少なかった。

TKA における最小侵襲法（minimally invasive surgery：MIS）と従来のアプローチを比較したメタ分析では，MIS のほうが手術時間と駆血時間は長いものの，膝の痛みや機能の評価スケールである KSS（Knee society score：主観的スコア，客観的スコア，機能的スコアから構成）の客観的スコアとトータルスコア，全関節可動域，屈曲可動域，屈曲 90°獲得に要する日数，下肢伸展挙上が可能になるまでに要する日数，出血量およびヘモグロビン減少に関して優れていた[14]。

第7章 合併症

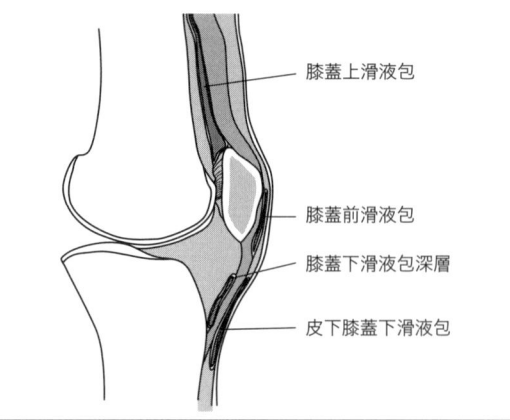

図25-4 膝前面に存在する滑液包（文献15より引用）

皮膚への侵襲が小さいことのみが原因とは言い切れないものの，組織への侵襲が小さいほうが術後の機能回復に優れると考えられる。

縫合方法が可動域に与える影響に関して，TKA手術時の屈曲位縫合と伸展位縫合を比較したシステマティックレビューでは，屈曲位縫合のほうが術後の屈曲可動域に優れるが，術後の伸展可動域や痛み，KSS，在院日数に関して有意差は認められなかった[27]。伸展位縫合と90°屈曲位縫合を比較した無作為化対照試験では，AKSS（American Knee Society Score：臨床的スコアと機能的スコアから構成）と屈曲可動域に群間差は認められなかったものの，術後21〜24週における等速性屈曲筋力（180°/秒）と全仕事量の減少量は屈曲位縫合で少なかった[12]。術創部の位置に関する研究においては，術創が膝蓋骨上を通るか否かによる膝立ち位獲得率に有意差は認められなかった[11]。

以上より，臨床場面において術創が原因と思われる可動域制限は散見されるものの，皮膚・術創の癒着や拘縮が関節可動域に及ぼす影響に関しては，一致した見解が得られていない。

2. 滑液包や脂肪体に由来する可動域制限

滑液包は全身に150以上も存在する滑膜の嚢で，隣接する組織間の摩擦を減少させる役割をもつ[15]。滑液包炎の発生率は，入院患者1万人あたり1〜12人，年間発生率は10万人あたり10人と推定された。そのうち約80％が男性で，約2/3が非感染性滑液包炎であった[2]。

膝周囲には多くの滑液包や脂肪体が存在する。膝前面には膝蓋前滑液包や膝蓋上滑液包，皮下膝蓋下滑液包，膝蓋下滑液包深層（図25-4）[15] などの滑液包と，前膝蓋上脂肪体（大腿四頭筋脂肪体），後膝蓋上脂肪体（大腿骨前脂肪体），膝蓋下脂肪体（Hoffa脂肪体）などの脂肪体がある[10]。可動域制限との関連を示した報告は少ないため，ここでは解剖学的特徴を中心にまとめた。

1) 膝蓋前滑液包

膝蓋前滑液包は皮膚と膝蓋骨との間にある滑液包であり[15]，屍体9膝を用いた研究によると2〜3層で構成され（7膝が3層，2膝が2層），大きさは上下39.7 mm，内外側40.5 mm，前後3.2 mmであった[1]。

膝蓋前滑液包は皮膚の直下に存在し，膝蓋前滑液包炎の発生原因となる。膝蓋前滑液包炎と診断を受けた47名のうち17名が膝をつく職業の人で，そのうち5名は仕事中の穿通損傷であり，他の5名は慢性的な膝蓋前滑液包炎で全員が膝をつく仕事だった[33]。スポーツではレスリングにおける報告が多い。大学レスリングチームにおける6年間の障害発生調査では膝蓋前滑液包炎が最も多く，全障害の20％を占めた。また13/136名（9.6％）が膝蓋前滑液包炎を経験しており，発生要因が明らかだったのはテイクダウン中の直接外力だった[18,34]。また14校の高校レスリング選手458名を対象とした調査では，38件の膝外傷のうち4件が膝蓋前滑液包炎だった[19]。Cadet/Juniors National Championshipにおける障害調査では，全障害における外傷性滑液包炎の占める割合は，フリースタイルで3/82件，グレコローマンスタイルで4/54件であった[35]。

25. 関節外要因による膝関節可動域制限

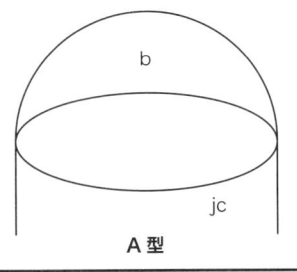

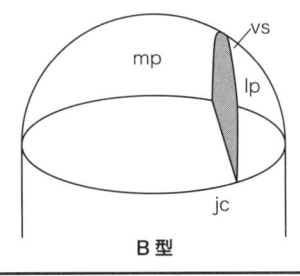

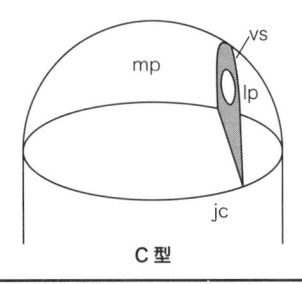

図 25-5 膝蓋上滑液包の分類（文献 36 より引用）
b：滑液包，jc：関節腔，mp：主要な内側部分，lp：小さな外側部分，vs：垂直隔膜。A 型：滑液包，関節腔が区分されていない，B 型：滑液包が主要な内側部分と小さな外側部分に区分され，完全な垂直隔膜により交通はない，C 型：B 型と同様に区分されており，内外側に交通がある。

膝蓋前滑液包炎などの非感染性滑液包炎の保存療法は，滑液包吸引や PRICE（保護・安静・冷却・圧迫・挙上）処置，非ステロイド性抗炎症剤（NSAIDs）が一般的とされた[2]。吸引によって痛みや関節可動域の改善が得られる。また，PRICE 処置は約 1 週間の固定と最低 3 日間の圧迫を行うべきとされた。NSAIDs の服薬は治療として定着しており，平均 10～14 日間の処置期間が推奨された。さらに習慣的な非感染性滑液包炎，アスリート，早期職業復帰を望む例では，滑液包内ステロイド注射も選択肢としてあげられた。

2）膝蓋上滑液包

膝蓋上滑液包は大腿骨と大腿四頭筋腱との間に存在する滑液包である[15]。屍体 210 膝を用いた形状調査では，83％が垂直隔膜で区分されていない A 型で，垂直隔膜により区分されている 17％のうち 2 つの区画に交通がない B 型が 9％，交通がある C 型が 8％だった（**図 25-5**）[36]。膝蓋上滑液包炎は，リウマチや色素絨毛結節性滑膜炎，滑膜血管腫，滑膜肉腫などにより発生した症例が報告されたが，スポーツが原因と考えられる炎症は報告されていない。

3）膝蓋下滑液包深層

膝蓋下滑液包深層は膝蓋腱と脛骨近位との間に存在する滑液包である[15]。屍体 50 膝を対象とした研究では 34 膝（68％）は内側からの侵入で滑液包が特定でき，8 膝（16％）は外側から，8 膝（16％）は内外側からほぼ同時に特定できた[13]。屍体 9 膝を対象に MRI を用いた研究では，すべての膝に膝蓋下滑液包深層が存在し，大きさは平均で上下 25.0（20.9～30.1）mm，内外側 28.7（25.6～32.8）mm，前後 6.0（3.4～8.6）mm であった[31]。

4）皮下膝蓋下滑液包

皮下膝蓋下滑液包は皮膚と脛骨粗面との間に存在する滑液包である[15]。屍体 9 膝のうち 5 膝で観察され，膝蓋腱の前方に位置し，大きさは上下 19.5（8.1～31.1）mm，内外 21.2（12.7～31.2）mm，前後 2.2（1.4～3.6）mm であった[31]。

5）前膝蓋上脂肪体（大腿四頭筋脂肪体）

前膝蓋上脂肪体は大腿四頭筋腱の後方で膝蓋上窩を埋めるように存在する三角形の脂肪体である[30]。これは膝屈曲伸展時の大腿四頭筋腱の滑走や膝の適合性を向上させる役割をもつ。MRI による存在率は 100％で，大きさは男性で 7（5～9）mm，女性で 6（4～8）mm であった[29]。

前膝蓋上脂肪体は膝前部痛（anterior knee pain：AKP）との関連が注目されている。Shabshin ら[25] は 770 膝の MRI 画像から 32 膝

第7章 合併症

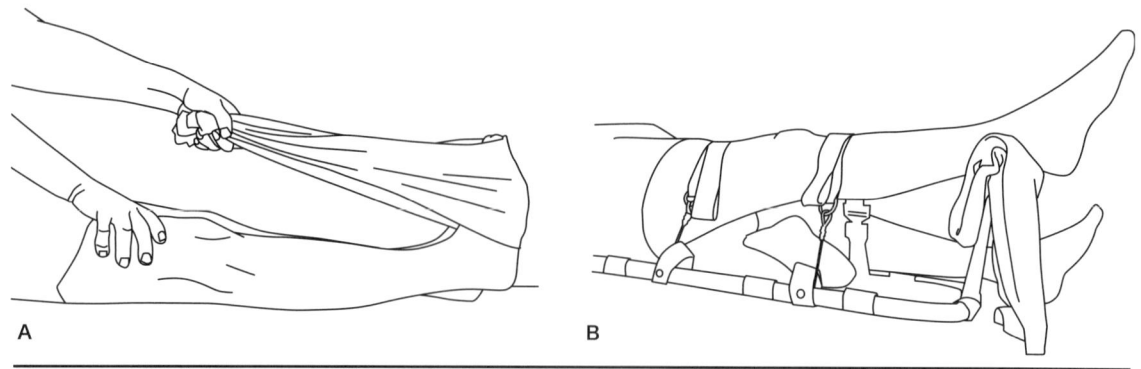

図 25-6 膝伸展制限の治療（文献 26 より引用）
A：タオルストレッチ。母趾球にタオルをかける。片手で膝を押さえた状態で，膝を過伸展させて，踵が床から浮くようにタオルを引く。B：膝伸展装具。膝伸展方向への圧力を加えることができる。

（4.2%）で前膝蓋上脂肪体の信号異常を認めた。また，病歴が得られた 29 膝のうち 8 膝（27.6%）で AKP が認められたと報告した。Roth ら [21] は 84 名 92 膝の MRI 画像から 11 膝（12.0%）で前膝蓋上脂肪体の浮腫が認められ，AKP と前膝蓋上脂肪体の浮腫は関連する（$p=0.0031$）とした。一方，Tsavalas ら [30] は MRI 画像の得られた 795 膝のうち 110 膝（13.8%）で前膝蓋上脂肪体の浮腫を認めたものの AKP を訴えたものは 6 名しか存在せず，AKP と前膝蓋上脂肪体浮腫との関連は少ないと結論づけた。

6）後膝蓋上脂肪体（大腿骨前脂肪体）

後膝蓋上脂肪体は大腿骨の前方に存在し，膝蓋上滑液包により前膝蓋上脂肪体と区分される [5]。他の 2 つの脂肪体と比較し，障害の報告は少ない。無症候の 14〜15 歳のエリート水泳選手 13 名 26 膝と同年代の対照群 14 名 28 膝の MRI 画像を比較したところ，エリート水泳選手の 18 膝（69.2%）で何らかの異常所見が認められた（$p=0.013$）[28]。そのうち，53.8% で膝蓋下脂肪体浮腫，26.9% で骨髄浮腫，19.0% で後膝蓋上脂肪体浮腫，15.3% で関節滲出液を認めた。何らかの症状の訴えがなくても異常所見が認められたことから将来的な障害発生と関連する可能性が示唆された。

以上より，膝蓋前滑液包は膝をつく職業やレスリング選手での報告が散見されるが，その他の滑液包や脂肪体の障害に関する報告は少ない。また，これらの組織の炎症と AKP との関連も疑われるが，一定の見解が得られていない。近年，MRI や超音波などの測定機器の発展によって，これらの組織が鮮明に描出できるようになってきた。今後，さらなる研究が進むことが望まれる。

E. 可動域制限の治療

膝の可動域制限に対する治療の報告の多くは，関節内病変に対する手術療法だった。ここでは関節可動域に着目した治療の有効性と非特定組織に対する静的漸増治療装具を用いた持続的関節運動について整理する。

Shelbourne ら [26] は変形性膝関節症の徴候が認められた患者を対象に，健側と同程度になるまでの膝伸展ストレッチと運動を実施（残存する場合はカスタムメイドの持続的膝伸展装置を使用）し，その後，屈曲ストレッチと低強度の運動を実施した（図 25-6）。その結果，関節可動域の健患差が，屈曲は 10 ± 5° から 3 ± 2°（$p<0.008$），

伸展は 19 ± 14°から 9 ± 11°（p＜0.008）に改善した．持続的関節運動に関しては，標準的な理学療法で可動域制限が残存した TKA および前十字靱帯再建術後患者に対して，静的漸増治療装具を用いた論文が散見される．その結果は，屈曲は 19〜24°，伸展は 7〜9°の改善と 1〜2 年の効果の持続が報告された[3, 4, 7, 16]．

可動域制限に対する治療は，静的漸増治療装具を用いた持続的ストレッチが一般的であり，おおむね良好な治療効果が得られている．しかしながら，対照群の欠如や報告によって治療装具，治療時間，治療期間にばらつきがあるため，一概に結果を比較することは困難である．今後，方法論を統一した有効性の検証が望まれる．

F. まとめ

1. すでに真実として承認されていること
- MIS-TKA は従来の TKA よりも術後可動域，可動域獲得日数に優れる．
- 滑液包炎の保存療法は吸引，PRICE，NSAIDs が用いられる．

2. 議論の余地はあるが，今後の重要な研究テーマとなること
- 縫合肢位や術創と術後関節可動域の関連性．
- 膝周囲の脂肪体・滑液包の炎症と関節可動域の関係．
- 膝周囲の脂肪体と膝前部痛の関係．

G. 今後の展望

本項では，関節外要因に起因する可動域制限に関する十分なエビデンスを提示することができなかった．これには微細な可動域制限を治療対象とするか否かという点が大きく影響している．膝関節に伸展制限が生じていたとしても，他関節で代償することで動作を行うことが可能であり，微細な伸展制限に起因する現象として検出することは難しい．また，可動域制限の原因と推測される皮膚や滑液包，脂肪体が関節運動に与える詳細な影響（屈曲，伸展運動時の動的な変化など）も現時点では明らかになっていない．術後の瘢痕形成に関しては，美容面についての報告はあるものの可動域に及ぼす影響に関する報告は存在しない．したがって，こうした関節外組織に由来する微細な可動域制限が見逃されている可能性がある．臨床上，微細な可動域制限の治療に難渋することも多く，今後さまざまな研究の発展が望まれる．

多くの治療方法が手術療法であったように，現段階で可動域制限に特化したリハビリテーションプロトコルは未確立である．このことも，関節外要因が可動域制限に与える影響が未解明であることに起因するといっても過言ではない．超音波や高磁場 MRI など組織を描出できる測定機器は目覚ましい進歩を遂げている．今後，それらの機器を用いることで見逃されていた微細な組織変化が明らかになり，さらなる治療法の発展につながることを期待する．

文献

1. Aguiar RO, Viegas FC, Fernandez RY, Trudell D, Haghighi P, Resnick D: The prepatellar bursa: cadaveric investigation of regional anatomy with MRI after sonographically guided bursography. *AJR Am J Roentgenol*. 2007; 188: W355-8.
2. Baumbach SF, Lobo CM, Badyine I, Mutschler W, Kanz KG: Prepatellar and olecranon bursitis: literature review and development of a treatment algorithm. *Arch Orthop Trauma Surg*. 2014; 134: 359-70.
3. Bonutti PM, Marulanda GA, McGrath MS, Mont MA, Zywiel MG: Static progressive stretch improves range of motion in arthrofibrosis following total knee arthroplasty. *Knee Surg Sports Traumatol Arthrosc*. 2010; 18: 194-9.
4. Bonutti PM, McGrath MS, Ulrich SD, McKenzie SA, Seyler TM, Mont MA: Static progressive stretch for the treatment of knee stiffness. *Knee*. 2008; 15: 272-6.
5. Borja MJ, Jose J, Vecchione D, Clifford PD, Lesniak BP: Prefemoral fat pad impingement syndrome: identification and diagnosis. *Am J Orthop (Belle Mead NJ)*. 2013; 42: E9-11.
6. Butler RJ, Queen RM, Wilson B, Stephenson J, Barnes

7. Dempsey AL, Branch TP, Mills T, Karsch RM: High-intensity mechanical therapy for loss of knee extension for worker's compensation and non-compensation patients. *Sports Med Arthrosc Rehabil Ther Technol*. 2010; 2: 26.
8. Harato K, Nagura T, Matsumoto H, Otani T, Toyama Y, Suda Y: A gait analysis of simulated knee flexion contracture to elucidate knee-spine syndrome. *Gait Posture*. 2008; 28: 687-92.
9. Harato K, Nagura T, Matsumoto H, Otani T, Toyama Y, Suda Y: Knee flexion contracture will lead to mechanical overload in both limbs: a simulation study using gait analysis. *Knee*. 2008; 15: 467-72.
10. Jacobson JA, Lenchik L, Ruhoy MK, Schweitzer ME, Resnick D: MR imaging of the infrapatellar fat pad of Hoffa. *Radiographics*. 1997; 17: 675-91.
11. Jenkins C, Barker KL, Pandit H, Dodd CA, Murray DW: After partial knee replacement, patients can kneel, but they need to be taught to do so: a single-blind randomized controlled trial. *Phys Ther*. 2008; 88: 1012-21.
12. Komurcu E, Yuksel HY, Ersoz M, Aktekin CN, Hapa O, Celebi L, Akbal A, Bicimoglu A: Effect of surgical closing in total knee arthroplasty at flexion or extension: a prospective, randomized study. *Knee Surg Sports Traumatol Arthrosc*. 2014; 22: 3067-73.
13. LaPrade RF: The anatomy of the deep infrapatellar bursa of the knee. *Am J Sports Med*. 1998; 26: 129-32.
14. Li C, Zeng Y, Shen B, Kang P, Yang J, Zhou Z, Pei F: A meta-analysis of minimally invasive and conventional medial parapatella approaches for primary total knee arthroplasty. *Knee Surg Sports Traumatol Arthrosc*. 2015; 23: 1971-85.
15. McAfee JH, Smith DL: Olecranon and prepatellar bursitis. Diagnosis and treatment. *West J Med*. 1988; 149: 607-10.
16. McGrath MS, Mont MA, Siddiqui JA, Baker E, Bhave A: Evaluation of a custom device for the treatment of flexion contractures after total knee arthroplasty. *Clin Orthop Relat Res*. 2009; 467: 1485-92.
17. Murphy MT, Skinner TL, Cresswell AG, Crawford RW, Journeaux SF, Russell TG: The effect of knee flexion contracture following total knee arthroplasty on the energy cost of walking. *J Arthroplasty*. 2014; 29: 85-9.
18. Mysnyk MC, Wroble RR, Foster DT, Albright JP: Prepatellar bursitis in wrestlers. *Am J Sports Med*. 1986; 14: 46-54.
19. Pasque CB, Hewett TE: A prospective study of high school wrestling injuries. *Am J Sports Med*. 2000; 28: 509-15.
20. Rheault W, Miller M, Nothnagel P, Straessle J, Urban D: Intertester reliability and concurrent validity of fluid-based and universal goniometers for active knee flexion. *Phys Ther*. 1988; 68: 1676-8.
21. Roth C, Jacobson J, Jamadar D, Caoili E, Morag Y, Housner J: Quadriceps fat pad signal intensity and enlargement on MRI: prevalence and associated findings. *AJR Am J Roentgenol*. 2004; 182: 1383-7.
22. Rothstein JM, Miller PJ, Roettger RF: Goniometric reliability in a clinical setting. Elbow and knee measurements. *Phys Ther*. 1983; 63: 1611-5.
23. Sachs RA, Daniel DM, Stone ML, Garfein RF: Patellofemoral problems after anterior cruciate ligament reconstruction. *Am J Sports Med*. 1989; 17: 760-5.
24. Schlegel TF, Boublik M, Hawkins RJ, Steadman JR: Reliability of heel-height measurement for documenting knee extension deficits. *Am J Sports Med*. 2002; 30: 479-82.
25. Shabshin N, Schweitzer ME, Morrison WB: Quadriceps fat pad edema: significance on magnetic resonance images of the knee. *Skeletal Radiol*. 2006; 35: 269-74.
26. Shelbourne KD, Biggs A, Gray T: Deconditioned knee: the effectiveness of a rehabilitation program that restores normal knee motion to improve symptoms and function. *N Am J Sports Phys Ther*. 2007; 2: 81-9.
27. Smith TO, Davies L, Hing CB: Wound closure in flexion versus extension following total knee arthroplasty: a systematic review. *Acta Orthop Belg*. 2010; 76: 298-306.
28. Soder RB, Mizerkowski MD, Petkowicz R, Baldisserotto M: MRI of the knee in asymptomatic adolescent swimmers: a controlled study. *Br J Sports Med*. 2012; 46: 268-72.
29. Staeubli HU, Bollmann C, Kreutz R, Becker W, Rauschning W: Quantification of intact quadriceps tendon, quadriceps tendon insertion, and suprapatellar fat pad: MR arthrography, anatomy, and cryosections in the sagittal plane. *AJR Am J Roentgenol*. 1999; 173: 691-8.
30. Tsavalas N, Karantanas AH: Suprapatellar fat-pad mass effect: MRI findings and correlation with anterior knee pain. *AJR Am J Roentgenol*. 2013; 200: W291-6.
31. Viegas FC, Aguiar RO, Gasparetto E, Marchiori E, Trudell DJ, Haghighi P, Resnick D: Deep and superficial infrapatellar bursae: cadaveric investigation of regional anatomy using magnetic resonance after ultrasound-guided bursography. *Skeletal Radiol*. 2007; 36: 41-6.
32. Watkins MA, Riddle DL, Lamb RL, Personius WJ: Reliability of goniometric measurements and visual estimates of knee range of motion obtained in a clinical setting. *Phys Ther*. 1991; 71: 90-6; discussion 96-7.
33. Wilson-MacDonald J: Management and outcome of infective prepatellar bursitis. *Postgrad Med J*. 1987; 63: 851-3.
34. Wroble RR, Mysnyk MC, Foster DT, Albright JP: Patterns of knee injuries in wrestling: a six year study. *Am J Sports Med*. 1986; 14: 55-66.
35. Yard EE, Comstock RD: A comparison of pediatric freestyle and Greco-Roman wrestling injuries sustained during a 2006 US national tournament. *Scand J Med Sci Sports*. 2008; 18: 491-7.
36. Zidorn T, Tillmann B: Morphological variants of the suprapatellar bursa. *Ann Anat*. 1992; 174: 287-91.

〔星　賢治〕

26. 関節内病変による膝関節可動域制限

はじめに

膝関節の外傷後や術後に生じた関節線維症や瘢痕組織による可動域制限は，二足起立歩行を変化させるなど，患者の予後に影響を及ぼす重大な合併症である．特にスポーツ選手における膝関節の可動域制限は，痛みやパフォーマンス低下を引き起こす要因と考えられ，可及的早期の可動域改善が重要である．本項では，外傷後および術後の合併症としての可動域制限である関節線維症を中心に現時点でのエビデンスを整理した．また，関節線維症発生の原因病巣として代表的な anterior interval scar, cyclops syndrome, 後方関節包拘縮に由来する可動域制限についてまとめた．

A. 文献検索方法

文献検索には PubMed を使用し，言語を英語に限定した．キーワードには「knee」「arthrofibrosis」「contracture」「posterior capsule」「anterior interval」「extension deficit」「cyclops」を用いて検索を行った．ヒットした文献は 2,648 編で，検索された論文からハンドサーチにより適宜論文を追加し，最終的に本項のテーマに合った 34 論文を引用した．

B. 関節線維症

関節線維症とは「特定の組織の線維化や異常な瘢痕化によって屈曲制限，伸展制限，またはその両方が生じたもの」あるいは「関節内に瘢痕組織や線維性癒着がびまん性に生じる特定の過程」と定義される [5, 20, 25]．

1. 関節線維症の分類

関節線維症は制限病巣の部位によって分類される．制限病巣が局所のみの局所タイプ（localize type）と病巣が広範囲に広がる広範タイプ（global type）に分けられる．また，cyclops syndrome のように制限病巣が関節内に存在する関節内タイプ（intra-articular type）と，膝蓋下脂肪体拘縮や膝蓋上嚢の線維化のように制限病巣が関節外に存在する関節外タイプ（extra-articular type）に分類される [5, 17]．

2. 関節線維症の発生率

関節線維症の発生率を調査した研究は多く存在するが，その多くは膝前十字靱帯（ACL）再建術後患者を対象としたケースシリーズであった．ACL 再建術後の関節線維症の発生率は 4～12%であった（表 26-1）[4, 7, 10, 23]．Fisher ら[7] は ACL 再建術を受けた 959 名を追跡調査した結果，4%（42 名）において関節線維症が発生し，伸展制限

表 26-1 関節線維症の発生率

報告者	対象	対象数	発生率
Fisher ら [7]	ACL 再建術後	959	4%
Cosgarea ら [4]	ACL 再建術後	188	12%
Shapiro ら [28]	膝関節脱臼	7	57%
Noyes ら [21]	膝関節脱臼	11	45%
Hasan ら [10]	ACL 再建術後	342	5%
Nwachukwu ら [23]	ACL 再建術後	933	8.3%

第7章 合併症

表26-2 関節線維症の発生と手術時期

報告者	対象	対象数	手術時期	発生率
Shelbourne ら [29]	ACL再建術後	9	2週以内	増加
Bach ら [2]	ACL再建術後	62	3週以内 3週以降	群間差なし
Cosgarea ら [4]	ACL再建術後	188	3週以内 3週以降	3週以内で増加
Marcacci ら [18]	ACL再建術後	82	15日以内 3ヵ月以降	群間差なし
Hunter ら [11]	ACL再建術後	185	3日以内 3〜7日 7〜21日 21日以降	群間差なし

に対して外科的治療が必要だった。また，Cosgarea ら [4] が ACL 再建術を受けた患者のうち追跡調査が可能だった 188 名の関節線維症発生率を調査したところ，12％（22 名）の患者で発生が認められた。Hasan ら [10] は ACL 再建術を受けた 342 名の患者の 5％（17 名）に関節線維症が生じ，関節鏡手術を要したと報告した。Nwachukwu ら [23] は ACL 再建術後に追跡調査が可能だった 933 名のうち 8.3％（77 名）に関節線維症が生じ，1 回以上の手術が必要だったと報告した。

膝関節脱臼後の複合靱帯再建膝の術後には関節線維症が発生しやすい。Shapiro ら [28] は外傷性膝関節脱臼後に ACL と膝後十字靱帯（PCL）の再建術を受けた 7 膝の関節線維症発生率を調査した。その結果，4 膝（57％）に関節線維症の発生が認められた。Noyes ら [21] の調査でも，外傷性膝関節脱臼後に同様の再建術を受けた 11 膝のうち 5 膝（45％）で関節線維症が発生し，可動域改善のための手術が必要であった。膝関節脱臼後の複合靱帯再建膝の術後の関節線維症発生率は 45〜57％であり，高い発生率であることがわかった。

3. 関節線維症の病態生理

近年，整形外科疾患における可動域制限の原因について，分子レベルでの研究が行われてきた。炎症性サイトカインの一種である形質転換成長因子（transforming growth factor-β：TGF-β）は組織の線維化を促進する細胞として知られ，組織修復の過程において重要な役割を果たしている。損傷部位における TGF-β および血小板由来の増殖因子は，細胞外基質タンパク質およびプロテアーゼ阻害剤の産生ならびにタンパク質分解酵素の産生を阻害する。組織損傷部位において，これらが局部の凝固や前駆細胞の成熟を誘導することが関節線維症の原因と考えられている [3, 17]。すなわち，こうした炎症性サイトカインは膝関節の外傷後や術後の炎症期に腫脹や痛みを引き起こし，関節運動を阻害する。さらに組織の線維化が促進され，関節線維症が引き起こされると推測される。

4. 関節線維症の危険因子

関節線維症発生の危険因子として，受傷から手術までの期間，術前可動域と炎症症状，ACL 再建術後の長期固定，遺伝的因子，複合靱帯損傷，手術要因，感染などが検討されてきた [2, 4, 11, 17〜21, 28, 29, 31]。

1）受傷から手術までの期間の影響

受傷から手術までの期間と術後関節線維症の発生率との関係は，研究間で一致していない（表26-2）。Shelbourne ら [29] は ACL 再建術後に関

節線維症を生じた9膝について手術時期を検討した。その結果，9膝中8膝が受傷後2週以内に手術を受けていた。Cosgareaら[4]は受傷後3週以内と3週以降に手術を受けたACL再建188膝について，術後の関節線維症発生率を比較した。その結果，受傷から3週以内のACL再建膝での発生率は21%，3週以降では9.3%であり，受傷から3週以内のACL再建膝での発生率が有意に高値であった。一方，Bachら[2]によると，受傷後3週以内と3週以降に手術を受けたACL再建62膝の関節線維症発生率を比較した結果，両群間に有意な差はなかった。Marcacciら[18]は受傷後15日以内と3ヵ月以降に手術を受けたACL再建82膝の関節線維症発生率を比較した。その結果，両群間に有意差を認めなかった。Hunterら[11]は受傷後3日以内，3～7日，7～21日，21日以降に手術を受けたACL再建185膝の関節線維症発生率を調査した。その結果，有意な群間差は認められなかった。以上，ACL再建術を行うまでの時期が関節線維症発生の危険因子であるという結論は得られていない。ただし，術前に良好な可動域を獲得し，術後早期に可動域改善のための積極的リハビリテーションを行うことにより，関節線維症を防ぐことができるという点に関しては，結果がおおむね一致していた。

2) 術前可動域と炎症症状の影響

術前可動域と炎症症状は，ACL再建術後関節線維症発生の危険因子と考えられてきた。Cosgareaら[4]はACL再建188膝について，術前に伸展制限が10°以上残存した膝と伸展制限が10°以下の膝の術後関節線維症発生率を比較した。その結果，10°以上伸展制限が残存した膝の関節線維症発生率は有意に高かった（**図26-1**）。Mayrら[19]はACL再建223膝における関節線維症発生の危険因子を分析した。その結果，関節線維症を発生したACL再建膝の60%で術前可

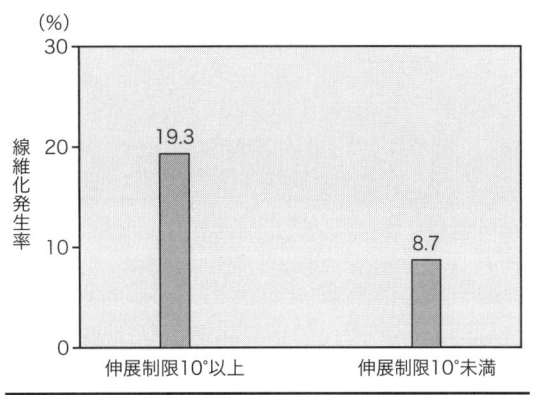

図26-1 関節線維症発生率とACL再建術前可動域（文献4より引用）
ACL再建術前に膝関節の伸展制限が10°以上ある群のほうが術後の線維化発生率が有意に高かった（p＜0.05）。

動域制限が残存し，70%に術中の炎症症状が認められ，術前の可動域制限と炎症症状が術後関節線維症発生の危険因子であると結論づけた。以上より，ACL再建術前の可動域制限，炎症症状が術後関節線維症発生の危険因子であると推測される。

3) ACL再建術後の長期固定の影響

ACL再建術後の長期固定も術後関節線維症発生の危険因子と考えられてきた。Cosgareaら[4]はACL再建188膝において，術後7日間45°屈曲位固定群と術後2日間45°屈曲位固定群，術後初日から完全伸展位固定群の3群で関節線維症発生率を比較した。その結果，それぞれ23.4%，10.2%，2.7%であり，ACL再建術後の長期固定は術後関節線維症発生の危険因子であると報告した（**図26-2**）。Magitら[17]は関節線維症ついてのレビュー論文にて，靱帯損傷後や再建術後の長期固定は十分に確立された危険因子であると結論づけた。以上より，ACL再建術後の長期固定は，術後関節線維症発生の危険因子であると考えられる。

第7章　合併症

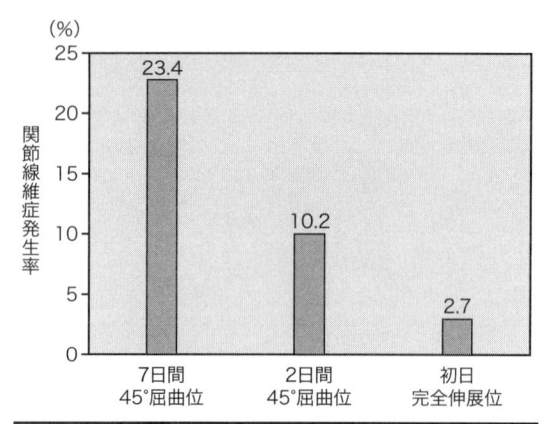

図26-2　関節線維症発生率と固定法（文献4より引用）
術後7日間固定した群は，比較して有意に関節線維症発生率が高かった（p＜0.0002）。

4）遺伝的因子の影響

遺伝的因子も ACL 再建術後の関節線維症発生の危険因子にあげられる。Skutek ら[31]は ACL 再建術後に関節線維症を発生した 17 名と健常人の DNA データを比較した。その結果，関節線維症発症者では，白血球の型を示すヒト白血球抗原（HLA）の HLA-Cw*07，HLA-DQB1*06 が有意に少なく，HLA-Cw*08 が有意に多かった（図 26-3）。これにより，血液検査を行うことで術前に関節線維症のリスクをスクリーニングできる可能性を示唆した。ただし，関節線維症の発生と遺伝的因子の関連を検討した研究は少なく，今後さらなる研究が期待される。

5．関節線維症の治療

関節線維症の治療として保存的治療と外科的治療があげられる。保存的治療としては RICE 処置や腫脹の吸引，電気刺激，理学療法，薬物療法があげられた[3]。しかし，今回採用した論文には，関節線維症に対するこれらの保存的治療の有効性を示した研究はなかった。外科的な治療としては，麻酔下でのマニピュレーションや関節鏡視下での瘢痕組織のデブリドマン，観血的リリースが選択される[17]。関節線維症の手術プロトコルを図 26-4[6]に示す。

関節線維症に対する外科的治療は可動域改善に有効であることが示された。Aglietti ら[1]は，ACL 再建術後に関節線維症を生じた 31 膝（ハムストリングス腱 7 名，骨付き膝蓋腱 17 名，大腿四頭筋腱 1 名，縫合 6 名）に対し，線維化組織の剥離術を施行した。関節線維症を生じた 31 膝のうち制限病巣が局所のみの localize type は 7 膝，制限病巣が広範囲に広がる global type は 24 膝であった。その結果，localize type では伸展制限が術前平均 11.5°から術後平均 2.2°に改善

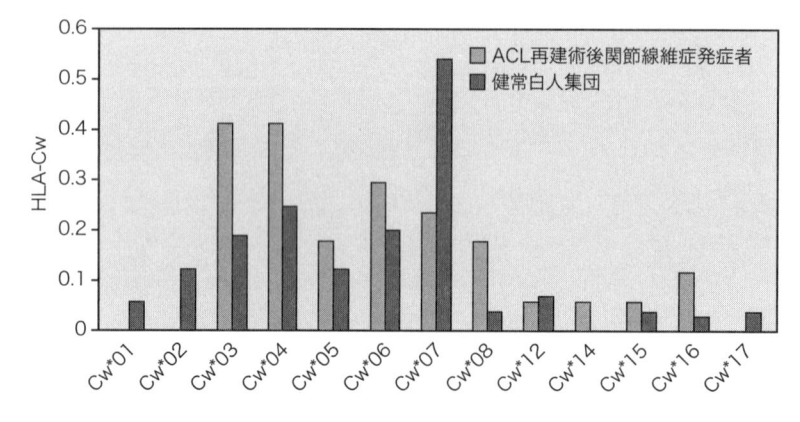

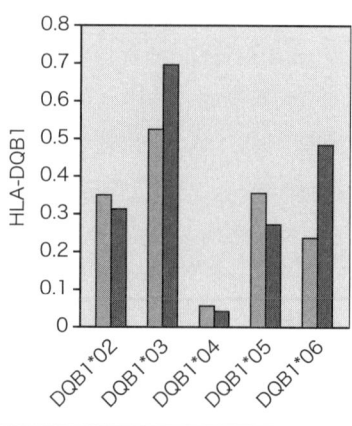

図 26-3　関節線維症発生と遺伝的因子（文献 31 より引用）
関節線維症発症者では，健常人と比べ HLA-Cw*07 が有意に少なく（p＝0.002），HLA-Cw*08 が有意に多かった（p＝0.045）。HLA-DQB1*06 は関節線維症発症者で有意に少なかった（p＝0.048）。

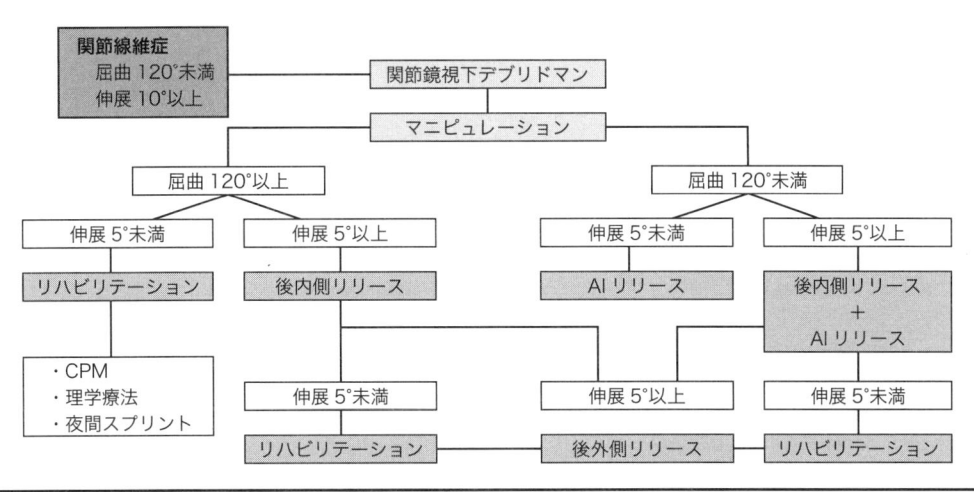

26. 関節内病変による膝関節可動域制限

図 26-4 関節線維症の手術手順（文献 6 より引用）
AI：anterior interval。

し，屈曲制限は術前平均 14.5°から術後平均 0.2°に改善した。Global type では伸展制限が術前平均 17.3°から術後平均 4.1°に改善し，屈曲制限は術前平均 34.3°から術後平均 7.8°に改善した。Said ら[27]は膝靱帯再建術後に関節線維症を生じた 27 名（PCL 再建術 1 名，脛骨結節骨折 2 名，内側膝蓋大腿靱帯再建術 4 名，ACL 再建術 6 名，ACL 再建術＋半月板縫合 3 名，複合靱帯損傷 11 名）に対して，線維化組織の外科的切除を行った。その結果，線維化組織の切除により，屈曲可動域は術前平均 107°から術後平均 132°に有意に改善した。伸展可動域は術前平均−12°から術後平均−1°に改善した。ただし，統計学的有意差は認められなかった。

6. 関節線維症の予防

関節線維症発生後の有効な保存療法が存在しないことや，手術時期によっては外科的治療後も成績不良例が存在することなどから，膝関節外傷後や術後に生じる関節可動域制限の治療として最も有効な手段は，関節線維症を予防することである[6,17,30]。Noyes ら[22]は ACL 再建術（骨付き膝蓋腱使用）を受けた 443 膝に対し早期運動介入を行い，関節線維症予防の有効性を検討した。まず，炎症対策として，関節内出血を防ぐための二重圧迫包帯の 24 時間適用や，手術終了時に著明な出血を伴った例には Hemovac ドレインにて吸引を実施した。また，術後 1 日目から膝関節完全伸展を許可し，術後 1 週間は仕事や通学を禁止してベッド上にて下肢を挙上した状態で安静をとらせた。その他，術後 10 日間は塞栓防止ストッキングやアイシング，圧迫などを行い，それでも関節内出血が生じた場合は NSAIDs を併用して，吸引や挙上，アイシングを継続した（表 26-3）。その結果，413 例（93％）が膝関節の正常可動域を獲得し，23 例は追加の外科的治療後に正常可動域を獲得，3～5°の可動域制限が残存したのは 7 例であった。また，この研究において関節線維症を発症した例は存在しなかった。この結果から，術直後の炎症対策と早期運動介入が関節線維症の予防に有効であることが示された。

C. Anterior interval scar

Anterior interval とは膝蓋骨や膝蓋腱の後縁，

第7章 合併症

表26-3 関節線維症予防プログラム（文献22より引用）

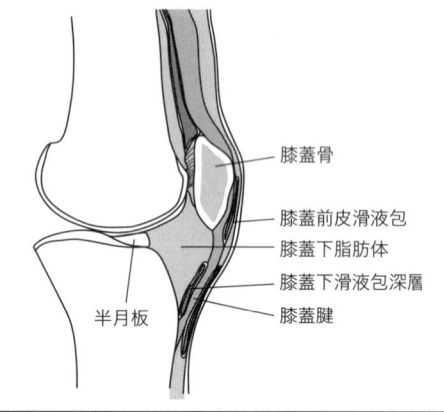

プログラム	内容
関節可動域	術後1日から0〜90°，術後4週までに屈曲135°
荷重	術後1週から25％荷重，術後4週までに全荷重
膝蓋骨モビリゼーション	術後6週間，自宅での可動域訓練とともに1日4回，全方向に行う
クライオセラピー	術後から開始し，必要に応じて継続する
大腿四頭筋等尺性エクササイズ，SLR，自動膝伸展	術後1日〜8週まで継続
柔軟性	術後1日から開始し，7〜12ヵ月まで継続（腓腹筋，ヒラメ筋，腸脛靭帯，大腿四頭筋）
CKCエクササイズ	部分的な体重不可で開始，カップウォーキング，トウレイズ，ウォールシット，ミニスクワット12週継続
バランス，固有受容器	体重移動，シングルレッグスタンス，バランスボード，プライオメトリックス，術後7〜12ヵ月
OKCエクササイズ	術後2週で開始（ハムストリングス，大腿四頭筋，マルチヒップ，レッグプレス）
コンディショニング	術後1〜2週で上肢エルゴメータ，術後3〜4週でエアロバイク・水中ウォーキング，術後5〜6週で階段昇降・スキーマシン・術後7〜8週でウォーキング・水泳，すべて術後7〜12ヵ月間継続
プライオメトリックス	術後9〜12週から実施
ランニング	前方移動量が3mm以内で大腿四頭筋とハムストリングスが30％以内の筋力低下であれば術後9〜12週より開始
カッティング	前方移動量が3mm以内で大腿四頭筋とハムストリングスが20％以内の筋力低下であれば術後16週より開始
完全復帰	①術後20週以降，②前方移動量3mm以内，③大腿四頭筋とハムストリングスの筋力低下が15％以内

図26-5 Anterior intervalの構造（文献33より引用）
Anterior intervalとは膝蓋骨や膝蓋腱の後縁，脛骨前縁や膝横靭帯などで囲まれた空間を指し，この部分には膝蓋下脂肪体や膝蓋下滑液包が存在する。

脛骨前縁や膝横靭帯などで囲まれた空間を指し，この部分には膝蓋下脂肪体や膝蓋下滑液包が存在する（図26-5）。Anterior interval scarとは，この部位に生じた瘢痕組織のことであり，anterior interval scarによって膝蓋腱を含む膝前方組織の可動性が低下し，膝前面痛や伸展制限の原因となる可能性がある[13, 33]。ここではanterior intervalを責任病巣とした関節可動域制限について整理した。

1. 画像診断

Anterior interval scarのMRI画像所見としては，T1強調画像における膝蓋下脂肪体後縁の瘢痕組織を示す低信号が特徴的とされる[33]。ただし，急性の浮腫や出血との鑑別に注意を要する。Anterior interval scarのMRI画像診断の感度や特異度，撮影方法に関する研究は存在しない。

2. Hoffaテスト

Hoffaテストはanterior interval scarの有無を確認する徒手検査法である[3, 33]（図26-6）。膝蓋腱と膝蓋下脂肪体の辺縁を母指で圧迫し，膝関

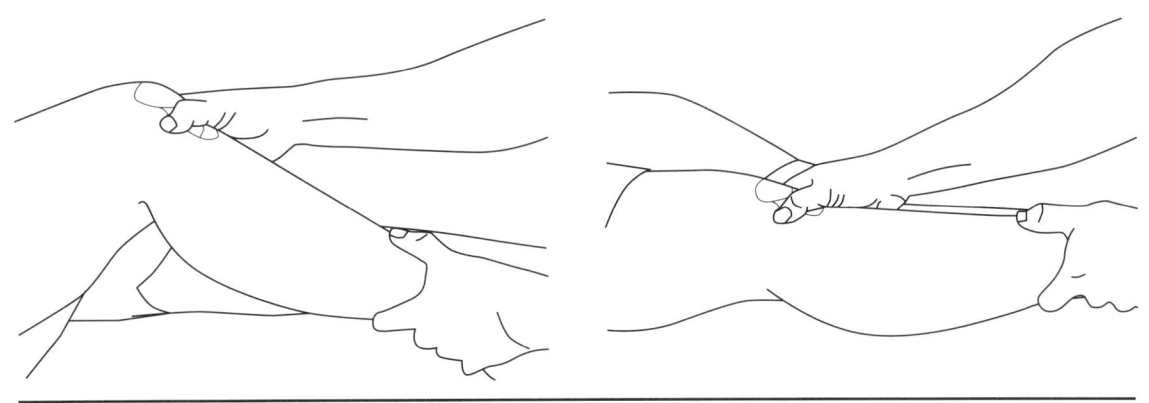

図 26-6 Hoffa テスト（文献 33 より引用）
膝関節 30°屈曲位から開始する。膝蓋下脂肪体と膝蓋腱の縁を親指で圧迫しながら膝関節を完全伸展させ，伸展の際に脂肪体付近に痛みが増加すれば陽性。

節を完全伸展した際に脂肪体付近に痛みが生じれば anterior interval scar の存在が示唆される。しかし，この検査に関する妥当性や信頼性は示されなかった。

3. Anterior interval scar の治療

Anterior interval scar によって関節可動域制限が生じている場合，瘢痕組織の外科的リリースが選択される場合がある。Steadman ら[33]は anterior interval scar によって膝前面痛や関節可動域制限が生じていると診断された 25 膝に対し，関節鏡視下にて瘢痕組織のリリースを行った。その結果，術前に膝屈曲拘縮のあった全例（14 名）が術後に完全可動域を獲得した。以上より，anterior interval scar の外科的リリースは膝関節の可動域改善に有効であると考えられる。ただし，anterior interval を責任病巣とした関節線維症の治療効果を検証した詳細な研究は少なく，今後さらなる研究が望まれる。

D. Cyclops lesion

Cyclops lesion は，ACL 再建靱帯前方に生じた肉芽組織で構成された線維性病変である。Jackson ら[12]は ACL 再建術後に膝伸展制限を有する患者の関節鏡所見から，この線維性病変を cyclops lesion と命名した。Cyclops lesion によって生じた膝関節の伸展制限や組織の増殖過程を cyclops syndrome とした。

1. Cyclops lesion の発生率

Cyclops lesion の発生率は 3.6～46.8％であった（表 26-4）[8, 9, 32, 34]。Wang ら[34]は ACL 再建 311 膝に対して，術後平均 13.3 ヵ月で再鏡視を行った。その結果，14.5％（45 膝）に典型的な炎症増殖像を示す cyclops lesion が存在した。Fujii ら[8]も同様に，ACL 再建 55 膝に対して中央値 15.8 ヵ月（8～36 ヵ月）において再鏡視を行い，27.3％（15 例）に cyclops lesion の存在を確認した。Gohil ら[9]によると，ACL 再建 47 膝に対する MRI 検査の結果，cyclops lesions 発生率は 46.8％であった。一方，Sonney-Cottet ら[32]は ACL 再建 387 膝に対して術後 3 ヵ月に MRI 検査を行ったところ，cyclops lesion の存在率はわずか 3.6％（14 例）であった。研究間で発生率にばらつきが認められるのは，研究者間で cyclops lesion の診断方法や取り込み基準が異なることとともに，術後のリハビリテーション

第7章 合併症

表26-4 Cyclops lesion の発生率

報告者	対象数	術式	診断	発生率
Wang ら [34]	311	BTB, ST	関節鏡	14.5%
Sonney-Cottet ら [32]	387	BTB, ST	MRI	3.6%
Gohil ら [9]	47	ST	MRI	46.8%
Fujii ら [8]	55	ST	関節鏡	27.3%

BTB：骨付き膝蓋腱，ST：半腱様筋腱。

の進め方の相違が原因の可能性がある。

2. Cyclops lesion の診断

Cyclops lesion の診断は関節鏡もしくは MRI にて行われる。関節鏡視下では，ACL 再建靱帯前方に生じた赤みを帯びた線維質性の cyclops lesion が膝関節伸展時にインピンジメントを起こす様子が確認される[12,24]。MRI 画像では，関節液との区別が容易である T2 強調画像が推奨される。T2 強調矢状断像において，cyclops lesion は線維性組織と一致して低信号を示し，関節液との区別が容易である[24,26]。しかしながら，MRI 画像診断の感度・特異度に関する報告は，現時点で存在しない。

3. Cyclops lesion 発生の危険因子

Cyclops lesion 発生の危険因子として，ACL 再建術時の骨・軟骨の残留，遺残 ACL，グラフトインピンジメント，グラフトの伸張による線維増殖反応，顆間窩の大きさ，ACL 再建術式などがあげられる[8,9,12,34]。

顆間窩が小さいことは cyclops lesion 発生の危険因子とされる。Fujii ら[8] は ACL 再建 55 膝に対して，cyclops lesion の発生と顆間窩の断面積との関連を分析した。全例鏡視下にて cyclops lesion が存在した cyclops 群（15 膝）と，存在しなかった non cyclops 群（40 膝）に分け，顆間窩の断面積を比較した。その結果，顆間窩の断面積は cyclops 群 251.7 mm²，non cyclops 群 335.6 mm² であり，cyclops 群のほうが有意に小さかった。以上より，顆間ノッチの断面積が小さい膝では，顆間ノッチとグラフトサイズの不適合によってノッチインピンジメントを生じ，ACL 再建術後に cyclops lesion が発生する危険性が高い可能性がある。

Cyclops lesion 発生の危険因子として ACL 再建術式について検証されてきた。Wang ら[34] は ACL 再建術を受けた骨付き膝蓋腱（BTB）法 114 膝と半腱様筋・大腿薄筋（STG）法 197 膝の cyclops lesion の発生率を比較した。その結果，術式間で cyclops lesion 発生率に差は認められなかった。一方，Sonney-Cottet ら[32] は二重束 ACL 再建術を受けた BTB 法 186 膝と STG 法 201 膝について，MRI 検査を用いて cyclops lesion の発生率を比較した。その結果，STG 法より BTB 法において有意に cyclops lesion の発生率が高かった。以上より，ACL 再建術式が cyclops lesion 発生の危険因子となるかは一致した見解が得られておらず，今後さらなる研究が必要である。

ACL 再建の際の遺残 ACL も cyclops lesion 発生の危険因子としてあげられる。Gohil ら[9] は ACL 損傷 47 膝に対する再建術施行時のデブリドマンの方法に関して，無作為に通常のデブリドマンを行った normal 群と遺残 ACL を温存して最小限のデブリドマンのみ行った minimal 群の 2 群に分け，cyclops lesion の発生率を比較した。その結果，normal 群 23 膝中 9 膝，minimum 群 24 膝中 13 膝に cyclops lesion が発生し，両群間に差は認めなかった。

4. Cyclops lesion の治療

　Cyclops lesion 発生後の可動域制限に対する保存的療法の有効性を示した論文はなく，cyclops lesion の切除についての論文がみられた[12,17]。Jackson ら[12] は ACL 再建術後に伸展制限を生じた 13 膝において，術後平均 16 週で関節鏡視下にて cyclops lesion の切除を行った。その結果，術前平均 16～103°であった膝関節可動域は，切除後に平均 3.8～138°に改善し，cyclops lesion を切除した 13 例全例で可動域が改善した。Wang ら[34] は ACL 再建術後に伸展制限を生じた 6 膝に対して，術後平均 13.3 ヵ月で関節鏡視下にて同様に cyclops lesion の切除を行った。その結果，全例で完全伸展が獲得された。以上より，cyclops lesion の外科的切除は可動域改善に有効であると考えられる。

E. 後方関節包拘縮

　後方関節包には多くの靱帯，筋，腱が付着しており[14]，その拘縮は膝伸展制限の原因の 1 つとされる[13]。ここでは後方関節包拘縮に関する知見を整理した。

1. 診断・評価

　後方関節包拘縮の診断および評価法に関する論文は 1 編のみ存在した。Chen ら[3] は後方関節包拘縮例の MRI 画像では，しばしば T1 および T2 強調画像にて低信号で示される後方関節包の瘢痕組織が観察され，膝最終伸展時のエンドフィールは硬いと述べた。ただし，詳細な評価方法は記載されておらず，後方関節包拘縮の診断・評価として有用と考えられる方法は存在しないのが現状である。

2. 後方関節包拘縮の治療

　後方関節包拘縮に伴う膝伸展制限に対する保存療法の有効性を示した研究は存在せず，外科的治療が有用であるとする報告が散見された[15,16]。Lobenhoffer ら[16] は膝靱帯再建術後や骨折，感染症が原因で 1 年以上屈曲拘縮が残存し，前方組織のデブリドマン後にも可動域制限が改善しなかった 21 膝に対して，後方関節包リリースを行った。その結果，伸展制限が術前平均 17°から術後平均 2°に改善した。著者らはその要因として後内側関節包リリースによって膝関節の正常なスクリューホーム運動が可能になったためと述べた。同様に LaPrade ら[15] は膝関節の外傷後や術後に健側と比較して 10°以上の伸展制限を有し，麻酔下でのマニピュレーションや前方組織のデブリドマン後にも伸展制限が改善しなかった 15 膝に対して，膝関節後内側関節包の関節鏡視下リリースを行った。その結果，伸展制限が術前平均 14.7°から術後平均 0.7°，屈曲可動域が術前平均 116.3°から術後平均 130.1°に有意に改善した。以上より，後方関節包拘縮に対する後方関節包の外科的リリースは膝関節の関節可動域改善に有用であると考えられる。後方関節包拘縮によって生じた膝関節の伸展制限は重度な場合が多く，後方関節包拘縮が生じない予防的措置が重要と考えられる。

F. まとめ

1. すでに真実として承認されていること

- 関節線維症に対する外科的治療は可動域改善に有効である。
- 現時点で関節線維症に対して有効な保存的治療はなく，最も有効なのは予防である。

2. 議論の余地はあるが，今後の重要な研究テーマとなること

- 関節線維症の予防プログラムの立案。
- 有効な保存的治療の確立。

G. 今後の課題

　近年，手術手技や術後の管理方法が日々改良され，加速的リハビリテーションが普及してきた。しかし，いまだに膝関節の外傷後・術後に関節線維症を生じ，痛みや可動域制限による不調を訴える患者は存在する。特に，スポーツ選手においては可動域制限がパフォーマンスに及ぼす影響は大きい。今回のレビューでは，関節線維症に対する有効な保存的治療は見当たらなかった。また，膝関節術後に関節線維症を予防できるという研究はあったが，エビデンスレベルの高い前向きコホート研究によって確立された予防プログラムはみられなかった。以上より，今後は関節線維症発生後の膝関節に対する有効な保存的治療の確立と膝関節術後の関節線維症予防プログラムの立案を目的とした質の高い研究が期待される。

文　献

1. Aglietti P, Buzzi R, De Felice R, Paolini G, Zaccherotti G: Results of surgical treatment of arthrofibrosis after ACL reconstruction. *Knee Surg Sports Traumatol Arthrosc*. 1995; 3: 83-8.
2. Bach BR Jr, Jones GT, Sweet FA, Hager CA: Arthroscopy-assisted anterior cruciate ligament reconstruction using patellar tendon substitution. Two- to four-year follow-up results. *Am J Sports Med*. 1994; 22: 758-67.
3. Chen MR, Dragoo JL: Arthroscopic releases for arthrofibrosis of the knee. *J Am Acad Orthop Surg*. 2011; 19: 709-16.
4. Cosgarea AJ, Sebastianelli WJ, DeHaven KE: Prevention of arthrofibrosis after anterior cruciate ligament reconstruction using the central third patellar tendon autograft. *Am J Sports Med*. 1995; 23: 87-92.
5. DeHaven KE, Cosgarea AJ, Sebastianelli WJ: Arthrofibrosis of the knee following ligament surgery. *Instr Course Lect*. 2003: 52: 369-81.
6. Eakin CL: Knee arthrofibrosis: prevention and management of a potentially devastating condition. *Phys Sportsmed*. 2001; 29: 31-42.
7. Fisher SE, Shelbourne KD: Arthroscopic treatment of symptomatic extension block complicating anterior cruciate ligament reconstruction. *Am J Sports Med*. 1993; 21: 558-64.
8. Fujii M, Furumatsu T, Miyazawa S, Okada Y, Tanaka T, Ozaki T, Abe N: Intercondylar notch size influences cyclops formation after anterior cruciate ligament reconstruction. *Knee Surg Sports Traumatol Arthrosc*. 2015; 23: 1092-9.
9. Gohil S, Falconer TM, Breidahl W, Annear PO: Serial MRI and clinical assessment of cyclops lesions. *Knee Surg Sports Traumatol Arthrosc*. 2014; 22: 1090-6.
10. Hasan SS, Saleem A, Bach BR Jr, Bush-Joseph CA, Bojchuk J: Results of arthroscopic treatment of symptomatic loss of extension following anterior cruciate ligament reconstruction. *Am J Knee Surg*. 2000; 13: 201-9; discussion 209-10.
11. Hunter RE, Mastrangelo J, Freeman JR, Purnell ML, Jones RH: The impact of surgical timing on postoperative motion and stability following anterior cruciate ligament reconstruction. *Arthroscopy*. 1996; 12: 667-74.
12. Jackson DW, Schaefer RK: Cyclops syndrome: loss of extension following intra-articular anterior cruciate ligament reconstruction. *Arthroscopy*. 1990; 6: 171-8.
13. Kim DH, Gill TJ, Millett PJ: Arthroscopic treatment of the arthrofibrotic knee. *Arthroscopy*. 2004; 20 Suppl 2: 187-94.
14. LaPrade RF, Morgan PM, Wentorf FA, Johansen S, Engebretsen L: The anatomy of the posterior aspect of the knee. An anatomic study. *J Bone Joint Surg Am*. 2007; 89: 758-64.
15. LaPrade RF, Pedtke AC, Roethle ST: Arthroscopic posteromedial capsular release for knee flexion contractures. *Knee Surg Sports Traumatol Arthrosc*. 2008; 16: 469-75.
16. Lobenhoffer HP, Bosch U, Gerich TG: Role of posterior capsulotomy for the treatment of extension deficits of the knee. *Knee Surg Sports Traumatol Arthrosc*. 1996; 4: 237-41.
17. Magit D, Wolff A, Sutton K, Medvecky MJ: Arthrofibrosis of the knee. *J Am Acad Orthop Surg*. 2007; 15: 682-94.
18. Marcacci M, Zaffagnini S, Iacono F, Neri MP, Petitto A: Early versus late reconstruction for anterior cruciate ligament rupture. Results after five years of followup. *Am J Sports Med*. 1995; 23: 690-3.
19. Mayr HO, Weig TG, Plitz W: Arthrofibrosis following ACL reconstruction--reasons and outcome. *Arch Orthop Trauma Surg*. 2004; 124: 518-22.
20. Millett PJ, Wickiewicz TL, Warren RF: Motion loss after ligament injuries to the knee. Part I: causes. *Am J Sports Med*. 2001; 29: 664-75.
21. Noyes FR, Barber-Westin SD: Reconstruction of the anterior and posterior cruciate ligaments after knee dislocation. Use of early protected postoperative motion to decrease arthrofibrosis. *Am J Sports Med*. 1997; 25: 769-78.
22. Noyes FR, Berrios-Torres S, Barber-Westin SD, Heckmann TP: Prevention of permanent arthrofibrosis after anterior cruciate ligament reconstruction alone or combined with associated procedures: a prospective study in 443 knees. *Knee Surg Sports Traumatol Arthrosc*. 2000; 8: 196-206.
23. Nwachukwu BU, McFeely ED, Nasreddine A, Udall JH, Finlayson C, Shearer DW, Micheli LJ, Kocher MS: Arthrofibrosis after anterior cruciate ligament reconstruction in children and adolescents. *J Pediatr Orthop*. 2011;

31: 811-7.
24. Papakonstantinou O, Chung CB, Chanchairujira K, Resnick DL: Complications of anterior cruciate ligament reconstruction: MR imaging. *Eur Radiol*. 2003; 13: 1106-17.
25. Petsche TS, Hutchinson MR: Loss of extension after reconstruction of the anterior cruciate ligament. *J Am Acad Orthop Surg*. 1999; 7: 119-27.
26. Recht MP, Piraino DW, Cohen MA, Parker RD, Bergfeld JA: Localized anterior arthrofibrosis (cyclops lesion) after reconstruction of the anterior cruciate ligament: MR imaging findings. *AJR Am J Roentgenol*. 1995; 165: 383-5.
27. Said S, Christainsen SE, Faunoe P, Lund B, Lind M: Outcome of surgical treatment of arthrofibrosis following ligament reconstruction. *Knee Surg Sports Traumatol Arthrosc*. 2011; 19: 1704-8.
28. Shapiro MS, Freedman EL: Allograft reconstruction of the anterior and posterior cruciate ligaments after traumatic knee dislocation. *Am J Sports Med*. 1995; 23: 580-7.
29. Shelbourne KD, Johnson GE: Outpatient surgical management of arthrofibrosis after anterior cruciate ligament surgery. *Am J Sports Med*. 1994; 22: 192-7.
30. Shelbourne KD, Patel DV: Treatment of limited motion after anterior cruciate ligament reconstruction. *Knee Surg Sports Traumatol Arthrosc*. 1999; 7: 85-92.
31. Skutek M, Elsner HA, Slateva K, Mayr HO, Weig TG, van Griensven M, Krettek C, Bosch U: Screening for arthrofibrosis after anterior cruciate ligament reconstruction: analysis of association with human leukocyte antigen. *Arthroscopy*. 2004; 20: 469-73.
32. Sonnery-Cottet B, Lavoie F, Ogassawara R, Kasmaoui H, Scussiato RG, Kidder JF, Chambat P: Clinical and operative characteristics of cyclops syndrome after double-bundle anterior cruciate ligament reconstruction. *Arthroscopy*. 2010; 26: 1483-8.
33. Steadman JR, Dragoo JL, Hines SL, Briggs KK: Arthroscopic release for symptomatic scarring of the anterior interval of the knee. *Am J Sports Med*. 2008; 36: 1763-9.
34. Wang J, Ao Y: Analysis of different kinds of cyclops lesions with or without extension loss. *Arthroscopy*. 2009; 25: 626-31.

(吉田　大佑)

27. 筋力低下

はじめに

　筋力低下は膝関節外傷や手術後の合併症として頻発する。筋力の回復はスポーツ復帰の基準として用いられることも多いため，膝関節疾患のリハビリテーションにおいて，筋力トレーニングにかける時間の割合は高くなっている。したがって，膝関節外傷や手術後の筋力低下を理解することは，その後の治療においても有益な情報となりうる。本項では，膝関節外傷の合併症としての筋力低下を疾患別に整理し，その特徴を整理する。

A. 文献検索方法

　文献検索はPubMedを用いて行い，言語を英語に限定した。キーワードは「anterior cruciate ligament」「posterior cruciate ligament」「medial collateral ligament」「lateral collateral ligament」「patellofemoral pain」「anterior knee pain」「meniscus」と「muscle strength」「muscle weakness」を掛け合わせて検索した。メインアウトカムが筋力である論文を選択し，必要に応じてハンドサーチによる論文を追加し，最終的に23編の論文を引用した。なお，検索の結果，内側側副靱帯（MCL）損傷，外側側副靱帯（LCL）損傷，膝前部痛についての有益な情報を得ることができなかったため今回のレビューから除外した。

B. 前十字靱帯（ACL）損傷に伴う筋力低下

1. ACL損傷後の筋力低下

　ACL損傷後の筋力低下が大腿四頭筋，ハムストリングスなど膝関節の機能に関与する筋に生じることは周知の通りである。Konishiら[13,14]はACL損傷後5ヵ月の22例と健常成人22例の大腿四頭筋筋力とMRIによる大腿四頭筋容積を比較した。その結果，ACL損傷群において大腿四頭筋の容積の減少と筋力の有意な低下が認められた。一方，ハムストリングスにおける同様の調査では，筋容積に有意な変化は認められず，筋力も大腿四頭筋ほどの低下はみられなかった（表27-1）。また，St Clair Gibsonら[18]はACL損傷後1年経過した18例で非損傷側と比較を行った。その結果，Konishiらの結果と同様に大腿四頭筋，ハムストリングスともに筋力低下は認められたが，大腿四頭筋のほうがより顕著に低下していた（表27-1）。以上より，ACL損傷後の筋力低下は大腿四頭筋およびハムストリングスの両筋に起こりうるが，大腿四頭筋により顕著に生じる可能性がある。

表27-1　前十字靱帯（ACL）損傷後の膝伸展・屈曲筋力（60°/s）

報告者	経過時間	膝伸展筋力（大腿四頭筋）(Nm) 損傷膝	非損傷膝	p値	膝屈曲筋力（ハムストリングス）(Nm) 損傷膝	非損傷膝	p値
Konishiら[13,14]	5ヵ月	134 ± 45	171 ± 46	<0.01	69 ± 21	80 ± 21	<0.01
St Clair Gibsonら[18]	1年	124.2 ± 42.2	146.9 ± 50.3	0.032	87.9 ± 26.4	95.3 ± 30.7	0.017

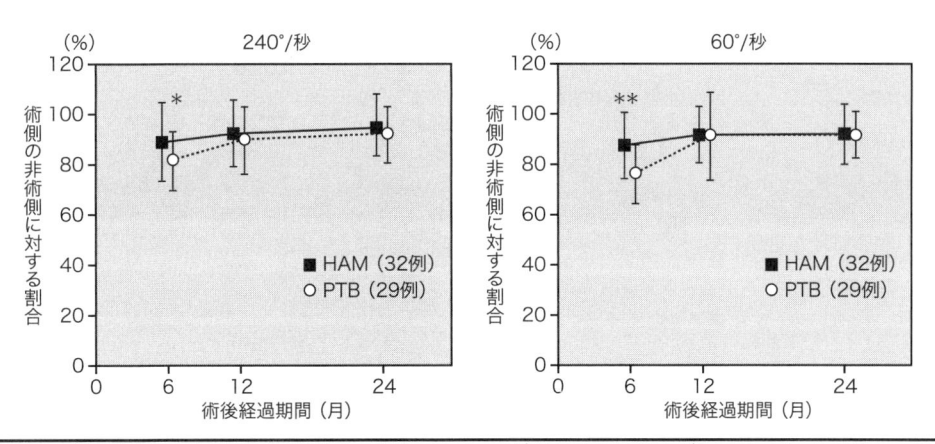

図 27-1 前十字靱帯（ACL）再建術後の膝伸展筋力の経過（文献 3 より引用）
HAM：ハムストリングスから採取，PTB：膝蓋腱から採取。膝伸展筋力および筋持久力は術後 6 ヵ月において PTB 群で有意に低値を示したが，術後 12 ヵ月では有意差が認められなかった。＊p＜0.05，＊＊p＜0.001。

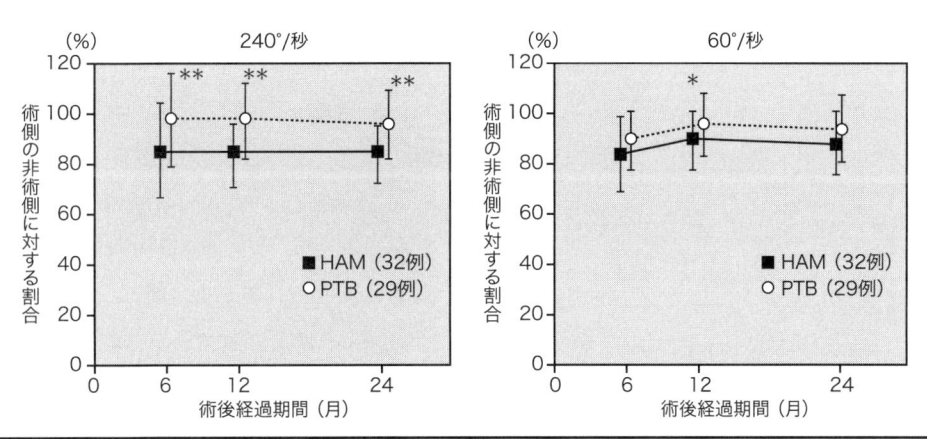

図 27-2 前十字靱帯（ACL）再建術後の膝屈曲筋力の経過（文献 3 より引用）
膝屈曲筋力および筋持久力は HAM 群で回復の遅延が認められ，筋持久力は術後 24 ヵ月でも差が認められた。＊p＜0.05，＊＊p＜0.01。

2．ACL 再建術後の筋力低下

　ACL 再建術後の筋力低下を検討するにあたり，術式が不明確，あるいは対象者に複数の術式が混在する論文は除外した。ACL 再建術後の筋力低下に関しては，採取腱の違いによる影響が主に議論されてきた。Aune ら[3] は移植腱をハムストリングスから採取した 32 例（HAM 群）と膝蓋腱から採取した 29 例（PTB 群）の再建術後 6 ヵ月，12 ヵ月，24 ヵ月における筋力（60°/秒 × 5 セット）および筋持久力（240°/秒 × 30 セット）測定を等速性筋力測定器により調査した。その結果，膝伸展筋力および筋持久力は術後 6 ヵ月において PTB 群で有意に低値を示したが，術後 12 ヵ月では有意差が認められなかった。一方，膝屈曲筋力および筋持久力は HAM 群で回復の遅延が認められ，筋持久力は術後 24 ヵ月でも差が認められた（**図 27-1，図 27-2**）。その他，同様に ACL 再建後の筋力回復を検討した研究結果を**表 27-2** にまとめた。これらの結果から，PTB 再建では採取腱の影響から短期的に膝伸展筋力の低下が認められるものの，術後 1 年以降では影響がみられない。一方，半腱様筋や薄筋などの屈筋腱による再建では，膝関節屈曲筋力の低下が長期的にも認められた。以上より，ACL 再建術後の屈

第7章 合併症

表 27-2 前十字靱帯（ACL）再建術による採取腱の影響

報告者	対象	経過観察期間	方法・結果
Hsiao ら [11]	PTB 12 例 対照 15 例	術後 3 ヵ月後 ・6 ヵ月後	伸展筋力は 6 ヵ月後まで筋力低下が残存 屈筋筋力は 3 ヵ月後まで筋力低下が残存していたがその後改善
Ageberg ら [1]	PTB 20 例 HAM 16 例	術後 3 年間	伸展筋力は両群ともに術側・非術側に差はない 屈曲筋力は HAM 群において筋力低下が残存する
Tow ら [22]	PTB 17 例 STG 15 例	術後 2 年間	伸展筋力は両群ともに改善 屈曲筋力は STG 群において筋力低下が残存する
Tadokoro ら [19]	STG 28 例	術後平均 5.6 年 （2〜7 年）	座位・腹臥位膝屈曲 90°位・腹臥位膝 110°位での等尺性屈筋力の評価。それぞれ非術側と比較して 86.2％，54.5％，49.1％の回復
Tashiro ら [20]	ST 49 例 STG 36 例	術後 6 ヵ月後・ 12 ヵ月後・18 ヵ月後	18 ヵ月後，屈曲筋力低下の割合は STG 群が大きい

表 27-3 前十字靱帯（ACL）再建（STG）後の内外旋筋力（文献 2 より引用）

		ACL 損傷膝	非損傷膝	p 値
内旋	60°/秒	17.4 ± 4.5	20.5 ± 4.7	0.012
	120°/秒	13.9 ± 3.3	15.9 ± 3.8	0.036
	180°/秒	11.6 ± 3.0	13.4 ± 3.8	0.045
外旋	60°/秒	19.7 ± 4.8	21.1 ± 5.3	0.303
	120°/秒	16.1 ± 4.0	16.9 ± 4.3	0.428
	180°/秒	12.7 ± 3.1	13.5 ± 3.9	0.367

筋力低下は採取腱の影響を受けると考えられる。

　膝関節回旋筋力に関しても採取腱の影響が報告されてきた。Segawa ら [16] は ACL 再建術後 12 ヵ月の等速性筋力測定器による膝関節回旋筋力を調査した。対象者は採取腱が半腱様筋のみの ST 群 32 例と半腱様筋と薄筋から採取した STG 群 30 例であった。その結果，STG 群において内旋筋力の低下が認められた。Armour ら [2] の研究では，STG による ACL 単独再建術を施行した 30 例において，術後 24 ヵ月の回旋筋力が調査され，Segawa らと同様に，膝関節内旋筋力の有意な低下が認められた（**表 27-3**）。両者の研究ともに膝関節外旋筋力は低下していなかった。以上より，ACL 再建術後の回旋筋力低下は採取腱の影響を受けると考えられる。

C. 後十字靱帯（PCL）損傷に伴う筋力低下

　PCL 損傷後の筋力低下に関する報告は非常に限られている。Shelbourne ら [17] は PCL 損傷後に保存療法を選択した 68 例を対象に損傷後平均 17.6 年時点での等速性筋力測定器による大腿四頭筋およびハムストリングスの筋力を調査した。その結果，両筋ともに有意な低下は認められず，大腿四頭筋では非損傷側の 97.2 ± 11.0％，ハムストリングスでは非損傷側の 93.2 ± 17.9％であった。

　再建術後の筋力低下に関する報告も散見される。Chen ら [7] は大腿四頭筋腱を利用した PCL 再建術後の患者 29 例を対象に 3 年間の追跡調査を行った。その結果，非損傷側と比較して手術前膝関節伸展筋力は 72.93 ± 10.91％であったのに対し，最終評価時には 86.79 ± 8.29％と回復しており，膝関節屈曲筋力においても 76.21 ± 9.22％から 88.76 ± 7.79％へと回復が認められた。Wu ら [23] も大腿四頭筋腱を利用した PCL 再建術後の患者 22 例を対象に 5 年間の追跡調査を行った。その結果，非損傷側と比較して膝関節伸展筋力は手術前の 75.35 ± 10.26％から最終評価時点で 91.34 ± 9.45％へ回復し，屈曲筋力も 79.56 ± 9.32％から 93.45 ± 8.37％へ回復して

表 27-4 後十字靱帯（PCL）再建術後（屈筋腱）の膝伸展・屈曲筋力の回復（文献 8 より引用）

		術前	術後 1年	術後 2年	術後 3年	術後 4年	最終測定
伸展筋力（%非手術側）	>90%	10	22	28	29	30	31 (60%)
	80〜90%	17	12	14	14	14	15 (29%)
	<80%	25	18	10	9	8	5 (9%)
屈曲筋力（%非手術側）	>90%	12	23	26	27	29	30 (58%)
	80〜90%	14	11	12	13	14	14 (27%)
	<80%	26	18	14	14	12	8 (15%)

いた．Chan ら[6]は膝屈筋腱を利用した PCL 再建術を受けた患者 20 例を対象に 40 ヵ月間の追跡調査を行った．その結果，膝関節伸展筋力は手術前の 76.25 ± 11.26％から 90.26 ± 9.65％へ回復し，屈曲筋力においても 80.65 ± 9.54％から 93.68 ± 8.23 へ回復したことを示した．Chen ら[8]も膝屈筋腱を用いた PCL 再建術患者 52 例を対象に 4 年間の追跡調査を行い，最終測定時に対象者の 80％以上で膝関節伸展および屈曲筋力が非損傷側の 80〜90％まで回復したと報告した（**表 27-4**）．

以上より，PCL 損傷膝では損傷直後は膝関節伸展および屈曲筋力ともに低下を認める．一方で，長期的には予後として両筋の差はなく回復しており，PCL 再建術に用いられる採取腱の影響もみられない．

D. 半月板損傷に伴う筋力低下

半月板損傷後の筋力低下に関しては膝関節伸展筋力に着目した研究が主である．McLeod ら[15]は半月板部分切除術後の筋力をメインアウトカムとしたシステマティックレビューを公表した．彼らは検索ワードを「meniscus」or「meniscectomy」and「quadriceps strength」or「quadriceps weakness」とし，最終的に 4 編の論文を採用した（**表 27-5**）．その結果，半月板損傷後の大腿四頭筋筋力は術後 6 ヵ月経過後も低下しており，長期的な大腿四頭筋の筋力低下は変形性膝関節症の危険因子となりうると結論づけた．一方，Thorlund ら[21]は半月板切除術を受けた 31 例の約 2 年後の筋力を調査した．その結果，健常者や非損傷側と比較して膝伸展および屈曲筋力の低下は認められず，変形性膝関節症の発症には別の危険因子の関与も推測されると考察した．これら矛盾した結果が生じたのは，各研究間の測定方法の相違によると思われる．膝関節屈曲筋力の低下に関する検討もみられるが[9,16]，いずれの報告においても膝関節屈曲筋力の低下は認められなかった．以上より，半月板損傷後の筋力低下に関しては，一部結果が矛盾するものの膝関節伸展筋力の低下が示唆された．

E. 膝蓋大腿関節障害に伴う筋力低下

膝蓋大腿関節障害（patella femoral pain：PFP）に合併する筋力低下については，膝関節機能に直接関与する筋よりも膝関節アライメントの制御に間接的に関与すると考えられる股関節周囲筋を対象とした研究が多い．Ireland ら[12]は定期的にスポーツ活動に参加する女性を対象に，3 ヵ月以上持続した膝蓋大腿関節障害により疼痛を抱える 15 例（PFP 群）と年齢をマッチさせた無症状の 15 例（対照群）の股関節外転および外旋筋力を等尺性筋力測定器にて徒手的に測定した．その結果，股関節外転および外旋筋力ともに PFP

第7章 合併症

表27-5 半月板切除術後による膝伸展筋力低下（文献15より引用）

報告者	経過時間	ピークトルク（60°/秒, Nm） 手術側	非手術側	ピークトルク（180°/秒, Nm） 手術側	非手術側
Matthews ら	2週	79.2 ± 33.5	131.9 ± 31.5	70.1 ± 28.9	98.4 ± 27.1
	4週	97.0 ± 31.4	129.9 ± 30.5	80.5 ± 27.5	97.4 ± 27.0
	6週	105.4 ± 30.4	131.0 ± 28.2	82.4 ± 26.8	98.8 ± 24.2
	8週	109.1 ± 31.0	133.6 ± 27.8	87.6 ± 25.7	99.6 ± 25.7
	10週	112.8 ± 33.1	133.3 ± 26.8	88.3 ± 27.8	99.6 ± 28.4
	12週	115.3 ± 35.0	134.5 ± 30.6	88.3 ± 27.8	102.4 ± 28.4
Gapeyeva ら	4週	163.8 ± 8.7	229.5 ± 7.6	73.4 ± 6.7	106.3 ± 5.6
	12週	190.4 ± 9.2	237.4 ± 9.2	94.5 ± 6.1	112.2 ± 6.1
	24週	194.5 ± 10.1	237.8 ± 9.2	104.7 ± 6.2	113.8 ± 6.6
Glathom ら	24週	160.5 ± 57.2	194.2 ± 59.4	117.4 ± 44.6	13.8 ± 50.8
Ericsson ら	208週	161 ± 49	179 ± 47	113 ± 31	122 ± 30

群で有意な低下が認められた。Bolingら[5]もPFP群20例と年齢および男女比をマッチさせた対照群20例における股関節外転，外旋，伸展筋力を等速性筋力測定器にて測定し，股関節外転および外旋筋力が対照群と比較して低下したと報告した。さらに，Baldonら[4]はPFP群10例と対照群10例で股関節内転，外転，内旋，外旋筋力を等速性筋力測定器により調査し，PFP群において内転および外転筋力が低下していること，内旋および外旋筋力には差がみられなかったことを示した。Finnoffら[10]は98例（男性53例，女性45例）の高校生ランナーを対象とした前向きコホート研究を実施した。シーズン開始前に股関節内転，外転，屈曲，伸展，内旋，外旋筋力を等尺性筋力測定器にて徒手的に測定した。シーズン終了後，5例6膝にPFPが発症し，発症者ではシーズン終了後の測定で股関節外転および外旋筋力の低下が認められた。また，シーズン開始前に股関節外転筋力が強いもの，内旋筋力に対する外旋筋力の割合が低いものではPFPを発症する傾向がみられた。以上より，PFPにおいては，股関節外転筋力の低下が一致した結果として示された。しかし，その他の筋に関しては，矛盾した結果が示されている。

F. まとめ

合併症としての筋力低下に着目した研究は，その報告数が限られることもあり，疾患ごとに結論を導き出すことは困難である。また，研究間での研究方法や測定基準の相違から結果を統合することが難しいのが現状である。以上を念頭に置き，以下を本項のまとめとする。

1. 真実と思われる点
- ACLおよびPCL損傷膝では，膝関節伸展および屈曲筋力の低下が合併する。
- 半月板損傷膝では，膝関節伸展筋力の低下が合併する。
- 膝蓋大腿関節障害では，股関節外転筋力の低下が合併する。

2. 先行研究から現時点ではおそらく正しいと思われる点
- ACL再建術後の筋力低下は採取腱の影響を受ける。
- PCL再建術後の筋力低下は採取腱の影響を受けない。
- 半月板切除術後の膝関節屈筋筋力低下は長期的

には認められない。

G. 今後の研究課題

● 各疾患および術後フォローにおける研究間での共通したアウトカム測定の実施。

文 献

1. Ageberg E, Roos HP, Silbernagel KG, Thomee R, Roos EM: Knee extension and flexion muscle power after anterior cruciate ligament reconstruction with patellar tendon graft or hamstring tendons graft: a cross-sectional comparison 3 years post surgery. *Knee Surg Sports Traumatol Arthrosc*. 2009; 17: 162-9.
2. Armour T, Forwell L, Litchfield R, Kirkley A, Amendola N, Fowler PJ: Isokinetic evaluation of internal/external tibial rotation strength after the use of hamstring tendons for anterior cruciate ligament reconstruction. *Am J Sports Med*. 2004; 32: 1639-43.
3. Aune AK, Holm I, Risberg MA, Jensen HK, Steen H: Four-strand hamstring tendon autograft compared with patellar tendon-bone autograft for anterior cruciate ligament reconstruction. A randomized study with two-year follow-up. *Am J Sports Med*. 2001; 29: 722-8.
4. Baldon Rde M, Nakagawa TH, Muniz TB, Amorim CF, Maciel CD, Serrao FV: Eccentric hip muscle function in females with and without patellofemoral pain syndrome. *J Athl Train*. 2009; 44: 490-6.
5. Boling MC, Padua DA, Alexander Creighton R: Concentric and eccentric torque of the hip musculature in individuals with and without patellofemoral pain. *J Athl Train*. 2009; 44: 7-13.
6. Chan YS, Yang SC, Chang CH, Chen AC, Yuan LJ, Hsu KY, Wang CJ: Arthroscopic reconstruction of the posterior cruciate ligament with use of a quadruple hamstring tendon graft with 3- to 5-year follow-up. *Arthroscopy*. 2006; 22: 762-70.
7. Chen CH, Chen WJ, Shih CH, Chou SW: Arthroscopic posterior cruciate ligament reconstruction with quadriceps tendon autograft: minimal 3 years follow-up. *Am J Sports Med*. 2004; 32: 361-8.
8. Chen CH, Chuang TY, Wang KC, Chen WJ, Shih CH: Arthroscopic posterior cruciate ligament reconstruction with hamstring tendon autograft: results with a minimum 4-year follow-up. *Knee Surg Sports Traumatol Arthrosc*. 2006; 14: 1045-54.
9. Ericsson YB, Roos EM, Dahlberg L: Muscle strength, functional performance, and self-reported outcomes four years after arthroscopic partial meniscectomy in middle-aged patients. *Arthritis Rheum*. 2006; 55: 946-52.
10. Finnoff JT, Hall MM, Kyle K, Krause DA, Lai J, Smith J: Hip strength and knee pain in high school runners: a prospective study. *PM R*. 2011; 3: 792-801.
11. Hsiao SF, Chou PH, Hsu HC, Lue YJ: Changes of muscle mechanics associated with anterior cruciate ligament deficiency and reconstruction. *J Strength Cond Res*. 2014; 28: 390-400.
12. Ireland ML, Willson JD, Ballantyne BT, Davis IM: Hip strength in females with and without patellofemoral pain. *J Orthop Sports Phys Ther*. 2003; 33: 671-6.
13. Konishi Y, Kinugasa R, Oda T, Tsukazaki S, Fukubayashi T: Relationship between muscle volume and muscle torque of the hamstrings after anterior cruciate ligament lesion. *Knee Surg Sports Traumatol Arthrosc*. 2012; 20: 2270-4.
14. Konishi Y, Oda T, Tsukazaki S, Kinugasa R, Hirose N, Fukubayashi T: Relationship between quadriceps femoris muscle volume and muscle torque after anterior cruciate ligament rupture. *Knee Surg Sports Traumatol Arthrosc*. 2011; 19: 641-5.
15. McLeod MM, Gribble P, Pfile KR, Pietrosimone BG: Effects of arthroscopic partial meniscectomy on quadriceps strength: a systematic review. *J Sport Rehabil*. 2012; 21: 285-95.
16. Segawa H, Omori G, Koga Y, Kameo T, Iida S, Tanaka M: Rotational muscle strength of the limb after anterior cruciate ligament reconstruction using semitendinosus and gracilis tendon. *Arthroscopy*. 2002; 18: 177-82.
17. Shelbourne KD, Clark M, Gray T: Minimum 10-year follow-up of patients after an acute, isolated posterior cruciate ligament injury treated nonoperatively. *Am J Sports Med*. 2013; 41: 1526-33.
18. St Clair Gibson A, Lambert MI, Durandt JJ, Scales N, Noakes TD: Quadriceps and hamstrings peak torque ratio changes in persons with chronic anterior cruciate ligament deficiency. *J Orthop Sports Phys Ther*. 2000; 30: 418-27.
19. Tadokoro K. Matsui N, Yagi M, Kuroda R, Kurosaka M, Yoshiya S: Evaluation of hamstring strength and tendon regrowth after harvesting for anterior cruciate ligament reconstruction. *Am J Sports Med*. 2004; 32: 1644-50.
20. Tashiro T, Kurosawa H, Kawakami A, Hikita A, Fukui N: Influence of medial hamstring tendon harvest on knee flexor strength after anterior cruciate ligament reconstruction. A detailed evaluation with comparison of single- and double-tendon harvest. *Am J Sports Med*. 2003; 31: 522-9.
21. Thorlund JB, Aagaard P, Roos EM: Thigh muscle strength, functional capacity, and self-reported function in patients at high risk of knee osteoarthritis compared with controls. *Arthritis Care Res (Hoboken)*. 2010; 62: 1244-51.
22. Tow BP, Chang PC, Mitra AK, Tay BK, Wong MC: Comparing 2-year outcomes of anterior cruciate ligament reconstruction using either patella-tendon or semitendinosus-tendon autografts: a non-randomised prospective study. *J Orthop Surg (Hong Kong)*. 2005; 13: 139-46.
23. Wu CH, Chen AC, Yuan LJ, Chang CH, Chan YS, Hsu KY, Wang CJ, Chen WJ: Arthroscopic reconstruction of the posterior cruciate ligament by using a quadriceps tendon autograft: a minimum 5-year follow-up. *Arthroscopy*. 2007; 23: 420-7.

〈杉野　伸治〉

28. 膝蓋骨運動異常

はじめに

　膝蓋骨運動異常は膝関節外傷や手術後の合併症として頻発するが，その詳細はわかっていない．膝蓋骨運動異常は膝蓋骨周囲だけでなく膝関節全体にも機能不全を引き起こす．これらの抜本的治療には，膝蓋骨運動の異常を改善しなければならず，膝蓋骨運動の正確な評価，膝蓋骨運動異常の原因の特定が必須である．本項では，膝蓋骨運動異常の原因となりうる疾患別に，膝蓋骨アライメントや膝蓋骨運動を整理する．なお，「合併症による膝蓋骨運動異常」とは，何らかの器質的障害（例：靱帯損傷）もしくは器質的変化（例：膝蓋下脂肪体浮腫）が引き起こす膝蓋骨の運動異常と定義し，器質的な障害や変化のないもの（例：膝前部痛 anterior knee pain）は除外した．

A. 文献検索方法

　文献検索は PubMed を用いて行い，言語を英語に限定した．キーワードは「patella」「patellofemoral」「fat pad」「tracking」「motion」「kinematics」「alignment」「biomechanics」を用い，本項のテーマに関連した文献を採択した．その後，必要に応じてハンドサーチによる文献の追加を行い，最終的に 18 編の論文を引用した．

B. 前十字靱帯損傷に伴う膝蓋骨運動異常

　前十字靱帯（ACL）損傷膝では膝蓋骨運動異常が生じる．Van de Velde ら [17] は片側 ACL 単独損傷 8 膝とその反対側 8 膝の片脚ランジ動作を二方向 X 線透視法で撮像し，膝関節屈曲 0, 15, 30, 60, 90°の膝蓋骨運動を算出した．その結果，ACL 損傷側の膝蓋骨運動は反対側と比較し，外方（膝関節屈曲 0°で有意差あり）・伸展（同様に 0, 15°）・外転（15°）・外旋（0, 15, 30, 60°）に変位していた（図 28-1）．Shin ら [14] は ACL 単独損傷 10 膝とその反対側 10 膝を対象に，125 N の部分荷重における膝関節完全伸展位と屈曲 40°の膝蓋骨アライメント変化を MRI にて算出した．その結果，唯一有意差があったのは膝蓋骨外旋角度で，ACL 損傷膝では反対側と比較し，有意に膝蓋骨外旋角度の変化量が大きかった（図 28-2）．Hsieh ら [4] は屍体 7 膝を用いて，ACL 切離前後の膝関節を徒手的に屈伸させた際の膝蓋骨運動を算出した．その結果，ACL 切離膝は切離前の膝関節と比較し，有意に膝蓋骨外方・外旋に変位していた．以上より，ACL 損傷後の膝蓋骨は健側または ACL 損傷前と比較して外方・外旋変位となる可能性がある．

　ACL 再建術後の膝蓋骨は，術式によって膝蓋骨運動およびアライメントが異なる．前述の Shin ら [14] は ACL 単独損傷膝を一重束ハムストリングスで再建し，その前後の膝蓋骨アライメントを算出した．その結果，ハムストリングス再建膝は ACL 術前膝および健常反対膝との比較において，いずれの変位量および回転角度においても有意差がなかった（図 28-2）．同じく Van de Velde ら [17] は ACL 単独損傷 8 膝を骨付き膝蓋腱（BTB）で再建し，その前後の膝蓋骨運動を算

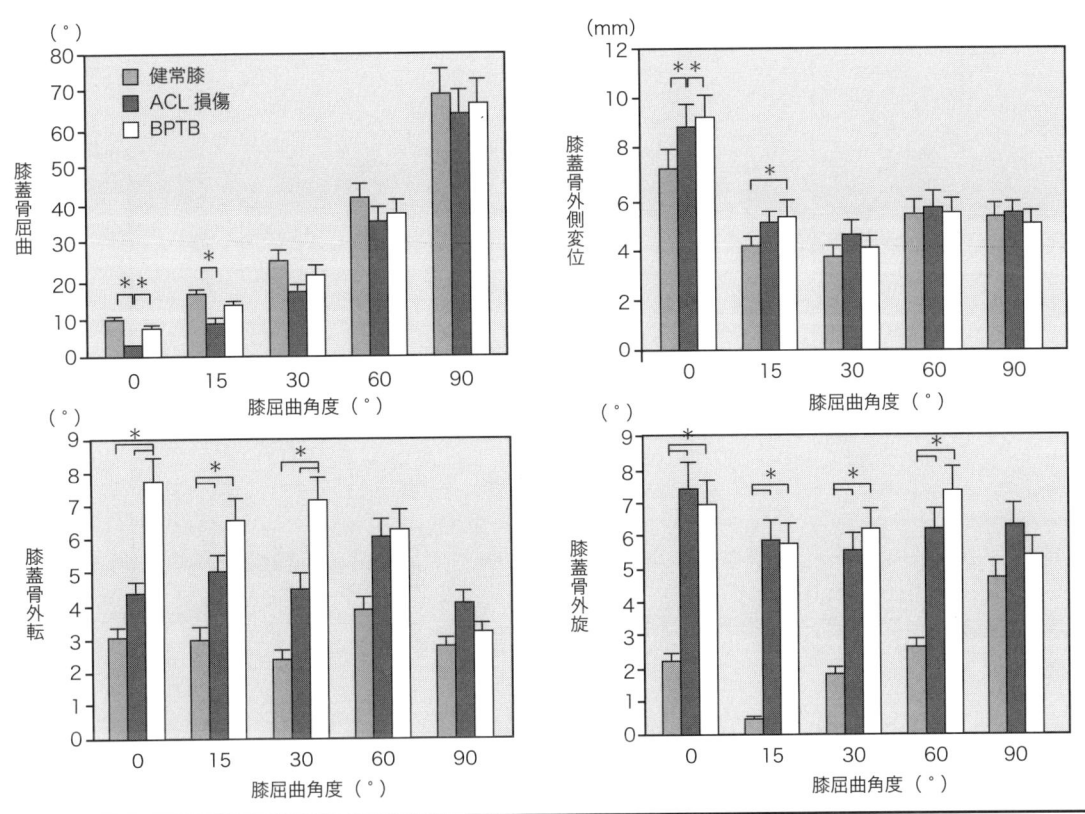

図 28-1 健常膝，ACL 損傷，BTB 再建術後の膝蓋骨運動（文献 17 より引用）
片脚ランジ動作を二方向 X 線透視法で撮像し，膝蓋骨運動を算出。健常膝は ACL 損傷反対側。＊p＜0.05。

出した。その結果，BTB 再建膝の膝蓋骨運動は ACL 損傷膝と比較し，膝蓋骨外方（膝関節屈曲 0°で有意差あり）・屈曲（同様に 0°）・外転（0, 30°）位であった。また，健常反対側と比較すると，膝蓋骨外方（15°）・外転（0, 15, 30°）・外旋（0, 15, 30, 60°）変位であった（**図 28-1**）。屍体膝を用いた研究では，Hsieh ら[4]が BTB による再建術前後の膝蓋骨運動を算出した。その結果，ACL 切離前後で有意に外方・外旋位であった膝蓋骨は，BTB 再建術によって ACL 切離前と有意差がなかった。

現在ではあまり行われていないが，ACL 損傷後の ACL 修復術について，Muellner ら[6]は BTB 再建術との膝蓋骨アライメントの比較を行った。対象は ACL 修復術群と BTB 再建術群ともに 23 膝で，膝蓋骨外旋変位の指標となる lateral patellofemoral angle（PF angle），膝蓋骨外方変位の指標となる congruence angle，膝蓋骨下方変位の指標となる Insall-Salvati ratio の術前後の変化量を測定値とした。有意差があったのは，ACL 修復術群と BTB 再建術群の Insall-Salvati ratio で，両群ともに術後で膝蓋骨が下方変位していた。また，congruence angle も両群ともに術後で有意に小さく，膝蓋骨は外方変位していたが，変化量は BTB 群が ACL 修復群よりも有意に大きかった（**表 27-1**）。

BTB 再建術後は膝蓋腱が短縮することが報告されており[7]，これが膝蓋骨運動の変化の原因と考えられている。Muellner ら[8]は屍体 5 膝を用いて温存膝，膝蓋腱 5 mm 短縮，膝蓋腱 10 mm 短縮の 3 条件における，PF angle，大腿骨滑車面の角度の指標となる Sulcus angle（**図 1-18** 参

第7章 合併症

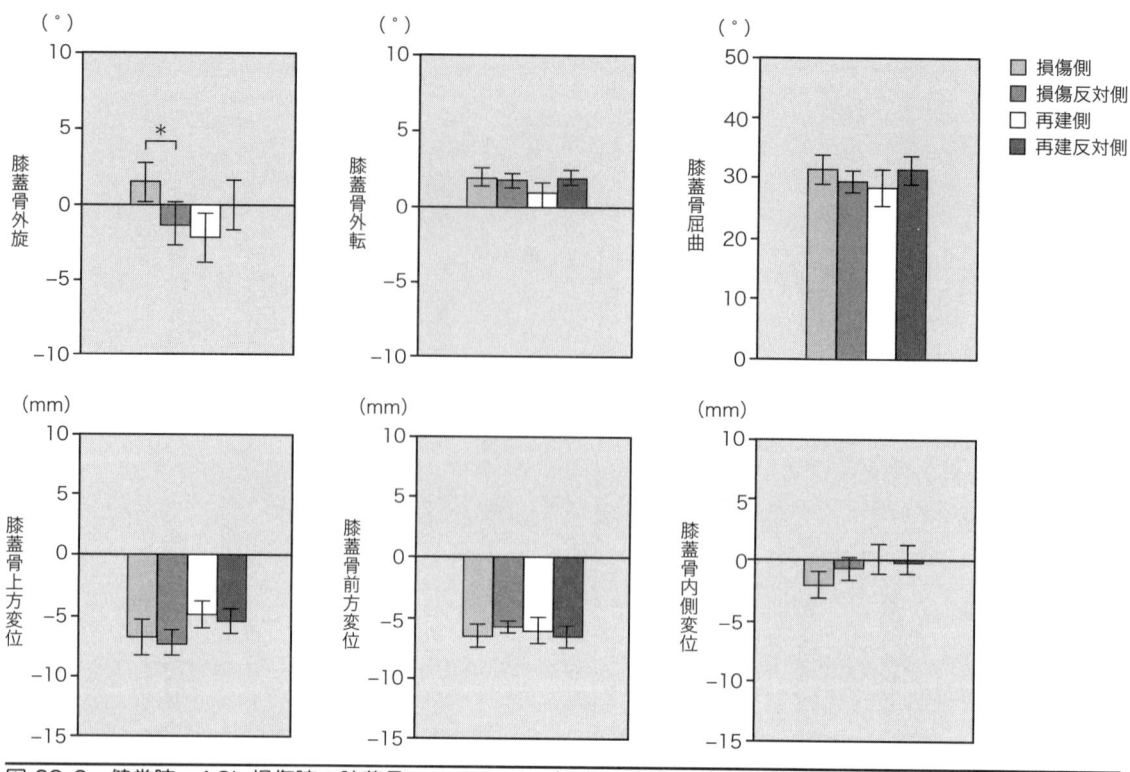

図28-2 健常膝，ACL損傷膝の膝蓋骨アライメント（文献14より引用）
膝関節完全伸展位と屈曲40°で部分荷重した際の膝蓋骨アライメント変化を算出。*p＜0.05。

表28-1 ACL修復術前後とBTB再建術前後の膝蓋骨アライメント（文献6より引用）

	PF angle (°) 術前	PF angle (°) 術後	p値	Congruence angle (°) 術前	Congruence angle (°) 術後	p値	Insall-Salvati ratio 術前	Insall-Salvati ratio 術後	p値
修復術	9.3 ± 0.4	9.8 ± 0.5	0.6	-1.1 ± 1.0	-2.8 ± 0.8	0.04	1.13 ± 0.07	1.04 ± 0.12	0.04
BTB	9.8 ± 0.3	10.2 ± 0.3	0.4	-1.3 ± 0.8	-6.0 ± 0.6	0.0001	1.16 ± 0.18	1.08 ± 0.15	0.03
p値	0.3	0.5		0.8	0.002		0.9	0.9	

照），congruence angleを膝関節屈曲20°および45°におけるX線画像より評価した。その結果，すべての項目において有意差が認められなかった。以上より，ACL損傷膝に対するハムストリングス再建術は，ACL損傷前の膝蓋骨運動を再獲得できるのに対し，BTB再建術では膝蓋骨が外方・外転・外旋変位となる可能性がある。

C. 後十字靱帯損傷に伴う膝蓋骨運動異常

後十字靱帯（PCL）損傷膝にも膝蓋骨運動異常が生じるが，研究によってその結果は異なる。von Eisenhart-Rotheら[18]はPCL単独損傷12膝と健常20膝を対象に，3肢位（膝屈曲0，30，90°）における安静時と等尺性膝屈曲時の計6条件でMRI撮影し，作成された三次元骨モデルから，patellar height, femoro-patellar angle, tilt angle（膝蓋骨外旋を評価），patella shift（膝蓋骨外方変位を評価）を算出した（図28-3）。その結果，有意差があったのは膝関節屈曲90°におけるtilt angleとpatellar shiftで，安静時と屈曲時のどちらもPCL損傷膝が健常膝よりも値が大きく，膝蓋骨は外方・外旋位だった（表28-2）。Gillら[3]は片側PCL単独損傷7膝と反対側7膝の片脚ランジ動作を二方向X線透視法にて撮像し，膝関節屈曲0, 30, 60, 75, 90, 105, 120°の膝蓋骨運動を算出した。その結果，PCL損傷膝は健常膝と比較し，膝蓋骨屈曲角度が90〜120°で有意に増加，外方変位量は105, 120°で有意に低下，外転角度と外旋角度は75〜120°で有意に低下していた（図28-4）。以上，PCL損傷後の膝蓋骨外方および外旋変位については矛盾した結果がみられた。これは測定条件や測定項目の定義が異なることに起因する可能性があり，一概に結論を出すことができない。

PCL再建術後の膝蓋骨運動は，PCL損傷前とは異なる。前述のGillら[3]はPCL単独損傷膝に対し，アキレス腱を用いたPCL再建術を施行し，その前後の膝蓋骨運動を比較した。その結果，PCL再建術後の膝蓋骨屈曲および外方変位は健常膝と同等の運動を再獲得できたのに対し，膝蓋骨外転および外旋はPCL損傷膝と変化がなかった（図28-4）。このことからPCL再建術後も正常膝の膝蓋骨運動を再獲得することはむずかしい

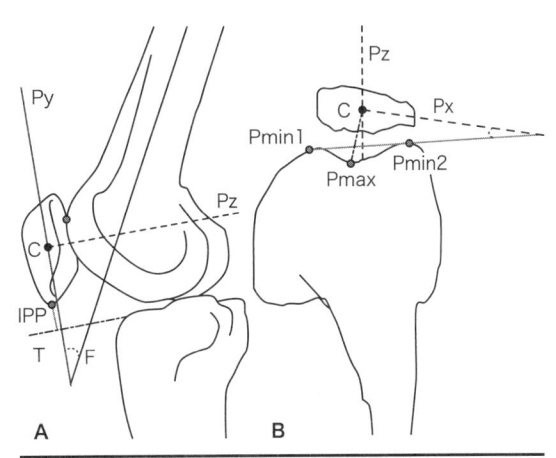

図28-3 三次元骨モデルによる膝蓋骨アライメントの評価法（文献18より引用）
(A) 矢状面。C：膝蓋骨中心，Py：膝蓋骨長軸，T：脛骨プラトー面，F：大腿骨長軸，IPP：膝蓋骨下端。Patellar height：IPPとTの距離。Femoro-patellar angle：PyとFの角度。(B) 横断面。Pmin1, 2：横断面での膝蓋骨滑車最隆起部分，Pmax：大腿骨膝蓋面の最深点。Px：膝蓋骨横軸。Tilt angle：Pmin1と2を結んだ線と線Pxの角度，Patella shift：CとPmaxの距離。

といえる。

D. 内側膝蓋大腿靱帯損傷に伴う膝蓋骨運動異常

膝蓋骨内側に位置する内側膝蓋大腿靱帯（MPFL）を切離すると，膝蓋骨は外方に変位する。Stephenら[15]は屍体8膝を用いて，大腿四

表28-2 PCL損傷膝における安静時と等尺性膝屈曲時の膝蓋骨アライメント（文献18より引用）

		屈曲0°		屈曲30°		屈曲90°	
		安静時	屈曲時	安静時	屈曲時	安静時	屈曲時
健常膝	Patellar height (mm)	16.2 ± 3.8	19.7 ± 4.9	17.0 ± 6.3	17.2 ± 3.6	23.5 ± 3.2	23.7 ± 7.6
	Femoro-patellar angle (°)	5.9 ± 5.2	7.8 ± 4.6	21.2 ± 8.2	16.3 ± 10.8	49.9 ± 6.3	52.2 ± 7.8
	Tilt angle (°)	8.7 ± 3.4	9.7 ± 4.1	9.2 ± 3.9	8.2 ± 2.9	7.5 ± 3.5	6.4 ± 6.1
	Patellar shift (mm)	1.9 ± 2.9	2.4 ± 4.6	1.9 ± 1.7	2.4 ± 3.3	4.7 ± 5.0	5.2 ± 5.0
PCL損傷膝	Patellar height (mm)	15.5 ± 8.0	15.3 ± 7.7	17.3 ± 8.4	16.7 ± 6.9	21.6 ± 7.9	21.0 ± 8.2
	Femoro-patellar angle (°)	4.3 ± 4.1	7.4 ± 6.1	18.9 ± 6.4	17.4 ± 8.7	52.3 ± 4.9	51.4 ± 5.3
	Tilt angle (°)	9.1 ± 5.3	9.5 ± 5.7	9.7 ± 4.6	9.5 ± 5.2	13.1 ± 9.1	14.0 ± 9.4
	Patellar shift (mm)	2.1 ± 1.6	3.0 ± 2.1	2.4 ± 2.2	3.2 ± 3.1	6.7 ± 5.4	6.8 ± 5.3

網かけ部分は健常膝と有意差あり（$p < 0.05$）。

第7章 合併症

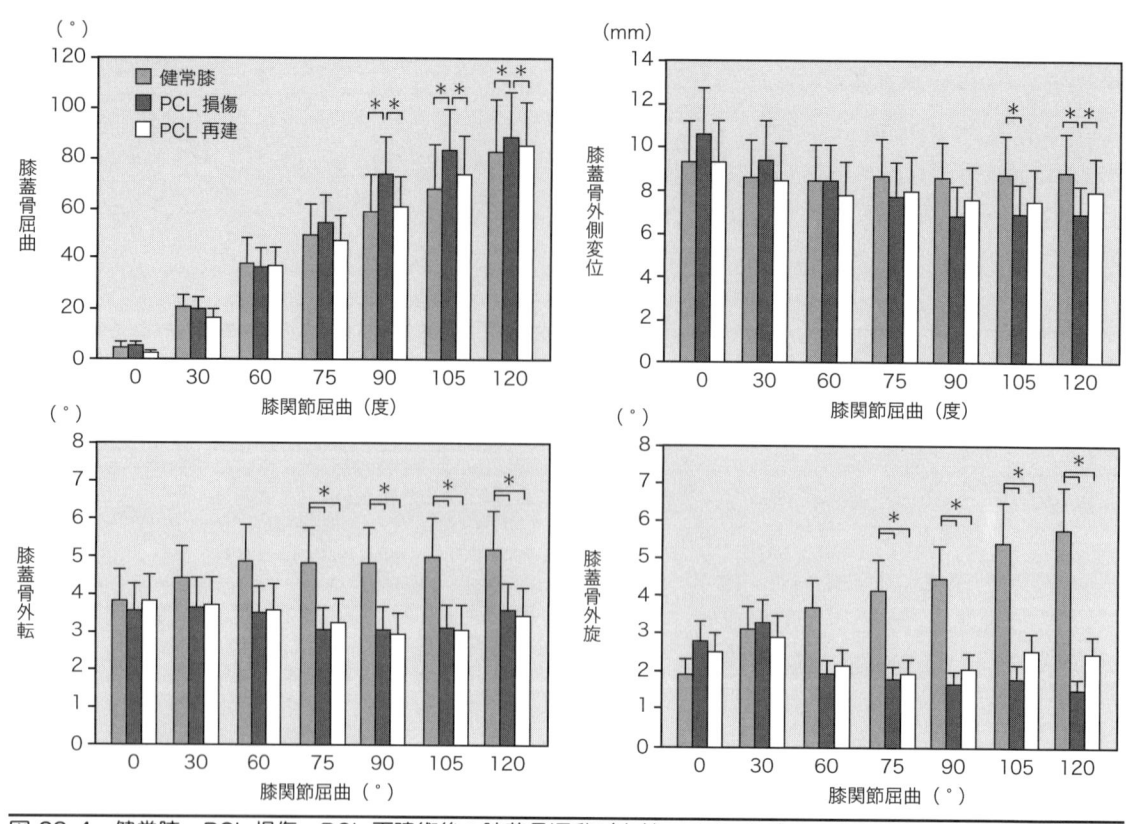

図 28-4 健常膝，PCL 損傷，PCL 再建術後の膝蓋骨運動（文献 3 より引用）
片脚ランジ動作を二方向 X 線透視法で撮像し，膝蓋骨運動を算出。健常膝は PCL 損傷反対側。*p＜0.05。

頭筋と腸脛靱帯にて牽引した膝関節伸展運動の際の MPFL 付着部間距離，膝蓋骨外旋角度，外方変位量を MPFL 切離前後で計測した。その結果，MPFL 切離後の MPFL 付着部間距離は，膝関節全運動範囲において延長した。また，MPFL 切離膝は，膝関節屈曲 0，10，30°では膝蓋骨外方変位が，屈曲 20°では膝蓋骨外旋角度がそれぞれ有意に大きかった（**図 28-5**）。Philippot ら[10)]は屍体 9 膝を用いて，①温存膝，②MPFL と内側広筋斜頭（vastus medialis obliquus：VMO）の接合部，③MPFL の膝蓋骨付着部，④内側膝蓋半月靱帯（medial patellomeniscal ligament：MPML）と内側膝蓋脛骨靱帯（medial patellotibial ligament：MPTL）を順に切離し，膝関節伸展位から屈曲 90°までの他動運動時の膝蓋骨外方変位，外旋角度，外転角度を算出した。その結果，前述の切離した順で膝蓋骨外方変位，外旋角度，外転角度が大きくなった（**図 28-6**）。Nomura ら[9)]も屍体膝を用いて，温存膝，内側支帯切離，MPFL 切離，内側支帯および MPFL 切離の 4 条件で膝蓋骨外方変位量を計測し，同様の結果を報告した。その他の論文においても MPFL を切離することで膝蓋骨が外方変位するという結果は一致していた[11, 12)]。

膝関節全可動域における正常な膝蓋骨運動の再獲得は，MPFL 再建術を施行しても困難を伴う。Sandmeier ら[12)]は屍体 6 膝に対して MPFL 切離後の再建術を行い，膝蓋骨に外側へ 2.72 kg の牽引を加えながら，大腿四頭筋にて平均 71 N（60〜80 N）牽引した際の膝蓋骨外方変位量を計算した。その結果，MPFL 切離時に外方変位した膝蓋骨は，再建後に温存膝よりも内側（膝関節屈

28. 膝蓋骨運動異常

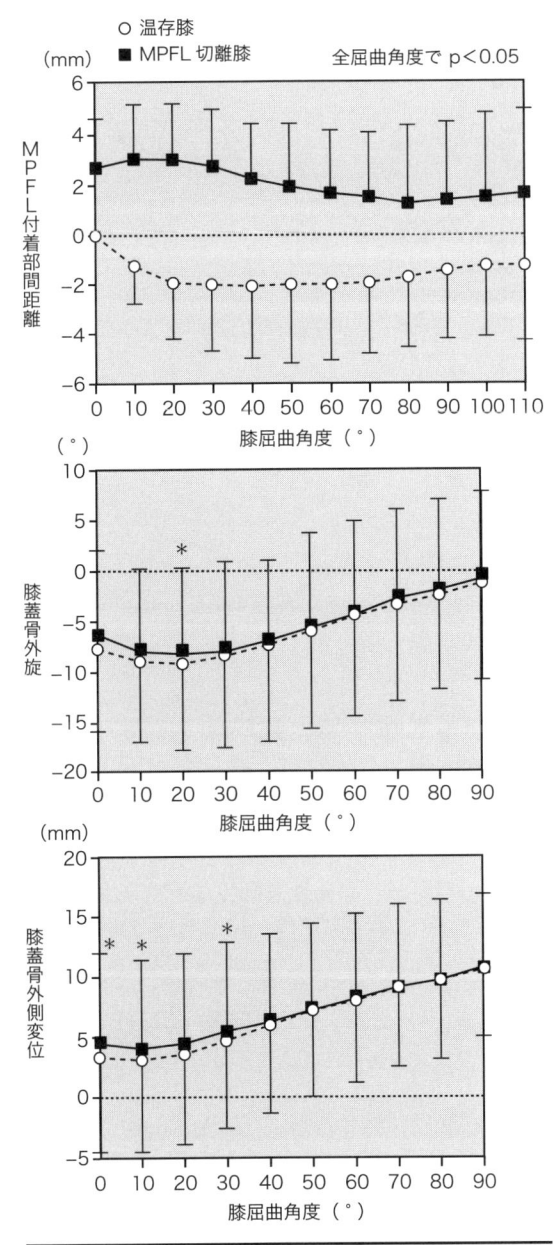

図 28-5 MPFL 切離前後の膝蓋骨運動（文献 15 より引用）
大腿四頭筋と腸脛靱帯を牽引し，膝関節を伸展させた際の膝蓋骨運動。＊p＜0.05。

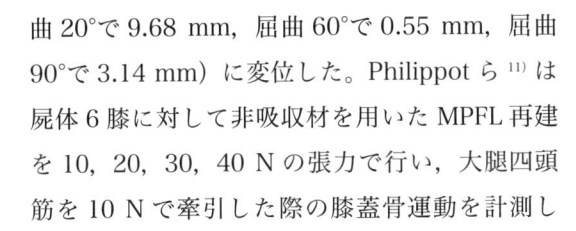

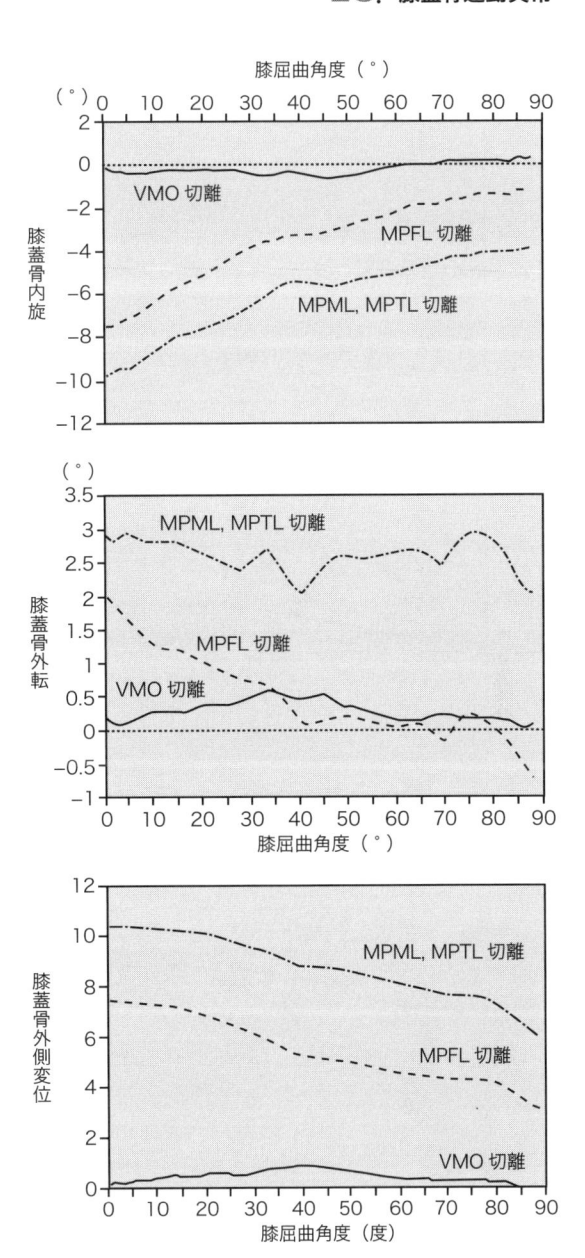

図 28-6 VMO，MPFL，MPML・MPTL を順に切除した際の膝蓋骨運動（文献 10 より引用）
グラフは温存膝の膝蓋骨運動を基準（0）としている。

曲 20°で 9.68 mm，屈曲 60°で 0.55 mm，屈曲 90°で 3.14 mm）に変位した。Philippot ら[11] は屍体 6 膝に対して非吸収材を用いた MPFL 再建を 10，20，30，40 N の張力で行い，大腿四頭筋を 10 N で牽引した際の膝蓋骨運動を計測した。その結果，MPFL 切離時には外方・外転・外旋変位していた膝蓋骨は，MPFL 再建によって，特に伸展域で健常膝よりも有意に内方・内転・内旋変位を示した（図 28-7）。一方，Nomura ら[9] は屍体 5 膝に対して MPFL 再建を施行し，膝関

311

第7章 合併症

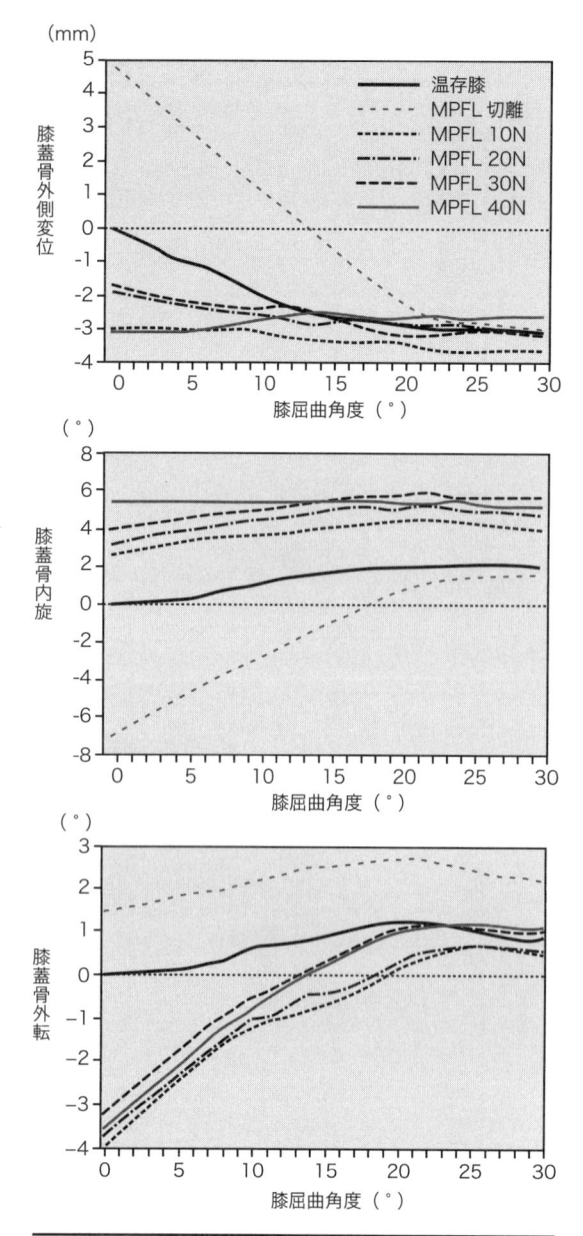

図 28-7 温存膝，MPFL 切離膝，MPFL 再建膝の膝蓋骨運動（文献 11 より引用）

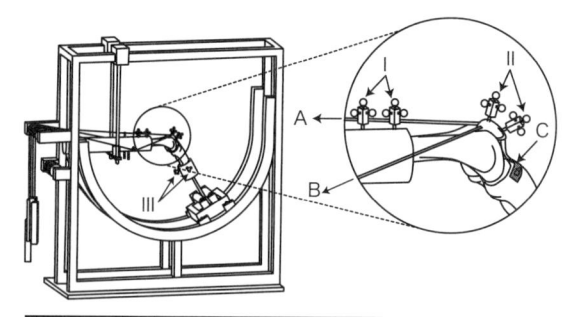

図 28-8 膝蓋下脂肪体癒着のシミュレーション研究（文献 1 より引用）
A：大腿直筋，中間広筋，内側広筋の合力（267 N）。B：内側広筋斜頭（89 N）。C：プレートで膝蓋腱と脛骨を接合。I：大腿骨マーカー，II：膝蓋骨マーカー，III：脛骨マーカー。

節屈曲 20，30，45，60，90，120°で固定した状態で膝蓋骨上方および外方に 9.8 N ずつ牽引した際の膝蓋骨外方変位量を計測し，MPFL 再建前後で有意差がないことを報告した。以上より，MPFL 再建後の膝蓋骨運動は，再建方法や測定条件によって研究結果が異なるものの，健常膝の膝蓋骨運動とは異なる。

E. 膝蓋下脂肪体に起因する膝蓋骨運動異常

脛骨近位端前方と膝蓋腱の間に位置する膝蓋下脂肪体の癒着は，膝蓋骨運動異常を生じさせる。Ahmad ら[1]は屍体 5 膝を用いて，温存膝，膝蓋腱と脛骨をプレートで完全接合（以下，全接合），全接合からプレートを 5 mm 前方へ移動させて接合（半接合）の 3 条件で，534 N で膝蓋骨を牽引した際の膝蓋骨運動を算出した（図 28-8）。その結果，半接合または全接合は，膝蓋骨上方および内方変位，屈曲角度が温存膝よりも有意に大きくなった（図 28-9）。よって，膝蓋下脂肪体の癒着は，膝蓋骨を下方・内方・屈曲変位させるといえる。

膝蓋下脂肪体の浮腫も膝蓋骨アライメント異常を引き起こす。Subhawong ら[16]は MRI 検査で骨・靱帯・半月板に異常が認められなかった外来患者 47 名 50 膝を，膝蓋下脂肪体に浮腫が認められる群（浮腫あり群）と浮腫が認められない群（浮腫なし群）に分類し，Insall–Salvati ratio，PF angle，sulcus angle，大腿骨滑車面の深さの

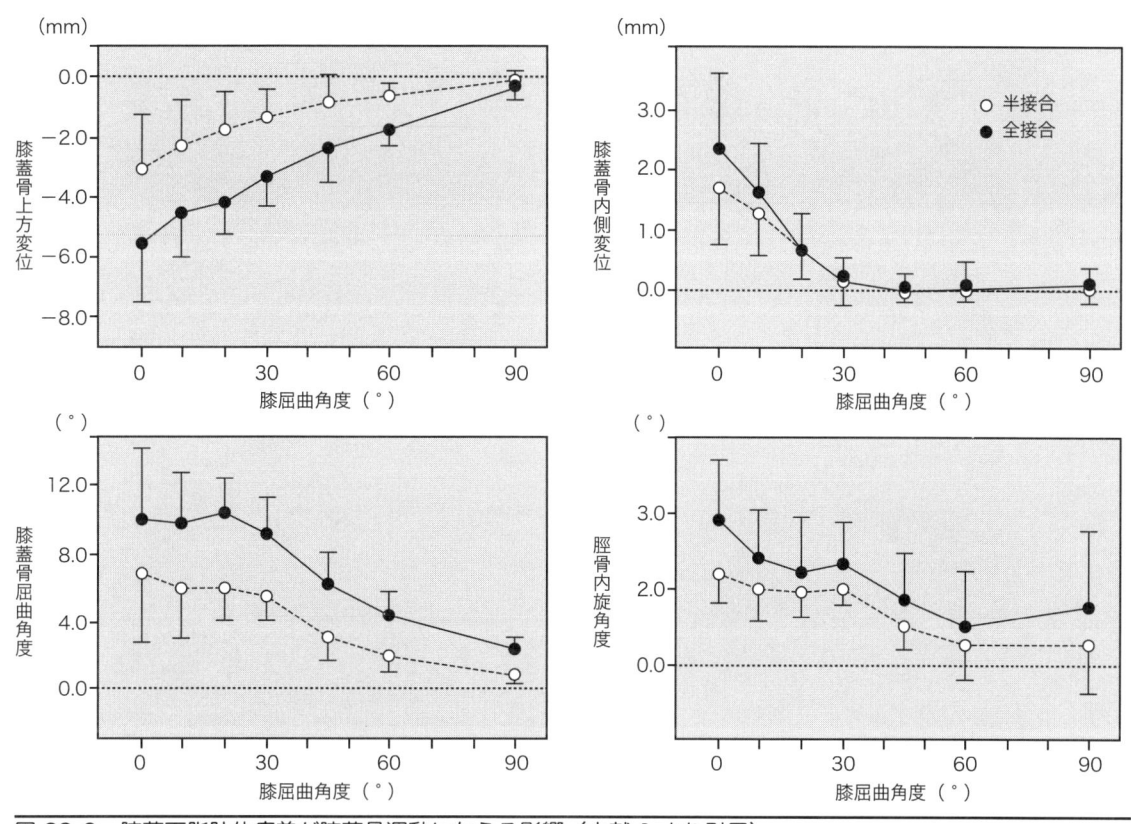

図 28-9 膝蓋下脂肪体癒着が膝蓋骨運動に与える影響（文献 1 より引用）
グラフは温存膝を基準（0.0）としたときの膝蓋骨脂肪体半接合，全接合時の膝蓋骨運動。

表 28-3 膝蓋下脂肪体浮腫の有無と膝蓋骨アライメント（文献 16 より引用）

	Insall-Salvati ratio	PF angle (°)	Sulcus angle (°)	Sulcus depth (mm)	TT-TG (mm)	外側変位 (mm)
浮腫なし	1.1 ± 0.12	7.0 ± 2.2	155 ± 10.9	3.5 ± 1.7	10.9 ± 2.4	1.2 ± 1.9
浮腫あり	1.3 ± 0.16	4.8 ± 4.9	150 ± 8.4	4.4 ± 1.4	11.4 ± 3.4	0.8 ± 2.8
p 値	< 0.001	0.047	0.07	0.06	0.57	0.60

指標となる sulcus depth，脛骨外旋の指標となる脛骨粗面と大腿骨滑車溝の距離（tibial tuberosity-trochlear groove distance : TT-TG）を計測した。その結果，浮腫あり群は浮腫なし群と比較し，Insall-Salvati ratio が有意に高く，PF angle が有意に低かった（表 28-3）。よって，膝蓋下脂肪体の浮腫は，膝蓋骨を上方・外旋変位させるといえる。

膝蓋骨運動に影響を与える膝蓋下脂肪体は，切除によっても膝蓋骨運動異常を引き起こす。

Bohnsack ら[2]は屍体 10 膝を用いて，膝蓋下脂肪体の切除前後で膝関節等速性伸展運動時の膝蓋骨屈曲角度と内方変位量を算出した。その結果，膝蓋下脂肪体切除後の膝蓋骨は，切除前と比較して膝関節屈曲 29〜56°の範囲で有意に内方変位し，屈曲 0〜4°の範囲で屈曲変位していた（図 28-10）。以上より，膝蓋下脂肪体の切除は，膝蓋骨を内方・屈曲変位させるといえる。

第7章 合併症

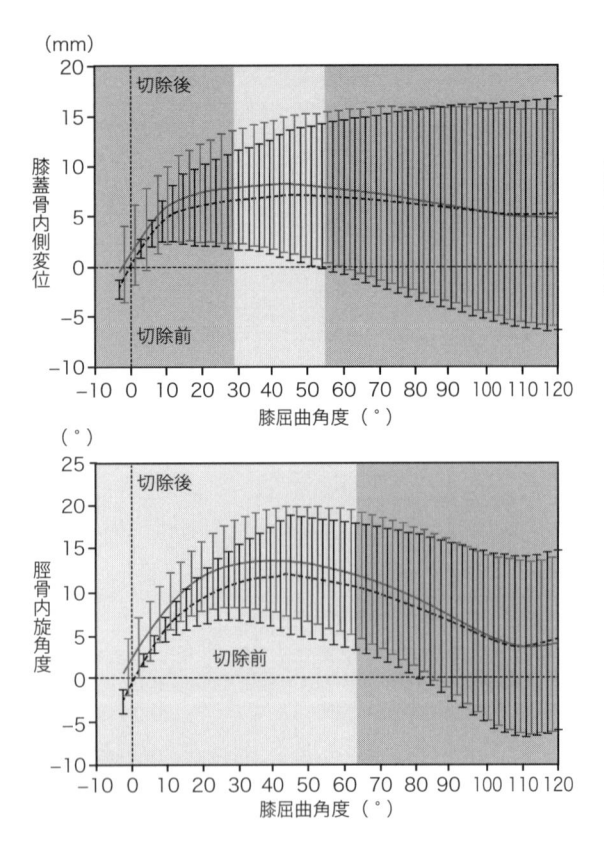

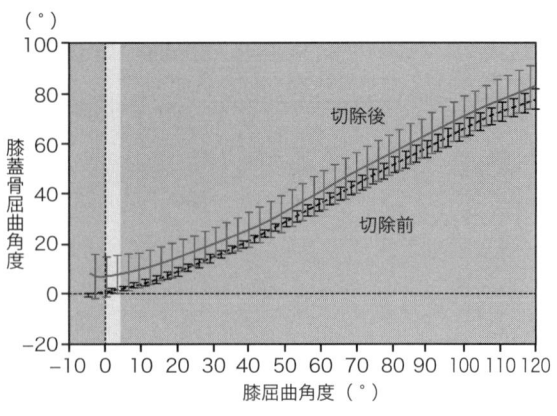

図 28-10 膝蓋下脂肪体切除前後の膝蓋骨運動（文献 2 より引用）
グラフ中の濃い網かけ部分は有意差のなかった膝屈曲角度。膝蓋骨内側変位は屈曲 29°〜56°，膝蓋骨屈曲角度は屈曲 0°〜4°，脛骨内旋角度は伸展位〜屈曲 63°で有意差あり。

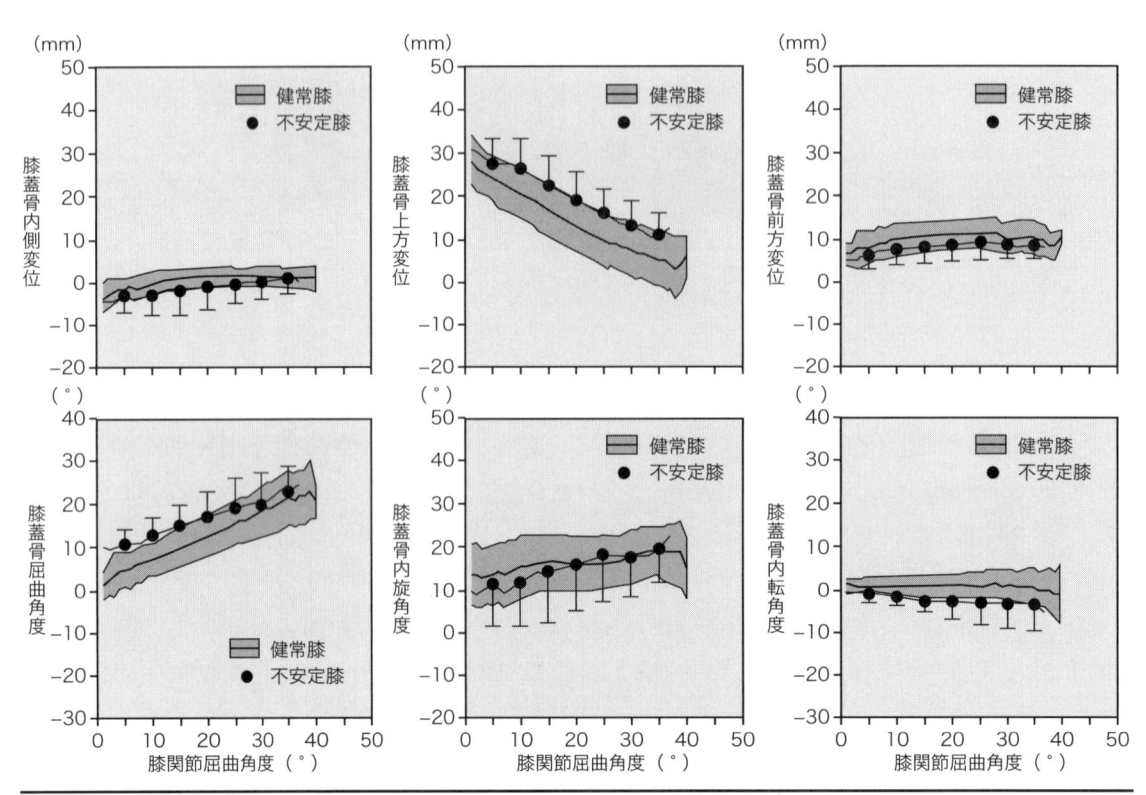

図 28-11 膝蓋大腿関節不安定性に起因する膝蓋骨運動（文献 13 より引用）

F. 膝蓋大腿関節不安定性に起因する膝蓋骨運動異常

膝蓋大腿関節不安定性を有する膝蓋骨の運動も健常膝とは異なる。Sheehanら[13]は健常な25名34膝と膝蓋骨不安定性（Q angleが15°以上，脱臼不安感テストが陽性もしくは膝蓋骨外側可動性が10 mm以上，J signが陽性の3条件をすべて満たす）の16名25膝を対象に，膝関節屈曲運動をダイナミックMRIで撮影し，膝蓋骨運動を算出した。その結果，膝蓋骨不安定性群の膝蓋骨は，健常膝と比較し，上方・屈曲・外転変位する傾向が観察された（図28-11）。

G. まとめ

合併症としての膝蓋骨運動を調査した研究は少なく，本項をもって結論を出すことは難しい。Kimら[5]は健常者44名を対象に膝屈曲45対のMerchant viewを荷重位と非荷重位の条件で撮像し，膝蓋骨アライメント（patellar tilt angle, congruence angle, patella lateral subluxation distance, PF angle, lateral patellar displacement）を測定した。その結果，これらすべての測定項目は荷重位と非荷重位で有意に異なっていた。この結果は，計測条件によって膝蓋骨アライメントが変化することを意味している。換言すれば，計測条件の異なる研究の比較は誤った結論を導く危険性を有する。これを念頭に置き，以下を本項のまとめとする。

1. 真実と思われる点

- ACL損傷膝では，膝蓋骨が外方・外旋変位する。
- PCL損傷膝の膝蓋骨運動は研究報告によって異なる。
- MPFL損傷膝では，膝蓋骨は外方・外旋変位する。
- MPFL再建術を施行しても，正常な膝蓋骨運動の再獲得は困難。
- 膝蓋下脂肪体の癒着は膝蓋骨を下方・内方・屈曲変位させ，浮腫は上方・外旋変位させる。

2. 先行研究から現時点ではおそらく正しいと思われる点

- ACL・PCL損傷は大腿脛骨関節の運動を変化させ，その結果，膝蓋骨運動にも影響を及ぼす。

3. 今後の研究課題

- 生体膝による精密な膝蓋骨運動の研究。
- 膝蓋骨運動異常の予防および治療法の確立。

文献

1. Ahmad CS, Kwak SD, Ateshian GA, Warden WH, Steadman JR, Mow VC: Effects of patellar tendon adhesion to the anterior tibia on knee mechanics. *Am J Sports Med*. 1998; 26: 715-24.
2. Bohnsack M, Wilharm A, Hurschler C, Ruhmann O, Stukenborg-Colsman C, Wirth CJ: Biomechanical and kinematic influences of a total infrapatellar fat pad resection on the knee. *Am J Sports Med*. 2004; 32: 1873-80.
3. Gill TJ, Van de Velde SK, Wing DW, Oh LS, Hosseini A, Li G: Tibiofemoral and patellofemoral kinematics after reconstruction of an isolated posterior cruciate ligament injury: *in vivo* analysis during lunge. *Am J Sports Med*. 2009; 37: 2377-85.
4. Hsieh YF, Draganich LF, Ho SH, Reider B: The effects of removal and reconstruction of the anterior cruciate ligament on patellofemoral kinematics. *Am J Sports Med*. 1998; 26: 201-9.
5. Kim TH, Lee JS, Oh KJ: Discrepancies of patellofemoral indices between supine and standing Merchant views. *Knee Surg Relat Res*. 2014; 26: 20-6.
6. Muellner T, Kaltenbrunner W, Nikolic A, Mittlboeck M, Schabus R, Vecsei V: Anterior cruciate ligament reconstruction alters the patellar alignment. *Arthroscopy*. 1999; 15: 165-8.
7. Muellner T, Kaltenbrunner W, Nikolic A, Mittlboeck M, Schabus R, Vecsei V: Shortening of the patellar tendon after anterior cruciate ligament reconstruction. *Arthroscopy*. 1998; 14: 592-6.
8. Muellner T, Menth-Chiari WA, Funovics M, Metz V, Vecsei V, Engebretsen L: Shortening of the patellar tendon length does not influence the patellofemoral alignment in a cadaveric model. *Arch Orthop Trauma Surg*.

2003; 123: 451-4.
9. Nomura E, Horiuchi Y, Kihara M: Medial patellofemoral ligament restraint in lateral patellar translation and reconstruction. *Knee*. 2000; 7: 121-7.
10. Philippot R, Boyer B, Testa R, Farizon F, Moyen B: The role of the medial ligamentous structures on patellar tracking during knee flexion. *Knee Surg Sports Traumatol Arthrosc*. 2012; 20: 331-6.
11. Philippot R, Boyer B, Testa R, Farizon F, Moyen B: Study of patellar kinematics after reconstruction of the medial patellofemoral ligament. *Clin Biomech (Bristol, Avon)*. 2012; 27: 22-6.
12. Sandmeier RH, Burks RT, Bachus KN, Billings A: The effect of reconstruction of the medial patellofemoral ligament on patellar tracking. *Am J Sports Med*. 2000; 28: 345-9.
13. Sheehan FT, Derasari A, Brindle TJ, Alter KE: Understanding patellofemoral pain with maltracking in the presence of joint laxity: complete 3D *in vivo* patellofemoral and tibiofemoral kinematics. *J Orthop Res*. 2009; 27: 561-70.
14. Shin CS, Carpenter RD, Majumdar S, Ma CB: Three-dimensional *in vivo* patellofemoral kinematics and contact area of anterior cruciate ligament-deficient and -reconstructed subjects using magnetic resonance imaging. *Arthroscopy*. 2009; 25: 1214-23.
15. Stephen JM, Kader D, Lumpaopong P, Deehan DJ, Amis AA: Sectioning the medial patellofemoral ligament alters patellofemoral joint kinematics and contact mechanics. *J Orthop Res*. 2013; 31: 1423-9.
16. Subhawong TK, Eng J, Carrino JA, Chhabra A: Superolateral Hoffa's fat pad edema: association with patellofemoral maltracking and impingement. *AJR Am J Roentgenol*. 2010; 195: 1367-73.
17. Van de Velde SK, Gill TJ, DeFrate LE, Papannagari R, Li G: The effect of anterior cruciate ligament deficiency and reconstruction on the patellofemoral joint. *Am J Sports Med*. 2008; 36: 1150-9.
18. von Eisenhart-Rothe R, Lenze U, Hinterwimmer S, Pohlig F, Graichen H, Stein T, Welsch F, Burgkart R: Tibiofemoral and patellofemoral joint 3D-kinematics in patients with posterior cruciate ligament deficiency compared to healthy volunteers. *BMC Musculoskelet Disord*. 2012; 13: 231.

〔生田　太〕

第8章
私の治療法

　本章では「私の治療法」と題して，実際の臨床場面において，膝疾患にどのように向き合うべきかを考える。具体的には，Osgood-Schlatter 病（OSD）の治療について，発生メカニズムに一定の関与があると思われるサッカーのキック動作の分析に基づく動作修正を含めた治療法について塩田先生に述べていただいた。

　OSD は成長期に多発する疾患であり，脛骨粗面の成長軟骨に対する機械的ストレスによって引き起こされる。一般論として，成長期における成長軟骨の脆弱性，大腿四頭筋や下腿三頭筋の過緊張，下肢の筋力低下，過大な活動量，ストレッチ不足などがその危険因子としてあげられる。加えて，筆者は足関節背屈制限と，それがもたらすスポーツ活動中の重心の後方化に着目した。筆者自身の研究成果を含めて，柔軟性低下や動作の異常を踏まえたメカニズムの考察とそれに基づく治療法について詳しく記載していただいた。

第 8 章編集担当：蒲田　和芳

29. Osgood-Schlatter 病に対する私の治療

はじめに

Osgood-Schlatter病（OSD）は成長期の下肢スポーツ障害として代表的なものであり，脛骨粗面に腫脹，熱感，疼痛を呈する疾患である。OSDの治療としては保存療法が第一に選択され，保存療法に抵抗を示し，X線像上剥離骨片が認められる終末像を呈する場合などは手術療法の対象となる[15]。保存療法では安静[10,11,14]，アイシング[1]，大腿四頭筋・ハムストリングス・下腿三頭筋ストレッチ[1,19]，大腿四頭筋・ハムストリングトレーニング[19]，装具[13]などが処方される。これらはOSDの病態や発症要因から処方されたものであるが，OSDの発症要因についての情報は横断研究に基づくものがほとんどであるため，発症後の二次的な因子や病態が含まれている可能性が否定できない[2]。また，OSDは運動量の多い成長期の男子[2,12]，特にサッカー選手に好発することから[25]，動作の特徴が発症に影響を及ぼす可能性も考慮すべきである。以上のことから，これまでの保存療法はOSDの原因を解消させる治療法として熟慮されて提唱されたとはいいがたい。ここでは，OSDの病態・発症要因について過去の報告と筆者らの研究について述べ，評価・治療については臨床的視点で整理する。

A. OSDの病態と発症要因

1. 病態

OSDは，Osgood[17]によって大腿四頭筋の収縮力により脛骨粗面に部分的剥離が起こる疾患であるとはじめて報告された。それ以来，膝蓋靱帯炎や感染，阻血などさまざまな病因が報告されてきた。OSDの病態についてOgdenら[16]は，発育中の脛骨粗面二次骨化中心の前方部分が，膝蓋靱帯の牽引力によって部分的に剥離を起こし，この間の部分に仮骨が形成され硝子軟骨が覆うものであると考察した。胎生期には脛骨粗面の大部分が軟骨であり，成長に伴いその骨化が進む。脛骨粗面に二次骨化中心が出現していないcartilaginous stage，二次骨化中心の出現したapophyseal stage，二次骨化中心が脛骨の骨端と癒合し舌状結節を形成したepiphyseal stage，骨端軟骨板が閉鎖したbony stageの4つのステージに分類された[3]。Apophyseal stageまでは脛骨粗面部の骨端軟骨板は線維軟骨が大部分を占め，牽引ストレスに抗して力学的に強固である。これに対し脛骨粗面は二次骨化中心の成長に伴い軟骨細胞が肥大し力学的に脆弱である。Epiphyseal stageになると骨端軟骨板は硝子軟骨に置き換えられ，強度的には脛骨粗面のほうが比較的強度となる[16]。骨成長の観点からは，脛骨粗面が力学的に脆弱なapophyseal stageに大腿四頭筋の収縮力による牽引ストレスが加わることで，脛骨粗面部の炎症，部分的剥離などが生じてOSDが発症すると考えられている。

OSDに対する治療過程からその発生メカニズムが推定されてきた。約4年間の保存療法に効果を示さず，剥離骨片を有する症例に対し，骨片

切除を行うと症状は改善した[14]。そこでは，剥離骨片と脛骨粗面との間に囊や瘢痕組織が存在し，その周囲は血流増加と細胞修復活動という慢性炎症を呈していたことから，OSDは脛骨粗面の剥離が本態であると考察された。一方，剥離骨片を有したままでも症状が軽快する例や，症状の軽減とともに脛骨粗面周囲の炎症所見が消失することなどから，剥離骨片よりも軟部組織の炎症が本態であるとも考察された[18]。一方，脛骨粗面のMRI変化の縦断調査によると，OSD発症例ではapophyseal stageの二次骨化中心に亀裂が入り，それに膝蓋靱帯炎が続発し，自覚痛が出現していた[4]。すなわち，OSDは脛骨粗面の二次骨化中心の損傷から発症にいたると考察された。

2. 横断研究における発症要因

OSDの発症要因として，横断調査では発症者の多大なスポーツ活動量[2]，大腿四頭筋・下腿三頭筋柔軟性低下[6,9,21,23,24]，大腿四頭筋筋力・ハムストリングス筋力低下[23,24]，大腿四頭筋の求心性筋力と遠心性筋力のアンバランス[7]などが指摘された。成長期の急激な骨の長軸成長により相対的に大腿四頭筋が短縮し過緊張となることや[5]，過度なスポーツ活動による筋疲労での大腿四頭筋の柔軟性低下により[2,5]，成長期の脆弱な脛骨粗面へ強度な伸張ストレスが加わることでOSDが引き起こされる。足関節背屈制限や下腿三頭筋の過緊張により，着地やランニング支持期などのスポーツ活動中に重心が後方化することで，大腿四頭筋の遠心性収縮やトルク増大が誘発されOSDが引き起こされるという説もある[21,24]。

筋力について，発症者の大腿四頭筋遠心性筋力は求心性筋力に比較して強く，スポーツ活動中に多用される遠心性収縮によって脛骨粗面へ繰り返し牽引力が加わることでOSDが引き起こされた可能性がある[7]。また，求心性の膝屈曲筋力と蹴り脚の膝伸展筋力が弱いことも示された[7]。

発症要因にかかわる研究は横断調査がほとんどであり，症状としての柔軟性や筋力低下はOSD発症後の疼痛に影響を受けた可能性がある[2]。そのため，柔軟性や筋力低下がOSDを引き起こしたものかどうかは明確ではない。発症に関与する要因については，因果関係を明確にするため発症前からの前向きコホート研究が望ましい。

3. 縦断研究における発症要因（身体的要因）

筆者らはサッカー選手のOSD発症要因を理解するため，柔軟性，筋力，姿勢について縦断的に調査した[22]。OSDの既往のない小学生男子サッカー選手59名を対象にベースライン調査として身体評価を行い，1年半の経過観察期間中のOSD発症の有無でOSD群と対照群に分け，ベースライン調査の結果と照合した。OSD群は4名（5膝）であったが，対照群と比較し，蹴り脚下肢伸展挙上，両側膝関節屈曲，両側股関節外旋の柔軟性が有意に低く，軸脚下肢伸展挙上角度は低い傾向にあった。

大腿四頭筋の柔軟性低下について，二次成長期であることや競技動作の反復で柔軟性が低下していることが影響していると考えられ，これにより成長期の脆弱な脛骨粗面に強大な牽引力が加わることでOSDが引き起こされたと考えた。中学生サッカー選手を対象とした縦断調査では，OSDを発症した者の大腿骨長増加と大腿四頭筋タイトネス増大との間に正の相関がみられ，骨長増加で生じる大腿四頭筋タイトネス増大に対し，ストレッチングなどの対策が重要であることが示された[26]。

ハムストリングスの柔軟性低下は骨盤後傾を生じ，動作中に骨盤前傾とそれに伴う重心の前方移動を妨げる可能性がある。サッカー動作で多用する守備姿勢やカッティング，キックの踏み込みなどにおいて，ハムストリングスの柔軟性低下により骨盤後傾姿勢が助長され，動作中の股関節屈曲

29. Osgood-Schlatter病に対する私の治療

や重心前方移動が阻害されることで大腿四頭筋の過度な活動が引き起こされ，OSDを引き起こしたと考えられる．

股関節外旋の柔軟性について，股関節屈曲位での外旋を制限する筋は股関節内転筋群，特に後方に位置する大内転筋などである．股関節外旋の柔軟性が低いという現象はOSD発症とは結びつけにくく，骨盤後傾に伴う重心の後方化や動作中の大腿四頭筋の収縮に伴い，内転筋群も収縮を強いられた結果である可能性もある．しかし，このことは今回の研究結果からは明らかではない．

4. 縦断研究における発症要因（動作）

OSDの発症には機能的な差異のみならず，動作の影響も少なからず関与している可能性がある．これまで横断調査で動作とOSD発症の関連が示唆された[21,24]．そこでOSD発症に関係するサッカー選手のキック動作に注目し，発症の有無とキック動作の特徴の違いを縦断調査により検討した[8]．小学生男子サッカー選手47名を対象とし，ベースライン調査として利き脚（全例右）でのキック動作（強いシュート）を測定した．キック動作をフットコンタクト，ボールインパクト，フォロースルーに分け，各相での床反力，重心位置，胸郭・骨盤・下肢3関節の角度とトルクについて三次元的に解析した．1年半の経過観察期間中のOSD発症の有無でOSD群と対照群に分け，ベースライン調査の結果と照合した．OSD群は4名（5膝）であったが，フットコンタクトの床反力の向きが下腿軸より前方に傾斜し，軸脚膝関節外部屈曲モーメントが小さい傾向にあった．ボールインパクトの鉛直床反力は大きく，軸脚膝関節伸展トルクは小さかった．また，骨盤右回旋は小さい傾向，軸脚股関節伸展トルクは大きい傾向にあった．対照群ではフットコンタクトの床反力の向きが後方に位置していることにより，下腿前傾が誘導される．同時期の軸脚膝関節屈曲

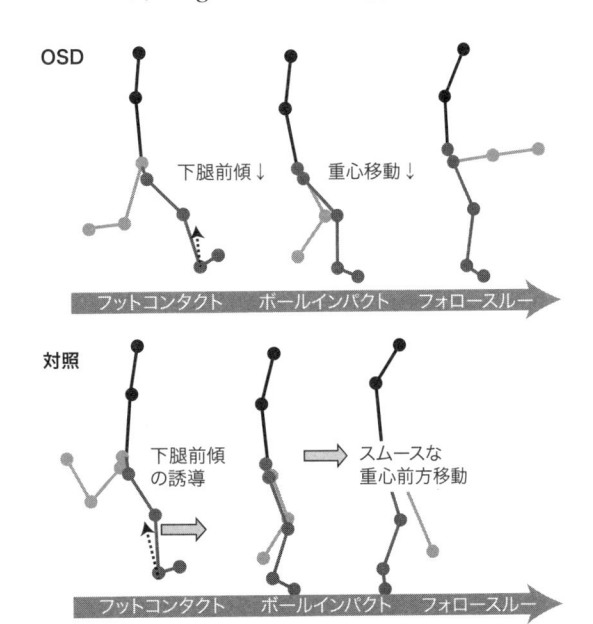

図29-1 Osgood-Schlatter病（OSD）発症者と非発症者のキック動作の比較

トルクが大きいことは，床反力をより後方に傾ける要因となっている可能性がある．ボールインパクトにかけて膝伸展トルクを発揮することで，下腿前傾に続き身体の前方移動が誘導される．一方，OSD群では，フットコンタクトにおける下腿前傾が妨げられ，骨盤回旋や膝関節伸展トルクが小さいために体幹の前方移動がスムースに行えない．軸脚股関節伸展トルクが大きいのはその代償と考えられ，結果として地面を強く踏みつけ床反力が大きくなった状態で，ボールインパクトにいたったと推察される（図29-1）．

B. OSDの評価

1. 問 診

問診では，発症からの経過について詳細に聴取する．発症からの時間経過が長く，運動を継続していた場合には，剥離骨片を有し軟部組織の炎症を伴うことで症状が遷延している例がほとんどである．活動の種類，頻度，時間はどの程度負荷を

第8章 私の治療法

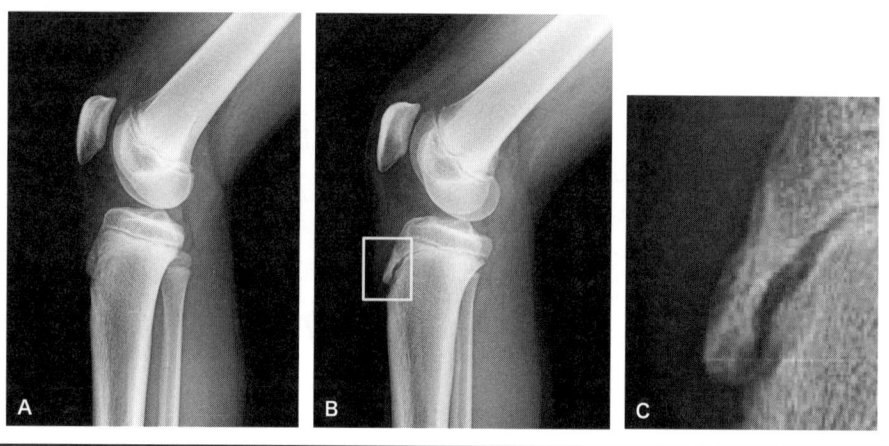

図 29-2　図 29-2　Osgood-Schlatter 病（OSD）の単純 X 線像（同一症例）
A：側面像，B：側面像軽度内旋位，C：脛骨粗面拡大図（剥離）。

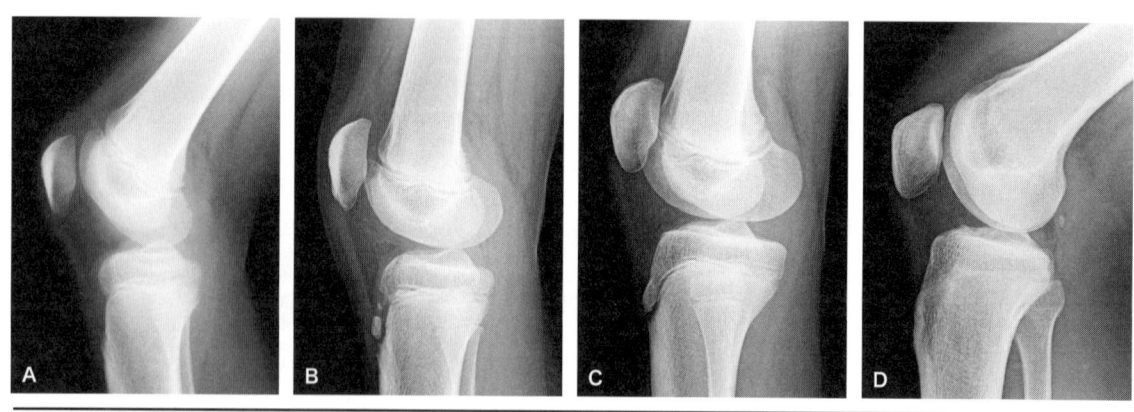

図 29-3　膝関節（脛骨粗面）の単純 X 線像（脛骨粗面発育段階）
A：Cartilaginous stage，B：Apophyseal stage，C：Epiphyseal stage，D：Bony stage。

加えているかを知るために重要な情報である。どのような動き，または時間で症状が出現するか。動作自体で負荷が加わっているか，慢性的に加わることで症状が出現するのかを知る。成長の程度について聴取する。年間の身長の増加量を知ることで，脛骨粗面の伸張ストレスへの耐性を推察できる。

2. 画像所見

OSD の画像所見は第一に単純 X 線を用いる。膝関節側面像軽度内旋位では脛骨粗面の状態が詳細に把握できる（図 29-2，図 29-3）。脛骨粗面の発育段階，不整の有無，膝蓋骨の位置などを左右で比較する。膝蓋腱や滑液包などの軟部組織，脛骨粗面の軟骨成分などの評価には超音波エコーが有用である[20]。超音波像では脛骨粗面の成長，不正像・炎症所見の変化を経時的に観察できる（図 29-4）。

3. 炎症所見

脛骨粗面周囲の腫脹・熱感を評価する。症状が長期化した例では，脛骨粗面を中心に，深膝蓋下滑液包や膝蓋腱，膝蓋下脂肪体などでも腫脹が触知される。

29. Osgood-Schlatter病に対する私の治療

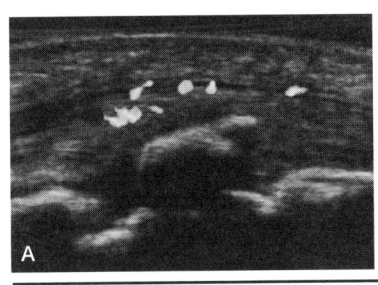

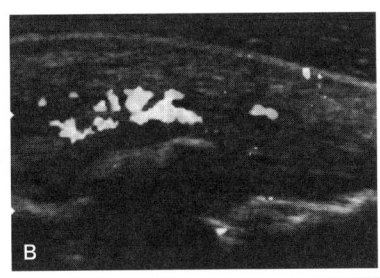

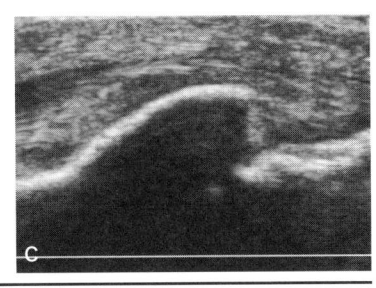

図29-4 Osgood-Schlatter病（OSD）症例の超音波所見の経時変化
A：Apophyseal stage。二次骨化中心に亀裂あり。ドップラー（＋），疼痛（＋）。B：Apophyseal～Epiphyseal stage。ドップラー（＋），疼痛（＋）。C：Epiphyseal stage。ドップラー（−），疼痛（−）。

表29-1 Osgood-Schlatter病（OSD）のリハビリテーションの流れと活動制限

レベル	炎症所見	疼痛	可動性	筋機能	動作
運動休止	腫脹・熱感	非荷重膝屈曲 両脚スクワット	足背屈 膝伸展・脛骨後方 膝屈曲 体幹前屈・SLR	腹圧 殿筋 ハムストリングス 広筋群	
	＊熱感消失，膝屈曲時痛消失，両脚スクワット時痛軽減 ⇒スクワット動作（アライメント・筋機能改善目的）				
		膝伸展抵抗 片脚スクワット			両脚スクワット スプリットスクワット 片脚支持
	＊伸展時抵抗痛消失，端座位SLR可 ⇒チューブトレーニング				
				大腿四頭筋 （チューブ膝伸展）	
	＊片脚スクワット時痛消失 ⇒片脚スクワット・ホップ ⇒ジョギング・ショートパス				
＊ジョギング ＊ショートパス					片脚スクワット ホップ
	＊チューブ完全伸展可，片脚ジャンプ可 ⇒ダッシュ・各種キック・ジャンプ				
＊ダッシュ ＊各種キック ＊ジャンプ					

疼痛の評価は損傷部位の鑑別，損傷程度の把握，治療効果判定，復帰の指標として用いる。圧痛は脛骨粗面，膝蓋腱について触知する。運動時痛では主に大腿四頭筋を伸張・収縮させた際の疼痛と，他関節や動作からの脛骨粗面への負荷について確認する。

4. 膝関節の機能評価

まず膝伸展位で伸展制限および大腿骨に対する脛骨の前方偏位の有無を確認する。同時に脛骨の運動として，大腿骨に対する後方すべりの程度を確認する。続いて膝屈曲位での膝蓋骨アライメント，上下方向可動性について左右で比較する。異常アライメントと関節運動を確認した後，その原因となる筋タイトネスや筋機能について探る。脛骨前方偏位は，ハムストリングスや腓腹筋のタイトネス評価だけでなく，広筋群の機能不全に伴う大腿直筋の優位性や深膝蓋下滑液包と膝蓋腱との滑走不全も評価する。膝関節屈曲は仰臥位，腹臥位で大腿四頭筋のタイトネスを評価する。筋力評

第8章 私の治療法

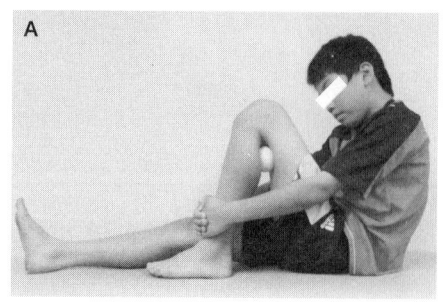

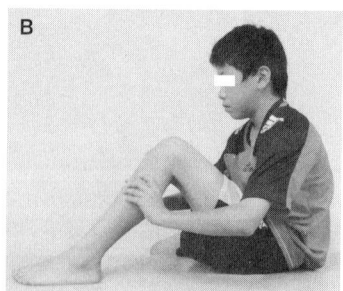

図 29-5 脛骨前方偏位アライメントの改善
A：膝窩部圧迫。膝窩部にボールを挟み，膝屈曲を繰り返す。B：下腿三頭筋セルフマッサージ。腓腹筋内外側頭間，腓腹筋・ヒラメ筋間を圧迫し，足関節底背屈を繰り返す。C：足関節背屈ストレッチ。

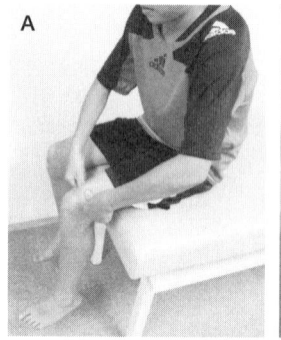

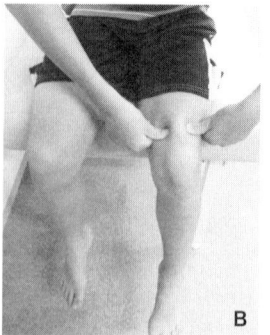

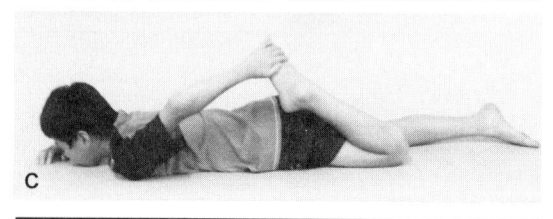

図 29-6 大腿四頭筋柔軟性改善
A，B：大腿直筋セルフマッサージ。大腿直筋を左右から圧迫し，膝関節屈曲伸展を繰り返す。C：大腿四頭筋ストレッチ。

価は，まず大腿四頭筋セッティング時の筋硬度を確認し，広筋群の機能不全や大腿直筋の優位性を評価する。続いて大腿四頭筋，ハムストリングスの徒手筋力テストを行う。筋萎縮や筋力低下が顕著な場合には，リハビリテーションの進行中に等速性筋力測定器での筋力評価を実施する。

5. 他関節の機能と動作評価

ランニングやボールキックの踏み込み，ジャンプなど疼痛を訴える動作や競技に特有な動作を評価する。フォームを確認し，異常フォームを引き起こしている可能性のある体幹・股関節・足関節の柔軟性，筋機能について評価する。特に骨盤前後傾，下肢伸展挙上，足関節背屈可動性，殿筋機能について詳細に評価する。

C. OSDの治療

OSDのリハビリテーションの流れを**表 29-1**に示す。

1. 消炎鎮痛

脛骨粗面や周囲軟部組織の熱感がみられた場合にはアイシングを行う。

2. 可動性

大腿骨に対し脛骨の前方偏位と後方可動性の低

29. Osgood-Schlatter病に対する私の治療

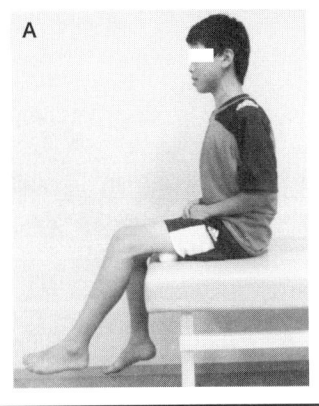

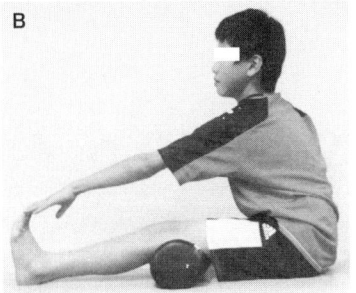

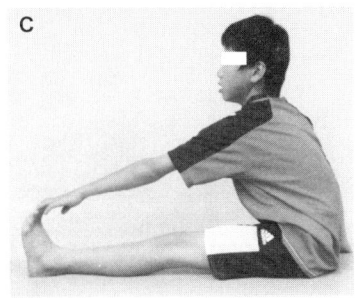

図 29-7 骨盤前傾誘導のための下肢伸展挙上の改善
A：ハムストリング圧迫。内外側ハムストリングス間にボールなどを挟み，膝関節屈曲伸展を繰り返す。B，C：ハムストリングスストレッチ。タイトネスが強い場合には膝屈曲位で骨盤前傾させる。

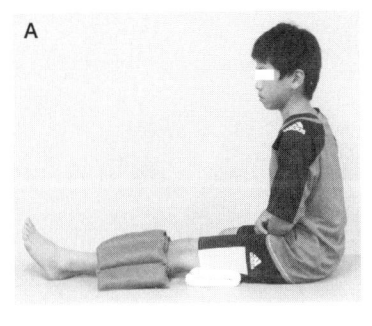

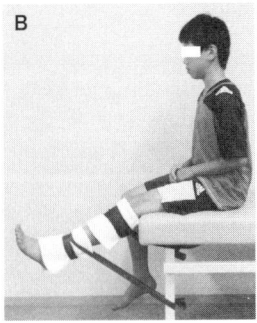

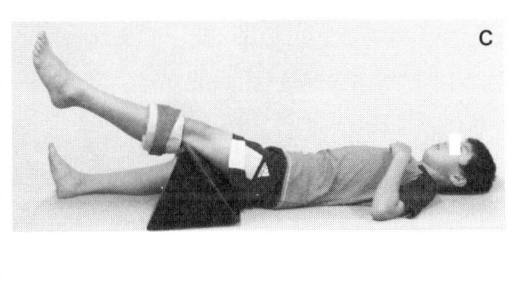

図 29-8 大腿四頭筋トレーニング
A：大腿四頭筋セッティング。脛骨近位に重錘を置き，脛骨前方偏位を改善した位置で実施。B：二重チューブ伸展。完全伸展まで実施。C：ハムストリングスがタイトな場合，仰臥位にて脛骨近位に重錘を巻いて実施。

下がある場合には，これを最初に改善する。膝窩でハムストリングスおよび腓腹筋，後方関節包の滑走性改善を意図してセラピストが徒手的に組織間をリリース（以下，リリース）する。脛骨の後方可動性が改善することで腹臥位膝屈曲での疼痛，スクワット時の疼痛が改善する症例を多数経験する。膝窩部のリリースで不十分な場合や足関節背屈可動性低下がある場合には腓腹筋内外側頭間，ヒラメ筋・後脛骨筋など下腿後面の圧迫とストレッチを行う（**図 29-5**）。腹臥位屈曲可動域の左右差や疼痛が残存する場合には，大腿直筋と中間広筋間，大腿直筋と外側広筋・内側広筋間をリリースし，大腿直筋の伸張感を確認したのちストレッチを行う（**図 29-6**）。なお，患者（子ども）

自身にセルフマッサージを行わせる場合は，1ヵ所につき1～2分以内とし，テニスボールなど比較的柔らかい器具を使用することで，筋や神経，血管などの挫滅を回避するように配慮する。

動作時の骨盤前傾を誘導するため下肢伸展挙上を改善する。内外側ハムストリングス間をセラピストがリリースし，その後ストレッチを行う。ハムストリングスタイトネスが強い場合には膝屈曲位で骨盤前傾を誘導し，ストレッチを行う（**図 29-7**）。

臨床上，脛骨粗面に圧痛はなく，動作時痛のみ呈する症例が存在する。熱感，腫脹が軽減した後に起こり，膝蓋腱遠位の皮下組織または膝蓋腱後面の滑走性を改善させるようリリースにより疼痛

第8章 私の治療法

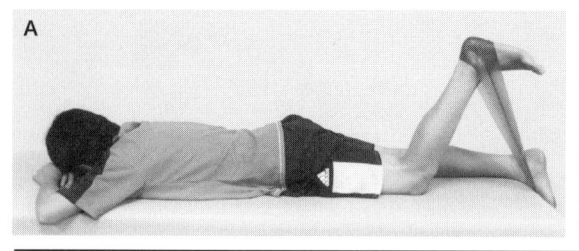

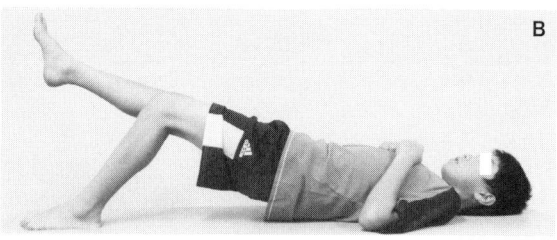

図 29-9 ハムストリングストレーニング
A：レッグカール，B：ブリッジエクササイズ。

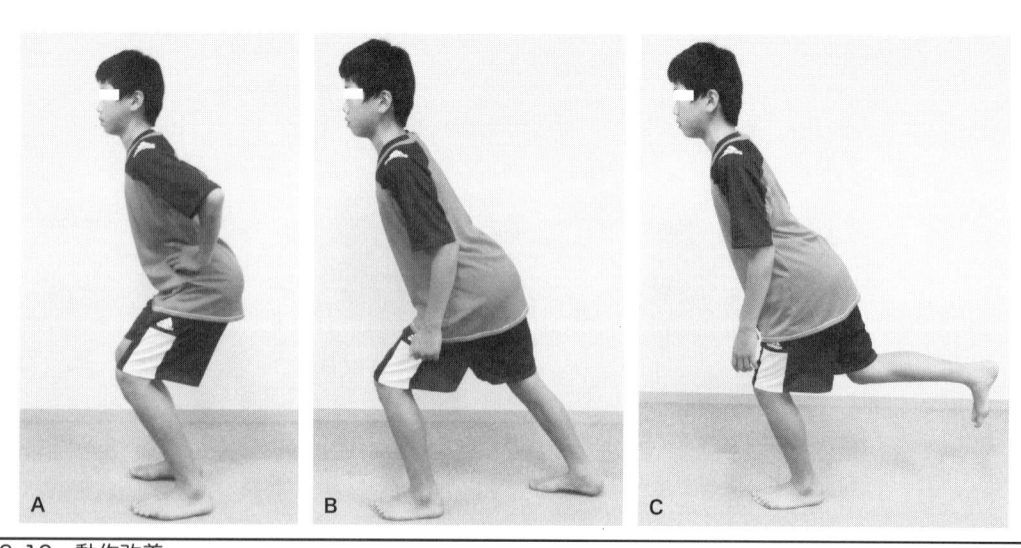

図 29-10 動作改善
A：スクワット，B：スプリットスクワット，C：片脚スクワット，前方ホップ。

が消失する場合が多い。このため，この症状の要因として膝蓋腱と深膝蓋下滑液包，脛骨粗面との滑走不全により動作時の疼痛が生じているものと推察される。

3. 筋機能

大腿四頭筋，特に広筋群の機能不全や萎縮がある場合には重点的にトレーニングを行う。脛骨の前方偏位や後方可動性低下が残存している例では大腿四頭筋セッティングを実施する際に下腿近位に重錘を置き，後方への偏位を誘導しながら大腿四頭筋セッティングを実施する。続いて伸展チューブで筋力強化を図る。この場合にも伸展域での脛骨後方可動性を獲得するため，脛骨近位と遠位での二重チューブでのトレーニングを行う。ハムストリングスタイトネスが強く，端座位での膝完全伸展が不十分な例には，仰臥位で伸展トレーニングを行う（**図 29-8**）。

ハムストリングスや大殿筋の機能不全がある場合にはレッグカールやブリッジエクササイズを行う。OSD 症例では，股関節伸展動作を骨盤前傾により大腿直筋の活動で代償する例も多いため，股関節伸展筋のトレーニングでは代償動作が出現しないよう注意する。また，レッグカールではハムストリングスよりも下腿三頭筋が優位に活動することがないように注意をはらう（**図 29-9**）。

29. Osgood-Schlatter病に対する私の治療

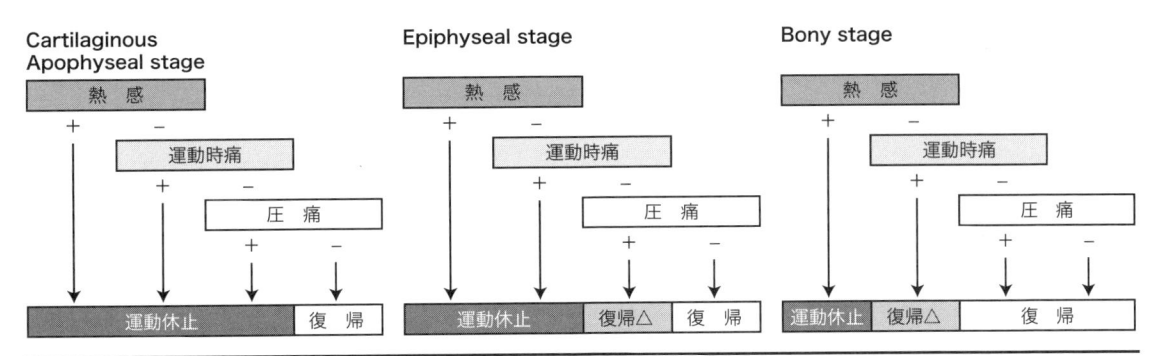

図 2-11 Osgood-Schlatter病（OSD）のステージ別運動開始基準

4. 動作改善

膝関節および他関節機能改善を図った後，動作中の大腿四頭筋過活動を抑制するよう動作改善を行う．特にスクワット姿勢での構えやランニングの接地，シュートの踏込時のフォームの改善を図る．下腿と骨盤の前傾，胸郭挙上を獲得することで重心が前方に位置し，さらに大腿四頭筋とハムストリングスの共収縮に注意することで大腿四頭筋優位の動作が改善される．骨盤前傾のコントロールが困難な例では，椅子やバランスボールを用い，座位での骨盤前傾を誘導してから立ち上がりを行うことでスクワット姿勢の理解が得られることが多い．両脚スクワットが獲得できたらスプリットスクワット，片脚スクワット，片脚ホップと徐々に負荷量を増加させていく（図 29-10）．

5. 運動開始基準

脛骨粗面の成長段階と臨床症状による運動開始基準を示す（図 29-11）．

Cartilaginous stage および apophyseal stage では脛骨粗面はほとんどが軟骨成分で構成されており，特に apophyseal stage では二次骨化中心の成長に伴い力学的に脆弱となっている．そのため，脛骨粗面への伸張ストレスが軽減し，組織修復が得られてから運動開始することが不正像の予防や再発防止に有効である．具体的には，炎症所見（熱感）ありの場合は運動休止，炎症所見なし・運動時痛ありの場合は運動休止，炎症所見なし・運動時痛なし・圧痛ありの場合は運動休止が望ましい．炎症所見・運動時痛・圧痛なしの場合は可及的早期に運動復帰を目指す．

Epiphyseal stage では二次骨化中心が脛骨の骨端と癒合し舌状結節を形成する時期であり，脛骨粗面は力学的に比較的強度になる．そのため圧痛が残存していても動作時の疼痛を基準に運動復帰することで脛骨粗面への伸張ストレスによる組織損傷は増悪しないと考えられる．すなわち，炎症所見（熱感）ありの場合は運動休止，炎症所見なし・運動時痛ありの場合は運動中の負荷が組織治癒に優っていると考えられるため運動休止，炎症所見なし・運動時痛なし・圧痛ありの場合は動作時の疼痛が出現しない範囲での運動は可，炎症所見・運動時痛・圧痛なしの場合は運動復帰を許可する．

Bony stage の場合，脛骨粗面の軟骨成分はすべて骨に置き換えられ，骨端線も閉鎖しているため骨不整の修復は望めない．そのため臨床所見を基準に運動を許可する．すなわち，炎症所見（熱感）ありの場合は炎症が軽減するまでは運動休止，炎症所見なし・運動時痛ありの場合，動作時の疼痛の出現しないレベルでの運動は可，炎症所見なし・運動時痛なしであれば運動を許可する．

D. まとめ

　OSD の病態，発症要因から評価・治療方法について述べた．OSD の治療では大腿四頭筋による伸張ストレスを軽減させることが重要であるが，タイトネスだけでなく膝関節可動性や他関節機能の異常をとらえることで効率的な治療が可能になる．また，スポーツ動作の改善を図ることでも脛骨粗面にかかる伸張ストレスを軽減し，正常な機能の維持や再発予防が可能となる．競技復帰にあたっては，機能や動作だけでなく，脛骨粗面の発育段階を考慮することも重要である．

文　献

1. Antich TJ, Brewster CE: Osgood-schlatter disease: review of literature and physical therapy management. *J Orthop Sports Phys Ther*. 1985; 7: 5-10.
2. de Lucena GL, dos Santos Gomes C, Guerra RO: Prevalence and associated factors of Osgood-Schlatter syndrome in a population-based sample of Brazilian adolescents. *Am J Sports Med*. 2011; 39: 415-20.
3. Ehrenborg G, Engfeldt B: Histologic changes in the Osgood-Schlatter lesion. *Acta Chir Scand*. 1961; 121: 328-37.
4. Hirano A, Fukubayashi T, Ishii T, Ochiai N: Magnetic resonance imaging of Osgood-Schlatter disease: the course of the disease. *Skeletal Radiol*. 2002; 31: 334-42.
5. 平野　篤，福林　徹，石井朝夫：脛骨粗面の発育とオスグッド病の発症について．日本臨床スポーツ医学会誌．2000; 8: 180-4.
6. 池田　浩，黒澤　尚，桜庭景植，太田晴康，金　勝乾：若年スポーツ選手における Osgood-Schlatter 病の発症要因とその対策．日本整形外科スポーツ医学会雑誌．1999; 19: 340-6.
7. 池田　浩，山内裕雄，桜庭景植，金　勝乾：Osgood-Schlatter 病における膝周囲筋筋力．整形・災害外科．1996; 39: 149-53.
8. 河村真史，加賀谷善教，玉置龍也，来住野麻美，持田　尚，鈴川仁人，赤池　敦，清水邦明，青木治人：小学生サッカー選手における Osgood-Schlatter 病の発症要因に関する前向き研究　キック動作の検討．日本臨床スポーツ医学会誌．2012; 20: S153.
9. 古賀良生：成長期のスポーツ障害　整形外科　膝．*Orthopaedics*. 2000; 13: 72-6.
10. Krause BL, Williams JP, Catterall A: Natural history of Osgood-Schlatter disease. *J Pediatr Orthop*. 1990; 10: 65-8.
11. Kujala UM, Kvist M, Heinonen O: Osgood-Schlatter's disease in adolescent athletes. Retrospective study of incidence and duration. *Am J Sports Med*. 1985; 13: 236-41.
12. Lau LL, Mahadev A, Hui JH: Common lower limb sport-related overuse injuries in young athletes. *Ann Acad Med Singapore*. 2008; 37: 315-9.
13. Levine J, Kashyap S: A new conservative treatment of Osgood-Schlatter disease. *Clin Orthop Relat Res*. 1981; (158): 126-8.
14. Mital MA, Matza RA, Cohen J: The so-called unresolved Osgood-Schlatter lesion: a concept based on fifteen surgically treated lesions. *J Bone Joint Surg Am*. 1980; 62: 732-9.
15. Nierenberg G, Falah M, Keren Y, Eidelman M: Surgical treatment of residual Osgood-Schlatter disease in young adults: role of the mobile osseous fragment. *Orthopedics*. 2011; 34: 176.
16. Ogden JA, Southwick WO: Osgood-Schlatter's disease and tibial tuberosity development. *Clin Orthop Relat Res*. 1976; (116): 180-9.
17. Osgood R: Lesions of the tibial tubercle occurring during adolescence. *Boston Med Surg J*. 1903; 148: 114-7.
18. Rosenberg ZS, Kawelblum M, Cheung YY, Beltran J, Lehman WB, Grant AD: Osgood-Schlatter lesion: fracture or tendinitis? Scintigraphic, CT, and MR imaging features. *Radiology*. 1992; 185: 853-8.
19. Ross MD, Villard D: Disability levels of college-aged men with a history of Osgood-Schlatter disease. *J Strength Cond Res*. 2003; 17: 659-63.
20. Sailly M, Whiteley R, Johnson A: Doppler ultrasound and tibial tuberosity maturation status predicts pain in adolescent male athletes with Osgood-Schlatter's disease: a case series with comparison group and clinical interpretation. *Br J Sports Med*. 2013; 47: 93-7.
21. Sarcevic Z: Limited ankle dorsiflexion: a predisposing factor to Morbus Osgood Schlatter? *Knee Surg Sports Traumatol Arthrosc*. 2008; 16: 726-8.
22. 塩田真史，加賀谷善教，持田　尚，玉置龍也，鈴川仁人，関屋　昇，赤池　敦，清水邦明，青木治人：小学生サッカー選手における Osgood-Schlatter 病発症の身体的要因に関する研究．体力科学．2016; 65: 205-12.
23. 鈴木英一：成長期サッカー選手における腰部，膝関節スポーツ障害と体幹，下肢の筋柔軟性，膝周囲筋筋力との関係　腰痛症，Osgood-Schlatter 病との関連を中心に．横浜医学．2001; 52: 101-6.
24. 鈴木英一，齋藤知行，森下　信：Osgood-Schlatter 病の成因と治療・予防　身体特性と成長過程の観点から．臨床スポーツ医学．2006; 23: 1035-43.
25. 高橋佐江子，鈴川仁人，河村真史，坂田　淳，玉置龍也，清水邦明，高田英臣，中嶋寛之：スポーツ医科学センターリハビリテーション科におけるスポーツ損傷の疫学的研究（第 1 報）　スポーツ損傷の全般的統計．日本臨床スポーツ医学会誌．2010; 18: 518-25.
26. 戸島美智生，鳥居　俊：Osgood-Schlatter 病発症者と非発症者との間で骨長増加に対する筋タイトネス変化が異なる．日本臨床スポーツ医学会誌．2011; 19: 473-9.

（塩田　真史）

索 引

【あ行】

圧痛　116
圧縮負荷　93
アライメント
　――大腿脛骨関節　33
　――膝蓋骨　306, 308
　――膝蓋大腿関節　32

遺伝的因子　292

疫学
　――外側側副靱帯損傷　256
　――骨軟骨病変　153
　――内側側副靱帯　253
　――離断性骨軟骨炎　148
炎症症状　291
円板状半月　93

横靱帯　92
横断裂，半月板　122

【か行】

外旋制動機能
　――外側側副靱帯　248
　――内側側副靱帯　244
回旋制動性　230
外旋反張テスト　221
外側滑車傾斜角　4
外側広筋　7
外側膝蓋支帯　5
外側側副靱帯　185, 214, 239, 247, 253
　――外旋制動機能　248
　――剛性　247
　――後方変位制動機能　249
外側側副靱帯損傷　256, 260, 263, 273, 273
　――MRI 検査　265

　――疫学　256
　――画像所見　264
　――重症度分類　263
　――手術療法　274
　――受傷機転　257
　――超音波検査　265
　――治療　268
　――徒手検査　263
　――病態　258
　――保存療法　274
　――内反制動機能　248
　――バイオメカニクス　247
　――破断強度　247
外側変位　313
階段昇降　17
改定 Noyes 分類　157
改定 Outerbridge 分類　157
外反ストレステスト　260
外反制動機能，内側側副靱帯　242
外反不安定性　269
解剖学的異常，半月板　93
顆間溝　4
下肢ストレッチ　42
下腿-足部角度　221
画像所見
　――Osgood-Schlatter 病　322
　――外側側副靱帯損傷　264
　――内側側副靱帯損傷　262
　――離断性骨軟骨炎　166
画像診断
　――Osgood-Schlatter 病　29
　――後外側構成体損傷　222
　――後十字靱帯損傷　216
　――骨軟骨病変　161
片脚スクワット　17
滑液包　284
滑車　4

滑車溝角度　4, 12
滑車溝の深さ　4
滑車面の非対称性　4
合併症としての骨軟骨障害　62
合併損傷，骨軟骨病変　155
可動域
　――術前　291
　――訓練　44
可動域制限　281
　――関節外要因による　281
　――関節内病変による　289
　――測定方法　282
　――治療　286
　――膝関節　281
　――皮膚に由来する　283
関節音響信号分析システム　161
関節音図　160
関節外要因による膝関節可動域制限　281
関節鏡視所見，骨軟骨病変　156
関節症変化　41
関節線維症　289
　――危険因子　290
　――治療　292
　――発生率　289
　――病態生理　290
　――分類　289
　――予防　293
関節内腫脹　14
関節内病変による膝関節可動域制限　289
関節軟骨
　――硬さ　140
　――血管　141
　――構成　141
　――層構造　142
　――損傷　143

索　引

危険因子
　　——関節線維症　290
　　——膝蓋骨再脱臼　32
キネマティクス
　　——膝蓋骨　12, 13, 16
　　——脛骨大腿関節　14
キャスト　37
弓状靱帯　196
弓状靱帯複合体　193
筋の活動開始タイミング　16
筋力低下　300

グレード分類
　　——軟骨損傷　69
　　——離断性骨軟骨炎　69
クローズドキネティックチェーン
　　トレーニング　45

脛骨後方並進量　191
脛骨前方・後方変位制動機能
　246
脛骨粗面　319
　　——移行術　40
　　——形成術　38
　　——前内方移行術　77
　　——発育段階　23
　　——裂離骨折　23, 31, 39
脛骨大腿関節
　　——キネマティクス　14
　　——骨軟骨病変　148, 170
脛骨大腿関節軟骨　139
脛骨内側並進量　193
脛骨軟骨
　　——厚分布　140
　　——接触圧　145
　　——歪み　145
　　——流体圧　145
形質転換成長因子　290

後外側外旋テスト　219, 220
後外側構成体　185, 213
　　——再建　233
後外側構成体損傷　203, 219
　　——画像診断　222

　　——手術適応　222
　　——受傷機転　209
　　——徒手検査　219
　　——治療　226
後外側回旋不安定性　220
後膝蓋上脂肪体　286
後十字靱帯　185, 213
後十字靱帯損傷　203, 302, 308
　　——画像診断　216
　　——重症度分類　218
　　——手術適応　219
　　——受傷機転　206
　　——治療　226
　　——徒手検査　213
　　——発生率　204
剛性
　　——外側側副靱帯　247
　　——内側側副靱帯　241
後内側線維束　186
好発年齢
　　——膝蓋骨疲労骨折　64
　　——分裂膝蓋骨　65
好発部位
　　——膝蓋軟骨軟化症　61
　　——離断性骨軟骨炎　61
後半月大腿靱帯　92
後方落ち込み徴候　216
後方関節包拘縮　297
後方関節包リリース　297
後方制動性　230
後方引き出しテスト　213, 227
後方不安定性　226
後方変位制動機能　249
固液二相性　144
股関節筋力　15
骨軟骨自家移植　73
骨軟骨障害　60
　　——合併症としての　62
　　——膝蓋骨脱臼に合併する　63
　　——発生メカニズム　62
骨軟骨同種移植　77
骨軟骨病変　148, 159
　　——疫学　153
　　——画像診断　161

　　——合併損傷　155
　　——関節鏡視所見　156
　　——脛骨大腿関節の　148, 170
　　——発生部位　154
　　——病態　154
　　——分類　156
骨片切除術　38
コンタクトキネマティクス　94

【さ行】

再建グラフト不全　233
再脱臼率，膝蓋骨脱臼　40
再発率，内側側副靱帯損傷　255
細胞外基質　142

膝蓋下滑液包　285, 294
膝蓋下脂肪体　294, 312, 314
自家基質誘導性軟骨形成　72
自家骨軟骨柱移植術　172
自家軟骨細胞移植　74, 174
自己多血小板血漿療法　273
自然治癒，半月板の　132
持続的関節運動　287
持続的他動運動　170
膝蓋腱　3
　　——再建術　44
　　——サイズ　8
　　——修復術　43
　　——破断強度　8
膝蓋腱断裂　25, 34, 43
　　——治療法　43
膝蓋骨　3
　　——アライメント　306, 308
　　——運動　10
　　——運動異常　306
　　——外側脱臼　24
　　——外側変位　12
　　——キネマティクス　12, 13, 16
　　——傾斜角　5, 11, 12
　　——高位　12
　　——テーピング　46
　　——トラッキング異常　6
　　——トンネル法　43

索　引

──不安定性　315
膝蓋骨-脛骨粗面角度　221
膝蓋骨脱臼　5, 12, 24, 31, 39
　　──合併する骨軟骨障害　62, 63
　　──再脱臼の危険因子　32
　　──再脱臼率　40
　　──手術療法　40
　　──スポーツ復帰　41
　　──素因分析　11
　　──治療法　39
　　──保存療法　40
膝蓋骨疲労骨折　63, 70
　　──競技別発生頻度　64
　　──好発年齢　64
　　──性差　64
　　──治療　82
　　──発生メカニズム　63
　　──分類　64
膝蓋支帯　3
膝蓋上滑液包　285
膝蓋前滑液包　8, 284, 286
膝蓋前滑液包炎　285
膝蓋大腿関節　3, 53, 68
　　──アライメント評価　32
　　──軟骨損傷　69
　　──バイオメカニクス　54
　　──反力　9
　　──不安定性　4, 314
　　──離断性骨軟骨炎　68
膝蓋大腿関節障害　303
　　──治療　72
膝蓋大腿関節痛　56
膝蓋大腿関節痛症候群　9, 12, 15, 26, 45
膝蓋内側滑膜ヒダ　25
膝蓋軟骨軟化症　61, 69
　　──好発部位　61
　　──発生メカニズム　61
膝窩筋腱　193, 214, 233
膝窩筋腱損傷　206
膝窩筋腱複合体　185
膝窩半月線維束　193
膝窩腓骨靱帯　193, 214, 234

若年性離断性骨軟骨炎　179
ジャンパー膝　25
重症度分類
　　──Osgood-Schlatter病　29
　　──外側側副靱帯損傷　263
　　──後十字靱帯損傷　218
　　──内側側副靱帯損傷　260
修正Cincinnati Knee score　171
修復術
　　──内側膝蓋大腿靱帯　40
　　──半月板　97
手術適応
　　──後外側構成体損傷　222
　　──後十字靱帯損傷　219
手術療法
　　──Osgood-Schlatter病　38
　　──外側側副靱帯損傷　274
　　──脛骨粗面裂離骨折　39
　　──膝蓋骨脱臼　40
　　──タナ障害　43
　　──内側側副靱帯損傷　269
受傷機転
　　──外側側副靱帯損傷　257
　　──後外側構成体損傷　209
　　──後十字靱帯損傷　206
　　──内側側副靱帯損傷　254
　　──半月板損傷　111
術前可動域　291
潤滑性タンパク　143
神経筋機能　18
診断
　　──後方関節包拘縮　297
　　──半月板損傷　115
伸張負荷　93
伸展強制テスト　118
伸展制限　281
信頼性　282

スーチャーアンカー法　43
スクリューホーム運動　297
ステロイド注射　42
ストレスX線　217, 262, 264
スポーツ復帰，膝蓋骨脱臼　41

性差
　　──膝蓋骨疲労骨折　64
　　──分裂膝蓋骨　65
正常膝のバイオメカニクス　9
成人型離断性骨軟骨炎　178
静的制動要素　5
静的漸増治療装具　287
接触圧　228
　　──脛骨軟骨の　145
前外側靱帯　239, 249
　　──解剖学　250
　　──バイオメカニクス　250
前外側線維束　186
前膝蓋上脂肪体　285
前十字靱帯損傷　155, 300, 306
　　──再建術　301, 306
　　──に合併する骨軟骨障害　62
前半月大腿靱帯　92

素因分析，膝蓋骨脱臼の　11
装具療法　37, 226
　　──内側側副靱帯損傷　273
足底板　46
測定方法，可動域制限の　282

【た行】

ダイアルテスト　219, 220, 261
退行変性，半月板の　100, 107
大腿脛骨関節のアライメント　33
大腿骨滑車形成術　40
大腿骨滑車溝角度　12
大腿骨前脂肪体　286
大腿骨の軟骨厚分布　140
大腿四頭筋　3, 7
　　──訓練　44
　　──サイズ　8
　　──破断強度　8
　　──自動テスト　216
　　──脂肪体　285
　　──トレーニング　45
大腿四頭筋腱　3, 8
　　──断裂　25, 34
大腿四頭筋腱炎　25, 34
大腿四頭筋断裂　44

331

索　引

──治療　44
大腿直筋　7
タイプ分類, 分裂膝蓋骨　65
脱臼不安感テスト　31
ダッシュボード損傷　206
タナ障害　25, 33, 42
　　──治療法　42
　　──手術療法　43
　　──保存療法　42
短外側靱帯　196
単純X線　10
断裂形態, 半月板の　100

中間広筋　7
中膝動脈　185
注射療法　37
超音波検査
　　──Osgood-Schlatter病　30
　　──Sinding-Larsen-Johansson病　31
　　──外側側副靱帯損傷　265
　　──内側側副靱帯損傷　263
超音波療法, 内側側副靱帯損傷　272
長期固定　291
治療
　　──Osgood-Schlatter病　37, 324
　　──外側側副靱帯損傷　268
　　──可動域制限　286
　　──関節線維症　292
　　──脛骨粗面裂離骨折　39
　　──後外側構成体損傷　226
　　──後方関節包拘縮　297
　　──膝蓋腱断裂　43
　　──膝蓋骨脱臼　39
　　──膝蓋骨疲労骨折　82
　　──大腿四頭筋断裂　44
　　──タナ障害　42
　　──内側側副靱帯損傷　268
　　──軟骨損傷　72
　　──半月板　126
　　──分裂膝蓋骨　83

テーピング　39
動的後方シフトテスト　215
動的制動要素　7
徒手検査
　　──外側側副靱帯損傷　263
　　──後外側構成体損傷　219
　　──後十字靱帯損傷　213
　　──内側側副靱帯損傷　260
　　──半月板損傷　115
トラッキング異常膝蓋骨　6
ドロップジャンプ　17

【な行】
内旋制動機能　245
内側広筋　7
　　──斜走線維　7
　　──斜頭　310
　　──縦走線維　7
内側膝蓋脛骨靱帯　13, 310
内側膝蓋支帯　6, 13
内側膝蓋大腿靱帯　6, 31, 309
　　──修復術　40
内側膝蓋半月靱帯　13, 310
内側側副靱帯　239, 253
　　──疫学　253
　　──外旋制動機能　244
　　──外反制動機能　242
　　──剛性　241
内側側副靱帯損傷　255, 260
　　──MRI検査　263
　　──画像所見　262
　　──再発率　255
　　──重症度分類　260
　　──手術療法　269
　　──受傷機転　254
　　──装具療法　273
　　──超音波検査　263
　　──超音波療法　272
　　──治療　268
　　──徒手検査　260
　　──内旋制動機能　245
　　──バイオメカニクス　241
　　──破断強度　241

──リハビリテーション　272
内側半月板後角付着部　106
内反ストレステスト　222, 263
内反制動機能　248
軟骨
　　──応力集中　144
　　──荷重緩衝性　144
　　──最大変形量　192
　　──細胞　142
　　──潤滑性　143
　　──変性　228
　　──摩擦係数　143
軟骨損傷　146
　　──グレード分類　69
　　──治療　72

ノッチインピンジメント　296

【は行】
バイオメカニクス
　　──外側側副靱帯　247
　　──膝蓋大腿関節　54
　　──正常膝　9
　　──前外側靱帯　250
　　──内側側副靱帯　241
　　──半月板　93
バケツ柄断裂　122
破断強度
　　──外側側副靱帯　247
　　──大腿四頭筋腱　8
　　──内側側副靱帯　241
白血球抗原　292
発生部位
　　──骨軟骨病変　154
　　──離断性骨軟骨炎　150
発生メカニズム
　　──膝蓋軟骨軟化症　61
　　──分裂膝蓋骨　64
　　──離断性骨軟骨炎　60
発生率
　　──関節線維症　289
　　──後十字靱帯損傷　204
　　──膝蓋骨疲労骨折　64
ハムストリングス再建膝　306

索　引

半月大腿靱帯　92
半月板
　　──MRI所見　120
　　──運動　95
　　──解剖学的異常　93
　　──急性単独損傷　100
　　──血行　93
　　──コラーゲン線維の配列　91
　　──自然治癒　132
　　──神経分布　93
　　──診断・評価　115
　　──切除モデル　145
　　──前十字靱帯損傷併発　100, 103
　　──退行変性　100, 107
　　──断裂形態　100
　　──中心領域　91
　　──治療　126
　　──バイオメカニクス　93
　　──付着部とサイズ　92
　　──辺縁領域　91, 97
　　──無血管領域　97
半月板損傷　91, 155, 303
　　──受傷メカニズム　111
　　──診断のための徒手検査　115
　　──分類　100
　　──保存療法　131
反復性膝蓋骨脱臼　9, 15

皮下膝蓋下滑液包　285
膝外転モーメント　18
膝関節
　　──外旋制動性　198
　　──可動域制限　281, 289
　　──前方安定性　96
　　──脱臼　290
　　──不安定性　255
　　──軟骨厚　139
膝機能スコア　234
膝くずれ　207
膝伸展エクササイズ　42
膝伸展機構　3
膝前部痛　285

歪み，脛骨軟骨の　145
皮膚に由来する可動域制限　283
評価
　　──Osgood-Schlatter病　321
　　──半月板損傷　115
病態
　　──Osgood-Schlatter病　319
　　──外側側副靱帯損傷　258
　　──骨軟骨病変　154
　　──離断性骨軟骨炎　149
病態生理，関節線維症の　290

ファベラ腓骨靱帯　196
不安定型離断性骨軟骨炎　178
不安定性，膝蓋大腿関節の　4
フィードバック系制御　16
フィードフォワード系制御　15
複合靱帯再建膝　290
複合靱帯損傷　269
ブレース　37, 46
分類
　　──関節線維症　289
　　──骨軟骨病変　156
　　──膝蓋骨疲労骨折　64
　　──半月板損傷　100
　　──離断性骨軟骨炎　150
分裂膝蓋骨　64, 70
　　──好発年齢　65
　　──性差　65
　　──タイプ分類　65
　　──治療　83
　　──発生メカニズム　64
辺縁領域，半月板の　97
変形性膝関節症　159

包括的MRI評価法　164
縫合方法　284
保存療法
　　──Osgood-Schlatter病　37
　　──外側側副靱帯損傷　274
　　──脛骨粗面裂離骨折　39
　　──後十字靱帯単独損傷に対する　226
　　──膝蓋骨脱臼　40

　　──タナ障害　42
　　──半月板損傷　131
骨付き膝蓋腱再建　306

【ま行】
マイクロフラクチャー　72, 170

ミラーフィードバック　45

無血管領域，再生半月板の　97

【や行】
遊離型離断性骨軟骨炎　178

予防，関節線維症の　293

【ら行】
ランニング　17

離断性骨軟骨炎　60, 148, 159, 164, 177
　　──疫学　148
　　──画像所見　166
　　──グレード分類　69
　　──好発部位　61
　　──若年性　179
　　──成人型　178
　　──発生部位　150
　　──発生メカニズム　60
　　──病態　149
　　──不安定型　178
　　──分類　150
　　──遊離型　178
リバースピボットシフトサイン　215, 222
リバースピボットシフトテスト　215
リハビリテーション
　　──Osgood-Schlatter病　323
　　──内側側副靱帯損傷　272
　　──半月板の術後　130
流体圧，脛骨軟骨の　145
流体圧変化　144

索　引

ロッキング　115

【欧文】

Ahlbackの分類　231
anterior cruciate ligament（ACL）→前十字靱帯をみよ
anterior interval scar　293
anterior knee pain（AKP）　285
anterolateral ligament（ALL）→前外側靱帯をみよ
anteromedialization（AMZ）　77
Apley test　116
apprehension test　31
arthrofibrosis　289
autologous chondrocyte implantation（ACI）　74, 174
axial loaded pivot shift test　118

Bassett sign　32
Berndt and Harty 分類　152
bisect offset　11, 53

Cahill and Bergの分類　150, 151
Caton-Deschamps ratio　11, 32
Cincinnati rating scale　173
CKCトレーニング　45
Clarke sign　69
congruence angle　307
continuous passive motion（CPM）　170
cyclops lesion　295
cyclops syndrome　295

deep medial collateral ligament（dMCL）　240, 256, 271
Dejour 分類　32
delayed gadolinium enhanced magnetic resonance imaging of cartilage（dGEMRIC）　163
double-bundle 再建　229
dynamic posterior shift test　215

Ege test　117
external rotation recurvatum test　221

femoro-patellar angle　308
flexion contracture sign　283

gravity sag view　216
Guhl 分類　159

Hardingの分類　151
heel height difference（HHD）　282
Heftiの分類　152
HLA（human leukocyte antigen）　292
Hoffaテスト　294
hoop strain　94
Hughston score　173
Humphry 靱帯　92

ICRS 分類　156, 159
ICRS OCD 分類　153, 159
ICRS score　171
in situ force　187
Insall-Salvati index（ratio）　11, 32, 53, 307, 312
International Cartilage Repair Society（ICRS）　69, 159
joint acoustic analysis system（JAAS）　161
joint line fullness test　119

Khon Kaen University（KKU）圧迫回旋テスト　118
Kneeling法　217
Kujala knee score　38

lateral collateral ligament（LCL）→外側側副靱帯をみよ
lateral patellar tilt angle　53

lateral patellofemoral angle　307
Litchman の分類　151
Lysholm score　38, 126, 171, 268

matrix-assosiated ACI　175
matrix-induced ACI　175
McMurray test　116
medial collateral ligament（MCL）→内側側副靱帯をみよ
medial patellofemoral ligament（MPFL）→内側膝蓋大腿靱帯をみよ
medial patellomeniscal ligament（MPML）→内側膝蓋半月靱帯をみよ
medial patellotibial ligament（MPTL）→内側膝蓋脛骨靱帯をみよ
microfracture（MFX）　72, 170
moving patella apprehension test　32
MR observation of cartilage repair tissue（MOCART）　164
MRI　10
　――Osgood-Schlatter病　30
　――外側側副靱帯損傷　265
　――内側側副靱帯損傷　263

Nelson 分類　152
Noyes 分類　156, 157, 159

Ogden 分類　39
Osgood-Schlatter病（OSD）　22, 29, 37, 319
　――MRI　30
　――X線異常所見　29
　――画像所見　29, 322
　――重症度分類　29
　――手術療法　38
　――超音波　30
　――治療　37, 324

──発症要因　320
　　　──評価　321
　　　──病態　319
　　　──保存療法　37
　　　──リハビリテーション　323
osteochondral allograft（OCA）77
osteochondral autograft transfer（OAT）　73
osteochondral autologous transplantation（OAT）　172
osteochondritis dissecans（OCD）→ 離断性骨軟骨炎をみよ
Outerbridge 分類　156, 159

patella femoral pain（PFP）　303
patella shift　308
patella-tubercle angle（PTA）221
patellar height　308
patellar length ratio　56
patellofemoral pain syndrome（PFPS）　9, 12, 15, 26, 45
PF angle　312
popliteofibular ligament（PFL）193, 214, 234
popliteus tendon（PT）→ 膝窩筋腱をみよ
posterior cruciate ligament（PCL）→ 後十字靱帯をみよ
posterior drawer test　213, 227
posterior horn attachment（PHA）　106
posterior oblique ligament（POL）　240
posterior sag sign　216

posterolateral external rotation test　219, 220
posterolateral ligamentous complex（PLC）→ 後外側構成体をみよ
PRP 療法　273

Q angle　315
quadriceps active test　216

rectus femoris（RF）　7
red-red zone　97, 126
red-white zone　126
reversed pivot shift sign　215
root tear　108, 126

Sakakibara の分類　33
SF-36　171
Sinding-Larsen-Johansson 病　23, 38
　　　──X 線　31
　　　──超音波　31
single-bundle 再建　229
sleeve 骨折　31
sulcus angle　11, 53, 312
sulcus depth　313
superficial medial collateral ligament（sMCL）　240, 255, 271
Swain テスト　262

T1ρ（ロー）マッピング　163
T2 マッピング　163
Tegner スコア　231
Telos stress 法　217
Thessaly test　117

thigh-foot angle（TFA）　221
tibial inlay 法　229
tibial tuberosity-trochlear groove distance（TT-TG）5, 33, 313
tilt angle　308
transforming growth factor-β（TGF-β）　290
transtibial 法　229

valgus collapse　105
varus stress test　222, 263
vastus intermedius（VI）　7
vastus lateralis（VL）　7
vastus medialis（VM）　7
vastus medialis longus（VML）7
vastus medialis obliquus（VMO）　7, 310
vibroarthrography（VAG）　160

white-white 領域　97
Wiberg 分類　11
Wilson 徴候　160, 165
WOMAC　171
Wrisberg 靱帯　92

X 線検査　10
　　　──Osgood-Schlatter 病患者　29
　　　──Sinding-Larsen-Johansson 病　31
　　　──ストレス X 線検査　217, 262, 264

Sports Physical Therapy Seminar Series⑩
膝関節疾患のリハビリテーションの科学的基礎

(検印省略)

2016年9月10日 第1版 第1刷

監修	福林　　徹
	金岡　恒治
	蒲田　和芳
編集	玉置　龍也
	永野　康治
	鈴川　仁人
	加賀谷善教
	吉田　昌弘
	渡邊　裕之
	小林　　匠
発行者	長島　宏之
発行所	有限会社　ナップ

〒111-0056　東京都台東区小島 1-7-13　NKビル
TEL 03-5820-7522／FAX 03-5820-7523
ホームページ http://www.nap-ltd.co.jp/
印刷　シナノ印刷株式会社

© 2016　Printed in Japan　　　　　　　　　　　ISBN978-4-905168-44-7

JCOPY 〈(社) 出版者著作権管理機構 委託出版物〉
本書の無断複写は著作権法上での例外を除き禁じられています。複写される場合は，そのつど事前に，(社) 出版者著作権管理機構（電話 03-3513-6969, FAX 03-3513-6979, e-mail: info@jcopy.or.jp）の許諾を得てください。